BEITRÄGE
ZUR LITERATUR
DES XV. BIS XVIII.
JAHRHUNDERTS

BAND I

Le Soleil des ALMANS
l'illustre ZESEN, er
sous l'ombre de ces traicts
De son Esprit divin,
C. v. Hagen del in.

leur VARRO, leur HOMER,
de guise sa lumiere
Mais veux tu voir l'esclat
voyez son ASSENAT.
Anne Margarete de Schurman.

PHILIPP VON ZESEN 1619–1969

BEITRÄGE ZU SEINEM LEBEN UND WERK

HERAUSGEGEBEN VON

FERDINAND VAN INGEN

FRANZ STEINER VERLAG GMBH · WIESBADEN · GERMANY

PHILIPP VON ZESEN 1619—1969

BEITRÄGE ZUR LITERATUR DES XV. BIS XVIII. JAHRHUNDERTS

HERAUSGEGEBEN VON

HANS-GERT ROLOFF

BAND I

FRANZ STEINER VERLAG GMBH · WIESBADEN
1972

PHILIPP VON ZESEN
1619—1969

BEITRÄGE ZU SEINEM LEBEN UND WERK

HERAUSGEGEBEN VON

FERDINAND VAN INGEN

MIT 21 ABBILDUNGEN

FRANZ STEINER VERLAG GMBH · WIESBADEN
1972

INHALTSVERZEICHNIS

Ferdinand van Ingen

PHILIPP VON ZESEN UND DIE FORSCHUNG

Du solt meines Nahmens Lob in die hohen Wolcken bauen
Stets zu schauen/
Mein Gedächtnüß wird bestehn/
Wo die Sterne gehn
und unsterblich auch verbleiben
und bekleiben/
Nur dier/Neid/zu Trotz und Hohn:
Wohl demselben! der den Lohn/
Der da trotzt die hohen Sinnen/
Kann mit Ehr und Ruhm gewinnen.
(Zesen, *FrühlingsLust*, V, Nr. II, Str. 6)

Man pflegt auch in der Literaturgeschichte zu bestimmten Zeiten jener Männer zu gedenken, die in ihrer Zeit eine bedeutende Rolle gespielt haben. Und so bildet die 350. Wiederkehr von Zesens Geburtstag am 8. Oktober 1969 den äußeren Anlaß für die Zusammenstellung dieser Gedenkschrift. Das Datum ist im übrigen ohne Feiern und Festvorträge vorbeigegangen. Zesen selber hätte sicher ein anderes, symbolisches Datum, und zwar den 1. Mai für den Gedenktag ausersehen, und so geschieht es denn auch, sei es auch etwas verspätet und mit einer Sammlung von Forschungsbeiträgen statt Gratulationsgedichten, die er zeitlebens in großer Zahl zu empfangen pflegte. Aber man wird dann doch zumindest an dieser repräsentativen Stelle einen Panegyrikus erwarten dürfen, der den Dichter gegen seine „Neider" in Schutz nimmt und seine Verdienste um die deutsche Sprache und Literatur gebührend und in wohlgesetzten Worten zu würdigen weiß? — Wenn der Herausgeber und die Autoren des vorliegenden Bandes darauf verzichten, die Gedenkschrift mit einer umfassenden Würdigung „ihres" Dichters zu eröffnen, hat das seinen Grund nicht etwa darin, daß sich keine Worte des Lobes finden ließen. Der Grund ist vielmehr ein durchaus nüchterner und sachlicher, nämlich die Erkenntnis, daß der Dichter sich mit seinem Werk zu legitimieren habe. Und gerade damit, mit der Erforschung von Zesens Werken als Kunstschöpfungen aus einer Zeit, die ihre eigenen ästhetischen Vorstellungen und Gesetze hatte und deren künstlerische Maßstäbe sich allmählich deutlicher abzeichnen, hat man eben erst begonnen. Außerdem sind in der heutigen Forschung Aspekte in den Vordergrund gerückt, die die barocke Literatur und ihre Verfasser in einem neuen Licht erscheinen lassen. Es sind gerade diejenigen Werke des Dichters, die man bisher entweder gar nicht oder nur oberflächlich bzw. von einem unangemessenen Standpunkt in die wissenschaftliche Betrachtung von Zesens

Werk einbezogen hat, die sich immer mehr als von geradezu eminenter Bedeutung erweisen, wo es darum geht, Zesens literarhistorische Stellung zu umreißen und seine Leistung wie sein Fehlen in größtmöglicher Objektivität darzustellen. Das *Gesamtwerk* erst, das die breite Skala der literarischen Interessen der Zeit in eindrucksvoller Weise sichtbar werden läßt, macht eine kritische Würdigung möglich. Allzu lange pflegte die Forschung ihr Urteil über Zesen auf *einem* Werk des Dichters zu basieren. Läßt man die verschiedenen Meinungen Revue passieren, ergibt sich ein ebenso aufschlußreiches wie verwirrendes Bild.

Philipp von Zesen gehört zu den seltenen Dichtergestalten, die trotz eines umfangreichen, vielseitigen Oeuvres ihren bleibenden Platz in der Literaturgeschichte einem einzelnen Werk verdanken. Zesen dürfte davon selber schwer enttäuscht gewesen sein, weil er wahrscheinlich anderes für wesentlicher gehalten hat, weil er sich durch ganz andere Elemente seines Schaffens einen unsterblichen Namen gesichert zu haben glaubte. Aber so unverwelklich war der Lorbeerkranz, den die Dichter des 17. Jahrhunderts ziemlich rasch erlangten, doch wieder nicht, daß er in späteren Zeiten bleibend zu imponieren vermochte. Und so laut die Poeten ihren eigenen Ruhm verkünden mochten, die Töne waren verklungen, bevor sie sich zum Nachruhm hätten verdichten können. Wäre Zesen nicht der Dichter der *Adriatischen Rosemund* gewesen, hätte erst unser Jahrhundert, das dem Barock günstiger gesinnt ist, als es frühere Zeiten (18./19. Jahrhundert) in der Regel waren, ihn ausgegraben und ihn, vom Staub der Jahrhunderte befreit, der Forschung als eine interessante Neuentdeckung präsentiert. Das bedeutet nun andererseits wieder nicht, daß die Rosemund-Geschichte immer positiv beurteilt wurde, im Gegenteil. Bereits gegen Ende des Barockzeitalters konnte man für Zesens Gestaltungsweise des Stoffes kein Verständnis mehr aufbringen. Erst recht wurde ihm später die fehlende seelische Durchdringung des Stoffes angelastet. So sagt z. B. Gervinus, der in den Jahren 1835—42 eine fünfbändige *Geschichte der poetischen Nationaldichtung der Deutschen* vorlegte: „Sein Inhalt ist nichts, als eine Trennung zweier Liebenden [...], ein Mißverständnis und aufkeimende Eifersucht der Rosamund [...]. — man darf aber nichts von irgend einer erotischen Wärme darin suchen, es sei denn in den etwas starken Farben, die die Rosamund in ein übermenschliches Licht stellen sollen."[1] Es dürfte deshalb vielleicht gar nicht an erster Stelle sein dichterisches Können sein, wodurch der Dichter der *Adriatischen Rosemund* fortlebte, sondern gerade das Schrullige und Kauzige, das man an ihm und an den sprachlichen Eigenheiten eben dieses Werkes fand. Lehrreich ist das Porträt, das der rührige Übersetzer antiker Dichtungen, der spätere Hofmeister in russischen Diensten Karl August Küttner in seinen *Charakteren teutscher Dichter und Prosaisten. Von Kaiser Karl, dem Großen, bis aufs Jahr 1780* von ihm entwarf:

> „Das Andenken dieses fruchtbaren Schriftstellers, der einen Haufen kritischer, moralischer, poetischer und satirischer Werke mit bewundernswürdiger Leichtigkeit zusammenschrieb, der eine schöngeisterische Verbrüderung, unter dem Namen der

---

[1] Zitiert nach der 5. Auflage, die von K. Bartsch herausgegeben wurde und den Titel trägt: *Geschichte der Deutschen Dichtung*, III. Band, Leipzig, 1872, S. 505/506.

teutschgesinneten Genossenschaft, stiftete, und zu seiner Zeit unerhörte Neuerungen in der teutschen Orthographie wagte, verdient aus mancherley Ursachen beybehalten zu werden. [...] Seine theoretischen Schriften über teutsche Dichtkunst sind so sonderbar elend, als seine Poesien. Wer mag den Klingklang aller der geistlosen Riegelgedichte, Dattel- und Palmenreime mit Geduld aushalten! wer in seinen Romanen die lächerlichen Sprünge seiner erhitzten Einbildungskraft ohne Bedauern ansehen! wer an den ekelhaften Tändeleyen seiner ernsthaften Verse Geschmack finden! [...] bey aller Erfindungskraft seines wunderbaren Geistes [...] hat er sich auf dem teutschen Parnaß blos in die Reihe derjenigen eingedrängt, die mit dem Namen der Verderber des guten Geschmacks, andern zur Warnung, auf immer bezeichnet sind."[2]

Allerdings bescheinigt fast hundert Jahre später Wilhelm Scherer Zesen feines Stilgefühl: „. . . nirgends läßt er es an Vertiefung in die Sache fehlen; immer ist seine Sprache gefeilt, sein Stil nach bestem Vermögen durchgebildet." Mit seiner Rosemund-Geschichte habe er versucht, „das bürgerliche Privatleben in eine höhere Sphäre des Gefühls und der Bildung zu erheben."[3] Scherers Zeitgenosse Leo Cholevius war wohl der erste, der, wenn auch mit einiger Reserve, die Sonderstellung des Buches scharf umriß und das Lob seines Dichters laut zu singen wagte: „Zesen schreibt die innere Geschichte eines Herzens, das mancherlei Phasen der Liebe, die Sehnsucht, die Eifersucht, den frohen Genuß des Augenblicks, den Schmerz über eine getäuschte Hoffnung durchempfindet, bis es sich in tragischer Schwermuth aufzehrt. Zesen hat dies Seelenleben mit Wärme und Innigkeit aufgefaßt, ja indem das lyrische Pathos nicht selten unverhüllt hervorbricht, geht die Erzählung in wirkliche Gedichte über. Vieles ist freilich tändelnd, übertrieben, unverständig. Die Poesie selbst ließ ihn nicht zur Überlegung kommen, sie entfremdete ihn der wirklichen Welt und er dichtete in einer selbstvergessenen Trunkenheit des Gefühls und der Phantasie. So sind auch Markhold und Rosemund ein phantastisches, dabei aber ein reines und hochgestimmtes Paar, wie es bis dahin kein deutscher Dichter aufgestellt."[4] Herbert Cysarz, einer der wichtigsten Initiatoren der Barockforschung des 20. Jahrhunderts, ein Gelehrter, der mehr intuitiv-schauend als objektiv-wägend zu verfahren pflegte, hat die lautesten Töne gefunden, Zesens Lob zu singen, so daß unser Dichter, wenn auch mit einiger Verspätung, schließlich doch noch den Gipfel des Parnaß erreicht zu haben scheint: „. . . Zesen, der ein Leben einer Sache weiht, die damals fast noch niemands Sache war, verdient den Lorbeer des Befreiers, zum Mindesten des Freiheitskämpfers. Er wieder ist seinem Erlebnis voll und ganz gewidmet, mag es ihn oft auch trüb, vermischt, vielspältig überfallen, mag er zumeist nicht einmal als Lebenskünstler es zu meistern die Reinheit und Größe haben. Die Hingabe vollzieht sich noch mehr in sentimentaler Reflexion als in naivem Gestalten. Er ist, ob er nun Mädchen hofiert oder Verskunst doziert oder Festreden zelebriert, jeden Augenblick von unmittelbarer Empfindung geschwellt, doch er erliegt ihr immer wieder, ohne ihrer formend oder umformend Herr zu werden, kindlich und

---

[2] Band I, Berlin 1781, S. 164—166.
[3] *Geschichte der deutschen Literatur*, 1879 ff., in der 13. Auflage, besorgt von Edward Schröder, Berlin 1915, S. 323 und 362.
[4] *Die bedeutendsten deutschen Romane des siebzehnten Jahrhunderts. Ein Beitrag zur Geschichte der deutschen Literatur* (Leipzig 1866), reprografischer Nachdruck Darmstadt 1965, S. 67.

arglos. Ein früher Lenz mit mehr passiver Note . . ."[5] — Ein literarhistorischer
Lebenslauf nach aufsteigender Linie also? So könnte es scheinen. Aber Emil Er-
matinger, dessen *Barock und Rokoko in der deutschen Dichtung* zwei Jahre nach
Cysarz' Darstellung veröffentlicht wurde, dämpft die allzu große Begeisterung
beträchtlich. Hier heißt es: „In seiner ‚Adriatischen Rosemund' (1645) malt Philipp von Zesen die physiologischen Wirkungen von Affektzuständen in einer ge-
flissentlichen Aufdringlichkeit aus, die manchmal lächerlich wirken." Für diesen
Mangel sei die „Rationalität der Zeitpsychologie" verantwortlich zu machen:
„ . . .diese Menschen sind innerlich viel zu steif und starr, als daß sie uns zu er-
greifen vermöchten. Wo sie seelisch bewegt scheinen, vermögen sie die Leidenschaft nicht im lebendigen Wort sprachlich zu formen; ihre Sprache wird Stilge-
bärde, heroisches Pathos, Deklamation."[6] Auch da, wo in späteren Jahren, bei zu-
nehmender Kenntnis der Barockdichtung, Zesens Leistung gewürdigt wird, mischt
sich meist ein kritischer Ton in die Worte des Anerkennens. So etwa bei Günther
Müller: „Als Zeugnis für seelische Verfeinerungen und Besonderungen ist das
Werk bedeutsam, und es spricht für Zesens spürige Kunst, wie er hier auch im
Aufbau des Ganzen den gleitenden und verschwimmenden Übergängen gerecht zu
werden vermochte. Aber die Weltweite des deutschen Barock konnte auf diese
Weise nicht zu dichterischer Gestaltung gebracht werden."[7] — Dem einen ist die
Adriatische Rosemund nicht „barock" genug, dem anderen ist sie nicht „modern"
genug im Sinne einer psychologischen Darstellung. Sogar bei solchen Forschern,
die als hervorragende Kenner der Barockliteratur angesehen werden müssen, läßt
sich dieses Schwanken zwischen literarhistorischer Anerkennung und etwas naiv
anmutender Kritik aufgrund von Maßstäben, die deutlich der Goethezeit entnommen sind, immer wieder beobachten. Sie scheinen mehr darauf zu sehen, was das
Werk sein *soll*, als auf das, was es sein *will*. Willi Flemming z. B. läßt Zesens Verdienst, mit der Rosemund-Geschichte den „ersten deutschen Roman" geschaffen
zu haben, durchaus gelten, kommt dann aber zu dem bezeichnenden Schluß:
„Doch verläuft sich die Versprachlichung ins zeremoniös Rhetorische, in spieleri-
schen Genuß schöner Redefiguren. Anstatt das Seelenschicksal der verlassenen
Rosemund darzustellen, schiebt Zesen die Rechtfertigung von Markhold [. . .]
davor, der durch seine protestantische Glaubenstreue moralisch gehoben
wird . . ."[8] Und Richard Newald nimmt den Gedanken von Cholevius wieder
auf, daß der Dichter „die Rosemundgeschichte im Geiste, mehr in seiner Phantasie als in der Wirklichkeit" erlebt habe. Auch er stolpert jedoch über das Problem
der moralischen Rechtfertigung des Helden, wenn er sich in seiner Kritik auch
merklich zurückhält: „Der tragische Ausgang steht von vornherein fest. Das
Neue in diesem Roman ist die Bemühung um eine lebenswahre Darstellung. Nun
meldet sich ein Widerspruch gegen die vorgeschriebenen Gesten, Formeln und Ge-

---

[5] *Deutsche Barockdichtung*, Leipzig 1924, S. 59.
[6] *Barock und Rokoko in der deutschen Dichtung*, Leipzig/Berlin 1926, S. 54 und 55.
[7] *Geschichte der deutschen Seele. Vom Faustbuch zu Goethes Faust*, Freiburg/Br.
1939, S. 103.
[8] *Das Jahrhundert des Barock 1600—1700*, in: Annalen der deutschen Literatur, hsg.
von H. O. Burger, Stuttgart 1952, S. 355.

setzte der Etikette zu Wort. Von einem Aufbäumen dagegen oder gar einem festen trotzigen Widerstand ist nichts zu bemerken. Die Frage nach dem sittlichen Wert bleibt offen, aber das Mitleid führt zum Verstehen der Vorgänge." Dennoch unterläßt Newald es nicht, die Bemerkung hinzuzufügen: „Vom stoischen Korsett seines Jahrhunderts und von der Rhetorik vermochten sich weder Zesen noch seine Gestalten freizumachen."[9] Bedeutet das nicht, daß man trotz des deutlich vorhandenen Verständnisses für die Zeit und ihre literarischen Probleme im Grunde doch nicht über Hans Körnchens Ansicht hinausgelangt ist, daß der „vorzüglich gewählte Vorwurf durch die Art der Behandlung aufs empfindlichste geschädigt" werde: „So wie Zesen den Stoff in Angriff nahm, war er überhaupt nicht zur Behandlung in einem Roman geeignet."?[10]

Zesen und seine *Adriatische Rosemund* bildeten seit eh und je ein Ganzes in der Forschung; Kritik an seinem Buch fiel unweigerlich auf seine Person zurück und bestimmte damit entscheidend das Zesen-Bild der Forschung. Wen überrascht es, daß es da ebenso viele Zesen-Bilder gibt, wie es Interpretationen der Rosemund-Geschichte gibt? Und wenn L. Forster Zesen „a notable snob" nennt, der es liebte, „to give an impression of intimacy with the great"[11], landet man doch eigentlich wieder bei Rists bekannt-berüchtigtem Wort vom „Junker Sausewind". Dem steht aber die liebevolle Charakteristik von Waltraut Kettler gegenüber: „Weich und weltfremd, frauenhold und fromm, fein und vielseitig ist er der Dichter seelischer Eigenart. [...] Eine grübelnde Schwermut ist in Zesens Suchernatur. Tiefes Gefühl und heiliger Ernst tragen den überspannten Kopf in seinem Streben. Er ist der ruhelos wandernde, nirgends heimatfindende Weltmann und Asket in einer Person."[12]

Wo stehen wir heute? Angesichts der oben geschilderten Sachlage dürfte eines klar geworden sein: Bescheidung tut Not! Keine Festreden also, aber auch keine vorschnellen Urteile. Die vorliegende Gedenkschrift hat sich ein bescheidenes Ziel gesteckt: Die Erkenntnisse der neueren Barockforschung für das Studium von Zesens Werk nutzbar zu machen und neues Material zur Person des Dichters und der Geschichte seines Kreises vorzustellen. Deshalb verstehen sich die meisten Beiträge dieses Bandes eher als Vorarbeiten denn als endgültige Ergebnisse: Sie wollen zu weiteren Forschungen anregen, die sowohl der Person wie dem Werk des Dichters Zesen gerecht werden, als auch zum besseren Verständnis der Barockliteratur überhaupt beitragen. Dementsprechend soll in dieser Einleitung kein vollständiger, die ganze bisherige Zesenforschung berücksichtigender Bericht geboten werden. Vielmehr werden nur solche Probleme behandelt, die man als Aufgaben einer künftigen Zesenforschung betrachten möge.

[9] *Die deutsche Literatur vom Späthumanismus zur Empfindsamkeit 1570—1750* (Geschichte der deutschen Literatur von den Anfängen bis zur Gegenwart von H. de Boor und R. Newald, Bd. V), München ²1957, S. 230.

[10] *Zesens Romane. Ein Beitrag zur Geschichte des Romans im 17. Jahrhundert.* Berlin 1912 (Palaestra CXV), S. 83/84.

[11] Leonard Forster: *Philipp von Zesen, Johann Heinrich Ott, John Dury, and Others,* The Slavonic and East European Review XXXII (1954/54), S. 475—485 (hier: S. 477).

[12] *Philipp von Zesen und die barocke Empfindsamkeit,* Diss. Wien 1948 (masch.), S. 16 und 22.

An das Vorhergehende anknüpfend, stellt sich die Frage nach der Beurteilung, die Zesen durch die Zeitgenossen erfuhr. Mollers *Cimbria Literata* (1744, II, S. 1023—1034) ist noch immer eine unausgeschöpfte Fundgrube, die gerade auch für die zeitgenössische Beurteilung eine bisher unübertroffene Materialsammlung enthält. Es ist hier nicht der Ort, die dort verzeichnete Literatur auszuwerten; vielmehr soll hier auf bei Moller fehlendes Material hingewiesen und in groben Linien das Urteil von Männern skizziert werden, die dem Dichter nahestanden oder sogar einmal mit ihm befreundet waren. Denn gerade ihr eigentümliches Schwanken zwischen Anerkennung und Ablehnung ist für das Zesen-Bild des 17. Jahrhunderts charakteristisch. — Während Buchner sich für Zesen einsetzte und dessen allzu gewagte Neuerungsvorschläge mit dem Hinweis auf die ehrsüchtige Jugend entschuldigte[13], ist die Haltung der Nürnberger weniger durchsichtig. Bei den Mitgliedern des „Pegnesischen Blumenordens" stand Zesens Name nicht hoch im Kurs.[14] Das ist um so merkwürdiger, als bekannte Mitglieder der Nürnberger Sprachgesellschaft (unter ihnen Harsdörffer, Klaj und Birken) zugleich Mitglied von Zesens „Deutschgesinneter Genossenschaft" waren. Harsdörffer hat Zesen sogar selber um die Aufnahme ersucht[15] — sie erfolgte 1644 — und hat folgende Männer als neue Mitglieder vorgeschlagen: Wenzel Scherffer von Scherffenstein, Jes. Rompler von Löwenhalt, Joh. Klaj, Sam. Hund und Sigm. Birken.[16] Aber in einem Brief vom 2. April 1653 an Georg Neumark schreckte er nicht davor zurück, Zesen zu verlästern,[17] obwohl er 1656 für Zesens *Moralia Horatiana* wieder ein Gratulationsgedicht beisteuerte. Diese Unsicherheit in der Beurteilung des bald gelobten, bald kritisierten Dichterkollegen setzt schon früh ein. Georg Conrad Osthof, das unbedeutende Mitglied des Nürnberger Blumenordens — er bewarb sich 1645 erfolglos um Aufnahme in die Fruchtbringende Gesellschaft —, gehörte seit 1644 Zesens Genossenschaft an, läßt sich jedoch bereits 1648 gegenüber Harsdörffer nicht gerade schmeichelhaft über Zesen aus und fügt hinzu: „Ich achte Mich seiner freundschaft gantz nicht Mehr..."[18] Lehrreich für die grassierende Anti-Zesen-Stimmung unter den Nürnbergern ist Kempes Brief vom 21. VI. 1670 an Birken[19]; Zesen habe ihm erzählt, daß Harsdörffer schon 1644 der Genossenschaft beigetreten sei: „als ich mich darüber verwunderte, bracht er Mir unterschiedliche Schreiben von Ihme für Gesichte, welche über die maßen freundlich gestellet waren . . ." Kempe hatte allen Grund, sich

---

[13] *Bellinsche Sammlung* (1647), Nr. 18: „. . . Dan selbige so kützlich als mutig ist/und sucht derohalben gerne was neues/ihr einen nahmen zu machen . . ."

[14] Das ist den Briefen zu entnehmen, die sich heute im Archiv des Pegnesischen Blumenordens im Germanischen Nationalmuseum zu Nürnberg befinden. Sie sind abgedruckt bei Klaus Kaczerowsky: *Bürgerliche Romankunst im Zeitalter des Barock. Philipp von Zesens „Adriatische Rosemund"*, München 1969, Anhang.

[15] Das geht aus dem Schreiben Martin Kempes vom 21. VI. 1670 an Birken hervor (bei Kaczerowsky S. 187 f.). Harsdörffers Brief hat sich leider nicht erhalten.

[16] Harsdörffer an Zesen, 23. XII. 1644, abgedruckt bei Karl Dissel: *Philipp von Zesen und die Deutschgesinnte Genossenschaft*, Programm-Schrift Hamburg 1890, S. 55 ff.

[17] Abgedruckt bei Hoffmann von Fallersleben: *Findlinge* I, 1860, S. 67.

[18] Brief vom 31. I. 1648, bei Kaczerowsky S. 187.

[19] Vgl. Anm. 15.

darüber zu wundern, denn in seiner eigenen lyrischen Lobrede von der deutschen Poeterei[20], die einen nahezu vollständigen Katalog von Dichtern und Dichterinnen seiner Zeit enthält, ist lediglich ein Hinweis auf Zesens *Coelum Astronomico-Poeticum* enthalten. Das mag ein Einzelfall sein, möglicherweise durch die Ehrfurcht des Verfassers vor Johann Rist bedingt[21], aber er ist immerhin bezeichnend genug. — Zesen trat sicher nicht immer taktvoll auf, er wird auch häufig stolz und eigensinnig genannt. Es ist auffällig, daß schon Zesens Lehrer Gueintz, der nichts getan hat, um seine Aufnahme in die Fruchtbringende Gesellschaft zu befürworten, sogar dann noch, als Ludwig von Anhalt-Köthen schließlich Zesens Drängen nachgegeben hatte, seinen ehemaligen Schüler beim Fürsten verdächtigte: „... Ist sonsten, ohne verkleinerung Zu gedenken, Ehrgierig und Hochsinnig auch frauenholdig."[22] Als es schließlich zum fast offenen Bruch mit den Fruchtbringenden gekommen war[23], erachtete Rist, zu dem Zesen anfänglich freundschaftliche Beziehungen unterhielt, die Zeit für reif, den Rivalen öffentlich anzugreifen.[24] Zunächst waren seine Sticheleien nur Eingeweihten deutlich, aber im *Friedejauchzenden Teutschland* (1653) sind die Anspielungen so leicht durchschaubar, daß keiner an der Identität des Junkers Sausewind zweifeln konnte. Für die Zesen-Forschung sind sie außerdem wichtig, weil Rist Zesens Rosemund als Wäscherin darstellt, eine Verleumdung (im 17. Jahrhundert!), die Chr. Thomasius und Nic. Hier. Gundling später aufnehmen.[25] Man kann sich des Eindrucks nicht erwehren, daß man zu jener Zeit einen Prügel suchte, den Hund zu schlagen. Da bot die von Rist eingefädelte Haßkampagne einen willkommenen Anlaß, Zesen bei jeder Gelegenheit anzugreifen und zu verspotten. Als der derart Verleumdete endlich zurückschlug und im *Sendeschreiben an den Kreutztragenden* (1664) dem Gegner „mit der tatze einen nasenstüber" gab, war es eigentlich schon zu spät. Es gehörte in der respublica literaria allmählich zum guten Ton, sich über den rastlos tätigen Eigenbrötler lustig zu machen. Resignierend schreibt Zesen an Birken:

[20] *Martini Kempii, P. L. C. Neugrünender Palm-Zweig Der Teutschen Helden-Sprache und Poeterey/In einer Gebundenen Lob-Rede vorgestellet Und mit Philologischen Anmerkungen erkläret. Jena/bey Johan Jacob Bauhofern/1664.*

[21] Vgl. besonders den Schluß der Lobrede, die Anmerkungen S. 218/219 und die beiden Joh. Rist gewidmeten Gedichte S. 219 („Auf Dessen gemahltes Bildnüß/so er mir in seinem Hause gewiesen") und S. 221 („Auf seinen lustigen Ort/Wedel an der Elbe"), ferner S. 82 ff. in der Sammlung *Balthis Oder Etlicher an dem Belt weidenden Schäffer des Hochlöbl. Pegnesischen Bluhmen Ordens. Teutscher Gedichte Drey Theile In sich haltend. [...] Bremen/In Verlegung Herman Brauers. Im Jahr 1677.*

[22] *Der Fruchtbringenden Gesellschaft ältester Ertzschrein.* Hsg. von G. Krause, Leipzig 1855, S. 227 (Brief vom 5. XII. 1648).

[23] Für Einzelheiten sei verwiesen auf: Ferdinand van Ingen: *Philipp von Zesen,* Stuttgart 1970, I. Kap.

[24] Vgl. dazu K. Dissel, aaO. S. 31 ff.

[25] Thomasius: *Freymüthige [...] Gedancken Oder Monats-Gespräche, über allerhand, fürnehmlich aber Neue Bücher/Durch alle zwölff Monate des 1688. und 1689. Jahrs durchgeführet...,* Halle 1690, S. 60 f., 470; ders.: *Freymüthige [...] Gedancken Uber allerhand/fürnehmlich aber Neue Bücher Durch alle zwölff Monat des 1689. Jahrs,* Halle 1690, S. 656 f.; *Nic. Hieron. Gundlings, [...] Satyrische Schriften,* Jena 1738, S. 237.

„Gern wündschte ich nur ein paar stündlein das glük und die ehre zu haben,
Denselben [. .] eigenmündig zu sprechen [. . .]. Ja dan würde Er an mir viel
einen andern finden, als ich Jhm beschrieben worden. Gott mag es denen verge-
ben, die, aus lauter boßheit und giftigem neide, mich überal so gar schwartz zu
machen gesuchet. [. . .] Dessen bin ich von meinem achtjährigen alter an genug
gewahr worden; indem auch meine eigene Lehrmeister, wan sie einigen geschikten geist hier- oder dar-zu in mir erblikten, aus misgunst mich anfeindeten, und
meine tugend hasseten, ja so hasseten, daß sie dieselbe in ein laster ümzugestalten
sich bemüheten."[26] Von dem Neid seiner Kollegen spricht auch „der Wohlriechende" in seinem der *Helikonischen Hechel* (1668) vorangestellten Schreiben
an Zesen; „da Er ihnen zu hoch steigen wil", hätten sie sich entschlossen, ihn her-
abzusetzen: „Er wird uns zu groß/wir müssen Ihn verkleinern."

Es ist zweifellos etwas Wahres an diesen Worten. Man hat aber das Gefühl,
daß noch andere Momente im Spiel sind, die sich unserer Beurteilung entziehen,
weil noch nicht alle Zeugnisse, die sich auf Zesen und seinen Kreisen beziehen,
zugänglich sind. Wichtige Briefdokumente sind erst in letzter Zeit durch Blake
Lee Spahrs und Kaczerowskys Nachforschungen bekanntgeworden, aber es sind
noch interessante Funde zu erwarten, wenn es gelingt, Nachlässe der mit Zesen in
Verbindung getretenen Persönlichkeiten ausfindig zu machen. Der kürzlich aufgefundene Hanisius-Nachlaß (Herzog-August-Bibliothek in Wolfenbüttel) enthält
z. B. neues Material, das sowohl für die biographische Forschung wie für die Geschichte der Deutschgesinnten Genossenschaft von Bedeutung ist. Man darf auch
die Mühe nicht scheuen, in weniger einladende Seitenwege einzubiegen und die
Schriften sämtlicher Genossenschaftsmitglieder zu durchmustern; vor allem darf
die bisher ergebnislos verlaufene Suche nach dem Gabler-Nachlaß nicht aufgegeben werden.

Was aber Zesens „Neider" betrifft, setzt die Kritik meist dort an, wo
der Dichter sich die empfindlichste Blöße gegeben hat: Die „Zesische
schreib-ahrt" ist ihr beliebtester Gegenstand. J. G. Schottels Brief an
Birken möge hier für viele ähnliche Zeugnisse stehen: „ . . . ich habe neulich ein schones großes und mit vielen Kupfern in Holland gedrucktes hochdeutsches buch gesehen, [. . .] darin das hochdeutsche eine so närrische ortho-
graphi bekomen, daß man fast nicht weiß, was es ist, und haben die ehrlichen Deutsche worte ihre Kleidung verlohren, daß sie unerkentlich sein, ich
weiß nicht, was man sich dort einbildet, und ist solches in warheit nicht, die
Sprache befordern, sondern in verachtung setzen, und das gantze studium ver-
dächtig und verhast machen . . ."[27] Spätere Jahrhunderte pflegten die Kritik un-
besehen zu übernehmen, ohne auch nur nach ihren Hintergründen zu fragen. Erst
1969 fanden Zesens orthographische Neuerungen die ihnen gebührende Beachtung: Kaczerowskys Buch über die *Adriatische Rosemund* schließt mit einem
aufschlußreichen Kapitel, das unter dem Titel „Zur Entwicklungsgeschichte des

---

[26] Brief vom 13. VII. 1670, bei Kaczerowsky S. 173 ff.
[27] Der Brief ist vom 15. VIII. 1662 datiert; zit. nach Kaczerowsky S. 187. Es mag sich
hier um die *Moralia Horatiana* von 1656 handeln. — Man vgl. auch Schottels Urteil in
seiner *Ausführlichen Arbeit von der Teutschen HaubtSprache* (1663), S. 1201 und 1207.

Neuhochdeutschen — Zesens sprachliche Reformen" die Idee und Bedeutung von Zesens Ansichten zur Rechtschreibung darstellt. Hier wurde Neuland betreten, — und gerade hier bleibt noch viel zu tun. Zu untersuchen wäre etwa, inwieweit Zesens Orthographie sowohl von deutscher wie von holländischer Seite Anregungen erhielt, nach welchen Prinzipien man sich allgemein richtete usw. Erst wenn auf diesem Gebiet umfangreichere Untersuchungen vorliegen, ist ein abschließendes Urteil über Zesens Bemühungen und seine Stellung im 17. Jahrhundert gerechtfertigt. Dabei wären auch die Vorstellungen des Fürsten Ludwig hinsichtlich der Rechtschreibung zu untersuchen. Zesens orthographische Prinzipien bildeten ja sowohl das Hindernis für die ersehnte Aufnahme in die erlauchte Sprachgesellschaft wie den Grund für die Entzweiung zwischen deren Oberhaupt und dem eigensinnigen neuen Mitglied — und damit indirekt für die Anfeindungen, die ihm lebenslang zu schaffen machten. Die Frage, inwieweit Ludwig korrigierend auftreten konnte, inwieweit sich die Mitglieder der Gesellschaft seinen Wünschen beugten oder — wie Zesen nach 1648 — eigene, wenn auch weniger abenteuerliche Wege gingen, ist immer noch nicht beantwortet. Sie ist keineswegs müßig, denn des Fürsten Unzufriedenheit erstreckte sich auch auf andere Schriftsteller (Harsdörffer, Klaj, Schottel), weshalb er Gueintz bei der Abfassung seiner *Deutschen Rechtschreibung* zur Eile antrieb.[28] Vielleicht sollte man daher keine so scharfe Trennung zwischen den Fruchtbringenden (mit Ausnahme ihres Oberhaupts) und Zesen machen. Joh. Balth. Schupp vermischt seine deutlich auf Zesen gemünzte Kritik mit der Kritik an der Fruchtbringenden Gesellschaft.[29] Da ist die Rede von einem Schriftsteller, der „alle frembde Wörter/welche die Bauren nicht mehr vor frembd halten/hat wollen Teutsch geben", und anschließend heißt es: „. . . so frage ich die hochlöbliche fruchtbringende Gesellschafft/was mit diesen Grammaticalischen Dingen/sonderlich mit der Teutschen Orthographia/[. . .] dem Römischen Reich und der Teutschen Nation gedienet sey?" Der Gegensatz wurde, wie obenstehender Passus belegt, von vielen Zeitgenossen nicht empfunden.

Man ist auch noch unzureichend darüber informiert, inwiefern Zesen Nachfolge gefunden hat und wie diese aufgenommen wurde. Georg Neumark zürnt den Neutönern, die das ch zwischen dem s und den Buchstaben w, l, m, n und r weglassen wollen („sweigen, slagen, smekken" etc.) und fährt fort: „Die übrige seltzame Schreibahrt haben diese lüsterne Neulinge [. . .] meistentheils aus Herrn M. Johann Bellins/[. . .] Tractätlein [. . .] erlernet und gefasset."[30] Damit ist gemeint: *M. Johann Bellins Hochdeutsche Rechtschreibung; darinnen die ins gemein gebräuchliche Schreibahrt/und derselben/in vielen stükken/grundrichtige Verbässerung/unforgreiflich gezeiget würd* (Lübeck 1657). Der Verfasser bezieht sich vor allem auf Zesen — was Neumark natürlich wußte —, die Kritik greift aber Zesen nicht direkt an (dagegen sieht sich Habichthorst veranlaßt, den Zesenschüler Bellin in seiner *Bedenkschrift*, S. 43 f., in Schutz zu nehmen). Der Grund dafür ist vielleicht darin zu sehen, daß Neumark es vermeidet, bedeutende

[28] Vgl. den Brief vom 4. V. 1645, bei Krause S. 271 f.
[29] *Der Teutsche Lehrmeister*, in: *Zugab Doct: Joh: Balth: Schuppii Schrifften*, o. O., o. J., S. 177—202 (Zitat S. 181/82).
[30] *Der Neu-Sprossende Teutsche Palmbaum*, Nürnberg 1668, S. 92 ff.

Männer offen zu kritisieren. So sagt er z. B. in bezug auf die erwähnte Auslassung des ch, daß man sich dabei zu Unrecht auf Schottel berufe, während dieser doch offensichtlich diese Meinung vertrat und in seinen eigenen poetischen Schriften diese Orthographie durchführte.[31] Aber Schottel genoß das Ansehen der Fruchtbringenden Gesellschaft! Persönliche und sachliche Momente erscheinen in der Kritik an Regeln der Rechtschreibung häufig seltsam vermischt, was eine Entscheidung in der Frage, wer hinter den namentlich Genannten eigentlich gemeint ist, erschwert. Dennoch wird die Forschung sich mit diesen Problemen auseinandersetzen müssen, nicht an letzter Stelle im Interesse der Zesen-Forschung.

Jedenfalls war Zesen nicht der „Sprachtyrann“, als den man ihn in der Nachfolge Chr. Weises zu betrachten pflegt. In bezug auf die Ausmerzung der Fremdwörter und die Orthographie ließ er andere Meinungen durchaus gelten.[32]. Es ist mehr als nur eine höfliche Floskel, wenn er an Ludwig schreibt: „Was ich in dergleichen ehmahls verstoßen habe, ist meiner jugend Schuld, die von Tage Zu Tage reiffere gedancken zu führen beginnet.“[33] Zesen war sich seiner Irrtümer wohl bewußt, deshalb kann er gegen Ende des *Sendeschreibens an den Kreutztragenden* sagen: „Dan ich bin keines weges so eigensinnig geahrtet/daß ich meine in der ersten jugendhitze mir gleichsam entschossene fehler/nunmehr/da ich alles besser weis/mit gewalt vertähdigen und guht heissen wolte“ (S. 48). Auch in der *Helikonischen Hechel* gibt er sich nur bescheiden, in der Vorrede fordert er den Leser zum Mitdenken auf: „Ich weis sehr wohl/daß ich irre. Darüm wil ich dir danken/wan du mich meines irtuhms erinnerst. Ein auge siehet nicht alles. Wie solte ich dan so eigensinnig sein/mir ein zu bilden/daß mein auge alles gesehen. [...] Sotahnig trehten wir der volkommenheit immer näher und näher. Man mus sie suchen/bis man sie findet. Aber einer allein wird sie nimmermehr finden. Mit gesamter hand möchte man endlich so viel finden/als Sterblichen müglich.“ — Unter diesem Aspekt sind Zesens Vorschriften zu sehen: nur als Vorschläge, damit der kritische Leser zum Nachdenken angehalten werde. Im ersten Sendschreiben der Bellinschen Sammlung wird sein Anliegen folgendermaßen erläutert: „...sein fornähmstes augen-märk war dahin gerichtet/damit er andern hoch-begabeten und müssigern Köpfen nuhr anlaß und gelegenheit/weiter nach zu denken/gäben möchte. [...] Da doch des Herrn Zesens meinung nicht gewäsen ist/daß man ihm ganz und gahr folgen/und wie dieser verkehrte Schlüsselmacher getahn hat/von keiner seiten auf die andere weichen solte/sondern damit ein ieder liebhaber der deutschen richtigkeit anleitung bekähme den sachen weiter nach zu sinnen/und das jenige selbst auch aus zu grübeln/was er ihm aus vielen uhrsachen noch bisher fohr-behalten hat.“ Zesen hat auch selber den propositionellen Charakter seiner Orthographie in der Vorrede zum *Rosenmând* (1651) hervorgehoben: „Worbei ich nohtwendig erinnern mus, daß ich meinen Deutschen eine neue schreib-art mit gewalt aufzudringen keines weges gesonnen sei/ wie man ihm etwan einbilden möchte.“ Die Form dieses gelehrten Traktats ist

---

[31] Neumark: aaO. S. 92/93; Schottel: aaO. I. Teil, S. 196 ff.
[32] Vgl. Bellinsche Sammlung Nr. 3 und Nr. 17.
[33] 13. XII. 1648, bei Krause S. 415 f.

neu; es gilt aber auch, Zesens Haltung in orthographischen und anderen Fragen neu zu sehen. Die oben skizzierten, bisher unbeachteten Dinge wollen deshalb als Anregung verstanden sein. Die Sprachwissenschaft möge sich endlich der Aufgabe annehmen, zu untersuchen, wie Zesens Ansichten, die er u. a. in der *Hooch-Deutschen Spraach-übung* vorträgt, sich zu denen seiner Gewährsmänner (Goropius Bekanus, Christian Beckmann, Georg Ph. Harsdörffer, Justus Lipsius u. a.) verhalten. Da bei Zesen grammatische (orthographische, etymologische u. dgl.) und sprachphilosophische Fragen ein Ganzes bilden, wäre eine Untersuchung des inneren Verhältnisses seiner grammatischen Theorie zu der von Gueintz und Schottel eine lohnende Aufgabe, die auch literarhistorisch wichtige Fakten zutage fördern könnte.

Im Gegensatz zum Problem der Rechtschreibung hat man das der Reinigung der deutschen Sprache vom Fremdwort verhältnismäßig genau untersucht, und zwar besondes intensiv in zeitlicher Nähe zur Gründung (1885) und Blüte des „Allgemeinen Deutschen Sprachvereins".[34] Man pflegte Zesens Verdeutschungen gutmütig zu belächeln, bis H. Harbrecht einen objektiven Standpunkt einnahm und so den Bemühungen des Dichters gerecht wurde. An neueren Ergebnissen ist hier vor allem H. Blumes Nachweis zu verzeichnen, daß Zesens Neologismen im allgemeinen als systemgerechte Bildungen zu betrachten sind.[35] Allmählich bricht sich die Einsicht Bahn, daß dasjenige, was man als Schrullen eines wunderlichen Mannes betrachtet hat, in Wahrheit auf einem gedanklichen Gebäude ruht, das man nur in Umrissen kennt, dessen Fundamente aber erst nach und nach freigelegt werden.

Das gleiche gilt für Zesens künstlerische Sprachbehandlung. Auch hier war man mit Begriffen wie Verirrung, Schwulst usw. schnell bei der Hand. Bedenkenlos sprach man von „Geklingel", von Wortspielen, die „immer tollere Blüten" treiben[36]; man bescheinigte dem Dichter zwar die Befähigung „zu einfacher und gefühlsechter Dichtung", machte dann aber die Zeitumstände für den „Stil der starken Bewegung und Schwellung" verantwortlich, die Zesens Dichtertum nur ungünstig beeinflußt habe.[37] H. Cysarz war der erste, der Zesens kunstvoller Sprachgestaltung Verständnis entgegenbrachte und den Dichter fast panegyrisch lobte.[38] Zu gleicher Zeit fand der Sprachkünstler Zesen in G. Müller einen kri-

---

[34] Es seien hier genannt: K. Dissel: *Die sprachreinigenden Bestrebungen im 17. Jahrhundert*, Programm Hamburg 1885; H. Schultz: *Die Bestrebungen der Sprachgesellschaften des XVII. Jahrhunderts für Reinigung der deutschen Sprache*, Göttingen 1888; H. Wolff: *Der Purismus in der deutschen Literatur des 17. Jahrhunderts*, Diss. Straßburg 1888; K. Prahl: *Philipp von Zesen. Ein Beitrag zur Geschichte der Sprachreinigung im Deutschen*, Programm Danzig 1890; H. Harbrecht: *Philipp von Zesen als Sprachreiniger*, Diss. Freiburg/Br. 1912; ders.: *Verzeichnis der von Zesen verdeutschten Lehn- oder Fremdwörter*, in: Zs. f. dt. Wortforschung 14 (1912/13), S. 71 ff.
[35] H. Blume: *Die Morphologie von Zesens Wortneubildungen*. Diss. Gießen 1967. Vgl. auch den Aufsatz im vorliegenden Band, S. 253—273.
[36] Alfred Gramsch: *Zesens Lyrik*, Cassel/Leipzig/Zürich/Wien 1922, S. 80.
[37] Rudolf Ibel: *Die Lyrik Philipp von Zesens. Ein Beitrag zur Erkenntnis des lyrischen Stils im 17. Jahrhundert*, Diss. Würzburg 1922, S. 106 f.
[38] Herbert Cysarz: aaO. S. 71—100.

tisch-begeisterten Interpreten.[39] Einen wesentlichen Fortschritt bedeuteten die
sprachphilosophischen Forschungen von P. Hankamer, W. Kayser, G. Fricke und
E. Benz.[40] Sie deckten die Grundlagen der Sprachpflege im 17. Jahrhundert auf
und ermöglichten eine adäquate Betrachtung des barocken Sprachkunstwerks.
Merkwürdigerweise nehmen sowohl Hankamer wie Kayser Zesen aus, wenn sie
auf die mystisch-naturphilosophischen Bildungsströme bzw. die Klangsymbolik zu
sprechen kommen, was bei Kayser, der sich auf die Nürnberger konzentriert, begreiflich ist, bei Hankamer aber befremdet. Hier hat R. Weber sicher den richtigen Ansatz gefunden, indem sie für Zesens „Sprachpflege" den Begriff „Lautanalogie" in Anspruch nahm. Das bedeutet, daß Zesen nicht ein „barockes l'art pour
l'art" pflegt, sondern ganz bewußt eine „analogistische Sprachordnung" herstellt.
Andererseits wäre zu prüfen, ob es bei seinen virtuosen Kunststücken nicht doch
auch um rein ästhetische Momente ging; das eine schließt das andere ja nicht
grundsätzlich aus. Wie aber die Grenzen zwischen Lautanalogie und Klangspiel
im einzelnen verlaufen, dürfte schwer zu entscheiden sein. Im Zusammenhang
damit wäre eine geschlossene Darstellung von Zesens Sprachphilosophie, und
zwar im Vergleich mit den Ansichten der deutschen und holländischen Schriftsteller, auf die Zesen sich beruft, erforderlich. Dann erst wäre es möglich, Zesens
wissenschaftliche und künstlerische Arbeit an der deutschen Sprache in ihrem Zusammenwirken richtig zu beurteilen und auf ihre metaphysische Ausrichtung hin
zu prüfen. Letztlich würde eine solche Untersuchung um das Verhältnis von
„Natur" und „Kunst" (als „altera natura") kreisen und einen wichtigen Beitrag
zu Auffassung und Begriff des barocken *poeta doctus* bilden.

Der „poeta doctus" kommt erst zur Geltung, wenn er dozieren kann. Die
Form, die Zesen für die *Spraach-übung*, für den *Rosen-mând* und für die
Helikonische Hechel gewählt hat, das Gespräch, darf als Hinweis auf das
Selbstverständnis dieses gelehrten Dichters angesehen werden: Der ideenreiche
Zesen brauchte einen Kreis von Gleichgesinnten, um seine Gedanken vorzutragen
und zu diskutieren. Die von ihm gegründete Dichtergesellschaft kam deshalb gleichermaßen seinem patriotischen künstlerisch-wissenschaftlichen Anliegen wie seinen persönlichen Bedürfnissen entgegen. Das Gründungsjahr der Deutschgesinneten Genossenschaft läßt sich jedoch nicht mit Sicherheit ermitteln. Auch wenn
man annimmt, daß es bereits 1642 eine „Deutsch-Zunfft" in Amsterdam gegeben
hat, die dann zur regelrechten Sprachgesellschaft erweitert wurde, bleibt die auffällige Tatsache bestehen, daß Zesen als Gründungsjahr seiner Genossenschaft aus-

[39] Günther Müller: *Geschichte des deutschen Liedes. Vom Zeitalter des Barock bis
zur Gegenwart*, München 1925, S. 80 ff.
[40] Paul Hankamer: *Die Sprache. Ihr Begriff und ihre Deutung im sechzehnten und
siebzehnten Jahrhundert. Ein Beitrag zur Frage der literarhistorischen Gliederung des
Zeitraums*, 1. Aufl. Bonn 1927, reprogr. Nachdruck Hildesheim 1965; W. Kayser: *Die
Klangmalerei bei Harsdörffer. Ein Beitrag zur Geschichte der Literatur, Poetik und
Sprachgeschichte der Barockzeit*, 1. Aufl. 1932, 2. unveränderte Aufl. Göttingen 1962
(Palaestra Bd. 179); G. Fricke: *Die Sprachauffassung in der grammatischen Theorie des
16. und 17. Jahrhunderts*, in: Zs. f. dt. Bildung IX (1933), S. 113 ff.; E. Benz: *Zur meta-
physischen Begründung der Sprache bei Jacob Böhme*, in: Dichtung und Volkstum Bd.
37 (1936), S. 340 ff.

drücklich 1643 angibt, obwohl — nach eigener Angabe — die anfänglich als privater Verein gegründete Gesellschaft erst von 1644 an offiziell in Erscheinung trat.[41] Die bekannten Diskrepanzen zwischen den einzelnen Datierungen lassen sich nicht lösen, wenn man Zesens Schilderung des Gründungsakts im *Hochdeutschen Helikonischen Rosentahl* uneingeschränkt Glauben schenkt. Die nachträgliche Datierung ins Jahr 1643 ist wohl fingiert, davon geht auch der jüngste Beitrag zur Klärung dieser Frage aus.[42] Warum Zesen nicht 1644 zum offiziellen Gründungstermin erhebt, bleibt nach wie vor rätselhaft. Vielleicht wollte er seine Gesellschaft auf alle Fälle eher gegründet haben als Harsdörffer und Klaj ihren Blumenorden (1644)? Hier sind nur Vermutungen möglich. — Wichtiger ist indessen die Geschichte der Genossenschaft, die immer noch zu schreiben ist. So ist erst neuerdings durch die Nachforschungen K. F. Ottos mehr über die vierte und umfangreichste Zunft, die Rautenzunft, bekannt geworden. Eine Geschichte der Deutschgesinnten Genossenschaft wird auch die Blumen- und Zahlensymbolik, die bei der Zusammenstellung der Zünfte eine so vorherrschende Rolle spielte, Beachtung schenken müssen, denn gerade davon sind wichtige Rückschlüsse auf den Charakter von Zesens Gesellschaft zu erhoffen.[43] Ist es doch bemerkenswert, daß die Gesellschaft, obwohl sie zur Pflege der Muttersprache gegründet wurde, von Anfang an den Charakter einer Tugendgesellschaft besaß. Dabei ist auch von Belang, über Rang und Stand der Mitglieder möglichst vollständige Informationen zu erhalten. In diesen Zusammenhang gehören auch die vagen Hinweise auf einen „dänisch-deutschen" Kreis der Genossenschaft. Hinrich von Stöcken, der Sohn des General-Superintendenten Christian von Stöcken, bezeichnet sich in einem Gratulationsgedicht an Hanisius als „in der Deutschgesinnten Genossenschaft Schreinhalter des Dänisch-Deutschen-Kreuses."[44] Man weiß nicht, wer alles zu diesem Kreis gehört hat, falls es ihn wirklich gegeben hat. Wahrscheinlich muß man hier nach Verbindungen suchen, die noch aus der Zeit vor der Verfeindung mit dem Wedeler Pastor Rist stammen (Wedel war holsteinisch, hier waren Kontakte zu Dänemark wahrscheinlich enger als in Hamburg). Daß Rist dänische Freunde gehabt hat, geht aus einem dänischen Widmungsgedicht hervor, das vor seinem *Friedewünschenden Teutschland* steht. Hierfür wäre auch zu klären, ob Christian Franz Paullini dabei eine Rolle gespielt haben könnte.[45]

---

[41] Im 1. Sendeschreiben der Bellinschen Sammlung werden die „Deutsch-Zunfft" und die „Deutschgesinnte Genossenschaft" in einem Atem genannt.

[42] K. Kaczerowsky, aaO. S. 22 ff.

[43] Hier wäre die zeitgenössische Blumensymbolik zu berücksichtigen, etwa das große Blumengespräch in Kempes *Anmuthigem Spatziergang/In einem erbaulichen Gesprächspiel/unter vier Personen angeführt*, das sich in seinen *Poetischen Lust-Gedanken* findet (I. Teil, Jena 1665, S. 47—142).

[44] Herr Dr. Herbert Blume hofft in Bälde Näheres darüber mitteilen zu können.

[45] Die *Balthis*-Dichter hatten jedenfalls Beziehungen zu ihm; vgl. o. c. S. 123 ff. „Uber die Norische Palm-Sproßen Herrn Christian Francisci Paullini [. . .] Vice-Com. Palat. in Kopenhagen..." Er wurde von Chr. Ph. Richter in Jena zum Dichter gekrönt (vgl. das „Danck- und Ehren-lied" in seinen *Poetischen Erstlingen*, Leipzig 1703, S. 132 ff.). In der „Rede Von der Poesie" erwähnt Paullini Zesen aber nur kurz (*Poet. Erstlinge*, S. 75).

Die Geschichte von Zesens Sprachgesellschaft hängt wieder aufs engste mit seiner Lebensgeschichte zusammen. Der Zusammenhang von Lebensgeschichte, Werk und Sprachgesellschaft findet seinen Ausdruck in der *Adriatischen Rosemund;* J. H. Scholtes reich dokumentierte These, Rosemund verkörpere das Tugendideal der Rosenzunft, wird inzwischen allgemein akzeptiert.[46] Aber die Frage, ob Rosemund wirklich gelebt hat und ob die Liebesgeschichte zwischen Markhold-Zesen und der Heldin des „Romans" auf Fakten basiert, kann beim heutigen Stand der Forschung nicht eindeutig beantwortet werden. Namentlich von holländischer Seite wurden Versuche unternommen, die Heldin zu identifizieren. In Zusammenhang damit stehen die Bemühungen, die Anagramme KOBED, LEDAR, AWELEIN aufzulösen, die im 8. Lied aus dem Rosemund-Anhang auftreten („Lohblihd Auf drei schöne Jungfrauen zu Uträcht"). Für „Ledar" sind die Nr. 9 aus dem Rosemund-Anhang und die Nr. 19 aus den *Jugend-Flammen* zu vergleichen; die hier besungene „Jungfrau von Elard" wird wohl mit ihr identisch sein. Die Auflösung des Anagramms wird dadurch erschwert, daß das erstgenannte Loblied (Anhang Nr. 9) später mit jeweils veränderter Widmung in die *Jugend-Flammen* (S. 21 ff.) und in das *Rosen- und Liljen-tahl* (S. 125 ff.) aufgenommen wurde: „an die übermänschliche schöne Himmelshulde" bzw. „an die schöne Engländerin J. Dorotee Darel". Daß man für „Kobed" Anna Regina von Bodeck zu lesen habe, dürfte nach den Forschungen von C. van de Graft und W. Graadt van Roggen nicht mehr zweifelhaft sein. Hinter „Awelein" vermutet Graadt van Roggen die „Jungfr. Klugemunde von Wilane", die im Anhang zur *Adriatischen Rosemund* (Nr. 6) besungen wird. Über „Wilane" gelangt er dann zu „Waelin" und identifiziert in kombinationsreicher Weise Awelein mit Beatrix de Wael van Vronesteyn, die er zugleich als die Heldin von Zesens Liebesgeschichte betrachtet. Die Untersuchung von Graadt van Roggen[47] ist jetzt der deutschen Forschung leicht zugänglich durch das Referat in G. Schönles Buch *Deutsch-Niederländische Beziehungen in der Literatur des 17. Jahrhunderts* (Leiden 1968, S. 123—135). Während Schönle sich Graadt van Roggen anschließt (S. 128 ff.), geht Scholte andere Wege, die auf die bekannte symbolische Deutung der Rosemund-Geschichte hinauslaufen. Kaczerowskys Studie sucht beide Standpunkte zu vereinen: Der Verfasser geht von der Historizität des Geschehens aus und verbindet damit die symbolische Interpretation („Das Denkmal eines Freundschaftskultes"). Niemand wird die Projizierung autobiographischer Fakten in die männliche Hauptfigur leugnen wollen, aber mit Rosemund steht es anders. Man mag mit Kaczerowsky der Meinung sein, daß die Suche nach ihrem Urbild nicht aufgegeben werden darf, es sei andererseits auch die Gegenseite erwähnt, der man bisher keine Beachtung geschenkt hat und die wahrhaft dazu angetan ist, die

---

[46] J. H. Scholte: *Zesen's Adriatische Rosemund als symbolische roman*, in: Neophilologus 28 (1943), S. 20—30; ders.: *Zesens ‚Adriatische Rosemund'*, in: DVjs 23 (1949), S. 288—305. Vgl. Kaczerowsky, o. c. S. 100 ff.

[47] W. Graadt van Roggen: *Quasi una fantasia. Historische paraphrase van Philipp Zesen's Stichtschen sleutelroman ‚Adriatische Rosemund' (1645)*, in: Jaarboekje van Oud-Utrecht 1943, S. 64—84; ders.: *Een Stichtsche sleutelroman uit de zeventiende eeuw.* Utrecht 1943.

Zweifel an einer realen Liebesgeschichte, zumindest zwischen dem Dichter Zesen und einer jungen Dame namens Rosemund, zu steigern. Als Zesen 1672 heiratete, ließen einige Freunde ihre Glückwunschgedichte im Druck erscheinen; unter ihnen waren alte Bekannte des Dichters — Anne Margarite van Schurman und Steven van Lamsweerde —, die anderen waren Mitglieder der Genossenschaft: Malachias Siebenhaar, Karl Christoph von Marschalk und Martin Kempe. Die nur wenige Blätter umfassende Sammlung erschien in Amsterdam und trug den Titel: *Die Eh- und Ehren-krohne/welche dem Hoch-Edlen Paare/Hrn. Filip von Zesen [...] und Jungf. Marien Bekkerin von Stahden [...] bei ihrer Ehlichen Verknüpfung/hochfeirlich aufgesetzt ward/besungen durch etliche Freunde und Freundinnen.* Das Gedicht von Siebenhaar deutet auf den Zusammenhang von Rosemund und der Genossenschaft hin: „der Liebsten Ankunft" sei „der löblichen Rosen- und Liljen-zunft" zu melden, die Ehefrau werde nun „der Rosemund stelle" einnehmen. Marschalk fordert den Dichter auf, sich nun seinen ehelichen Pflichten zu widmen: „ach! lege Buch und Feder nieder./Was helfen alle deine Lieder/die Du von Liebe liebloß schriebst." Konkreter noch äußert sich Kempe:

> Zuvor hat Euer Fleis
> vom vielbeliebten Lieben/
> auf Rosemunden Preis/
> ein edles Buch geschrieben.
> Jedoch da findt man nur
> Gedanken/Redner-proben.
> Die Proben der Natur
> seind bishierher verschoben.[48]

Wenn sich in der poetischen Geschichte von Rosemund und Markhold wirklich Zesens persönliches Liebeserlebnis niedergeschlagen hätte, wären besonders die zuletzt angeführten Verse zumindest taktlos zu nennen. — Nimmt man die Stilisierung des Autobiographischen in Kauf, könnte die *Adriatische Rosemund* vielleicht die empfindlichen Lücken, die in Zesens Biographie klaffen, zum Teil schließen. Kaczerowsky hat mit rechnerischem Talent aufgrund der Dichtung eine Rekonstruktion von Zesens Lebenslauf in der fraglichen Periode versucht. Es braucht nicht eigens gesagt zu werden, daß dies ein problematisches Unternehmen ist. Um so mehr ist das Fehlen einer ausführlichen Biographie zu bedauern; sie ist vielleicht das dringlichste Desiderat der Zesen-Forschung.[49]

Die *Adriatische Rosemund* ist zweifellos das bekannteste und meist erforschte erzählerische Werk des Dichters. Man hat vor allem anhand dieses ebenso realistischen wie tiefsinnigen Buches Zesens Auffassung von der Frau und

---

[48] Das Gedicht steht auch in der *Balthis*, S. 105 ff. Auf S. 101 ff. steht ein Gedicht von Damon (= Kempe) auf Zesens „Assenat", S. 208 ff. ein Gedicht von Hylas (= Daniel Bärholz) auf das „Frauenzimmer-Gebettbuch".

[49] Der Vf. bereitet zusammen mit Karl F. Otto eine Biographie vor und hofft in absehbarer Zeit ein möglichst lückenloses Bild von Zesens Lebensgang vorlegen zu können.

der Liebe dargestellt sowie die „barocke Empfindsamkeit" herausgearbeitet.[50] Eine
befriedigende Gesamtdeutung ist bisher nicht gelungen. Kaczerowsky gibt in seiner
anregenden Studie (1969) zu bedenken, daß die Forschung sich meist ausschließlich
einem Bereich der Handlung gewidmet und die Rosemund-Geschichte deshalb nur
einseitig gedeutet habe, eine erschöpfende Interpretation jedoch von der Gleich-
wertigkeit der mannigfaltigen inhaltlichen Aspekte ausgehen müsse. Aber auch
nach diesem jüngsten Beitrag zur Erforschung der *Adriatischen Rosemund* kann
die Diskussion keineswegs als abgeschlossen betrachtet werden. — Nachdem in den
Studien von H. Körnchen und H. Obermann über Zesens Romane[51] das Schwer-
gewicht deutlich auf dem Romanerstling gelegen hatte, ist in den letzten Jahren die
Assenat in den Vordergrund gerückt. V. Meid besorgte einen Faksimile-Neudruck (1967) und hat in seiner Dissertation über Zesens Romankunst die literarhistorische Stellung des Werkes hervorgehoben.[52] Ihm ging es dabei vor allen Dingen um die Romanstruktur und ihren Zusammenhang mit der dahinter liegenden
Idee: Die *Assenat* ist, obwohl ihr Geschehen auf der biblischen Geschichte
basiert, ein Staatsroman.[53] F. G. Sieveke schließt sich ihm neuerdings an und
deckt auch die tiefere Bedeutung der „Anmärkungen" auf, die man bisher nur als
eine gelehrte Koda, das heißt zugleich: als einen störenden Fremdkörper im
Roman anzusehen pflegte. Die Meinung H. Singers, die *Assenat* sei eine Legende[54],
wird sowohl von Meid wie von Sieveke aus guten Gründen zurückgewiesen.

Sieveke geht jedoch über Meids Interpretation hinaus, indem er die Josephsgestalt als Präfiguration Christi deutet. Meid hatte die Figuraldeutung bereits für
den *Simson* in Anspruch genommen, ihre Bedeutung für den Josephsroman aber
zu gering angeschlagen. — Es ist offenkundig, daß die neueren Arbeiten über
Zesens Romane der modernen Barockforschung verpflichtet sind; sie werden auch
ihrerseits anregend auf die Erforschung der barocken Romankunst einwirken. Das
Problem der „heiligen und weltlichen Geschichten" — so lautet der Titel von
Meids Aufsatz im vorliegenden Band — ist ja das Kernproblem der „Romanpoe-
tik" des 17. Jahrhunderts; es bestimmt in entscheidendem Maße die Diskussionen
Pro und Contra die umstrittene Gattung.

Die Frage, ob Zesens Romane einen weiterreichenden Einfluß ausgeübt haben,
läßt sich einstweilen nicht eindeutig beantworten. Immerhin erschien die *Assenat* in vier deutschen Ausgaben, zu denen sich sechs Ausgaben einer anonymen

---

[50] Jakob Gander: *Die Auffassung der Liebe in Philipp von Zesen ‚Adriatischer Rose-
mund'*, Diss. Freiburg/Schweiz 1930; Margarete Gutzeit: *Darstellung und Auffassung
der Frau in den Romanen Philipps von Zesen*, Diss. Greifswald 1917; Ursula Rausch:
*Philipp von Zesens ‚Adriatische Rosemund' und C. F. Gellerts ‚Leben der schwedischen
Gräfin von G.' Eine Untersuchung zur Individualitätsentwicklung im deutschen
Roman*, Diss. Freiburg/Br. 1961/62 (masch.); Waltraut Kettler: s. Anm. 12.
[51] H. Körnchen: o. c.; H. Obermann: *Studien über Philipp Zesens Romane*, Diss.
Göttingen 1933.
[52] Volker Meid: *Zesens Romankunst*, Diss. Frankfurt/M 1966, S. 43—110; ders.:
Nachwort zur Assenat-Ausgabe, S. 13—33.
[53] Ergänzungen zum Begriff des „Staatlichen" bringt H. Blumes Rez. von Meids
Assenat-Ausg.: Göttingische Gelehrte Anzeigen 221 (1969), S. 294—300.
[54] Herbert Singer: *Joseph in Ägypten. Zur Erzählkunst des 17. und 18. Jahrhunderts*,
in: Euphorion 48 (1954), S. 249—279.

Übertragung ins Dänische und eine ungedruckte dänische Übersetzung (von Morten Nielsen) gesellen.[55] Man hat lange Zeit mehr auf Grimmelshausens Kritik an Zesens Josephsroman als auf eventuelle Wirkungen der Zesenschen Werke auf die Romanproduktion seiner Zeit geachtet: dabei pflegte der Dichter des *Simplicissimus* fast notwendig besser abzuschneiden als sein weniger talentierter Kollege. Nicht nur hat die neuere Forschung die Dinge ins rechte Licht gerückt und das Verhältnis beider Autoren gerechter beurteilt, als es Clara Stucki gelungen war[56], man hat außerdem feststellen können, daß Zesen seinen vermeintlichen Gegner sogar tiefgehend beeinflußt hat. W. E. Schäfer wies nach, daß Grimmelshausen sich in seinem Roman *Proximus und Lympida* (1672) der Kompositionstechnik der *Assenat* bedient.[57] Das stimmt der gängigen Annahme gegenüber, daß Zesens Romane wirkungslos geblieben seien, doch etwas nachdenklich und dürfte zu weiteren Forschungen in dieser Richtung anregen. — In welcher Tradition der Romanschriftsteller Zesen selber stand, wurde insbesondere von E. Lindhorst und K. Kaczerowsky untersucht. Lindhorsts materialreiche Arbeit[58] zeigt zwar inhaltliche Entlehnungen aus dem spätgriechischen Roman auf, belegt aber weit ausführlicher und überzeugender den strukturellen Einfluß von Mlle de Scudéry wie auch Einwirkungen der *Astrée* und sogar des *Amadis.* Daß die Scudéry für Zesens Schaffen außerordentlich bedeutsam gewesen ist, weiß man seit Körnchens, Wills und Reinachers Studien[59]; Kaczerowsky möchte in dem „Préface d'Ibrahim" auch die poetologische Grundlage für das Handlungsschema der *Adriatischen Rosemund* sehen. Man ist über die Wirkung des französischen Romans auf die deutsche Dichtung aber noch zu wenig informiert, als daß man hier Endgültiges sagen könnte. Einerseits sollte man vielleicht den französischen Einfluß nicht überbetonen, andererseits sind auch heute weniger bekannte Dichternamen zu berücksichtigen: Der Hinweis N. Millers auf die atmosphärische Nähe der *Adriatischen Rosemund* zu den sog. „nouvelles tragiques" ist ernstzunehmen[60]; holländische Vermittlung ist dabei nicht auszuschließen.

Das Studium von Zesens Romanen hat auch einen weiteren Aspekt sichtbar gemacht, der freilich nicht unbekannt war, dessen Tragweite aber noch nicht bis in Einzelheiten erforscht ist: Zesens Rekurs auf Erbauungsschriften seiner Zeit. V. Meid verdankt man den Nachweis, daß die wichtigste Quelle für die Figuraldeutung des *Simson* die große Predigtsammlung *Magnalia Dei* des Valerius

[55] Vgl. dazu H. Blume: *Die dänischen Übersetzungen von Zesens Roman ‚Assenat',* in: Nerthus II (1969), S. 79—93.

[56] Clara Stucki: *Grimmelshausens und Zesens Josephromane. Ein Vergleich zweier Barockdichter,* Horgen-Zürich/Leipzig 1933 (Wege zur Dichtung Bd. XV).

[57] Walter Ernst Schäfer: *Die sogenannten „heroisch-galanten" Romane Grimmelshausens.* Diss. Bonn 1957, S. 101 ff.

[58] Eberhard Lindhorst: *Philipp von Zesen und der Roman der Spätantike. Ein Beitrag zu Theorie und Technik des barocken Romans,* Diss. Göttingen, 1955 (masch.).

[59] H. Körnchen: o. c.; Hans Will: *Zesen-Scudéry. Eine Parallele,* in: Archiv für das Studium der neueren Sprachen und Literaturen 80, Bd. 148 (1925), S. 12—17; Heinrich Reinacher: *Studien zur Übersetzungstechnik im deutschen Literaturbarock: Madeleine de Scudéry — Philipp von Zesen,* Diss. Freiburg/Schweiz 1937.

[60] Norbert Miller: *Der empfindsame Erzähler. Untersuchungen an Romananfängen des 18. Jahrhunderts,* München 1968, S. 70 ff.

Herberger darstellt.[61] Für die *Assenat* war die sog. *Historia Assenat* grundlegend, und zwar in der deutschen Übersetzung, wie sie das *Testament vnd Abschrifft/Der/Zwölf Patriarchen* ... (1664) bietet; für die „Testamente" selber hat Zesen eine holländische Übersetzung benutzt.[62] Auch sonst ist deutlich, daß der Dichter sich in der Erbauungsliteratur gut auskennt; K. Viëtor nennt ihn wohl mit Recht den bedeutendsten Erbauungsschriftsteller unter den deutschen Dichtern des Barock.[63] Das Erbauungsschrifttum des 17. Jahrhunderts ist fast noch terra incognita, sowohl für den Theologen wie für den Literarhistoriker. Gerade auf diesem Gebiet sind weitere überraschende Ergebnisse zu erwarten, wenn man vor der erdrückenden Fülle des Materials und dem nicht immer erfreulichen Inhalt dieser Schriften nicht zurückschreckt und die mühevolle Arbeit nicht scheut, diese vielgelesene Literatur kritisch zu durchleuchten und ihren vielfältigen Perspektivenreichtum im Hinblick auf die zeitgenössische Dichtung systematisch aufzuzeigen. — Über Zesen als Erbauungsschriftsteller liegen keine Untersuchungen vor, obgleich sein *Frauenzimmers Gebeht-Buch* und sein *Buß-Beicht- und Beht-Büchlein* außerordentlich erfolgreich waren und seine Übersetzung von Joh. Arndts *Paradiesgärtlein* ins Holländische mehr als zwanzigmal aufgelegt wurde, zuletzt um 1760.

Man braucht nicht R. Ibels Meinung zu teilen, daß man Zesens weltlichen Gedichten „gleich das Unechte und Gemachte" anmerke, während die geistliche Lyrik „ein starkes dichterisches Erlebnis vermuten" läßt[64]; man urteilt heute etwas vorsichtiger. Dennoch sind die religiösen Dichtungen von größtem Interesse, auch im Zusammenhang mit Persönlichkeit und Lebensgeschichte ihres Dichters. Zesen suchte gern die Nähe bekannter Persönlichkeiten, aber seine Bekanntschaft mit Anna Maria van Schurman und Amos Comenius mag tiefere Gründe haben. Jedenfalls war er an Problemen der Ethik und Erbauung auffallend stark interessiert, die Beziehungen zu der späteren Anhängerin von Labadie und dem großen Pädagogen haben sich bekanntlich auch in seinem dichterischen Werk niedergeschlagen. Die von L. Forster aufgeworfene Frage nach Zesens Religiosität[65] harrt noch immer ihrer Lösung. Der Umstand, daß Zesen in Briefwechsel stand mit Joh. Heinrich Ott, der dem Täufertum großes Interesse entgegenbrachte und ein gelehrtes Werk darüber verfaßte (*Annales Anabaptistici*, Zürich 1672), daß eine Reihe seiner Schriften erschienen ist im Amsterdamer Verlag von Kristof

---

[61] *Romankunst* S. 157 ff.; ders.: *Barockroman und Erbauungsliteratur. Quellenmaterial zu Zesens ‚Simson'*, in: Levende Talen Nr. 265 (1970), S. 125—141.

[62] Vgl. E. Lindhorst, aaO. S. 106 ff., bzw. 125 ff. Die Frage, ob Zesen nicht auch die *Historia Assenat* in holländischer Übersetzung benutzt haben könnte, verneint Lindhorst (S. 127), denn ein niederländischer Druck sei nicht nachweisbar. Die von mir benutzte holländische Ausgabe der *Testamente*, die 1544 in Kampen (b. Zwolle) erschien, enthält aber ebenfalls eine niederländische Übertragung der *Historia* (die Ausgabe wird ohne Angabe des Inhalts bibliographiert von Rob. Sinker: *A Descriptive Catalogue of the Editions of the Printed Text of the Versions of the Testamenta XII Patriarchum*, Cambridge 1910, S. 21).

[63] Vgl. Karl Viëtor: *Probleme der deutschen Barockliteratur*, Leipzig 1928, S. 50 ff.

[64] o. c. S. 51 ff.

[65] Leonard Forster: *Dichterbriefe aus dem Barock*, in: Euphorion 47 (1953), S. 390 ff. Die folgenden Ausführungen beruhen auf Forsters Untersuchung.

Konrad, der auch Werke sektiererischen Charakters verlegte, daß schließlich hinter Konrad der erklärte Täufer Hans Vlamingh steht, der persönliche Beziehungen zu Zesen hatte, geben, in Verbindung mit weiteren Indizien, zu der Vermutung Anlaß, daß der Dichter selber sektiererische Neigungen hegte.

Indessen verleugnet Zesen in den Erbauungsschriften seine Natur keineswegs. So erhebt er auch in der Vorrede zum *Frauenzimmers Gebeht-Buch* den Anspruch, ein originelles Unternehmen angebahnt zu haben: „ich beginne was neues/ ich suche was sonderliches/ich bahne vor sie einen solchen weg/den vor mir/meines wissens/noch keiner gebahnet...“. Das ist freilich im 17. Jahrhundert nichts Ungewöhnliches, „neu“ ist ein fast obligatorischer Bestandteil barocker Buchtitel, die Neuartigkeit wird in der Vorrede gehörig herausgestrichen.[66] Auch Zesen huldigt diesem Brauch, aber bei ihm verbindet sich die Betonung des Neuen immer wieder penetrant mit einem Seitenhieb gegen seine Neider, — und so geschieht es denn auch im erwähnten Gebetbuch.

Es wäre eine lohnende Aufgabe, Zesens religiöse Lyrik vom Standpunkt frühpietistischer Frömmigkeit zu betrachten. R. Weber hat hier schon vorgearbeitet[67], eine ausführliche Studie, die nicht nur den Wortschatz und die Motivik, sondern vor allem auch die Stilhaltung berücksichtigte, wäre wünschenswert. An Zesens geistlicher Dichtung, besonders der späteren Zeit, bestätigt sich M. Windfuhrs Beobachtung, daß sogar ausgesprochene Barockdichter das Stilniveau wechseln, wenn sie geistliche Gebrauchsdichtung schreiben: „Wir stehen vor einem Bereich mit selbständigen Stilvoraussetzungen, der vom Barock nicht oder wenig berührt wird.“[68] Zesen hat sich bekanntlich schon im Nachwort zu seiner Hohe-Lied-Bearbeitung (*Helicon* 1641, S. 140 f.) für einen einfachen Stil bei geistlichen Themen ausgesprochen. Auch in der Vorrede zum *Gekreutzigter Liebsflammen oder Geistlicher Gedichte Vorschmak* (1653) heißt es: „Du wirst hier wenig dichterische bluhmen und verzukkerungen/sondern nur einfältige reden finden...“ Die befremdliche Opposition von „wenig“ und „nur“ weist jedoch schon auf eine gewisse Diskrepanz zwischen Theorie und Praxis hin, die — an sich beachtenswert — auch darüber Aufschluß geben könnte, was Zesen unter „pracht der worte“ versteht.

Mit dem Schmuckbegriff ist ein Problem verbunden, das man bisher übersehen hat: Zesens Verhältnis zur Rhetorik. Die unzähligen „prunkreden“ nehmen in seinen Erzählwerken einen wichtigen Platz ein, der Dichter hat sich offensichtlich bemüht, sie zu wahren Glanzleistungen zu gestalten. Ihre Struktur und ihr Stellenwert verdienen deshalb das Interesse der Forschung. Auch der Redeschmuck — d. h. die Bildlichkeit — und die Funktion der Schmuckmittel sind dabei in die Untersuchung einzubeziehen und mit der Lyrik zu vergleichen. Nicht vergessen

---

[66] Zur barocken Vorrede vgl. man: Hans Ehrenzeller: *Studien zur Romanvorrede von Grimmelshausen bis Jean Paul*, Bern 1955.

[67] *Die Lieder Philipp von Zesens*, Diss. Hamburg 1962, S. 67—79. Einzelne Hinweise auch bei G. Müller (*Geschichte des deutschen Liedes*, S. 39 f.) und K. Viëtor (aaO. S. 50 ff.).

[68] Manfred Windfuhr: *Die barocke Bildlichkeit und ihre Kritiker*, Stuttgart 1966, S. 136 ff. und 363 ff. (Zitat S. 136).

sei, daß Zesen in der Vorrede zur *FrühlingsLust* (1642) einer einfachen Ausdrucksweise das Wort redet: „Die Worte seyn schlecht/die Reden deutlich/daß sie jederman
verstehen sol. Denn so die Reden allzusehr verfünstert/daß mancher kaum den halben Verstand daraus erzwingen kan/wozu dienet es?" Das ist für den gelehrigen
Schüler des Augustus Buchner nicht verwunderlich, denn dieser lobt einerseits die
Vorzüge der Metaphorik, schränkt aber andererseits, in Übereinstimmung mit der
humanistischen Maßhaltelehre, ihren Gebrauch gerade in diesem Sinn ein: „Denn
nichts die Rede herrlicher und auch lieblicher machet/als diese/wenn man nur
recht mit ihnen ümbgehet/und sie nicht zu dunckel [...] sind."[69] Dennoch gehört
Zesen unzweifelhaft zu den schmuckwilligsten Dichtern seiner Zeit. Während
Johann Peter Titz, der der Opitzischen Traditionslinie folgt, 1642 bei der Erwähnung der Stilqualitäten noch den Zierlichkeitsbegriff an die zweite Stelle setzt — wie
Tscherning es auch noch 1659 tut —, hat Zesens *Helicon* von 1641 bereits die
umgekehrte Reihenfolge: „Von zierde und reinligkeit der Verse"[70], — trotz der
programmatischen Vorrede seiner ersten Liedersammlung. Hier sind also die Studien R. Webers fortzuführen. Eine systematische Erforschung von Zesens Metaphorik, wie sie etwa für die Greiffenberg und A. Gryphius vorliegt[71], ist als eine
vielversprechende Forschungsaufgabe anzusehen. Zu prüfen ist, ob Windfuhrs
Einordnung des Dichters unter die „Dekorativen", die mit ihrer naiven Freude
an der Verschönerung der Welt die rhetorischen Schmuckmittel nur spielerisch
einsetzen, zu Recht und uneingeschränkt Geltung hat.[72] Jedenfalls begibt sich
Windfuhr — wie oben angedeutet — in offenen Widerspruch zu Webers Ergebnissen.

Eine Beschreibung von Zesens lyrischem Stil darf selbstverständlich das Problem der Umarbeitung nicht außer acht lassen.[73] Die große Sammlung *Rosen-
und Liljen-tahl* (1670) mag zwar als eine „abendliche Rückschau" wirken
(A. Gramsch), der alternde Dichter hat aber seine früheren und frühesten Gedichte, denen er offenbar bleibenden Wert verschaffen wollte, nirgends unverändert aufgenommen. Außerdem hat Zesen, wie kaum ein Dichter seiner Zeit, dem
Leser einen Blick in seine Werkstatt gegönnt, der es erlaubt, den Prozeß des Glät-
tens und Feilens Schritt für Schritt zu verfolgen. Wenn man auch den Terminus
„Entwicklung" nur sehr beschränkt im Sinne eines individuellen geistigen Reifens
auf die Dichtung des 17. Jahrhunderts anwenden darf, ist er im Falle Zesen nicht
ganz fehl am Platz. Denn Zesens lyrisches Schaffen — es umfaßt immerhin fünfzig Jahre (1638—1688) — spiegelt die literarische Entwicklung vom Früh- zum

---

[69] *Anleitung Zur Deutschen Poeterey [...] heraus gegeben von Othone Prätorio,*
Wittenberg 1665, S. 67.

[70] Nicht erst in der Ausgabe von 1656, wie Windfuhr (S. 345) suggeriert. J. P. Titz:
Zwey Bücher Von der Kunst Hochdeutsche Verse und Lieder zu machen (Danzig
1642), II. Kap.; Andr. Tscherning: *Unvorgreiffliches Bedencken über etliche mißbräuche in der deutschen Schreib- und Sprach-Kunst* (Lübeck 1659), S. 39.

[71] Peter Maurice Daly: *Die Metaphorik in den ‚Sonetten' der Catharina Regina von
Greiffenberg,* Diss. Zürich 1964; Dieter Walter Jöns: *Das ‚Sinnen-Bild'. Studien zur
allegorischen Bildlichkeit bei Andreas Gryphius,* Stuttgart 1966.

[72] aaO. S. 233 ff.

[73] Vgl. die Andeutungen bei F. van Ingen: o. c. II, 3.

Hochbarock genau wider, so daß ein Querschnitt durch seine Lyrik zugleich ein solcher durch den Stil seiner Zeit ist.

Eine sprachlich-stilistische Betrachtung von Zesens Werken darf der problematischen Frage nach Herkunft und Charakter von Zesens Prosastil, insbesondere seiner „lakonischen schreib-ahrt" nicht ausweichen. Dank V. Meids Analysen weiß man heute, daß die Dinge weit differenzierter gesehen werden müssen, als die ältere Forschung im allgemeinen annahm.[74] Auch hier läßt sich vorläufig kaum Verbindliches sagen, weil man bisher dieses Forschungsgebiet fast völlig vernachlässigt hat. Greifbarer scheint das Prinzip der Dreiteiligkeit zu sein — gemeint ist die Aufgliederung der Aussage in drei parallel gestaltete Teile —, die ein Merkmal sowohl der literarischen wie der wissenschaftlichen Prosa des Dichters ist. Gerade hier fand Zesen Nachfolge:

> „Mit ihr seufzete der Himmel. Mit ihr bebete die Erde. Mit ihr bewegete sich des innerste der Grundfeste." — „Mit einem für Zorn feurenden/für Grim brennenden/vor Scham erröhteten Angesichte schiede sie von dannen." — „Kein Strählgen schoße sie. Kein Fünkgen ließ sie stieben. Keine Wärme ließ sie aus."

Diese Beispiele finden sich auf einer einzigen Seite eines Werkes von Konrad Heinrich Viebing, der 1669 in die Deutschgesinnete Genossenschaft aufgenommen und 1677 von Zesen zum Dichter gekrönt wurde.[75]

Zesens Einfluß ist in Viebings Prosawerk mit Händen zu greifen. Ungleich schwerer ist dies der Fall bei seiner Lyrik. Es bedürfte eingehender Untersuchungen, Zesens Nachwirkung auf die Dichter des Jahrhunderts exakt festzustellen. Der Beitrag von H. Zeman (s. S. 231 ff.) darf als ein erster Versuch angesehen werden. Jedenfalls rief Zesens Befürwortung der gemischten Versarten, der trochäischen und daktylischen Sonette und der Binnenreime ein lebhaftes Echo hervor. Verallgemeinernd darf man sagen, daß E. C. Homburg, Chr. Brehme, G. Greflinger u. a. der Zesenschen Richtung folgten[76]; Welti nimmt sogar einen Einfluß Zesens auf Gryphius' Sonettgestaltung an.[77] Inwiefern Catharina Regina von Greiffenberg, die um ihr „natursprachliches" Sprachschöpfertum bekannte Dichterin, stärker von Zesen als von den Nürnbergern angeregt worden ist, ist bis

---

[74] V. Meid: *Zesens Romankunst*, passim, bes. S. 104 ff. An weiteren stilistischen Untersuchungen sind zu nennen: H. Will: *Die aesthetischen Elemente in der Beschreibung bei Zesen*, Gießen 1922; ders.: *Die Gebärdung in den Romanen Philipps von Zesen*, in: Neue Jahrbücher f. d. klass. Altertum, Geschichte und dt. Literatur und für Pädagogik, Jg. 27, Bd. 53 (1924), S. 112—124; J. H. Scholte: *Kleur en klank bij Philipp von Zesen*, in: Neophilologus 8 (1932), S. 193—197; Birger Säterstrand: *Die Sprache Zesens in der ,Adriatischen Rosemund'*, Diss. Göteborg 1924; V. Meid: *Sprichwort und Predigt im Barock. Zu einem Erbauungsbuch Valerius Herbergers*, in: Zs. f. Volkskunde 62 (1966), S. 209—234.

[75] *Zweiter Teil der Geistlichen Schäfferei von der Unvergleichlichen/wunderschönen aller Tugend vollenkommensten Weisemunden Begreifend deroselben Liebs und Freuden Geschicht Voller Geist- und geheimnisreichen Lieder und Anmärkungen Unter dem Preiswürdigen Hochdeutschen Helikon Im Rosen- Lilien- und Negelchen Tahle. Andächtig betrachtet und einfältig besungen von dem Hurtigen Roselieben Helmstädt/ Verlegts Friederich Lüderwaldt/1684*, Zitat S. 2.

[76] R. Ibel: aaO. S. 149 ff.

[77] Heinrich Welti: *Geschichte des Sonetts in der deutschen Dichtung*, Leipzig 1884.

heute eine offene Frage. Selbstverständlich müßte auch einmal die diffizile Frage geklärt werden — wenn das überhaupt möglich ist —, ob die Klangkultur der Nürnberger sich völlig eigenständig oder unter Einfluß Zesens entwickelt hat.[78]

Die Nachwirkung von Zesens poetologischen Ansichten ist vielleicht noch schwerer zu erfassen. Obwohl Gramsch von ihrer Breitenwirkung fest überzeugt ist,[79] Zesens Einwirkung auf Schottel für „geradezu ausschlaggebend" hält und seinen Einfluß auf Tscherning, Harsdörffer, Neumark u. a. nachzuweisen sucht, wären detaillierte Untersuchungen notwendig, seine Thesen zu untermauern. Daneben gibt es aber auch direkte Zesenschüler, die viel zur Verbreitung von Zesens Ideen beigetragen haben (man vgl. den Aufsatz von U. Maché in diesem Band). Hier steht der Forschung noch ein weites Feld offen! Auch Zesens literarische Theorie und ihre Bedeutung ist — nach dem Vorbild Machés — weiter zu erforschen. Bei Zesen spielt, um nur ein Beispiel zu geben, der Begriff des Poeten und des poetischen Geistes eine wichtige Rolle. Ob der „furor poeticus" und die Naturanlage für Zesen aber fast identische Begriffe sind, wie L. Fischer annimmt[80], müßte anhand des gesamten Oeuvres geprüft werden (bei Zesen ist die Vorredenpoetik mindestens so wichtig wie die systematische Poetik im *Helicon!*). Dabei handelt es sich um einen Zentralbegriff des barocken Dichterselbstverständnisses, der mit ähnlichen zu vergleichen wäre.

Zesens außerliterarische Werke sind fast nie Gegenstand ernsthafter wissenschaftlicher Forschung gewesen, obgleich sie es zweifellos verdienten. Was G. Schönle über den *Niederländischen Leuen* zu berichten weiß, ist leider wenig mehr als ein Referat des Inhalts, wenn auch das Bemühen des Verfassers, die Aufmerksamkeit der Forschung auf dieses Werk zu lenken, begrüßenswert ist.[81] Historische Werke erfreuten sich im 17. Jahrhundert eines großen Interesses. Zesen frönte also nicht nur seinen eigenen Liebhabereien, — obwohl man hier ehrlichkeitshalber fragen muß, ob nicht seine finanzielle Lage eher als sein persönliches Interesse ihn zur Feder greifen ließ. Es wäre aber verfehlt, die historischen Schriften unabhängig vom literarischen Werk zu betrachten. Die *Beschreibung der Stadt Amsterdam* etwa ist in stilistischer Hinsicht eine bedeutende Leistung, die auf eine Linie mit den Romanen zu stellen ist. Man pflegt sie — sicher mit Recht — als eine Huldigung an seine Wahlheimat zu betrachten, als das Geschenk des Dichters für das verliehene Bürgerrecht. Aber die kritischen Worte, die Zesen über die Geldgier der Holländer sagt (S. 286 f.), lassen sich damit kaum

---

[78] Die vorschnelle Schlußfolgerung H. Wills, die auf eine Postulierung einer einseitigen Abhängigkeit Zesens von den Nürnbergern hinausläuft, darf als überholt betrachtet werden. Will übersieht z. B., daß Zesen schon vor Harsdörffer für die Verwendung von Binnenreimen eintrat.

[79] Gramsch: aaO. S. 56 ff.

[80] Ludwig Fischer: *Gebundene Rede. Dichtung und Rhetorik in der literarischen Theorie des Barock in Deutschland*, Tübingen 1968, S. 42 f.

[81] Gustav Schönle: *Deutsch-Niederländische Beziehungen in der Literatur des 17. Jahrhunderts*, Leiden 1968, S. 135 ff. — Heinz Stanescus Ansatz zu aktualisierender Geschichtsbetrachtung in Zesens Romanwerk vermag kaum zu überzeugen: *Wirklichkeitsgestaltung und Tendenz in Zesens ‚Adriatischer Rosemund'*, in: Weimarer Beiträge 7 (1961), S. 778—794.

vereinbaren. Der Verfasser strebt also durchaus eine objektive Darstellung in modernem Sinn an. Zugleich wird hier eine interessante Parallele zur *Adriatischen Rosemund* sichtbar, die für die Interpretation dieses Werkes nicht ohne Bedeutung ist: Das Gespräch zwischen Rosemund und Markhold (ed. Jellinek S. 221 ff.) erinnert auch im Wortlaut an Zesens Kritik an den „Amsterdamschen gemühtern", die Wissenschaften und schöne Künste „nicht eine bohne/nicht eines ziegenhaares währt achten". Man darf hoffen, daß K. F. Ottos Beitrag (S. 221 ff. dieses Bandes) ein größeres Interesse für *alle* nicht-literarischen Werke des Dichters zur Folge haben wird. Man sollte nicht vergessen, daß die Zeitgenossen auch die historischen Schriften als künstlerische Leistungen ansahen. Der „Wohlriechende" schreibt z. B. in einem Brief an Zesen, der vor der *Helikonischen Hechel* abgedruckt ist: „Was vor einen lieben dank mein Herr bei den frommen Sprachliebenden/durch ausfärtigung seiner *Verschmäheten doch wieder Erhöheten Majestäht*/verdienet/ja was vor ein unsterbliches lob Er hierdurch erlanget/kan ich nicht gnugsam aussprechen. Viel große Leute urteilen davon also: daß/wan Er auch schon nichts mehr geschrieben/als dieses einige Buch/Er dannoch/zu erlangung eines unsterblichen preises/mehr als genug getahn . . ."

Es setzt sich immer mehr die Erkenntnis durch, daß Zesens *gesamtes* Schaffen zu berücksichtigen ist, wenn man sein „Kunstwollen" verstehen will. Und das heißt, daß man sein Selbstverständnis als *poeta doctus* ernstzunehmen hat. Wie fruchtbar ein solcher Ansatz ist, zeigt die ungedruckte Arbeit von F. G. Gier über Planetensymbolik in Zesens Romanen.[82] Gier legt seinen Untersuchungen das unbekannte Werk des Dichters zugrunde, das eine poetische Beschreibung des Fixsternhimmels darstellt, den *Coelum Astronomico-Poeticum* (1662), und versucht nachzuweisen, daß Zesens Romane astrologisch komponiert wurden. In dieser aus der Weydt-Schule hervorgegangenen Studie wird ein Aspekt anvisiert, der für die Struktur mancher barocker Erzählwerke größeren Umfangs von ausschlaggebender Bedeutung ist. Giers luzide Darstellung macht deutlich, daß auch bei Zesen das Kompositionsschema des Romans von einem astrologischen Schema bedingt wird, daß darüber hinaus selbst Metaphern und Redewendungen aus dem astrologisch bestimmten Bereich der jeweils herrschenden Planeten hergenommen sind. Diese Erkenntnis bringt für die Interpretation überraschend neue Gesichtspunkte. Der Dichter legt sich mit der Wahl eines bestimmten Planetenzyklus weitgehend fest; wo der Stoff dem astrologischen Schema nicht genügt, sind die Lücken durch den Einschub von Nebenhandlungen, Beschreibungen etc. aufzufüllen. In diesem Licht besehen erscheinen die Episoden in der *Adriatischen Rosemund*, deren Integration der Forschung immer noch zu schaffen macht, weniger „zufällig". Es ist ein großer Vorteil der astrologischen Interpretation, daß es ihr gelingt, die gewissermaßen selbständigen Einschübe im Zusammenhang mit der Gesamtkomposition sinnvoll zu deuten. Es versteht sich, daß dem Dichter da, wo er mit seinem Stoff frei schalten kann, eine organische Verbindung der Erzählteile und der Einschübe eher möglich ist als bei einem von vornherein fixierten Stoff,

---

[82] Herr Franz Georg Gier hat dem Verfasser in großzügiger Weise sein Manuskript zur Verfügung gestellt; ihm sei dafür an dieser Stelle herzlich gedankt.

wo der Planetenzyklus ein komplizierendes Moment ist. Während die *Assenat* eine Kongruenz des vorgegebenen Stoffes zum astrologischen Schema zeigt, ist eine harmonische Anordnung der verschiedenen Elemente im *Simson* schon dadurch unmöglich geworden, daß der Dichter sich nicht zu einer Modifizierung des tradierten Stoffes entschlossen hat. Die astrologische Deutung gelangt also zu einem ähnlichen Ergebnis wie die Figuraldeutung; wie sich aber biblische Geschichte, Präfiguration und Astrologie im einzelnen zueinander verhalten, wäre noch zu klären. — Zesens eigene Überzeugung hinsichtlich des Sternenglaubens findet ihren Ausdruck in seinen biblischen Romanen: *Assenat* S. 149 ff. und *Simson* S. 340 ff. Indessen mag sein Interesse — wie Gier richtig hervorhebt — vor allem ästhetisch begründet sein. Die Astrologie bot dem Dichter außerdem die Gelegenheit, seine Rolle als Gelehrter überzeugend zu spielen. Gott habe, so heißt es im *Rosen-mând* (S. 45), die Schrift der Sterne zwar „offenbahrlich für unserer aller augen aufgehänget", aber nur der Weise sei imstande, sie zu deuten und nutzbar zu machen: „daß er sie aber verborgener weise geschrieben/das hat er deswegen getahn/daß sie die narren nicht etwan zu ihrer tohrheit misbrauchten/ und daß sie dem weisen allein/der sie auch allein nach seiner weisheit wohl zu lesen und recht zu gebrauchen weiß/zur warnung und andern nutzbarkeiten dienete."

Astrologische Zusammenhänge finden sich auch außerhalb der Romane in Zesens Werk, etwa in dem „Reiselied" für Rosemund (*Rosen- und Liljen-tahl* Nr. 29, S. 118 ff.) oder in dem Rosemund-Gedicht, das im *Coelum Astronomico-Poeticum* S. 59 ff. abgedruckt ist. Es ist bezeichnend, daß der enge Bezug zwischen Astrologie und Dichtung um die zum Idealbild der Liebe stilisierte Heldin von Zesens erstem Roman kreist. Sie ist zugleich das Sinnbild der Deutschgesinnten Genossenschaft und damit gleichsam das übergeordnete Symbol für Zesens Dichtertum, das sich in den treuen Dienst der *Liebe* zur deutschen Sprache und Kultur stellt. Deshalb ist es alles andere als ein Zufall, daß Rosemund auch das Bindeglied zwischen dem dichterischen Werk einerseits und dem poetologischen Werk (*Helikonische Hechel*) und dem sprachtheoretischen Werk (*Rosen-mând*) andererseits ist, sowie es auch kein Zufall ist, daß die Vorreden der theoretischen Schriften den Begriff der Liebe in den Vordergrund rücken: „Laß es aus liebe geschehen/wie ich aus liebe zu dir dieses schreibe" (*Helikonische Hechel*) — „Dan sihe! ich schreibe aus liebe/mit liebe rede ich dich an; und darüm mustu auch ja mit liebe antworten. Ich schreibe aus liebe zur sprache/aus liebe zu dier/aus liebe zu meinem Vaterlande; durch liebe werde ich getrieben; von liebe rede ich; mit liebe vermische ich meine reden: damit sie solcher gestalt verlieblichet/dier/der du Liebe liebest/zu lesen belieben möchtet. [...] so laß doch ei lieber! die lieblichkeit deiner augen/lieber Leser/dieses aus liebe/von liebe/mit liebe/ja durch liebe geschriebene liebes-zeichen lieblich/liebsälig und freundlich anlächlen" (*Rosen-mând*). Zesen, der *poeta doctus* kat'exochen, stiftet nach wohlbedachtem Plan einen Zusammenhang zwischen Dichtung und Wissenschaft; es war sein Ehrgeiz, als Dichter zugleich der Wissenschaft, als Wissenschaftler zugleich der Dichtung zu dienen. Der Einwand, daß es sich bei ihm häu-

fig um Auftragsarbeiten gehandelt habe, denen keine weitere Bedeutung beizumessen sei, wird gegenstandslos, wenn man erkannt hat, mit welcher Präzision
Zesen auch das nicht-literarische Werk sprachlich gestaltete, es sozusagen „litera-
risierte", und wie sehr er alles, was er in litteris in Angriff nahm, einer umfassenden Idee unterordnete: der Erhebung seines Volkes im Geist der Liebe und Weisheit.

Die Einsicht, daß dichterisches und außerdichterisches Werk eine Einheit bilden, legitimiert auch den Aufbau der historisch-kritischen Gesamtausgabe, die
im Erscheinen begriffen ist (Verlag Walter de Gruyter, Berlin).[83] Sie will
das Interesse der Forschung erneut auf das einzigartige Phänomen Zesen hinlen-
ken und das Studium seiner Werke in umfassendster Weise ermöglichen. In diesem Sinne verstehen sich auch die Beiträge der vorliegenden Gedenkschrift, als
Anregungen zu weiteren Forschungen im Bereich der ebenso komplexen wie fes-
selnden Barockliteratur: „Ein ieder hat geschrieben/was ihm guht gedaucht hat/
iedoch also/daß er keinem etwas gewisses/daran man sich zu binden hätte/fohr-
schreiben wil."[84]

Amsterdam, am 1. Mai 1970.

---

[83] Man vgl. dazu: F. van Ingen: *Prolegomena zur Zesen-Ausgabe*, in: Jahrbuch für
Internationale Germanistik I, Heft 2 (1970), S. 53—62. Zu erwähnen ist hier auch die
Bibliographie von Karl F. Otto: *Philipp von Zesen. A Bibliographical Catalogue*. Bern
und München 1972.
[84] Aus der Vorrede zur Bellinschen Sammlung (1647).

Volker Meid

HEILIGE UND WELTLICHE GESCHICHTEN:
ZESENS BIBLISCHE ROMANE

ASSENAT

I

Wenn im 17. Jahrhundert von vorbildlichen Leistungen auf dem Gebiet der *Romainen* die Rede ist, fehlt in der Regel der Name Zesens[1]. Keiner seiner Romane, weder die *Adriatische Rosemund* noch seine biblischen Geschichten von *Assenat* und *Simson,* hat einen nennenswerten Einfluß auf die Entwicklung der Gattung in Deutschland ausgeübt. Im Gegenteil, was zunächst weiterlebte, waren gerade die konventionellen Romanschemata, die vom ‚heroisch-galanten' Roman abgezogen wurden und denen sich Zesen versagt hatte[2]. Auch einige dieser Romane selbst erfuhren noch im 18. Jahrhundert neue Auflagen und Bearbeitungen[3], wohl weil sie durch ihre Handlungsfülle und auf Spannung und Überraschung zielende Erzählweise leicht als Unterhaltungsliteratur konsumiert werden konnten. Daß sie den späteren Verfertigern gängiger Ware als Vorbild dienten, läßt sich etwa aus dem Urteil schließen, das Joachim Meier über Zesens *Assenat* fällte: „Aber seine Erfindungen seynd so elend und Pöbelhafft / ohne Abwechselungen / Anmuth und Verwirrungen / daß man auch wohl eines Coridons amour geschickter [. . .] aufführen können."[4] Tatsächlich erscheint im Vergleich mit dem komplizierten Aufbau höfischer Romane — und den anhand einiger weniger dieser *Geschichtgedichte* entwickelten Typologien des ‚eigentlichen' Barockromans —

---

[1] So z. B. bei Daniel Georg Morhof, *Unterricht von der Teutschen Sprache und Poesie.* Lübeck und Frankfurt 1700 (zuerst 1682), S. 629 f.; Albrecht Christian Rotth, *Vollständige Deutsche Poesie* (1688), Ausschnitte daraus in Marian Szyrocki (Hrsg.), *Poetik des Barock.* 1968 (Rowohlts Klassiker), hier S. 233; (Sigmund von Birken), *Vor-Anspra-che zum Edlen Leser* = Vorrede zu Anton Ulrich von Braunschweig-Wolfenbüttel, *Die Durchschleuchtige Syrerinn Aramena.* Der Erste Theil. Nürnberg 1678, hier Bl.)(iiijv.

[2] Vgl. Herbert Singer, *Der galante Roman.* Stuttgart ²1966 (Sammlung Metzler 10), S. 28 ff.

[3] Vgl. etwa die Angaben bei Karl Goedeke, *Grundriß zur Geschichte der deutschen Dichtung*, Bd. 3, Dresden ²1887, S. 248 (Bucholtz), S. 259 (Zigler).

[4] Joachim Meier, *Die Durchlauchtigste Heberärinnen* [!] *JISKA REBEKKA RAHEL ASSENAT und SEERA In einem [...] ROMAN [...] auffgeführet.* Leipzig und Lüneburg 1697, Bl. 7v f.

Zesens Romankunst als Randerscheinung[5]. Die Geschichte von der *Adriatischen Rosemund*, zur gleichen Zeit wie die Übersetzung eines typischen höfischen Romans der Madeleine de Scudéry entstanden[6], verzichtet auf die Großform des Barockromans und beschränkt sich auf die tragische Liebesgeschichte eines Paars, auf ein privates Geschehen.

Auch die späten Romane Zesens behaupten eine unverkennbare Eigenart, obwohl sie sich höfischem Wesen nähern. Seine Vorreden lassen erkennen, daß er von bestimmten Konventionen des ‚Romanhaften', wie sie den höfischen Roman und den *Amadis* bestimmen, Abstand zu gewinnen sucht. Die Lösung, die Andreas Heinrich Bucholtz gefunden hatte, indem er Heroisches und Christliches, traditionelle Romankomposition und Erbauung miteinander verband, hatte keine Wirkung auf Zesen[7]. Er rückt das Problem auf eine andere Ebene. Seine als Überwindung der weltlichen Romane propagierte *Heilige Stahts- Lieb- und Lebens-geschicht*[8] gewinnt ihre Heiligkeit nicht in erster Linie aus dem vorbildlichen Verhalten eines christlichen Helden, der sich in der Welt bewährt, auch nicht aus eingeschobenen erbaulichen Reflexionen, sondern entscheidend aus der Würde des stofflichen Vorwurfs: „Fragstu / warüm ich sie heilig nenne? Freilich ist sie heilig / weil sie aus dem brunnen der heiligen Geschichte Göttlicher Schrift geflossen." (*5ᵛ) Nicht auf der erbaulichen Wirkung liegt der Akzent, sondern auf dem Anspruch, durch vollständiges Ausschöpfen der Quellen die „nakte Wahrheit dieser sachen" zu schildern (*7ʳ), und damit die Tugenden der Geschichtsschreibung in die Romankunst einzubringen: „[...] diese meine Geschicht ist / ihrem grundwesen nach / nicht erdichtet." (*6ᵛ) Damit schneidet Zesen ein Problem an, das in der Geschichte der Literatur immer wieder ans Licht tritt, das aber der höfische Roman des Barock in einem anderen Sinn entschieden hatte: die Frage nach der ‚Wahrheit der Dichter'[9]. Daß die Dichter lügen, ist ein alter Vorwurf. Eine der Reaktionen auf diesen Vorwurf ist die Beteuerung der Tatsachenwahrheit, die für

---

[5] Vgl. Günther Müller, *Barockromane und Barockroman.* In: Literaturwissenschaftliches Jahrbuch der Görres-Gesellschaft, Bd. 4, Freiburg i. Br. 1929, S. 1—29; Richard Alewyn, *Der Roman des Barock.* In: *Formkräfte der deutschen Dichtung vom Barock bis zur Gegenwart,* hrsg. von Hans Steffen. Göttingen ²1967, S. 21—34; Clemens Lugowski, *Die märchenhafte Enträtselung der Wirklichkeit im heroisch-galanten Roman.* In: *Deutsche Barockforschung. Dokumentation einer Epoche,* hrsg. von Richard Alewyn. Köln, Berlin 1965, S. 372—394.

[6] (Madeleine de Scudéry,) *IBRAHIM OV L'ILLUSTRE BASSA.* Paris 1641 (4 Bde.); *Ibrahims oder Des Durchleuchtigen Bassa Und Der Beständigen Isabellen Wunder-Geschichte:* Durch Fil. Zaesien von Fürstenau. Amsterdam 1645 (2 Bde.); weitere Auflagen von Zesens Übersetzung 1665 und 1667.

[7] Zu Bucholtz vgl. Ulrich Maché, *Die Überwindung des Amadisromans durch Andreas Heinrich Bucholtz.* In: Zeitschrift für deutsche Philologie 85, 1966, S. 542—559.

[8] Philipp von Zesen, *Assenat; das ist Derselben / und des Josefs Heilige Stahts- Lieb- und Lebens-geschicht,* Amsterdam 1670, hrsg. von V. Meid. Tübingen 1967 (= Deutsche Neudrucke, Reihe Barock, Bd. 9). Aus dieser Ausgabe wird im folgenden zitiert; die Seiten- oder Blattzahlen stehen in Klammern hinter den Zitaten.

[9] So ist der Titel eines Buches von Wolfgang Kayser: *Die Wahrheit der Dichter. Wandlung eines Begriffes in der deutschen Literatur.* Hamburg 1959 (rowohlts deutsche enzyklopädie 87).

Erzählwerke des 16. Jahrhunderts noch eine große Rolle spielt[10]. Der Übersetzer des ersten Buches des Amadis-Romans (1569) rückt das Problem aber schon in eine andere Beleuchtung und kehrt die Wertung um, indem er erklärt, daß sich in diesem „offnen Schawspiel vnd Theatro der gantzen welt" der exemplarische Zweck „besser vnd klärlicher in einer erdichten Narration, dann in einer wahrhafften History, darthun" lasse[11]. Der erste große höfische Roman des Barock, John Barclays *Argenis*, bietet ein frühes Beispiel für romantheoretische Reflexionen innerhalb eines Romans. Der Hofdichter Nicopompus entwickelt hier eine „newe Art zu schreiben", die der Autor ausdrücklich auf seinen eigenen Roman angewendet wissen will[12]. Um den für die verworrene politische Situation Siziliens Verantwortlichen einen Spiegel vorzuhalten, will er eine „weitläufftige Fabel in gestalt einer Historien herauß butzen", darin er „wunderliche Geschichte erzehlen / vnd allerley Schlachten / Heurahten / Blutvergiessen vnd Frewde mit seltzamer Verlauffung durcheinander mengen" will. Er strebt eine Erzählung an, in der sich Wahrheit und Dichtung mischen, keine „History [...] / die sich genaw an die Warheit binden muß", sondern die dichterische Verkleidung aktueller politischer Zustände, eine Art Schlüsselroman[13]. Zwanzig Jahre später entwikkelt Madeleine de Scudéry in der Vorrede zu ihrem *Ibrahim ou l'illustre Bassa*, die Zesen nur in einer oberflächlichen Zusammenfassung wiedergibt, „ein nahezu vollständiges System der klassizistischen Romanästhetik"[14] und bringt mit dem aristotelischen Begriff der *vraisemblence* eine poetologisch abgesicherte Betrachtungsweise ins Spiel. Ebenso wie bei Barclay sind auch bei der Scudéry romanästhetische Überlegungen in die Romane selbst eingedrungen. Die von Johann Wilhelm von Stubenberg 1664 übersetzte *Clelia* mag als Beispiel dienen. In der Diskussion, die sich an den Vortrag einer romanhaften „Geschichte Hesiods" anschließt, macht Anacreon die Bemerkung, daß diese Geschichte zu einem guten Teil erdichtet sei, freilich ziemlich sinnreich, „dann ich finde sie nicht allein schöner / als die Wahrheit / sondern auch viel wahrscheiniger"[15]. Daß die Kategorie der Wahrscheinlichkeit auch eine Beachtung des kulturellen und geographischen Hintergrundes erfordert, ist selbstverständlich; allerdings soll durch eine ge-

---

[10] Kayser, *Die Wahrheit der Dichter*, S. 10 f.

[11] *Amadis*. Erstes Buch. Nach der ältesten deutschen Bearbeitung hrsg. von Adelbert von Keller. Stuttgart 1857 (= Bibliothek des litterarischen Vereins, Bd. 40), S. 6 f. Die gleiche Argumentation bringt noch S. von Birken in der *Vor-Ansprache* zur *Aramena*, Bl.)(iiij[r].

[12] IOAN BARCLAI *Argenis Verdeutscht Durch Martin Opitzen*. Amsterdam 1644, S. 209 (die erste Auflage der Übersetzung von Opitz erschien 1626). Das entsprechende Kapitel hat die Überschrift: „Der Zweck des Nicopompus / dahin auch der Author siehet: Fürstellung dieses Buchs" (S. 204).

[13] Ebenda S. 208 f.

[14] Hans Hinterhäuser, Nachwort zu Pierre Daniel Huet, *Traité de l'origine des Romans*. Stuttgart 1966 (Sammlung Metzler 54), S. 16*.

[15] *CLELIA: Eine Römische Geschichte / Durch Herrn von Scuderi [...] in Französischer Sprache beschrieben; anitzt aber ins Hochdeutsche übersetzet Durch [...] den Unglückseeligen*. Nürnberg 1664 (5 Bde.). Zitat Bd. 4, S. 775. Vgl. hier auch S. 522 und S. 772—792, wo ausführlich erörtert wird, „welcher gestalt Geschicht-erzehlungen zuerdichten seyn" (772).

schickte Wahl von Zeit und Ort eine direkte Konkurrenz mit den Historikern vermieden werden[16].

Zesens Vorrede zur *Assenat* führt zwar diese Gedanken fort — Berücksichtigung des geschichtlichen Hintergrunds —, schließt sich aber der Auffassung nicht an, daß „künstliche Gedichte"[17] den didaktischen Absichten besonders entgegenkommen. Mit Zesens veränderter Position der Fiktion gegenüber hängt es zusammen, daß die Frage nach dem erzieherischen Wert der Dichtung, das heißt nach ihrer Rechtfertigung, nicht mehr erörtert zu werden braucht: ihr vorbildhafter Wert steht durch Stoffwahl und Ausführung außer Frage[18]. Gleichwohl handelt es sich bei Zesen nur um eine — allerdings starke — Akzentverschiebung vom Wahrscheinlichen zu einer historisch getreuen Darstellung, denn auch die Kategorie der Wahrscheinlichkeit behält ihre Berechtigung: Zesen möchte seinem Roman „zu weilen / nach dieser ahrt zu schreiben / einen höhern und schöneren schmuk und zusatz / der zum wenigsten wahrscheinlich" ist, verleihen. (*6ʳ) Die Struktur des höfischen Barockromans mit seiner verwirrenden Kombinatorik ist dagegen nur unter der Voraussetzung sinnvoll, daß es nicht auf historische Wahrheit in irgendeinem Sinn ankommt, sondern auf die Darstellung von bedeutungsvollen, exemplarischen Konflikten, in denen sich die höfischen Helden bewähren und für die sittlichen und religiösen Ideale ihres Standes einstehen können. Daher die fortgesetzten Schicksalsschläge, die die Helden und Heldinnen treffen, daher die scheinbar ausweglosen Situationen, in die sie immer wieder geraten und die ihnen sittliche Entscheidungen abverlangen. In dem Moment, in dem die Quellentreue oberstes Prinzip wird und eine *Lebens-geschicht* das Ziel ist, bleibt der Roman als eine Kette von exemplarischen Entscheidungen nur noch insoweit möglich, als es die Quellen erlauben.

Die Bewährungen, vor die sich Joseph in Zesens *Assenat* gestellt sieht, sind anderer Art als die, die dem ‚heroisch-galanten' Roman Substanz verleihen. Das gilt auch für die Versuchung Josephs durch Potiphars Weib, eine Szene, die in jeden höfischen Roman zu passen scheint. In der Tat kommen derartige Proben der Standhaftigkeit seit Heliodors *Aithiopika* immer wieder vor. Auch die Reaktion auf die Verführungsversuche ist stereotyp: keine Todesdrohung vermag den Widerstand der Betroffenen zu brechen. In der *Afrikanischen Sofonisbe* des Sieur de Gerzan heißt es: „Dan ich fürchte mich vor dem stachel des todes so sehr nicht / als vor dem pfeile der Libe / wan ich von einer andern / als von derjenigen / der ich schon die eh-pflicht versprochen habe / sol verwundet wärden."[19] Mit diesem Zitat ist aber zugleich der entscheidende Unterschied zum Josephsroman Zesens gegeben, denn Josephs Treue ist Treue gegenüber seinem Gott: „Ich wil meinem Gotte / und nach ihm / meinem Fürsten getreu verbleiben bis in den

---

[16] *Clelia*, Bd. 4, S. 784.

[17] *Clelia*, Bd. 4, S. 786.

[18] Vgl. Franz Günter Sieveke, *Philipp von Zesens „Assenat". Doctrina und Eruditio im Dienste des „Exemplificare".* In: Jahrbuch der deutschen Schillergesellschaft 13, 1969, S. 115—136.

[19] Übersetzt von Philipp von Zesen: *Die Afrikanische Sofonisbe.* Amsterdam 1647, hier S. 419.

tod." (139) Herbert Singer faßt die Verführungsgeschichte „mythisch" auf: „Wie Christus vom Teufel, wird Josef von einer Teufelin versucht."[20] Damit werde die Versuchung ein entscheidender Markstein im Leben des Heiligen, als den Singer Joseph interpretiert. Auch wenn man dieser Interpretation kaum völlig zustimmen kann, weil sie einen Aspekt verabsolutiert[21], so hilft sie doch, den entscheidenden Unterschied zum höfischen Roman zu erkennen. Die Bewährungsproben, die die Protagonisten dieses Romantyps zu bestehen haben, gelten ihrer Liebe und Treue zu einem durch widrige Umstände aus den Augen verlorenen, räumlich entfernten Partner. Richard Alewyn bezeichnet daher die Liebe im höfischen Barockroman als ein in erster Linie ethisches Phänomen, als Probe der Beständigkeit, als Exempel der Tugend[22]. Dagegen handelt es sich bei Zesens Joseph nicht um Bewährung seiner selbst um einer Geliebten willen: die Treue erhält eine religiöse, ja heilsgeschichtliche Motivation. Mit der veränderten Begründung der Treue besteht auch keine Notwendigkeit mehr für die eigentümliche Handlungsstruktur des höfischen Barockromans, die wesentlich in der widrigen Trennung der Liebenden und den sich daraus ergebenden Umständen begründet ist. In der *Assenat*, die chronologisch dem Leben Josephs von seinem Einzug in Ägypten bis zu seinem Tod folgt[23], ist die Providenz nicht hinter einer scheinbar chaotischen Welt verborgen[24], sondern erweist ihre Wirksamkeit durch das ganze Leben Josephs hindurch. Das Element der Überraschung wird durch Orakel, Vorausdeutungen und Träume völlig ausgeschlossen: Zesen tadelt gerade die Schriftsteller, die die „Liebsgeschichte" „mit erdichteten wunderdingen" auszieren, „damit sie in den gemühtern der Leser üm so viel mehr verwunderung gebähren möchten" (*6[v]). Das Ziel, das er mit der *Assenat* verfolgt, kann also nur in dem Gegenstand der Darstellung selber liegen.

II

Schon Leo Cholevius wies in der ersten größeren Würdigung der *Assenat* auf die „eingängliche Schilderung seiner [Josephs] weltklugen und eifrigen Berufsthätigkeit" hin, die das „Eigenthum des Romanes" sei[25]. Man freue „sich endlich einen

---

[20] Herbert Singer, *Joseph in Ägypten. Zur Erzählkunst des 17. und 18. Jahrhunderts.* In: Euphorion 48, 1954, S. 260.

[21] Vgl. Sieveke, *Philipp von Zesens „Assenat",* S. 131, 134 f.

[22] Alewyn, *Der Roman des Barock,* S. 33.

[23] Zwei kurze Vorgeschichten werden nachgeholt: Joseph (S. 55—80), Assenat (22—32); sie sind wirkliche Vergangenheit. Über das völlig andere Verhältnis von Vorgeschichte und eigentlicher Gegenwartshandlung im heroisch-galanten Roman vgl. Lugowski, *Die märchenhafte Enträtselung der Wirklichkeit,* S. 373; Alewyn, *Der Roman des Barock,* S. 27.

[24] Vgl. Alewyn, *Der Roman des Barock,* S. 32 f.; Blake Lee Spahr, *Der Barockroman als Wirklichkeit und Illusion.* In: *Deutsche Romantheorien. Beiträge zu einer historischen Poetik des Romans,* hrsg. von Reinhold Grimm. Frankfurt a. M. 1968, S. 17—28.

[25] L. Cholevius, *Die bedeutendsten deutschen Romane des 17. Jahrhunderts. Ein Beitrag zur Geschichte der deutschen Literatur.* Leipzig 1866, S. 87.

tüchtigen Mann zu sehen, der nicht erst, wie es in den anderen Romanen geschieht, durch jene von Lanzen, Schwertern und Panzer rasselnden Abenteuer zum Helden erhoben wird"[26]. Ein Blick auf den zweiten Josephsroman der Zeit, den Grimmelshausens, läßt Zesens Absichten noch deutlicher werden. Während Grimmelshausens Roman eine durch schwankhafte Züge aufgelockerte Nacherzählung der Josephsgeschichte sein will („Josephs Histori etwas weitläuffiger beschrieben"), versucht Zesen aus dem Stoff eine „Stahtsgeschicht", einen politischen Roman zu formen. Um dieses Ziel zu erreichen, drängt er bestimmte Züge der Quellen in den Hintergrund[27]. Besonders deutlich ist dies bei den Familienszenen, die in der Bibel und bei Grimmelshausen einen breiten Raum einnehmen und nun zugunsten der staatlich-höfischen Welt an Bedeutung verlieren. Die Versuche, Josephs Vater als Herrscher und Joseph als Fürstenkind vorzustellen, bleiben halbherzig. Die heilsgeschichtlichen Aspekte der Josephsgeschichte — Josephs Wirken in Ägypten ermöglicht dem Volk Gottes den Fortbestand — gehen ein in die allgemein politischen Vorstellungen, die den Kern des Romans ausmachen. Es geht um absolutistische Theorie und Praxis.

Schon kurz nach der Ankunft in Ägypten prophezeit Joseph, daß einst „die Königliche macht / die nun noch zimlich gebunden ist / gantz frei und über alles erhoben" sein werde (42). Dies wird das Werk Josephs selber sein, sein Lebenswerk als „Schaltkönig", Vizekönig, von Ägypten. In seinem Auftritt als Traumdeuter vor dem König empfiehlt er sich als überlegener Berater und unterbreitet dem König konkrete Vorschläge, wie die Wohlfahrt Ägyptens in der Periode des Mangels bewahrt, ja wie dabei zugleich die „Königliche macht und herligkeit selbsten üm ein märkliches vermehret / und zu höherer glükseeligkeit erhoben" werden könne (173). Josephs Gespräche („Kaum führete er andere reden / als von stahtssachen" [181]) und Vorschläge zielen darauf, „den König groß / und die Untertahnen wohlfahrend zu machen" (202). Die Heirat der Königstochter Nitokris fördert er aus ähnlichen Motiven. Wohlfahrt und Friede hänge von der Verbindung Ägyptens mit dem Kronprinzen von Libyen ab, und, wie er ausführt, „die Königliche macht kan / durch dieses mittel / zur höchsten freiheit gelangen. Der König kan hierdurch über das gantze Egipten das freie volgewaltige gebiete bekommen. Dan wird er sagen können / dessen sich noch kein König vor ihm unterstehen dürfen: dis wil ich / dis gebiete ich; so mus es geschehen." (261) Die entscheidende Stärkung der Macht des Königs — „das freie volgewaltige gebiete" — ergibt sich im Verlauf der Hungersnot dank Josephs geschickter Staatskunst. Es ist sein Verdienst, daß nun „kein König in der Welt war / der so freimächtig herschete / als der Egiptische" (324). Und noch auf dem Sterbebet erweist sich seine Unentbehrlichkeit. Sein Vermächtnis wiederholt noch einmal, worum es ihm in seinem Wirken ging: die Sicherung der absoluten Herr-

---

[26] Ebenda S. 86 f.
[27] Vgl. W. V. Meid, *Zesens Romankunst*. Diss. Frankfurt a. M. 1966, S. 44. Zu Grimmelshausen und Zesen vgl. Nachwort zu Zesen, *Assenat*, S. 24* ff. Ein Neudruck von Grimmelshausens Roman erschien 1968: *Des Vortrefflich Keuschen Josephs in Egypten Lebensbeschreibung samt des Musai Lebens-Lauff*, hrsg. von Wolfgang Bender. Tübingen 1968. Die Charakterisierung des eignen Romans steht hier auf S. 5.

schaft des Königs (335 f.). — Die Steigerung der Macht des Königs hat auf der
anderen Seite zur Folge, daß die Bedeutung des Volks, der Untertanen, immer
mehr abnimmt. Joseph hat nie einen Zweifel daran gelassen, daß für ihn die Untertanen ein „im aberglauben ersoffene[s] völklein" seien, und daß es unnütz sei,
es mit dem wahren Glauben bekannt zu machen, „zumahl weil es gewohnet war /
damit es im gehohrsam verbliebe / nur mit Abgöttereien und falschen Gottes-
diensten abgespeiset zu werden" (266). Das Volk ist unmündig, wankelmütig und
muß seiner schlechten Eigenschaften wegen streng gehalten werden, daher auch
Rechenschaft ablegen über alles und jedes (263 ff.). Dafür wird ihm jegliche
eigene Initiative abgenommen. Der Herrscher fühlt sich für das so verstandene
Wohlergehen seiner Untertanen verantwortlich: wie sich Joseph dieser Aufgaben
entledigt, wird im einzelnen geschildert. Während die Stärkung der absoluten
Macht des Königs Hand in Hand mit der völligen Abhängigkeit des Volkes geht,
bleibt den Reichsständen immerhin eine repräsentative Rolle.

Es ist offensichtlich, daß sich in Zesens Roman absolutistische Theorie und Praxis des 16. und 17. Jahrhunderts widerspiegelt. Als besonders einflußreich erwies
sich ein Buch von Justus Lipsius — *Politicorum sive civilis doctrinae libri sex*
—[28], das als Reaktion auf die Bedrohung des Staates im Zeitalter der Religions-
kriege gegen Ende des 16. Jahrhunderts zu verstehen ist. G. Oestreich, der in Lipsius den „Theoretiker des neuzeitlichen Machtstaates" sieht, faßt die Grundten-
denzen der angestrebten staatlichen Ordnung so zusammen: „[...] eine gewaltige
Verstärkung der methodischen Ausrichtung, eine streng rationale Intensivierung
und Aktivierung. Der hinzutretende neustoische Erziehungsanspruch des Staates
läßt viele Gebiete des gesellschaftlich-sozialen Lebens erst jetzt unter den Einfluß
der wachsenden Machtsphäre des Staates geraten."[29] Das Ziel ist ein „Wohlfahrts-
und Sicherheitsstaat"[30], dessen Herrschaftsform man als legitimistisch-patriarcha-
lischen Absolutismus bezeichnen kann. Neue Aktualität gewinnen diese Gedanken
durch die Ereignisse im Dreißigjährigen Krieg, die Revolution in England[31] und
die Konsolidierung der absolutistischen Staaten in Deutschland nach Ende des

---

[28] Leiden 1589. Eine deutsche Übersetzung erschien 1599: *Von Vnterweisung zum
Weltlichen Regiment: Oder / von Burgerlicher Lehr / Sechs Bücher IVSTI LIPSII.
[...] transferirt und vbergesetzet.* Durch Melchiorem Haganaeum. Amberg 1599.

[29] Gerhard Oestreich, *Justus Lipsius als Theoretiker des neuzeitlichen Machtstaates.*
In: Historische Zeitschrift 181, 1956, S. 76.

[30] Ebenda S. 50 f.

[31] Zesens Schriften bezeugen, welch großen Anteil er an den Ereignissen in England
nahm. Sie geben auch Aufschluß über seine politischen Anschauungen, die allerdings
nirgends über das in der Zeit übliche hinausgehen. In der Widmungsschrift an Diederich von dem Werder zu seiner Übersetzung von zwei lateinischen Reden August
Buchners prangert Zesen die „gotlose verwegenheit und scheingerechtigkeit" in England an: „Engel-land hat sich an der königlichen heiligkeit / ja götligkeit verbrochen.
[...] Ein Krist sol auch den wunderlichen Herren untertähnig gehorchen." (*Was Karl
der erste / König in Engelland / bei dem über Ihn gefälletem todes-uhrteil hette fürbringen können. Zwei-fache Rede.* o. O. o. J. [1649]. Diesen Standpunkt wiederholt *Die
verschmähete / doch wieder erhöhete Majestäht / das ist / Kurtzer Entwurf der Begäbnüsse Karls des Zweiten / Königs von Engelland* (Amsterdam 1661). In der Schrift
Die Gekröhnte Majestäht: das ist / kurtz-bündiger Entwurf der herrlich-prächtigen

Krieges. Die *Assenat* steht im Einklang mit diesen Tendenzen; direkte Berüh-rungspunkte mit den Lehren von Justus Lipsius lassen sich aufweisen[32].

Während die Romane Anton Ulrichs von Braunschweig-Wolfenbüttel nach Meinung der Interpreten die *Ideologie* des barocken Staats am reinsten verkör-pern[33], bleibt Zesens *Assenat* näher bei der alltäglichen Wirklichkeit. Der Unter-schied wird besonders deutlich, wenn man die Aufmerksamkeit auf die Stellung Josephs richtet. Er ist Beamter, Staatsdiener, nicht Herrscher. Er dient Gott und seinem König (308) und wehrt sich gegen jede übertriebene Verehrung seiner Per-son (287). Er achtet die legitime Herrschaft seines Herrn und verhält sich diesem gegenüber als Untertan. Auch die lehrhafte Zusammenfassung seines Wirkens zielt auf Joseph den Fürstendiener: Er ist „ein rechter Lehrspiegel vor alle Stahts-leute. Er gab ein lehrbild allen Beamten der Könige und Fürsten." (328) Uneigen-nütziges Dienen, der Verzicht auf Ehre und Ruhm sind Kennzeichen dieses vor-bildlichen Staatsdieners, dessen Person und Wirken wenig mit der Art und Weise gemeinsam hat, in der in Anton Ulrichs *Aramena* Staat und Herrschaft darge-stellt werden. Hier, im höfischen Roman, herrschen andere Voraussetzungen: per-sönliches Schicksal der fürstlichen Helden und das der Staaten sind miteinander verwoben; die Helden repräsentieren Staaten. Dies führt zu einer Gleichsetzung von Liebes- und Staatsgeschichte[34]. Für Joseph und Assenat ist dieses Problem irrelevant, nicht aber für die Königstochter Nitokris, deren Ehe mit dem Kron-prinzen von Libyen politisch begründet wird. Daß Liebes- und Staatsgeschichte im typischen höfischen Roman eins sind, zeigt sich auch in John Barclays *Arge-nis*: hier entstehen die Konflikte aus dem Bestreben verschiedener Bewerber, mit der Königstochter zugleich das Reich zu erringen. Ähnlich ist es in der von der *Argenis* abhängigen *Dianea* Loredanos[35], in der der Vater Dianeas versucht, seine Tochter schließlich mit Gewalt zu verheiraten, weil der Kampf um die Erbin sein Reich bis an den Rand des Ruins gebracht hat. Besteht die Bewährung der Frauen in der Regel darin, allen ehrenrührigen Vorschlägen und Erpressungen standhaft zu widerstehen, so greifen die Männer und Jünglinge aktiv in das Leben des Staa-tes ein, um ihre Absichten durchzusetzen. Dieses Eingreifen aber besteht im wesentlichen in ritterlichen und militärischen Taten. Die an den Anfang gestellte Beobachtung von Cholevius ist durchaus richtig. Wie das Leben im Frieden aus-sieht, erfahren Leser von höfischen Romanen selten. In dem Moment, in dem end-lich Frieden und Gerechtigkeit wiederhergestellt sind, haben die Romane ihr Ende erreicht.

Kröhnung Karls des Zweiten (Amsterdam 1662) wird das Problem der besten Staats-form erörtert und zu einem Plädoyer für den „einheuptige[n] Königliche[n] Staht", „welcher [...] der Gottheit selbsten unter allen der nächste" (S. 64).

[32] Meid, *Zesens Romankunst*, S. 60 ff.

[33] Vgl. G. Müller, *Barockromane und Barockroman*, S. 21 ff.; G. Müller, *Deutsche Dichtung von der Renaissance bis zum Ausgang des Barock*. Darmstadt ²1957, S. 248 ff.

[34] G. Müller, *Deutsche Dichtung*, S. 248.

[35] Übersetzt von Diederich von dem Werder: *DIANEA Oder Rähtselgedicht / in welchem / Unter vielen anmuhtigen Fügnussen / Hochwichtige Staatsachen / Denk-löbliche Geschichte / und klugsinnige Rahtschläge / vermittelt Der Majestätischen Deutschen Sprache / Kunstzierlich verborgen.* Nürnberg 1644.

Dagegen stehen in der *Assenat* nicht die heroischen und sittlichen Entscheidungen im Mittelpunkt, sondern die Sorge um ein spezifisch absolutistisch verstandenes Gemeinwohl. Die Darstellung erstreckt sich dabei bis ins einzelne der alltäglichen Verwaltungsarbeit: Besichtigungsreisen, Bau von Kornspeichern, genaue Überwachung aller Tätigkeiten, die mit diesen Aufgaben zusammenhängen, Ernennung von Unterbeamten, usw. Geschehnisse, die im ‚heroisch-galanten' Roman breiten Raum einnehmen würden, werden nur kurz gestreift oder kaum genutzt[36]. Dafür wird sehr klar herausgestellt, worauf Josephs Tätigkeit im Gegensatz zum höfischen Roman beruht: auf einer kontinuierlichen Arbeit für den Staat, die Macht des Königs und für die Wohlfahrt der unmündigen Untertanen. Der Staat und das Höfische sind nicht aus der idealisierenden Sicht der herrschenden Häupter, sondern aus der des dienenden Beamtentums gesehen, das an der Herrschaft teilhat und auf das ein Abglanz des von Gottes Gnaden regierenden Fürsten fällt.

Wenn auch Joseph manchmal aus dem Bereich des Dieners in den des „Fürsten" gerät (287), so bleibt es trotzdem deutlich, daß die Lebensform des Höfischen, die im Zusammenhang mit dem Königshof breit dargestellt ist, nicht die seine und die seiner Familie ist. In diesen Partien am Königshof vereinigt sich Schaustellung höfischen Glanzes und königlicher Macht mit dem Vollzug von Herrschaftsakten. Es ist die glänzende Außenseite der absoluten Monarchie, während die innere durch Josephs verantwortungsvolle Tätigkeit gekennzeichnet ist. Beispielhaft für die ‚Außenseite', die auch in dem Lehrbuch von Lipsius berücksichtigt wird[37], ist die offizielle Bestätigung von Josephs Ernennung zum „Schaltkönig" durch die „Reichsstände", die zur Akklamation zusammengerufen werden. Die Zeremonie, bei der Joseph mit den Insignien der Macht ausgestattet wird, ist eine mustergültige Selbstdarstellung des absolutistischen Herrschertums (195 ff.).

III

Zesens *Assenat* ist allerdings mehr als eine ungebrochene Darstellung des absolutistischen Staats. Der Roman hat nicht nur diese eine Bedeutungsschicht. Neben der Familiengeschichte, die weitgehend in den Hintergrund verwiesen wird, fügen die legendenhaften Züge, die die Gestalt Assenats bestimmen, dem Roman eine weitere Dimension hinzu. Und der heilsgeschichtliche Aspekt, der sich in der Typologie — Joseph als figura Christi — niederschlägt, umgibt den christlichen Staatsmann mit der Aura des Heiligen und erhöht damit seine Vorbildlichkeit, macht in „imitabilis, nachahmenswert für einen christlichen Herrscher"[38]. Darüberhinaus finden sich aber auch Hinweise im Roman, die kaum anders als

---

[36] Dazu gehören etwa kriegerische Handlungen (S. 287 f.) oder der Versuch, Assenat zu entführen (S. 291—295).

[37] Zur *modestia* des idealen Fürsten treten notwendig *potentia* und *maiestas*: „SED Modestiam tamen ita commendo Principi, vt non spernam ab eo Maiestatem." Lipsius, *Politicorum sive civilis doctrinae libri sex* (Ausgabe von 1589), S. 67. Zur Bedeutung der höfisch-repräsentativen Szenen vgl. Herbert Blumes Rezension der Ausgabe von Zesens *Assenat* in: Göttingische Gelehrte Anzeigen 221, 1969, S. 296 ff.

[38] Sieveke, *Philipp von Zesens „Assenat"*, S. 135.

eine bewußte Relativierung der durch das Höfische verkörperten Werte verstanden werden können. Der Tod seiner Frau Assenat führt Joseph die Vergänglichkeit des menschlichen Lebens vor Augen. Sein Leben ändert sich. Er zieht sich immer mehr zurück: „Er hielt sich stähts allein / als ein einsamer Turtelteubrich / dem sein Teublein gestorben." (308) Diese Szene kündigt das Ende des Romans an, das nicht auf eine prunkvolle Apotheose endlich erreichter Harmonie hinsteuert, sondern den Zwiespalt zwischen höfischem Lebensgefühl und seinen auf die Wirklichkeit gerichteten Intentionen und einer christlich-asketischen Gegenbewegung aufreißt. In diesem Zusammenhang kommt der Geschichte Hiobs besondere Bedeutung zu, die an einer wichtigen Stelle eingeführt wird[39]. Joseph, der sich schon auf seinen Tod vorbereitet, erhält Nachricht von den „unglüksfälle[n]", die seinen Verwandten Job getroffen haben. Über diese unvermutete „zeitung" entsetzt, versucht sich Joseph mit dem Gedanken zu trösten, daß die Züchtigung als Zeichen der Liebe Gottes zu verstehen sei. Es sei gewiß, „daß wir schweerlich anders / als durch viel trübsaal / und zeitliches leiden / zur ewigen freude gelangen können" (333). Auch er habe genug gelitten, und im Gedenken an Assenat stockt ihm die Stimme und er erleidet einen Zusammenbruch, von dem er sich nicht mehr erholt. Um den Stellenwert dieser Passage richtig einschätzen zu können, empfiehlt sich ein Blick auf ihre Umgebung: nur wenige Seiten vorher wird Joseph als Spiegel und Vorbild der „Stahtsleute" ausführlich gewürdigt, und danach folgt die letzte Unterhaltung mit dem König, in der er noch einmal die politischen Ziele seiner Tätigkeit formuliert. Dazwischen aber steht sein Ausbruch: „Ach! wir arme Menschen / was seind wir?" (333) Die politische Arbeit Josephs wird dadurch nicht zurückgenommen, doch wird durch diese Konfrontation auf ihre letztlich nur relative Gültigkeit verwiesen.

Radikaler ist die Haltung, die Grimmelshausen in *Dietwalts und Amelindens anmuhtige[r] Lieb- und Leids-Beschreibung* vertritt[40]. Hier zieht das Herrscherpaar Dietwalt und Amelinde zehn Jahre ins Elend, um durch diese Bewährung der Demut die Seligkeit zu retten, aber auch, um in ihnen das christliche Herrscherideal reifen zu lassen. Der Roman Grimmelshausens ist keine privat-erbauliche Liebesgeschichte, sondern ein Fürstenspiegel. Die Demut vor Gott, die Dietwalt und Amelinde während der zehnjährigen Zeit im Elend beweisen, geht den Herrschern, die im chronikalischen Teil des Romans geschildert werden, völlig ab. Demütige Gesinnung, Beherrschung der Affekte, die Erfahrung der Heilsbedürftigkeit der Menschen und der Welt werden zur Grundvoraussetzung eines idealen Herrschertums, das in der Wirklichkeit kaum zu finden ist. Bei Zesen sind die Bereiche nicht so strikt aufeinander bezogen. Die Zeit Josephs im Kerker ist nicht so sehr als Prüfungszeit aufgefaßt, sie ist im Gegenteil schon eine Art Vorübung für seine spätere Verwaltungstätigkeit. Das Bewußtsein der Unzulänglichkeit irdischer Maßstäbe tritt ausdrücklich und radikal erst in dem Moment auf, in dem

---

[39] Buch Hiob 1, 13—19 und 2, 7. Vgl. Nachwort zu Zesen, *Assenat*, S. 22*. Zur Aktualität der Hiob-Gestalt im Barock vgl. Hans-Jürgen Schings, *Die patristische und stoische Tradition bei Andreas Gryphius. Untersuchungen zu den Dissertationes funebres und Trauerspielen.* Köln, Graz 1966, S. 145 ff.

[40] Hrsg. von Rolf Tarot. Tübingen 1967.

3*

sich der Tod bemerkbar macht. Allerdings ist sich Joseph stets der Verpflichtung seinem Gott gegenüber bewußt, die aber nur einmal zu einem Konflikt führt (Sefira), seiner politischen Tätigkeit hingegen nirgends im Wege steht. Aber auch dem höfischen Roman des Barock bleibt der gebrechliche Zustand der Welt bewußt. „Ankündigung künfftiger Glückseligkeit" verheißt der krönende Abschluß von Barclays *Argenis*[41]. Diese Verherrlichung irdischer Ordnung und Harmonie findet ihr Gegenstück in „Aneroests schöne[m] Gespräche die Verachtung der Welt / vnd das Lob deß Einsamen Lebens betreffendt" kaum fünfzig Seiten vorher (698). Hier weigert sich ein aus seinem Reich vertriebener König, seine „armselige Tracht" ab- und wieder Herrschergewänder anzulegen, obwohl ihm die Möglichkeit zur Rückkehr auf seinen Thron geboten wird (698). Seine königlichen Verwandten verstehen ihn nicht. Aber seine Absage an das weltlich-irdische Leben ist keineswegs radikal. Zwar hält er das einsame Leben zur Abtötung der Begierden und Laster für nötig, zwar regieren Könige oft ungerecht, betrügerisch, sündhaft, doch bedeutet dies keine Verwerfung dieses Standes: „Ich verwerffe ewren Zustandt gantz vnd gar nicht. Es gebühret großmütigen vnd ewers gleichen Leuten / die außreissende Begierd deß gar zu grossen Glückes mit dem Zügel der Tugendt anzuhalten." (702) Er für seine Person hält sich zu schwach dazu. Doch könne er nicht einmal wünschen, daß sich alle guten Menschen in die Einsamkeit zurückzögen, denn wer würde dann die gerechten Kriege gegen die Bösen führen und den gemeinen Nutzen fördern? (705) Durch diese Argumentation wird die Bedeutung von Aneroests Entschluß so weit gemindert, daß gerade wegen der Unvollkommenheit des irdischen Lebens das tapfere Gemüt sich in seinem Recht bestätigt fühlen kann — und mit ihm auch der ‚heroisch-galante’ Roman, in dem die Tugend der Helden in einer so verstandenen Großmütigkeit besteht.

In Zesens *Assenat* fehlt jede ausdrückliche Verbindung zwischen Josephs Niedergeschlagenheit, seiner weltabgewandten Haltung, die im wesentlichen mit persönlichen Erlebnissen begründet wird, und seinen politischen Ansichten und Werken. Politische Sphäre und menschliches Sündenbewußtsein sind nicht direkt aufeinander bezogen. Der Leser allerdings, dem der Roman das exemplarische Vorbild eines fürstlichen Beamten und christlichen Staatsmanns vorstellt, sieht die Bereiche zusammen. Demut und Einsicht in die Vorläufigkeit des irdischen Lebens gehören zum Bild eines christlichen Staatsmanns. Hinter der *Assenat* wie hinter dem höfischen Roman des Barock steht kein optimistisches Bild der Welt und der Menschen: sie bedürfen der starken Hand, um vor dem schlimmsten bewahrt zu werden[42].

---

[41] In der Übersetzung von Opitz (Ausgabe von 1644), S. 743.
[42] Vgl. Alewyn, *Der Roman des Barock*, S. 33.

SIMSON

Simson[43], Zesens letzter Roman, ist ein in mancher Beziehung paradoxes Werk. Höfisches und Antihöfisches stehen sich schroff gegenüber, Wertungen verändern sich im Verlauf des Romans, Simsons Triebhaftigkeit gilt als Präfiguration der Liebe Christi. Auch die Vorrede enthält einen gegenüber dem Josephsroman verschärften Widerspruch. Wie in der *Assenat* wird der Anspruch erhoben, eine historische Lebensbeschreibung vorzulegen, aber Mangel an Schaffenskraft und an ausreichenden historischen Quellen führt nach eigenem Eingeständnis zur Wiedereinsetzung der dichterischen Freiheit weit über das in der *Assenat* angedeutete Maß hinaus. Zesen fühlt sich „gezwungen", „viel Dinges nicht allein anderwärts her und aus andern Geschichten / sondern auch selbst aus eigner Erfündung / wie man sonst in dergleichen Heldengeschichten oder vielmehr Gedichten zu tuhn gewohnt / miteinzufügen." (11) Abgesehen von einigen Exkursen[44] bezieht sich dies auf Erweiterungen, die dem höfischen Roman des Barock verpflichtet sind. Vor allem in der *Geschichte von der schönen Timnatterin* verschafft sich das Romanhafte im alten Sinn wieder Zutritt. Damit entsteht eine Spannung zur antihöfischen Tendenz anderer Partien des Romans.

Die Simsonhandlung, der quellenmäßig abgestützte Teil des Romans, folgt den entsprechenden Abschnitten im Buch der Richter des Alten Testaments und dem von J. W. von Stubenberg ins Deutsche übertragenen Simson-Roman Ferrante Pallavicinis[45]. Die weitgehend von den Quellen bestimmte Handlungsstruktur von Zesens *Simson* ist durch die Reihung von einzelnen Episoden und die Wiederholung ähnlicher Vorgänge gekennzeichnet: drei philistische Frauen kreuzen Simsons Weg, dreimal wird er verraten. Hinzu kommt als weiteres wesentliches Moment der Verrat des eigenen Volkes, das Simson den Philistern ausliefert. Diese einzelnen Handlungskomplexe werden durch eingeschobene Exkurse und Episoden weitgehend voneinander isoliert. Verbindendes Glied ist allein die Gestalt des Helden, Simson, während die meisten anderen Hauptpersonen, z. B. die drei Frauen, nur episodisch auftreten. Somit scheint eine Annäherung an die Struktur des Pikaroromans vorzuliegen. Doch an diesem Punkt müssen einige Einschränkungen gemacht werden. Es bleibt nämlich nicht einfach beim einsträn-

---

[43] Philipp von Zesen, *Simson / eine Helden- und Liebes-Geschicht.* Nürnberg 1679, hrsg. von V. Meid, Berlin 1970 (= Zesen, *Sämtliche Werke,* Bd. 8). Aus dieser Ausgabe wird im folgenden zitiert; die Seitenzahlen stehen in Klammern hinter den Zitaten; Sperrungen sind nicht berücksichtigt.

[44] Z. B. die „Riesengeschicht" (S. 158—182) oder die medizinischen Abhandlungen über „Wechseljahre" und „Wechseltage" (S. 278—282, 285—293).

[45] Buch der Richter, Kap. 13—16. Pallavicinis Roman, von Zesen in der Vorrede als „ein sonderliches Werklein / in drei Bücher eingeteilet /", bezeichnet (S. 11), hat in Stubenbergs Übersetzung den Titel: *Geteutschter Samson / Des Fürtrefflichsten Italiänischen Schreiber-Liechtes unserer Zeiten / Herrn Ferrante Pallavicini.* Nürnberg 1657. Zesens Abhängigkeit von Pallavicini diskutieren: Hans Körnchen, *Zesens Romane. Ein Beitrag zur Geschichte des Romans im 17. Jahrhundert.* Berlin 1912 (= Palaestra 115), S. 156 ff.; Willi Beyersdorff, *Studien zu Philipp von Zesens biblischen Romanen „Assenat" und „Simson".* Leipzig 1928 (= Form und Geist 11), S. 29. Beyersdorff ist insofern zuzustimmen, als die Typologie nicht aus Pallavicinis Roman zu erklären ist.

gigen Nacheinander von mehr oder weniger abgeschlossenen Episoden, sondern es
lassen sich Ansätze zur Überwindung der Einsträngigkeit ebenso erkennen wie
Versuche, die einzelnen Episoden zu einem Ganzen zu integrieren. Zunächst ist
hier die *Geschichte von der schönen Timnatterin* zu nennen, die einerseits durch
ihren Umfang den Zusammenhang der Simsonerzählung beeinträchtigt, andererseits aber gerade dadurch die Bedeutung eines zweiten Handlungsstrangs erhält.
Zum andern kann man von der Zielgerichtetheit der Simsonhandlung sprechen,
die ihren Grund in der typologischen Struktur des Geschehens hat.

I

Simsons Charakterisierung ist nicht frei von Widersprüchen. Seinem ganzen
Verhalten nach ist er kein höfischer Held, sondern ein rauher Haudegen mit völlig ungebändigten Trieben und ohne jede höfische Kultur und Lebensart. Andererseits unternimmt Zesen den Versuch, ihn als vorbildlichen Staatsmann hinzustellen, ein Unterfangen, das scheitern muß: während in der *Assenat* der Bereich
des Staats und der Staatsverwaltung wirklich in die Darstellung einbezogen ist,
wird im *Simson* nur oberflächlich davon gesprochen.[46] In der Regel aber wird das
Höfische im Simsonteil des Romans abgewertet und einer Beurteilung unterworfen, die den Charakter einer verspäteten Alamodekritik trägt und sich um so
wesentliche Fragen kümmert, wie einfach es zu Simsons Zeiten zugegangen sei,
ohne Perücken und festliche Gewänder, ohne überreiche Schlemmerei und dergleichen. Auf diesem Niveau bewegt sich die Auseinandersetzung mit dem Höfischen
und damit die aktuelle Kulturkritik im antihöfischen Teil des Romans.

In dem erwähnten Handlungsstrang von der schönen Timnatterin werden die
Akzente völlig anders gesetzt. In der Vorrede des Romans ist davon die Rede,
daß zur „Erlängerung und Ausbreitung dieser Geschicht des Simsons" (10) einiges
aus eigner Erfindung habe eingefügt werden müssen. Dazu gehört die Timnatteringeschichte, die sich auf einen einzigen Satz im Buch der Richter gründet[47], bei
Zesen aber einen beträchtlichen Teil des Romans ausmacht. Das achte und neunte
Buch (321—413) behandeln fast ausschließlich die Erlebnisse der Timnatterin,
doch wird sie schon im dritten Buch als Schwester der betrügerischen Frau Simsons erwähnt (124) und am Ende dieses Buches als Person in die Handlung eingeführt (140—145). Ihre Tugendhaftigkeit und Unschuld stehen in krassem Gegensatz zum Verhalten ihrer Schwester, die wegen ihrer Treulosigkeit eine grausame
Strafe erleiden muß. Sie hingegen wird vom ältesten Fünffürsten der Philister an
Kindes statt angenommen. Im vierten Buch, in dem ihr der Dichter ihren Namen
verleiht, wird von ihrem Leben am Hof des Fürsten berichtet (153—157, 181 f.).
Hier knüpft nun das Geschehen des achten und neunten Buches an: Die Timnatterin wird der Geborgenheit am Hof entrissen und unter listigen Vorwänden ent-
führt. Das Schiff, mit dem sie davongetragen wird, erleidet in Gewitter und
Sturm Schiffbruch; sie vermag sich ans Land zu retten, während die Entführer

---

[46] Im Anschluß an ein Urteil, das Simson als Richter Israels fällt: S. 311 ff.
[47] Richter 15, 2.

ertrinken. Ein Löwe, dem sie einen Dorn aus einer Pfote herausgezogen hat, begleitet sie von da an. Sie wird ihres Begleiters und ihrer Schönheit wegen für eine Göttin gehalten. Nach allerlei Komplikationen gelangt sie wieder an den Hof. Da ihr Entführer, der Räuber Pammenes, vorgegeben hatte, im Auftrag des ägyptischen Kronprinzen zu handeln, entstehen diplomatische Verwicklungen. Die Unschuld des Kronprinzen stellt sich heraus, doch verliebt er sich nun wirklich in die Timnatterin. Man weiß ihn aber vor dieser Mesalliance zu bewahren, und die Staatsraison siegt. Von der Timnatterin ist dann nicht mehr die Rede. — Die Welt dieser Geschichte ist völlig verschieden von der der Simsonhandlung. Ist in dieser vorhöfisches Heldentum prägend für Inhalt und Stil, so bestimmt in jener die Tradition des höfischen Barockromans und seiner Vorläufer das Bild. Zunächst finden die bekannten Versatzstücke wie Entführung, Gewitter, Sturm, Schiffbruch, Rettung Eingang in Zesens Roman. Wichtiger noch ist aber die Art und Weise, wie das höfische Leben dargestellt wird. Schilderungen von Festen, Ausfahrten und Empfängen, von diplomatischen Verwicklungen und ihrer Lösung, von festlichen Mahlzeiten und gelehrt-höfischen Tafelgesprächen geben ein farbenprächtiges, von keinem Schatten getrübtes Bild. Sieht man von den ägyptischen Szenen ab, so bezieht sich dies alles, fraglos positiv gewertet, auf den Hof und die Höflinge des philistischen Fünffürsten, der die Timnatterin adoptiert hatte. Die gleichen Philister spielen in der Simsonhandlung eine äußerst klägliche Rolle: sie sind feige, anmaßend, dumm, kaum mehr als Schlachtvieh. In dem Augenblick aber, in dem Simson aus dem Blickfeld verschwindet, werden sie in ihrer höfischen Eigenart und Eigenwertigkeit durchaus bestätigt.

Die beiden Bereiche, die hier in einem Roman vereinigt sind, unterscheiden sich in Form und Inhalt so beträchtlich voneinander, daß sich die darin vertretenen Standpunkte zum Teil ausschließen. Zesens Quellentreue und Ehrfurcht vor der biblischen Überlieferung, dem Programm nach Hauptmerkmal seiner Romankunst, ließ es nicht zu, den Simsonstoff im Stil des ‚heroisch-galanten’ Romans umzuformen, wie es später z. B. Joachim Meier in seiner *Assenat* mit der Josephsgeschichte tat. Andererseits wollte er sich nicht mit einer einfachen Nacherzählung des biblischen Stoffs begnügen: seine Vorstellung vom Roman forderte offenbar Erweiterungen. In diesem Moment aber beweist die Tradition ihre Macht über Zesen: er greift — als sei es selbstverständlich — auf den Bereich des traditionell Romanhaften zurück. So gründet sich die Handlung des Simsonteils auf die Darstellung des Richterbuches, die des zweiten Erzählstranges auf die Tradition des griechischen Liebes- und Reiseromans, des *Amadis* und des höfischen Barockromans. Eine Integration dieser beiden Welten ist nicht gelungen, sie wird nicht einmal versucht. Allerdings ist die offenkundige Unfertigkeit des Romans, die sich in dem schlecht proportionierten letzten Teil und wohl auch in dem offenen Schluß der Timnatteringeschichte bemerkbar macht, in Rechnung zu stellen[48]. Vielleicht darf man im Nebeneinander der beiden Handlungsstränge, die

---

[48] In der Vorrede heißt es: „Und also war der Wille wohl da / aber das Vermögen entfiel mir meinen Simson zum schönsten auszuarbeiten. Ich hatte zwar beschlossen seine Lebensgeschicht viel weitleuftiger / als sie alhier / auf hiesiger papierenen Schau-

sich freilich nur an wenigen Stellen berühren, einen Reflex der mehrsträngigen
Struktur des höfischen Barockromans sehen[49].

II

Wir pflegen Romane oft nach ihrer psychologischen Schlüssigkeit hin zu beurteilen, eine Betrachtungsweise, die bei der *Adriatischen Rosemund,* in der diese
Errungenschaft so meisterhaft ausgespielt wird, vielleicht gerechtfertigt ist. Schon
bei der *Assenat* und noch mehr beim *Simson* aber macht man die Erfahrung, daß
man mit psychologischen Kriterien allein diesen Romanen nicht gerecht werden
kann.

Psychologische Ungereimtheiten bei Zesen wurden des öfteren bemängelt. In
der *Assenat* sah man einen Abstieg gegenüber der anders gearteten *Rosemund,* die
als Vorahnung des psychologischen Romans des nächsten Jahrhunderts aufgefaßt
wurde[50]. Die *Assenat* enthält nun in der Tat einige im psychologischen Sinn
äußerst unwahrscheinliche Partien. Als Beispiel sei das Verhalten der königlichen
Familie Joseph gegenüber herausgegriffen. Seine überaus große Schönheit verursacht bei seiner Ankunft in Memphis Volksaufläufe, und auch das königliche
Frauenzimmer samt der Königin liegt in den Fenstern des Palastes, das Wunder
zu beschauen. Der König, „ein alter abgelebter Fürst" (11) und deswegen eifer-
süchtig auf den jungen und schönen Joseph, lehnt es ab, diesen als Geschenk anzunehmen. Die Reaktion des Frauenzimmers ist einhellig: die Königin wünscht
ihrem Mann hunderttausend Flüche auf den Hals und die Königstochter Nitokris
„wolte vor unmuht bärsten / vor hertzweh verschmachten / ja vor heftiger
schmertzempfindligkeit gar sterben" (16). Jahre später wird Joseph vor den
König gerufen, Träume zu deuten. Hier heißt es: „Diese [die Reichsfürsten] verwunderten sich alle / ja der König selbsten über seine herliche schönheit. Sie verwunderten sich über sein ansähnliches wesen. Alle sahen seine edele gestalt gleich
als bestürtzt an: sonderlich als er sich / mit so höflichen und wohlanständigen gebährden / zu neugen wuste." (168) Nitokris, die einst vor Schmerz zerbersten
wollte, als sie Joseph aus den Augen verlor, nimmt sich seiner jetzt völlig un-
eigennützig an: sie fördert seine Verbindung mit Assenat. Auch der König hat

bühne / erscheinet / auszuführen. Auch war die Anstalt zu funfzehen Büchern albereit
gemacht. Aber die Feder war kaum angesetzet / als mir meine jählingen einbrächende
Schwachheit schon gebot solchen Schlus zu ändern. Ich muste dan / aus Furcht / der Tod
möchte mich vor volzogener Arbeit übereilen / nohtwendig abkürtzen." (S. 9 f.).

[49] Auch daß die Vorgeschichte nachgeholt wird, erinnert an diese Tradition (S.
102—109), wenngleich diese Technik hier keinerlei strukturelle Bedeutung mehr hat.

[50] Ungereimtheiten sehen etwa Margarete Gutzeit, *Darstellung und Auffassung der
Frau in den Romanen Philipps von Zesen.* Diss. Greifswald 1917, S. 48 ff.; Clara Stucki,
Grimmelshausens und Zesens Josephsromane. Ein Vergleich zweier Barockdichter. Horgen-
Zürich-Leipzig 1933, S. 96 ff. Während Körnchen (*Zesens Romane,* S. 146) nur konstatiert,
Zesen habe die Kraft gefehlt, den mit der *Rosemund* begonnenen Weg fortzusetzen, betont
besonders extrem die zukunftsweisende Sonderstellung dieses Romans als einem „Bruch-
stück seiner Konfession" Waltraut Kettler, *Philipp von Zesen und die barocke Empfindsamkeit.* Diss. Wien 1948 [Maschinenschrift], bes. S. 90 ff.

nun überhaupt keine Bedenken[51], Joseph an den Hof zu holen, bei dem Schönheit und höfisch-vollendetes Benehmen eine Harmonie bilden. Es fehlt jede Anspielung oder Erinnerung an das frühere Verhalten des Königs oder der anderen Personen. Psychologische Erklärungsversuche können hier nicht weiterhelfen. Am Anfang des Romans ist es das Ziel des Dichters, Josephs Persönlichkeit so überwältigend wie möglich darzustellen. Dies wird erreicht, indem in hyperbolischer Weise der Eindruck seiner Schönheit geschildert wird, ohne Rücksicht auf psychologische oder standesmäßige Wahrscheinlichkeit einzig mit der Absicht, die vorgenommene Sache überzeugend vorzustellen. Bei der zweiten Begegnung Josephs mit dem königlichen Hof geht es dagegen darum, Joseph als zukünftigen Höfling einzuführen. Das vollzieht sich im passenden Rahmen und mit dem trotz aller Bewunderung maßvollen Benehmen aller. Mag sich auch Joseph nicht verändert haben, die Charakterisierung der anderen Personen hat sich gewandelt. Besonders deutlich ist dies beim König, der zu Anfang als lächerlicher Alter erscheint und zu verächtlichen Listen greifen muß, um seine Stellung als Mann und König zu behaupten. Für diese völlig unkönigliche und unwürdige Haltung gibt es später keine Beispiele mehr: Als der König wieder in Aktion tritt, ist er der Herrscher inmitten seines Hofes, seiner Würde sicher und ohne Reminiszenz an das Vergangene dargestellt.

Für Zesens Erzählweise ist es demnach bezeichnend, daß sie sich immer ganz dem jeweils gestellten Thema hingibt und es überzeugend zu gestalten versucht, ohne sich dabei durch Rücksichten auf die psychologische Folgerichtigkeit im Gesamtzusammenhang des Romans beirren zu lassen. Es kommt dem Dichter nicht auf die Entwicklung von Charakteren an, sondern seine Darstellungsweise orientiert sich an dem Leser, auf dessen Einsicht oder Emotionen eingewirkt werden soll. Dabei konzentriert sich seine Überredungskunst völlig auf das spezielle Thema: hier Josephs Schönheit oder seine Aufnahme in die höfische Gesellschaft. Widersprüche sind das nur innerhalb unserer psychologischen Denkweise, nicht aber vor dem Hintergrund einer rhetorischen Auffassung von Dichtung[52].

Was hier in der *Assenat* an zwei Szenen gezeigt wurde, ereignet sich in größerem Umfang im *Simson*. Solange das Geschehen um Simson kreist und auf ihn bezogen ist, wird es aus seiner Sicht geschildert, die durch die Feindschaft gegenüber den Philistern bestimmt ist. In dem zweiten Handlungsstrang, der sich unabhängig von Simson entfaltet, sind Wertung und Darstellungsweise nicht mehr an ihn gebunden. Damit entfällt die spezifische Perspektive, unter der der Erzähler die Simsonhandlung sieht. Die *Geschichte von der schönen Timnatterin* löst sich inhaltlich und stilistisch von diesem Teil des Romans und schließt sich stattdessen an die Tradition des höfischen Romans an. Das bedeutet eine höhere Stillage, die Aufwertung des Höfischen und die Charakterisierung der Philister in diesem

---

[51] Grimmelshausen vermeidet diese Schwierigkeit, indem er vorher einen „Regierungswechsel" ansetzt: Grimmelshausen, *Keuscher Joseph*, hrsg. von W. Bender, S. 77 ff.

[52] Zur rhetorischen Tradition vgl. Klaus Dockhorn, *Macht und Wirkung der Rhetorik. Vier Aufsätze zur Ideengeschichte der Vormoderne.* Bad Homburg 1968 (= Respublica Literaria 2); Joachim Dyck, *Ticht-Kunst. Deutsche Barockpoetik und rhetorische Tradition.* Bad Homburg 1966 (= Ars Poetica 1).

Sinn. So laufen die beiden Handlungsstränge nebeneinander her, jeder bleibt seinen Gesetzen treu: der gleiche Sachverhalt wie in der *Assenat*. Im *Simson* allerdings berührt er die Romanstruktur und bleibt nicht auf einzelne Szenen beschränkt.

III

Zesen wollte mehr als eine bloße Nacherzählung der biblischen Geschichte. So kommt es zu Erweiterungen, die die gehaltliche und stilistische Einheitlichkeit des Romans in Frage stellen und die Gefahr der Desintegration der einzelnen Bestandteile hervorrufen. Simsonhandlung und *Geschichte von der schönen Timnatterin* sind schroffe Gegensätze. Sie geben zwei verschiedene Ansichten von einer Sache, weil sie sie von verschiedenen Standpunkten betrachten. Es bleibt dem Leser überlassen, die beiden Seiten zu einem Bild zu vereinigen. Das spannungsvolle Gegen- und Nebeneinander von Simsonhandlung und höfischer Erzählung bringt andererseits die Einheit der Simsongeschichte selber in Gefahr, die sie für weite Strecken unterbricht. Die Timnatteringeschichte ist allerdings nicht die einzige Erweiterung des biblischen Geschehens; mannigfache Exkurse und Episoden kommen hinzu und stellen ebenfalls die Frage nach einem integrierenden Prinzip.

Für eine mögliche Antwort ist wohl entscheidend, daß der Roman nicht allein aus höfischer Timnatterin- und biblischer Simsonerzählung besteht, sondern daß er eine weitere Dimension hat, die durch die Typologie bestimmt ist. Simson ist Präfiguration Christi, d. h. in Simsons Leben von seiner Geburt bis zu seinem Tode ist die Heilsgeschichte ‚vorgebildet'. Das erste Buch des Romans beginnt mit einer Schilderung des moralisch und politisch zerrütteten Zustandes von Israel. Als sich dann der Erzähler Simson zuwendet, wird zugleich die heilsgeschichtliche Entsprechung sichtbar: Gott gibt den Israeliten „einen Heiland / einen Erlöser", die „Sonne [...] ihres Heiles", „dessen Gebuhrt auch eben itzund [...] ein Engel verkündigen muste" (15). Auf der nächsten Seite bekräftigt eine Vorausdeutung die Parallele: „Simson solte derselbe sein / durch den Er sein Volk zu erlösen bestimmet." (16) In einer Rückwendung am Ende des Romans heißt es ausdrücklich:

> „Und also scheinet schier alles / was in Simsons Leben bis in seinen Tod vorging / ausgenommen sein sündliches Wesen / das allheiligste Leben / Leiden und Sterben unsers Heilandes gleichsam vorgebildet zu haben." (477)

Um dies auch im einzelnen darstellen zu können, arbeitet Zesen im Verlauf des Romans mit Andeutungen (Simson wird als „Erlöser Israels" bezeichnet, er empfängt einen „Judaskus" [432]) und ausführlichen Vergleichen und Betrachtungen. Er steht damit in einer alten Tradition der Bibelexegese: der typologischen oder figuralen Deutung des Schriftsinns[53]. Ereignisse und Personen des Alten Testaments werden als Vorläufer neutestamentarischer Erfüllung angesehen. Dabei

[53] Zur Typologie vgl. Erich Auerbach, *Figura*. In: Archivum Romanicum 22, 1938, S. 436—489; Friedrich Ohly, *Vom geistigen Sinn des Wortes im Mittelalter*. In: Zeitschrift für deutsches Altertum und deutsche Literatur 89, 1958/59, S. 1—23.

bleibt sowohl der Figur (Typus) als auch der Erfüllung im Neuen Testament ihr konkreter geschichtlicher Charakter erhalten, d. h. „ein wirklich vorgefallenes historisches Ereignis [wird] als reale Prophetie eines anderen wirklich vorgefallenen oder als wirklich vorfallend erwarteten historischen Ereignisses" gedeutet[54]. Für die Wirkung dieser Denkweise auf die Dichtung des Barock sei neben Zesen nur auf Andreas Gryphius[55] und auf dem Gebiet des Romans auf die Grimmelshausen-Interpretation von Clemens Heselhaus verwiesen[56]. In den Bibelkommentaren und Predigtsammlungen des 17. Jahrhunderts, aus denen die Dichter schöpfen, fließen die Figuraldeutungen der Patristik und des Mittelalters wie in einem Sammelbecken zusammen[57].

Die Bedeutung der Typologie erschöpft sich im *Simson* nicht im Inhaltlichen. Sie wirkt durch Vorausdeutung, Rückwendung und durch die ausdrücklichen oder verborgenen Parallelen von Simsonhandlung und Heilsgeschehen als integrierendes Element. Es bleibt nicht bei der Klammer, die Anfang und Ende des Romans durch die typologische Deutung miteinander verbindet, sondern alle wichtigen Stationen in Simsons Leben verweisen auf Christus. Am Anfang steht — nach verschiedenen Andeutungen — eine heilsgeschichtliche Gesamtinterpretation und damit ein Ausblick auf den gesamten Roman:

> „Wir wollen beschauen / wie Gott alhier / gleich als durch Spielbilder / die Geschicht seines Sohnes gespielet: wie er diese durch jene / gleich als durch ein Vorspiel / auf den Schauplatz der Welt geführet; ja wie der Held Simson / mit solcher seiner Geschicht / des HERRN JESUS Vorbild gewesen." (51)

Zesen geht von der Bedeutung des Namens Simson aus: „Simson heisset ein Sonneman. Er ward auch Israels Landsonne. JEsus ist die Sonne selbst / die unsre Hertzen erleuchtet. Er ist die große Sonne der Gerechtigkeit. Er hat durch seinen Sonnengang unsern Sündengang guht gemacht." (51 f.) Christi Leben wird auch

---

[54] Erich Auerbach, *Typologische Motive in der mittelalterlichen Literatur.* Krefeld 1953, S. 10.

[55] Vgl. die Interpretation von Gryphius' *Carolus Stuardus* in Albrecht Schönes Buch: *Säkularisation als sprachbildende Kraft. Studien zur Dichtung deutscher Pfarrersöhne.* Göttingen 1958 (= Palaestra 226), S. 29 ff. („Figurale Gestaltung: Andreas Gryphius"). Berechtigte Einschränkungen macht Wilhelm Voßkamp, *Zeit- und Geschichtsauffassung im 17. Jahrhundert bei Gryphius und Lohenstein.* Bonn 1967, S. 156 ff.

[56] Clemens Heselhaus, *Grimmelshausen: Der abenteuerliche Simplicissimus.* In: *Der deutsche Roman. Vom Barock bis zur Gegenwart,* hrsg. von Benno von Wiese, Bd. 1, Düsseldorf 1963, besonders S. 29 f.

[57] Zesen benutzt für die *Assenat* u. a. den Kommentar von Cornelius a Lapide (vgl. *Assenat,* S. 413, 472, 514, 526 f.): *Commentaria in Genesim,* zugänglich in Bd. 1 von: *Commentaria in Scripturam Sacram* R. P. Cornelii a Lapide, kommentiert von Augustinus Crampon, Paris 1866. Für den *Simson* schöpft er den aus Predigten erwachsenen Bibelkommentar von Valerius Herberger (1562—1627) aus: *DE JESU, Scripturae nucleô & medullâ, MAGNALIA DEI. Das ist: Die grossen Thaten GOTTES [...].* Die vierte Auflage des Werkes erschien 1678 in Leipzig. Die Figuraldeutungen im *Simson* sind inhaltlich und sprachlich weitgehend davon geprägt. Die entsprechenden Texte sind abgedruckt und einander gegenübergestellt in: V. Meid, *Barockroman und Erbauungsliteratur. Quellenmaterial zu Zesens Simson.* In: Levende Talen 265, 1970, S. 125—141.

weiter mit dem Sonnenlauf verglichen: Aufgang am „Morgen seiner Gebuhrt" in Bethlehem; Untergang „auf den Abend seines Lebens / am Kreutze"; dem Niedersteigen in die Hölle folgt der neuerliche Aufgang am Ostermorgen und schließlich die Himmelfahrt. „Er ist es / der nach Simsons bei den Kindern Israels angefangenen zeitlichen Erlösung / uns allen eine gantz volkommene ewige zu wege gebracht." (52) Die im weiteren Verlauf des Romans angestellten Betrachtungen greifen einige dieser exemplarischen Stationen heraus. — Christi Liebe zur Menschheit: Bei der Deutung von Simons Liebe zu seiner Frau, „ein rechtes Vorspiel der Liebe des eingebohrnen Sohnes GOttes" (113), führt die Doppelheit von „Vorris" und Erfüllung zur folgenden sprachlichen Parallelisierung:

„Simsons Herz hing nach einer Braut: die wolte / solte / und muste er haben / es kostete / was es wolte [...] (113) Gleicher gestalt hing unsrem Heilande das Hertz nach einer Braut: die wolte / solte / und muste ihm werden / wan er auch schon Guht / Muht / und Bluht / ja Leib und Leben darbei aufsetzen müste." (113 f.)

Judas' Verrat: Für Simson wird der Fehlschlag seiner Heirat Anlaß, sich an den Philistern zu rächen. Als ihn diese schließlich wegen des angerichteten Schadens zur Verantwortung ziehen wollen, zwingen sie den Stamm Juda, Simson gefangenzunehmen und auszuliefern. Der jüdische Heerführer begrüßt den Helden mit einem „Judaskus und Grus" (203): der Verrat Christi durch Judas und die Auslieferung an die Römer ‚erfüllen' das Alte Testament. — Kreuzigung Christi: Nach seinem Sieg über die Philister leidet Simson großen Durst, der dem Durstleiden Christi am Kreuz entspreche, der sich im Kampf „mit unsern algemeinen Feinden so abgemattet" habe (231). Überdies ist der Kampf Simsons mit dem „Knochen des allerverächtlichsten Lasttieres" gegen die Philister ‚Vorbild' des Kampfes, den „der Himlische Simson [...] mit der Kraft seines verächtlichen Kreutzes ausgerüstet / durch die Kraft seines schmählichen Todes am Kreutze" gegen die Feinde der menschlichen Seligkeit geführt hat (232). Simsons Auslieferung an die Philister und sein Sieg, durch Typologie aufeinander bezogen, stehen als figura von Judas' Verrat, Christi Auslieferung und Kreuzigung in einem heilsgeschichtlichen Zusammenhang. Dieser erstreckt sich noch weiter, obwohl keine kausale Verbindung der bisher geschilderten Ereignisse und Simsons Begegnung mit der Hure in Gaza besteht. In Simsons Leben beginnt eine neue Episode, auf der typologischen Ebene folgt der Kreuzigung Christi die Auferstehung: Simsons Ausbruch aus Gaza, bei dem er das Stadttor raubt und auf einer Anhöhe abstellt, bildet im heilsgeschichtlichen Rahmen Auferstehung, Höllen- und Himmelfahrt Christi vor (275). Damit setzt Zesen den eingeschlagenen Weg folgerichtig fort: Vom Verrat des Judas zur Himmelfahrt Christi begleitet die heilsgeschichtliche ‚Parallelhandlung' Simsons irdisches Leben, das für sich betrachtet keineswegs so kontinuierlich verläuft.

Da im folgenden Verlauf des Romans — Buch 7 bis 9 — Episoden, Exkurse und vor allem die *Geschichte von der schönen Timnatterin* das Bild beherrschen, tritt Simson in den Hintergrund und damit auch die heilsgeschichtliche Perspektive. Allerdings nimmt eine Vorausdeutung im siebten Buch die Handlung des zehnten und letzten Buches, das Simson und Delila gewidmet ist, voraus[58]. Eine Überleitung zur Delilahandlung am Ende des neunten Buches, in der der Erzähler die Frage erörtert, warum Simson sein Glück immer bei Philisterinnen suche, schlägt die Brücke zurück zu den anderen Frauen in Simsons Leben. Simsons Liebe zu den Philisterinnen entspricht Christi Liebe zu den „noch im Schlamme der Sünden" liegenden Menschen (420). Ebenso hatte der Erzähler Simsons Liebe zu seiner treulosen Frau gerechtfertigt (113 f.), und entsprechendes gilt auch für die Gazische Hure: wie Simson dieser, so bringt der Heiland sein liebreiches Herz der Welt (274). — Das letzte Buch des Romans besteht aus zwei Polen: dem Verrat Delilas und Simsons Tod, denen als Figuraldeutungen Judas und der Kreuzestod Christi entsprechen. Allerdings handelt es sich um mehr als eine bloße Wiederholung der früheren typologischen Deutungen. Während dort Simsons Durst für das Leiden Christi am Kreuz steht, endet der Roman mit Simsons Sieg in seinem Tod, der den Triumph Christi vorbildet:

> „Er ümarmete die zwo Seulen / auf denen der gantze Bau ruhete / die eine mit seinem rechten / die andere mit seinem linken Arme. Diese hielt er so fest / und schüttelte sie so gewaltig / daß das gantze Gebeu kaum zu wakkeln begunte / als man es schon über einen Hauffen gefallen sahe. Und also schien es / daß er / als ein Erlöser des Volkes Gottes / mit solchen seinen aus- und voneinander-gesträkten Armen dasselbe Kreutz vorbilden wolte / daran der Erlöser der gantzen Welt hängen / und das allerherlichste Siegsgepränge über die höllischen Filister / in seinem Tode selbst halten solte." (476 f.)

Wenige Seiten vor dem Ende des Romans weist die schon zitierte Stelle noch einmal auf die durchgehende Doppelgeleisigkeit des *Simson* hin. Trotz dieser Abrundung aber läßt sich die Unausgewogenheit des Werks nicht verbergen. Die Ursache liegt wohl in der starken Abhängigkeit von Vorlagen, denn trotz der Gewandtheit, mit der sich Zesen Fremdes aneignet, geht diese Aneignung im *Simson* nicht wesentlich über den sprachlichen Bereich hinaus. Die völlige Einschmelzung der heterogenen Bestandteile ist im allgemeinen nicht gelungen. So bleibt bei der Figuraldeutung, so wichtig sie für den Roman wird, die strukturelle Beziehung zur Predigtliteratur offenkundig, die das Material liefert[59]. Die Ursache liegt weniger im geistlichen Inhalt der eingeschobenen Reflexionen, wenn auch der *Simson* mehr als die *Assenat* einen ausgesprochen erbaulichen Beigeschmack hat, als vielmehr in formalen Übereinstimmungen. Einleitungen verweisen immer wieder darauf, daß nun die Erläuterung des geistigen Sinns des vorher Erzählten folge: „Aber ehe wir in Erzehlung hiesiger Geschicht fortschreiten / wollen wir sie zuvor was näher betrachten." (51) Oder: „Hier sehen wir abermahl an diesem Irdischen Simson ein recht ähnliches Vorbild des Himlischen." (207) Oder: „Nun wollen wir auch beschauen / was ihm / durch solche Heldentaht /

---

[58] Simsons Vater auf seinem Sterbebett zu seinem Sohn: „Du wirst Tahten tuhn / die kein Sterblicher vor dir getahn / noch nach dir tuhn wird. Doch diese deine unvergleichliche Kraft wirst du / in einer Frauen Schoße / verlieren. [...] Endlich wird gleichwohl deine Kraft sich wieder finden. Du wirst dich kräftiglich rächen / und dein Tod wird der Filister Tod sein." (S. 283/85)

[59] Vgl. Anmerkung 57.

für ein unsterblicher ruhmherlicher Ehrennahme zugewachsen." (272) Aber auch
wo der ausdrückliche Hinweis fehlt, bleibt es bei einem Nebeneinander von
romanhaft erzählter biblischer Geschichte und geistlicher Deutung. Damit wird
der Aufbau der Predigt oder des Bibelkommentars, in denen sich nach der Erzählung der biblischen Geschichte und ihres historischen Sinns die Erhellung des geistigen Sinns anschließt, nicht überwunden. So liegt die Bedeutung des Romans
wohl eher in seinem experimentellen Charakter.

Ferdinand van Ingen

PHILIPP VON ZESENS „ADRIATISCHE ROSEMUND":
KUNST UND LEBEN

Philipp von Zesens Name blieb in der Literaturgeschichte bis auf den heutigen Tag mit seinem ersten größeren Werk, der Geschichte der „Adriatischen Rosemund", verbunden. Es konnte den Zeitgenossen nicht entgehen, daß der „Blaue Ritter" (alias Philipp Caesius) wesentliche charakterliche Züge und biographische Daten auf seinen Helden Markhold übertragen hatte. Und da nimmt es nicht wunder, daß man in einer Zeit heftiger persönlicher Fehden in der „träu-beständigen" Rosemund das Leipziger „Klöppel- und Wäscher-Mädgen" erblickte, in das sich der junge Zesen angeblich verliebt hatte[1]. Spätere Zeiten urteilten im allgemeinen etwas objektiver und suchten das Urbild der Rosemund in Amsterdam oder in Utrecht, allerdings bis heute ohne Erfolg. So stand am Beginn der Zesen-Forschung das Bemühen, dieses erstaunlich originelle Werk biographisch aufzuschlüsseln. Jan Hendrik Scholte, der sich um die Erforschung von Zesens Persönlichkeit und Werk besonders verdient gemacht hat, unternahm als erster den Versuch, die AR symbolisch auszudeuten[2]. Damit war ein wichtiger Schritt in Richtung auf die künstlerische Wertung des Werkes getan, zugleich aber auch der angemessene Standpunkt für die Interpretation dieser barocken Dichtung gewonnen.

I

Scholte ging von einer Bemerkung des Autors an den Leidener Präzeptor Burkhard Knipping aus. Als dieser nämlich um die Erlaubnis bat, die AR ins Lateinische übertragen zu dürfen, antwortete Zesen ihm: „Ich aber werde mich ihm die verdunkelten reden und neu-erdachte nahmen recht lateinisch zu gäben/damit sie ihrem rechten verstande bleiben/allezeit willig erfinden laßen. Dan es ist zu wis-

---

[1] Vgl. Chr. Thomasius, *Monatsgespräche I*, 1688/89 (Halle 1690) 60 f., 470; ders., *Freymüthige Gedancken*, 1689 (Halle 1690), 657; N. H. Grundling, *Satyrische Schriften*, Jena 1738, 237.

[2] *Zesen's Adriatische Rosemund als symbolische roman*, Neophilologus 30 (1946), 20—30. — Für Zesens Werke wurden folgende Siglen verwendet:
AR — Adriatische Rosemund. Die Seitenangaben im Text beziehen sich auf Jellineks Ausgabe der Originalausgabe von 1645 (Halle/S. 1899). Nach dieser Ausg. wird, der leichteren Greifbarkeit wegen, zitiert.
FL — *FrühlingsLust oder Lob- und Liebes-Lieder*, Hamburg 1642.
PRW — *Poetischer Rosen-Wälder Vorschmack oder Götter- und Nymfen-Lust*, Hamburg 1642. RL — *Dichterisches Rosen- und Liljen-tahl*, Hamburg 1670.

sen daß unter meiner ahrt zu schreiben/sonderlich unter den verblühmten nahmen allezeit was anders/als es sich äusserlich ansähen läßet/verborgen sei"[3]. Diese
Worte spielen deutlich auf ein Phänomen an, das sowohl dem Dichter wie dem
Leser des 17. Jahrhunderts wohlvertraut war: das der Verschlüsselung und Mehrdeutigkeit. Die Neigung zur Verrätselung verbindet das Barockzeitalter mit früheren Jahrhunderten, an deren Traditionen es in vielerlei Hinsicht anknüpft. Die
Verschlüsselung kann jeweils andersartig sein, sie ist aber immer ein ernstzuneh-
mendes Phänomen, das dem barocken Sprachkunstwerk sein eigenes Gepräge gibt.
Es hat sich gezeigt, daß die jahrhundertealte Tradition des mehrfachen Schriftsinnes in säkularisierter Form in der Barockliteratur nachwirkt. Dem mehrfachen
Schriftsinn liegt die seit dem frühen Mittelalter geübte Interpretationsmethode
der Bibelexegese zugrunde. Dieser Methode der Schriftauslegung gemäß unterschied man vier Sinnschichten: den Wortsinn, den allegorischen Sinn, den moralischen Sinn und den anagogischen Sinn[4]. Die Bedeutung dieser Theorie für die
Literatur wurde erst vor einigen Jahren aufgedeckt. Hier sind vor allem Friedrich Ohly und Clemens Heselhaus zu nennen[5]. Heselhaus hat in seiner großange-
legten Studie zum *Simplicissimus* überzeugend dargetan, daß das alte Kompositionsschema auch die Struktur von Grimmelshausens bekanntestem Roman bestimmt. Mathias Feldges hat neuerdings diese Methode mit Erfolg auf ein anderes
Werk Grimmelshausens angewandt und ausführlich die Geltung der Interpretation nach dem mehrfachen Schriftsinn für die Barockzeit erörtert[6]. Es heißt hier:
„Der Aufbau einer Dichtung nach der Methode des vierfachen Schriftsinnes ist
nicht ausdrücklich in die Poetiken der Barockzeit, die sich vor allem mit der
Sprache befassen, aufgenommen worden. Bei Opitz, Harsdörffer, Zesen, Schottel,
Buchner und andern wird jedoch mit einer mehrschichtigen Bedeutung des Kunst-
werks gerechnet. Ja die Theoretiker sehen das, was die Dichtung als Kunstwerk
auszeichnet, gerade in den mehrfachen Bedeutungen"[7].
   Die Bedeutung der Zahlensymbolik bei Grimmelshausen — sie ist deutlich mit
der im Heliand und bei Otfrid verwandt — hat die Forschung längst erkannt.
In letzter Zeit hat Schöne auf die emblematischen Bezüge in der Dichtung aufmerksam gemacht, Weydt auf die astrologischen[8a]. Wenn Bezzola sagt, daß „im

[3] (Johann Bellin) *Etlicher der hoch-löblichen Deutsch-gesinneten Genossenschaft
Mitglieder [...] Sende-schreiben [...] zusammen geläsen/und mit einem Blat-weiser gezieret durch Johan Bellinen*, Hamburg 1647, Nr. 20.
   [4] Dazu vergleiche man: Ernst von Dobschütz, *Vom vierfachen Schriftsinn. Die Geschichte einer Theorie*, in: *Harnack-Ehrung*, Leipzig 1921, 1—13.
   [5] F. Ohly: *Vom geistigen Sinn des Wortes im Mittelalter*, ZfdA 89 (1958/59), 1—23;
C. Heselhaus: *Grimmelshausen. Der abenteuerliche Simplicissimus*, in: *Der deutsche
Roman*, hsg. von B. von Wiese, Düsseldorf 1963, 15—63.
   [6] *Grimmelshausens ‚Landstörtzerin Courasche'. Eine Interpretation nach der Methode
des vierfachen Schriftsinnes*, Bern 1969 (= Basler Studien, H. 38), spez. 7—34.
   [7] o. c. 15.
   [8a] Siegfried Streller, *Grimmelshausens Simplicianische Schriften. Allegorie, Zahl und
Wirklichkeitsdarstellung*. Berlin 1957. — Heliand: Johannes Rathofer: *Der Heliand.
Theologischer Sinn als tektonische Form*. (Diss. Münster 1961) Köln 1962; Otfrid:
Wolfgang Haubrichs: *Ordo als Form. Strukturstudien zur Zahlenkomposition bei*

Mittelalter jede Form, jede Geste, jede Haltung in Kunst und Leben eine tiefere doppelte Bedeutung besaß"[8b], darf das gleiche vom Barockjahrhundert behauptet werden. Man hat sich darauf einzustellen, daß Dichtung im 17. Jahrhundert vorwiegend eine Angelegenheit einer exklusiven gesellschaftlichen Oberschicht war, die aufgrund ihres Bildungsganges imstande war, die poetischen „Rätsel" zu durchschauen. Andererseits hat man damit zu rechnen, daß auch das „gemeine Volk" (wie man damals zu sagen pflegte) ein engeres Verhältnis zu allegorischen Denkformen hatte, als man gemeinhin glaubt. Die Menschen jener Zeit hatten noch etwas von dem bewahrt, was Huizinga das Bewußtsein von der transzendentalen Wirklichkeit der Dinge genannt hat[9], sie hatten ein feines Gehör und einen scharfen Blick für den Beziehungsreichtum der Dinge. Waren sie doch gewohnt, bei allem nach dem den Dingen innewohnenden tieferen Sinn zu fragen. Fritz Strich, der Altmeister der Barockforschung, hat einmal gesagt, es gehöre zum Wesen des barocken Menschen, „daß er die gleichen Dinge unter ganz verschiedenen Aspekten, verschieden in verschiedenen Räumen denken kann"[10]. Das gilt auch, ja ganz besonders für die Dinge des Lebens, insofern sie moralisch nutzbar gemacht werden können. Man spürt der Sinnhaltigkeit jedes Dinges und jedes Vorganges nach und legt ihm den Sinn unter, den er unter dem je verschiedenen Aspekt hat oder haben soll. Historische Begebenheiten, aus der politischen Sphäre oder aus dem privaten Bereich, wurden als moralische Exempel aufgefaßt[11]; das „Buch der Natur" las man als Offenbarung der göttlichen Weisheit, wie es z. B. in Johann Arndts Werk zum Ausdruck kommt: *Das Vierdte Buch vom wahren Christenthumb/Liber Naturae. Wie das große Weltbuch der Natur/nach Christlicher Auslegung/von Gott zeuget/* ... Leben in und mit Sinnbildern war dem Barockmenschen nichts Fremdes, wie die reiche Emblemliteratur beweist. Dabei blieb die Wirkung der Sinnbildkunst keineswegs auf die gebildeten Kreise beschränkt, die Andachts- und Erbauungsliteratur bediente sich ihrer in einem Ausmaß, das man heute kaum für möglich hält. Allegorie und Sinnbild gehörten in der Denkwelt des 17. Jahrhunderts zu den vertrautesten Erscheinungen, die üblichsten „Verschlüsselungen" waren jedem geläufig. Bei Betrachtung barocker Wort-

Otfried von Weissenburg und in karolingischer Literatur, Tübingen 1969 (*Hermaea* N. F. Bd. 27). — A. Schöne, s. Anm. 12; Günther Weydt, *Planetensymbolik im barocken Roman. Versuch einer Entschlüsselung des „Simplicissimus",* in: *Nachahmung und Schöpfung im Barock. Studien um Grimmelshausen,* Bern und München 1968, 243—301 (bereits 1966 anderorts veröffentlicht). Es sei hier auch hingewiesen auf die ungedruckte Arbeit von Franz Georg Gier über die Planetensymbolik in Zesens Romanen (s. S. 23 f.).

[8b] Reto Bezzola, *Liebe und Abenteuer im höfischen Roman.* Reinbek b. Hamburg 1961 (rde 117/118), 13.

[9] J. Huizinga, *Herbst des Mittelalters* (Übs.), Stuttgart [8]1961, 339.

[10] F. Strich, *Der Dichter und die Zeit,* Bern 1947, 123.

[11] Man vergleiche etwa folgende Titel: Erasmus Francisci, *Der Hohe Trauer-Saal oder Steigen und Fallen großer Herren,* 4 Bde., Nürnberg 1665, 1669, 1672, 1681; Caspar Titius, *Loci Theologici Historici/Oder/Theologisches Exempel-Buch,* Leipzig 1684. — Nützlich in diesem Zusammenhang: Rud. Mohr, *Protestantische Theologie und Frömmigkeit im Angesicht des Todes während des Barockzeitalters, hauptsächlich auf Grund hessischer Leichenpredigten,* Diss. Marburg 1964; Eberh. Winkler, *Die Leichenpredigt im deutschen Luthertum bis Spener,* München 1967.

kunstwerke hat man diese geschichtlichen Voraussetzungen mitzudenken: „Unter
dieser Voraussetzung [...] sprachen die Priester und Redner, schrieben die Autoren der Zeit und verfaßten die Barockpoeten ihre dramatischen Werke"[12]. Die be-
geisterte Aufnahme dieser bereits alten Kunst des sinnbildlichen Sprechens im 17.
Jahrhundert erklärt sich z. T. aus pädagogischen Motiven. Die Sinnbilder fördern
nämlich das Nachdenken und die Besinnung des Betrachters. Harsdörffer formuliert z. B., daß sie „mehr weisen/als gemahlet oder geschrieben ist/in dem selbe zu
ferneren Nachdencken fügliche Anlaß geben"[13]. Aber das ist nur ein Aspekt, ein
weiterer, nicht weniger wichtig, ist der des Vergnügens am Tiefsinnigen und Rät-
selhaften, der Freude am dunklen Wort, am verkünstelten Ausdruck. Es ist
gerade dieser Aspekt, der in der Dichtungstheorie des 17. Jahrhunderts eine bedeutende Rolle spielt, und zwar in erster Linie bei der Erörterung der Frage, ob
Wahrheit und Sinn der „Fabel" handgreiflich oder versteckt sein müssen.

Es dürfte sich verlohnen, Zesens AR einmal unter dem Aspekt der Mehrdeutigkeit zu untersuchen, wobei Mehrdeutigkeit — anders als der ein spezielles Verfahren kennzeichnende Terminus vom mehrfachen Schriftsinn — als ein durchaus
offener Begriff zu verstehen ist. Das bringt allerdings seine eigene Problematik
mit sich. Spricht Zesen selber davon, daß „ein iedes ding in der natur vielerlei /
ja oftmahls gegen einander streitende eigenschaften hat" *(Rosen-mând* S. 72), stellt
sich der Interpretation der „Zeichen" in der AR eine weitere Schwierigkeit entgegen: Es ist zuviel „Leben" in diese „Kunst" eingegangen, als daß man dieser
Dichtung gerecht würde, wenn man ihr ein abstraktes Be-deutungsschema unter-
schiebt. Dennoch erfordert ihre literarhistorische Entstehungssituation eine Untersuchung des hinter der vordergründig erzählten Geschichte liegenden tieferen Sin-
nes, welcher der Kunst jene nach damaliger Auffassung exemplarische Bedeutung
verleiht, die dem Leben abgeht. Das heißt zugleich, daß man vorab die Frage zu
klären hat, wodurch die AR, den Kriterien der barocken Kunsttheorie gemäß, sich
als Kunst-Werk auszeichnet, worin sich also ihr Kunst-Charakter manifestiert.

II

Augustus Buchner, Zesens hochgeschätzter Lehrer, gibt zu bedenken, „daß alles
das jenige/was versteckt und verborgen/herrlicher geschätzt/und in grösserm
Werth und acht gehalten würde"[14]. Es sei deshalb auch bekannt, so führt er aus,
daß man „öffters in dem/was der Warheit nahe kömmet/sich mehr erlustigte/als
was die Warheit an sich selbsten ist/weil diese gemein/und für sich selbst entste-

[12] Albrecht Schöne, *Emblematik und Drama im Zeitalter des Barock*, München 1964,
59.
[13] *Frauenzimmer Gesprächspiele*, I. Tl., ²1644, 51 — zit. nach dem reprographischen
Nachdr., hsg. von Irmgard Böttcher, Tübingen 1968, Bd. I, 73; A. Schöne, o. c. 58.
[14] *August Buchners Poet. Aus dessen nachgelassener Bibliothek heraus gegeben von
Othone Prätorio*, Wittenberg 1665, 6 — zit. nach: Augustus Buchner, *Anleitung zur
Deutschen Poeterey/Poet*, hsg. von M. Szyrocki, Tübingen 1966.

het/jenes aber durch Kunst und Fleiß zuwege gebracht wird/auch seltzam ist"[15]. Die poetischen Fabeln seien daher höher zu schätzen — weil nützlicher — als die Wahrheit an sich: „Damit nun die Lehre der Weisheit und Tugend (denn dieses ist [...] der Poëten ältestes Thun und vornehmster Zweck/dahin Sie Ihre Arbeit richten sollen) [...] nicht in Verachtung gerathen/und endlichen gantz unter die Banck gestecket werden möchten/haben die Poëten [...] die Fabel erfunden/welche etwas dunckeler/als andere schlechte Reden/und doch klärer und deutlicher/als sonst ein Rätzel wäre/und solcher gestalt zwischen der Wissenschafft und Unwissenheit das Mittel hielte [...] und dergestalt allzeit den Menschen anhielte/und auff weitere Nachforschung leitete und führete"[16]. Es sind letzten Endes die gleichen Argumente, womit die „Fabeln", die die Wahrheit poetisch verkleiden, wie die Sinnbilder, welche sie intellektuell verschlüsseln, dem Publikum gegenüber verteidigt und befürwortet werden. Man darf die Lehre des Wittenberger Professors wohl als allgemein verbindlich betrachten. Sie ist im Zusammenhang mit der traditionellen Verteidigung der Dichtkunst gegen ihre im 17. Jahrhundert offenbar noch recht zahlreichen „Ignoranten" zu sehen. Neben dem von der Seite der Kunstfeinde erhobenen Vorwurf, die Dichtkunst wirke mit ihren „unkeuschen" und „unzüchtigen" Liebesliedern und Liebesgeschichten demoralisierend auf die Jugend, beschäftigt sich die literarische Theorie oft eingehend mit einem weiteren, der gerade der poetischen Fabel gilt: die Fiktionalität der Dichtkunst sei weiter nichts als gewöhnliche Lügenhaftigkeit. Bereits die Dichter der römischen Antike hatten sich mit der angeblichen Lügenhaftigkeit ihrer Kunst die Feindschaft der Moralprediger zugezogen[17]; der Streit wurde im 17. Jahrhundert weitergekämpft, trotz Opitzens Formulierung von der Poeterei als einer verborgenen Theologie[18]. Die Dichtung pflegte sich zu jener Zeit deshalb zu legitimieren mit dem Hinweis auf ihren Tief-sinn, der allerdings von dem auf Vordergründigkeit und handfeste Wahrheit eingestellten Ungebildeten nicht verstanden wurde ... und auch wohl nicht verstanden werden sollte. Daß die Dichtkunst, im Gegensatz zur Reimerei der unzähligen Verseschmiede, eine Angelegenheit einer auf Exklusivität bedachten kleineren Gesellschaftsschicht war, zeigen Harsdörffers Worte: „Der Poeten Fabeln sind [...] Rähtsele/mit welchen die Weißheit und Erkäntniß natürlicher Sachen zu dem Ende verborgen/daß sie von dem gemeinen Mann aufzulösen/schwer fallen sollen..."[19] Sigmund Birken spricht es dem Oberhirten der Pegnitz-Schäfer nach und verspottet „die grobe ungehirnte Hobelspän-Köpfe", die kritisieren, was sie nicht verstehen, und die Tugendlehren, die „unter dem Fürhang der Fabeln" verborgen liegen, gar nicht bemerken[20]. Es war denn auch die

---

[15] ebd. 5.
[16] ebd. 7/8.
[17] Vgl. besonders: W. Kroll, *Studien zum Verständnis der römischen Literatur*, Stuttgart 1924, 49 ff.
[18] *Buch von der Deutschen Poeterey*, II. Kap. (Neudr. 7). Vgl. R. Bachem, *Dichtung als verborgene Theologie. Ein dichtungstheoretischer Topos vom Barock bis zur Goethezeit und seine Vorbilder*, Bonn 1956.
[19] *Frauenzimmer Gesprächspiele* I, 240 (Neudr. 262).
[20] *Teutsche Rede- bind- und Dicht-Kunst*, Nürnberg 1679, 16.

4*

allgemeine Ansicht aller Schriftsteller, die sich zu dieser Frage äußerten, daß „das Gedicht" wirkungsvoller sei als „die Wahrheit", weil durch die Fabel die *„nutzbare versüsste und hochwehrte* Wahrheit ausgebildet wird", und zwar mit einem Nachdruck, der der Wahrheit an sich abgeht: „Die Wahrheit ist an sich selbsten unbeweglich/und lässet sich noch bügen/noch wiegen: Meine Gedichte aber gestalten sie auf so vernehmliche Art/daß man sie leichtlich fassen/den Sinnen behaglich eindrucken/und in stetswehrendem Angedenken behalten kan. [. . .] Weil also durch den Namen der Fabel nicht die mißgestelte schand- und schädliche Lügen/sondern die nutzbare versüsste und hochwehrte Wahrheit ausgebildet wird/ist ferners Wort deßwegen zu verliehren nicht nöhtig"[21]. Zugunsten der tieferen Wahrheit, dem Tief-sinn der Geschichte, zieht man es vor, die Wahrheit zu „regulieren"[22]. Der Romanautor hat demnach grundsätzlich die Freiheit, die historische Faktizität abzuändern, wo ihm dies dienlich erscheint. So sagt auch Birken im Vorwort zu Anton Ulrichs *Aramena:* „Dergleichen Geschicht-mähren sind zweifelsfrei weit nützlicher/als die wahrhafte Geschicht-schriften: dann sie haben die freiheit/unter der decke die warheit zu reden/und alles mit einzuführen/was zu des Dichters gutem absehen und zur erbauung dienet"[23]. Der Dichter konnte allerhand, sogar auch wesentliche Korrekturen anbringen, wenn er nur nicht gegen eines der wichtigsten Gesetze verstieß: das der Wahrscheinlichkeit[24]. — Auf diesem Standpunkt steht auch Zesen. In der Vorrede zur *Assenat* (1670) betont er, daß diese Geschichte „in ihrem gantzen grund-wesen" unangetastet, „heil und unverrükt" belassen wurde, aber er läßt unmittelbar darauf die charakteristischen Worte folgen: „wiewohl ich ihr zuweilen/nach dieser ahrt zu schreiben/einen höhern und schöneren schmuk und zusatz/der zum wenigsten wahrscheinlich/gegeben." Deshalb stellt er seine Josephsgeschichte den üblichen „Liebsgeschichten" gegenüber: Sie seien alle „fast bloße Gedichte". Die *Assenat* dagegen sei ihrem tiefsten Wesen nach wahr: „Aber diese meine Geschichte ist/ihrem grundwesen nach/nicht erdichtet." Selbstverständlich wirken die Dinge in dieser Vorrede etwas überbetont, was sich leicht erklären läßt, wenn man bedenkt, daß der Dichter hier bemüht war, das Neue an dem von ihm inaugurierten Romantyp einer „Heiligen Stahts- Lieb- und Lebens-geschicht" gebührend herauszustreichen. Aber dennoch ist nicht zu überhören, daß Zesen dem Dichter seine Freiheit läßt[24a] — um sie allerdings sofort wieder einzuschränken, einerseits durch den Hinweis auf die „vraysemblance", andererseits durch die Feststellung, daß seine Geschichte „ihrem grund-wesen nach" faktisch ist.

Die Freiheit des Dichters bei der Entwicklung seiner Fabel wurde — wie im Vorhergehenden anhand von diesbezüglichen Äußerungen aus den Schriften

---

[21] Harsdörffer, *Frauenzimmer Gesprächspiele* aaO 253/254 (Neudr. 275/276).

[22] Vgl. auch die Ausführungen L. Fischers: *Gebundene Rede. Dichtung und Rhetorik in der literarischen Theorie in Deutschland,* Tübingen 1968, 67 ff.

[23] *Die Durchleuchtige Syrerin Aramena.* 2. Aufl. Nürnberg 1678, Bl.)(iiij^r

[24] Vgl. R. Bray, *La Formation de la Doctrine classique,* Paris ²1963, 191 ff.

[24a] Das trug ihm den Verweis Gotthard Heideggers ein, der in der Vorrede (S. 3) zu seiner *Mythoscopia Romantica* (Zürich 1698) ihm (und anderen) eine „unerträgliche Beschimpfung und Beschmeissung der Mosaischen Historien" vorwirft.

Buchners, Harsdörffers, Birkens und Zesens gezeigt — in engem Zusammenhang mit dem „moralischen Endzweck" gesehen. Man geht wohl nicht fehl, wenn man diese utilitaristische Begründung der *licentia poetica* als eines der erfolgreichsten Verteidigungsargumente für die Dichtkunst betrachtet[25]. Daneben wurde sie jedoch auch anders begründet, und wieder ist es Buchner, der mit seinen Lehren vorangeht. Ein Poet, so führt er aus, habe seinen Namen vom Machen, und deshalb habe er erst „seinem Nahmen ein Genüge gethan [. . .] in dem Er nicht allein die in Warheit wesende Sachen/herrlicher fast/als Sie für sich beschaffen/sondern auch die jenigen/so niemals gewesen/gleich als wären Sie/fürzustellen/und/so zu reden/von neuen zu schaffen gewust"[26]. Es handelt sich hier bekanntlich um die Theorie vom Dichter als einem *alter deus*, die Buchner mit der traditionellen Auffassung des Dichters als eines Sprachrohrs Gottes verbindet, indem er den bereits zum Gemeinplatz erstarrten Horazvers zitiert: „Est deus in nobis, agitante calescimus illo"[27]. Bei den Griechen bezeichnete das Wort ποιητής, so heißt es, den göttlichen Schöpfer: „Also ist Gott/der dieses sichtbahre Weltgebäude/mit allem was in demselben begrieffen/bloß aus seiner unermeßlichen Krafft und Weisheit erbauet hat/von Ihnen deshalb ποιητής genennet worden. [...] Aus welchem allen erscheinet/wie hoch und herrlich die Poëten anfangs gehalten/ja Gott selbsten gleich geachtet worden seyn/weil Ihnen ein solcher Nahme gegeben/der bißher nur allein der höchsten Majestät zuständig gewesen"[28]. Unter diesem Aspekt sah man in den vierziger Jahren den Dichter[29] — und sah er sich selbst. Der Dichter hat bei der Inventio völlige Freiheit, er kann geschichtliche Fakten anders gruppieren, als es dem historischen Sachverhalt entspricht, er kann historischen Persönlichkeiten Worte in den Mund legen, die sie niemals gesprochen haben, er kann schließlich seine Geschichte frei erfinden. Die Fiktionalität bleibt jedoch nach wie vor an die Faktizität gebunden, in dem Sinne, daß die *res fictae* in den *res factae* gründen oder ihnen angeglichen werden: „Es ist aber Dichten nicht/aus einem Nichts etwas machen/welches allein Gott zustehet/son-

---

[25] Vgl. zur *licentia poetica:* L. Fischer, o. c. 94 ff.

[26] *Poet,* 9/10.

[27] Horaz: *Fast.* 6, 5. Vor Buchner: Opitz, *Buch von der Deutschen Poeterey,* Neudr. 49; J. G. Schottel, *Teutsche Sprachkunst,* Braunschweig 1641, 143. — Vgl. für die Inspirationslehre in der Antike: W. F. Otto, *Die Musen und der göttliche Ursprung des Singens und Sagens,* ²Darmstadt 1956; A. Kambylis, *Die Dichterweihe und ihre Symbolik. Untersuchungen zu Hesiodos, Kallimachos, Properz und Ennius,* Heidelberg 1965. Für die spätere Zeit: A. Buck, *Italienische Dichtungslehren vom Mittelalter bis zum Ausgang der Renaissance,* Tübingen 1952, 95 ff. und pass.; K. O. Conrady, *Lateinische Dichtungstradition und deutsche Lyrik des 17. Jahrhunderts,* Bonn 1962, 44 ff.

[28] *Poet,* 10/11.

[29] Die 1665 von Prätorius herausgegebene Schrift wird zuerst 1638 erwähnt, sie war aber schon Anfang der vierziger Jahre in Abschriften verbreitet und wurde von anderen ungeniert ausgeschlachtet. Vgl. H. H. Borcherdt, *Augustus Buchner und seine Bedeutung für die deutsche Literatur des 17. Jahrhunderts,* München 1919, 50; M. Szyrocki im Nachwort zu seiner Ausgabe, 3/4. Man vergleiche Johann Klajs *Lobrede der Teutschen Poeterey,* Nürnberg 1645, 4, auch enthalten in: Johann Klaj, *Redeoratorien und „Lobrede von der Teutschen Poeterey",* hsg. von C. Wiedemann, Tübingen 1965, hier: 388.

dern aus einem geringen/oder ungestalten Dinge/etwas herrlich/ansehlich/geist-
und lobreich ausarbeiten." So drückt es Harsdörffer im V. Teil seiner *Gesprächspiele* (1645) aus, und so wiederholt es Balthasar Kindermann in seinem Buch *Der
Deutsche Poët* (1664)[30]. In den ersten Jahrzehnten des Jahrhunderts blieb es dem
Dichter grundsätzlich freigestellt, seine Geschichte auf Historizität oder auf Fiktionalität zu basieren[31]. Wenn Zesen in der Assenat-Vorrede hervorhebt, daß die
„bloßen Gedichte" zu verwerfen seien, ist daran zu erinnern, daß in der zweiten
Jahrhunderthälfte die Romangattung sich in Deutschland erst zu entfalten beginnt und die zunehmende Kritik an den „verlogenen" Geschichten der „Romainen" Männer wie Bucholtz und Zesen veranlaßte, einen neuen Standpunkt einzunehmen. Die Rechtfertigung des Romans kreist wieder um das Problem der dichterischen Wahrheit. Bucholtz hatte für seinen Roman *Herkules und Valiska* (1659)
eigens Quellen erfunden — die „über 1400 Jahr vergraben gelegen ..."[32] —, Zesen
stellte sich ebenfalls auf die neue Situation ein, als er 1670 die Geschichte der Assenat herausbrachte: „Ich habe sie nicht aus dem kleinen finger gesogen/noch bloß
allein aus meinem eigenen gehirne ersonnen. Ich weis die Schriften der Alten anzuzeigen / denen ich gefolget. [...] Aus den hinten angefügten Anmärkungen/da ich
meine verfassung/aus den Schriften der Alten und Neuen bewähre/wird es der
Leser sehen ..." (Vorrede). Zwischen dem Erscheinen der *Adriatischen Rosemund*
und der *Assenat* liegen 25 Jahre; die Probleme, mit denen sich Zesen bei der
Abfassung seines zweiten selbständigen Romans auseinanderzusetzen hatte und
die auf die Gestaltung dieser „heiligen Liebesgeschichte" bestimmend einwirk-
ten, existierten noch nicht, als der Dichter seine Rosemund-Geschichte konzipierte.

Betrachtet man die *Adriatische Rosemund* vor dem literarhistorischen Hintergrund ihrer Entstehungszeit, ist es, abgesehen von weiteren Argumenten gegen die
Annahme eines Liebesverhältnisses zwischen Markhold-Zesen und einer Dame
namens Rosemund[33], zumindest nicht von vornherein wahrscheinlich, daß die AR
als der — poetisch überformte — Bericht einer Liebesgeschichte zu betrachten ist,
wie sie sich zur Zeit von Zesens Aufenthalt in Holland in oder bei Amsterdam
tatsächlich zugetragen hat. Man hat, um die AR als dichterisch gestaltete Autobiographie in ihre Zeit zu stellen, auf den Zusammenhang mit den sog. Individualschäfereien hingewiesen, die vor der Rosemund-Geschichte in Deutschland er-

---

[30] Harsdörffer, *Frauenzimmer Gesprächspiele*, V. Tl., Nürnberg 1645, 19 (Ndr. Bd. V,
131); (Balthasar Kindermann) *Der Deutsche Poët [...] Fürgestellet Durch ein Mitglied
des hochlöbl. Schwanen-Ordens*, Wittenberg 1664, 49. Vgl. zum Verhältnis von *res fictae* und *res factae*; o. c. 61 ff., vor allem auch: H. Eizereif, „*Kunst: Eine andere Natur*". *Historische Untersuchungen zu einem dichtungs-theoretischen Grund-
begriff*, Diss. Bonn 1952 (Masch.). Die Untersuchung von Hans Peter Herrmann: *Natur-
nachahmung und Einbildungskraft. Zur Entwicklung der deutschen Poetik von 1670
bis 1740* (Bad Homburg 1970) lag mir noch nicht vor.
[31] Buchner: „ ... entweder ein neu erfundenes/oder nach einem andern gefertigtes
Werck zu lichte bringen" (*Poet*, 27).
[32] In der Ausg. von 1728: 881.
[33] Vgl. S. 14 f. dieses Bandes.

schienen waren[34]. Aber die Schäferepisode ist doch eben zu sehr Episode, als daß sie der Rosemund-Geschichte ihr entscheidendes Gepräge geben könnte, obwohl sie andererseits hier nicht nur deshalb Platz hat — wie noch zu zeigen sein wird —, weil pastorale Szenen von der damaligen Romangattung gefordert wurden. Schwerer dürfte der Umstand wiegen, daß Zesen selber an diese schäferlichen Werke als Vorgänger seines Buches offenbar nicht gedacht hat. Er erwähnt in seinem Vorwort nur „der fremden sprachen bücher“, „übersäzzung der spanischen und wälschen Libes-geschichte“. Die „Individualschäfereien“ spielten in der offiziellen Literatur auch keine Rolle und konnten schon aus diesem Grund dem ehrgeizigen jungen Zesen mit seinen hochfliegenden Ideen nichts bieten[35]. Sie hatten einen zu privaten Charakter, sie wurden getragen von einem unmodischen, volkstümlichen Geist und hielten sich von der verfeinerten modernen Kultur und Lebensform bewußt fern. In der *Keuschen Liebes-Beschreibung vom Damon und der Lisillen* des Johann Thomas (1663), zweifellos die schönste und reinste Verkörperung der Gattung, trifft man z. B. schon nach wenigen Seiten auf eine Stelle wie diese: „Da Damon es wagte [...] und der Lisillen seine Liebe/wiewohl mit weitgesuchten und verblümten Worten entdeckte. Lisille gantz erröthet schwieg still/und schlug die äuglein nieder zur Erden/blickte hernach den Damon lieblich an/und sagte mit lächlenden Munde/sie hätte seine Rede nicht verstanden“[36]. Alles in allem: Diese Werke waren inhaltlich wie formal zu unkompliziert, ihnen fehlte die Kunst und Gelehrsamkeit, somit die beiden Grundpfeiler, auf denen die sich langsam formende barocke Romanliteratur ruhte.

In allen Äußerungen zu der poetischen Fabel, die oben angeführt wurden, wird die Kunst höher bewertet als das Leben, die Wahrheit der Kunst höher eingeschätzt als die Wahrheit des Lebens. Daß dies auch Zesens Meinung war, bestätigt ein längerer Passus in seiner *Helikonischen Hechel* (1668, 10 f.), in dem Natur und Kunst gegeneinander ausgespielt werden. Es heißt da, daß die Natur „ohne Kunst nimmermehr zur rechten volkommenheit gelangen kan“, eine Behauptung, die anschließend folgendermaßen begründet wird: „Dan die Natur allein ist zu ohnmächtig [...] und wil/ja mus die Kunst stähts zur gehülfin haben.“ Auch war immer wieder die Rede von der Fabel als einer Decke, unter der die Dichter die Wahrheit reden“, oder als einem Rätsel, das die „Weißheit und Erkäntniß natürlicher Sachen“ verborgen halte. Mit diesem theoretischen Wissen im Kopf konzipierte Zesen die Fabel seiner Rosemund-Geschichte. Sollte er sich so ganz außerhalb der Tradition gestellt haben? Sein Lehrer Buchner, dem er sonst willig folgte, hatte mit allen verfügbaren Mitteln die *fictio poetica* verteidigt und gelobt, sie ausdrücklich über die faktische Wahrheit gestellt. Ist es da nicht unwahr-

[34] Vgl. Klaus Kaczerowsky, *Bürgerliche Romankunst im Zeitalter des Barock. Philipp von Zesens „Adriatische Rosemund“*, München 1969, 33: „Die Adriatische Rosemund reiht sich in die Tradition der deutschen Individualschäfereien vor allem durch ihren autobiographischen Gehalt ein.“

[35] Mit Recht erinnert Kaczerowsky (o. c. 101) an die herrschende Auffassung, daß eine private Liebesgeschichte kein würdiger Gegenstand eines Romans sein könnte.

[36] Johann Thomas, *Damon und Lisille 1663 und 1665*. Herausgegeben von H. Singer und H. Gronemeyer, Hamburg 1966, 12.

scheinlich, daß Zesen bei der Abfassung seines ersten größeren Prosawerkes, das
der erste bodenständige Beitrag zur Gattung des Romans werden sollte, gerade
auf die Fiktion verzichtet hätte? Allerdings spielt das Geschehen sich vor einem
autobiographischen Hintergrund ab, aber lediglich insofern es die männliche
Hauptgestalt betrifft. Das Filtrieren des Persönlich-Individuellen, wie es hier in
Erscheinung tritt, ist aber durchaus im Sinne der barocken Gepflogenheiten. Auch
sonst enthält das Buch Historisches. Seit Scholtes Untersuchung wissen wir, daß
die „Nider-ländische geschicht", die im 6. Buch eine so große Rolle spielt, auf
Wahrheit beruht. Zesen hat selber — in bezug auf die Dichter der Antike — darauf hingewiesen, daß in der Literatur neben der Fiktion auch das Faktische Platz
hat: „So sehen wir dan alhier/[...]/daß der alten Dichtmeister Künstelwerk
nicht allezeit ein solches eiteles und leeres Dicht- oder Mährlein-werk sei/darun-
ter gar nichts wahres verborgen/wie etwan die alten Spinweiber herzuschwatzen
pflegen..." (Anmerkungen zum *Simson* S. 26, wiederholt in den *Heidnischen
Gottheiten*, S. 214/215). In der AR steht der Rittmeistergeschichte die phantasti-
sche, allegorisierende Guhtsmuhts-Episode im 3. Buch gegenüber. Es besteht also
kein Widerspruch zwischen „Wahrheit" und „Dichtung", beide sind hier ver-
quickt. Wenn jedoch in der Abschiedsszene, die das Buch eröffnet, nach zwei,
drei Sätzen Rosemund eingeführt wird, wie sie (in Holland!) unter einem Palmbaum sitzt, sollte das nicht ein Fingerzeig sein, daß die poetische Fiktion die Faktizität an Bedeutung zumindest überragt? Der fiktive Name des Helden ist ohne
große Schwierigkeit als Deckname für Philipp von Zesen/Ritterhold von Blauen
zu entschlüsseln, und es war sicher Zesens Absicht, daß dieses Namenspiel durch-
schaut werden sollte. Dagegen läßt sich der Name der Heldin überhaupt nicht
enträtseln; es ist ein in der holländischen Literatur der Zeit auf Schritt und Tritt
begegnender Name. Buchners Wort von der Fabel als dem spezifisch poetischen
Instrument, den Sinn der Dichtung zwischen „der Wissenschafft und Unwissenheit" oszillieren zu lassen, klingt wie auf Zesens AR gemünzt. Verglichen mit der
klaren Darstellung des tatsächlichen Geschehens durch den Historiker kann man
mit Recht sagen, daß die Fabel, wie sie hier untersucht werden soll, „etwas dunk-
keler" ist, zugleich aber „doch klärer und deutlicher/als sonst ein Rätzel wäre".
Es ist nicht an letzter Stelle die Kunst des Enthüllens und Verhüllens zugleich,
die den Reiz des kleinen Buches ausmacht. Das wäre auch durchaus im Sinne des
17. Jahrhunderts, das alles schätzte, was „versteckt und verborgen" lag, und die
kühne poetische Erfindung mit Dank und Aufmerksamkeit zu quittieren pflegte.
Denn diese „wallet her von zimlichem Nachdenken/und belustiget den Leser"[37].
Auf eine solche Art des „Belustigens" könnten sich die Worte von Zesens Freund
H. C. von Liebenau beziehen, der sich als Der Aemsige an seinen „lihben Bruder",
den Autor des Buches, wendet: Er spricht von der AR als von einem Buch, „das
uns zu aller stunde/ erfrölicht und ergäzt" (8).

   Diese Überlegungen wollen keineswegs einer esoterischen Geheimnistuerei das
Wort reden, noch weniger wollen sie den Eindruck erwecken, als solle, der Theorie zuliebe, um jeden Preis Tiefsinn in die Dichtung hineingeheimnißt werden.

---

[37] Harsdörffer, *Frauenzimmer Gesprächspiele*, V. Tl., 29 (Ndr. Bd. V., 141).

Aber das aus der zeitgenössischen Theorie belegte Ergebnis der Diskussion über die poetische Fiktion, wie sie in engstem Zusammenhang mit der Verteidigung von Amt und Würde des Poeten geführt wurde, stimmt doch nachdenklich, nicht zuletzt aber auch der Umstand, daß Zesen selber mit dem Namen der Heldin seiner Geschichte ein galant-amüsantes Spiel treibt. In der „Auf-trahgs-schrift" an die Brüder Palbitzki stellt der Autor ein „jung-fräulein" vor, das „noch zur zeit fremd und unbekant ist, und bei unserem hohch-deutschen Frauen-zimmer gärn in kundschaft gerahten wolte". Dann nennt er die junge Dame mit Namen: „Es ist di über-irdische Rosemund, di nicht alein aus hohem bluht' entsprossen, sondern auch durch ihre angebohrne geschiklikeit und zihr zu solchem namen gelanget ist, daß man si mehr ein ängel- als mänschen-bild zu nännen pfläget." Nachdem er ihre „Göttlichkeit" gebührend hervorgekehrt hat, fährt Zesen fort: „Dise Schöne nümmet, auf mein guht-befünden und einrahten, ihre zu-flucht zu ihnen, und flöhet si gleich-sam an, daß si ihre dihnste däm hohch-deutschen Frauen-zimmer [...] auf zu tragen geruhen wollen. Dan si hat das gute vertrauen, daß si ihr eine solche billige bitte nicht versagen wärden." (4). Hier stellt die Schöne offensichtlich das Buch vor. Noch verspielter nimmt sich des Autors Rede „An di reise-färtige Rosemund" aus, welche die dem Buch beigefügten „Lust- und Ehren-getichte" beschließt. Rosemund macht sich fertig, sich nach Deutschland einzuschiffen, der Dichter verabschiedet sich und wünscht ihr eine gute Reise. Dieser Rede liegt natürlich die bekannte Metaphorik zugrunde, bei der die Abfassung eines Werkes mit einer Schiffahrt verglichen, das Buch zum Schiff und der Federkiel zum Schiffskiel metaphorisiert wird[38]. Die Grußworte beziehen sich also auf das Buch, aber an dessen Stelle nimmt sie die Heldin in Empfang, jedoch so, daß das tatsächliche Verhältnis in der Umkehrung erscheint: „Trit härfür, schöne Rosemund, du beängeltes mänschen-kind; das träu-gesünnete lihb-sälige frauen-zimmer der hohch-deutschen fölkerschaft stähet schohn üm seinen stolzen Rein, und wartet deiner ankunft mit fräudigem verlangen. [...] Drüm auf, o ädele, und begib dich zu schiffe, di lihblichen Amstelinnen und Lechinnen wärden dich begleiten, und den frohen nahch-winden mit einhälligem glük-wündschen übergäben. [...] wihr wündschen dihr sämtlich glük, und bei der grohs-mächtigsten Deutschinnen gnädiges verhöhr." (267/268)[39]. Mit virtuoser Raffinesse wird hier eine äußerste Verwischung der Grenzen vorgenommen. Unbeschwerte Heiterkeit und kunstvolle Virtuosität bilden den Rahmen dieser „keuschen libesbeschreibung" (6), die dem kunstliebenden deutschen Frauenzimmer zum „Lustwandel" (7) dienen will[40].

[38] Vgl. E. R. Curtius, *Europäische Literatur und lateinisches Mittelalter,* Bern und München ⁴1963, 138 ff.

[39] So richtet sich Zesen auch in dem Gedicht vor der FL von 1642 „An sein Büchlein".

[40] Harsdörffer folgt diesem Brauch: „Als vor Jahren die schöne DIANA den Fluß Duaro verlassen/sich auß Hispania erhoben/und an die Donau begeben/hat sie/samt jhrer bey sich habenden Gesellschaft/die damals Teutschgewohnliche Bekleidung angenommen/und die Feldliedlein/Hirten- und Waldgedichte/wiewol mit rauher Stimme/ nach selber Zeiten hartknarrenter Singart/ erlernet...": *DIANA Von H. J. De Monte-*

III

Das Interesse für die inhaltlichen Aspekte hat die AR vom ersten Augenblick an begleitet, die kritischen Stimmen, die sich schon im 17. Jahrhundert vernehmen lassen, richten sich auch vorwiegend auf den Inhalt. Aber für Zesen und seine Freunde mag der Inhalt — sofern er die Fabel betrifft — nicht das Wichtigste gewesen sein. Der Dichter bemerkt dazu selber in seiner Vorrede an den „vernünftigen Läser", nachdem er von der Liebe in der ausländischen Romanliteratur gesprochen hat: „Drüm, weil [...] unsere sprache durch solche lihb-liche, und den ohren und augen an-nähmliche sachchen bäster mahssen kan erhoben und ausgearbeitet wärden; so halt' ich daführ, daß es wohl das bäste wäre, wan man was eignes schribe, und der fremden sprachen bücher nicht so gahr häuffig verdeutschte..." (6). An Übersetzungen hatten sich die Dichter selber und hatten sie auch die Sprache geschult. Der Roman wurde dabei nicht vergessen. Im *Aristarchus* (1617) hatte Opitz die deutsche Amadis-Übersetzung noch lobend erwähnt[41], aber Zesen bezieht, fast dreißig Jahre später, eine neue Position. Die deutsche Sprache war Anfang der vierziger Jahre zu einer Höhe gestiegen, die sie des höchsten Lobes würdig machte. Das Lob der deutschen Sprache wurde denn auch von allen Poeten besungen. Das erste grammatische Werk von wissenschaftlicher Relevanz, J. G. Schottels *Teutsche Sprachkunst* (1641), enthielt neun „Lobreden von der Uhralten Haubtsprache der Teutschen". Schon in diesem Werk wurde das Lob der Sprache mit dem Lob des Dichters und der Poesie verbunden, nachdrücklicher noch geschah das in der *Lobrede der Teutschen Poeterey*, die Johann Klaj 1644 oder 1645 in Nürnberg „einer Hochansehnlich-Volkreichen Versamlung vorgetragen" hat. Dichten bedeutet in diesen Jahren noch, zur „Ausarbeitung" der Sprache beitragen, sich „eusserst bemühen", die „Muttersprache zu erheben" (Klaj). Das Schaffen von literarischen Werken von Rang geschieht nicht an letzter Stelle „ad majorem linguae gloriam". Das Gelehrtentum des Dichters bekam im vierten Jahrzehnt des Barockjahrhunderts dadurch eine besondere Note, daß die Dichter sich als Vertreter der wichtigsten humanistischen Wissenschaft, der Philologie, fühlten. Zesens *Rosen-månd* ist für diesen Sachverhalt charakteristisch, charakteristisch nicht weniger der Untertitel dieser Schrift: *das ist in ein und dreissig gesprächen Eröfnete Wunderschacht zum unerschätzlichen Steine der Weisen: Darinnen unter andern gewiesen wird/wie das lautere gold und der unaussprächliche schat der Hochdeutschen sprache [...] so wunderbahrerweise und so reichlich entsprüßet.* Es ist mehr als die Schrulle eines wichtigtuerischen Mannes, wenn Zesen dem Leser dieser Schrift verspricht, er

---

Major [...] geteutschet Durch Weiland [...] Herrn Johann Ludwigen Freyherrn von Kueffstein/etc. An jetzo aber [...] Mit reinteutschen Red- wie auch neu-üblichen Reim-arten ausgezieret. Durch G. P. H., Nürnberg 1646, Anfang der „Zuschrift".

[41] Witkowskis Ausgabe der *Teutschen Poemata*, Halle/S. 1902, 156. Die Frage, ob die Stelle sich auf Fischarts Übersetzung des 6. Buches beziehe (G. Schönle, *Deutsch-niederländische Beziehungen in der Literatur des 17. Jahrhunderts*, Leiden 1968, 28) oder auf eine andere Bearbeitung des Romans (M. Szyrocki, *Martin Opitz*, Berlin 1956, 21), soll hier nicht erörtert werden.

wolle die „lautere wahrheit" aufdecken, „so nach Demokritus zeugnüsse in einer tieffen schacht verborgen lieget"; ihm ist das stolze Wort zu glauben: ich verhehle nichts, „was mier mein Gott für geheimnüsse in der Natur gezeiget". Zesen wollte ein *poeta doctus* sein, oder genauer: ein Dichter-Philosoph. Es ist lehrreich, das dichterische Selbstverständnis und seine Hintergründe bei Zesen und seinen unmittelbaren Zeitgenossen näher zu betrachten, eben in bezug auf seine AR, in der Hoffnung, deren Rätselhaftigkeit wenigstens in etwa zu erhellen.

Als Zesen sich daran machte, mit seiner empfindsamen Liebesgeschichte ein originaldeutsches Werk zu schaffen, das die ähnlichen ausländischen Werke möglichst übertreffen sollte, lag die Lehrzeit bei Buchner erst wenige Jahre zurück. Es war Buchner, der die poetischen Ansichten des jungen Dichters entscheidend beeinflußte[42]. Christian Trentzsch stellt in seinem Widmungsgedicht zur zweiten Auflage des *Helicon* (1641) Buchner über Opitz, sicher mit Zustimmung Zesens, der dadurch — als Fortsetzer von Buchners Werk — auf der poetischen Scala um einige Stufen aufrückt:

> So soll nun Wittenberg auch mit gelehrten Sinnen
> Noch überlegen seyn den Deutschen Castalinnen?
> Hier fängt Herr Buchner an (der mehr als Opitz ist)
> Ein neues Musenwerck/das man mit freuden list;
> Herr Caesius folgt nach/beginnt herfür zu brächen/
> Er baut den Helicon/die Deutsche Zier zu rechen/
> Biß in das wolcken-feld . . .[43]

Zesen selbst urteilt im *Rosen-mând* noch schärfer: „Eben also wil man itzund Opitzen in der Dichterei fast gantz für einen Gott aufwerfen; als wan er alles gefunden/was darzu gehörete/ und was die Dicht-mutter in unserer sprache verborgen" (207/208). Von Buchner und nicht von Opitz her ist deshalb Zesen zu beurteilen, wo es um die Frage geht, was das Handwerk des Poeten ausmache. Die Hochschätzung des Wittenberger Gelehrten verband Zesen mit den Nürnbergern, besonders mit Klaj, der ebenfalls Buchner-Schüler war. Die Möglichkeit ist nicht auszuschließen, daß Klaj in Wittenberg mit Zesen zusammentraf[44], den er in seiner *Höllen- und Himmelfahrt Jesu Christi* (1644) lobend erwähnt[45]. Gerade bei den Nürnbergern spielt das auf Buchner zurückgehende Lob des Dichters eine hervorragende Rolle, wie auch bei Zesen[46]. Klaj und Schottel standen wiederum in enger Verbindung[47], Zesen widmet Schottel 1645 seine *Lustinne* und übersendet das Gedicht mit der Bitte, die in Deutschland „noch gleichsam Fremde" „vohr

---

[42] Vgl. dazu: U. Maché, *Zesen als Poetiker*, DVjs 41 (1967), 391—423 (Neufassung in diesem Band).

[43] Bl. A 6ʳ.

[44] Vgl. A. Franz, *Johann Klaj. Ein Beitrag zur deutschen Literaturgeschichte des 17. Jahrhunderts*, Marburg 1908, 8.

[45] Nürnberg 1644, 40 Anm. zu Vs. 287: „Sehr lieblich klinget es bey uns Teutschen/ wenn sich in Dactylischen die Worte im Verse reimen/wie der berühmte Cesius wol erinnert." (Im Neudruck der Redeoratorien: 104).

[46] Vgl. Maché, aaO 410 ff.

[47] Vgl. A. Franz, o. c. 127 ff.

allem ungewitter zu schirmen"[48]. — Das große Thema, das um die Mitte der
vierziger Jahre die Buchner-Schüler und Buchner-Anhänger beschäftigte, war das
von Opitz vernachlässigte Problem, welcher Platz dem Dichter in der Gelehrten-
republik zukomme, oder anders formuliert: was das Besondere am Dichteramt sei
und wodurch der Dichter sich von den übrigen „Scribenten" unterscheide. Ausschließlich diesen Fragen ist Buchners *Poet* gewidmet, eine Schrift, die ursprünglich die einleitenden Kapitel der *Anleitung* umfaßte, aber dann von Prätorius als
selbständige Abhandlung herausgegeben wurde. Die darin vorgetragenen Gedanken werden wohl den Vorlesungsstoff enthalten, der auch Zesen aus seiner Wittenberger Lehrzeit wohlvertraut war. Es ist hier nacheinander vom Namen, von
der „Materie" und schließlich vom „Amt und Zweck" des Poeten die Rede. Angesichts der oben skizzierten literarhistorischen Situation dürfte es zweckmäßig
sein, die AR zunächst vor dem Hintergrund von Buchners Ausführungen zu betrachten.

Buchner ist der erste deutsche Theoretiker, bei dem die Begabungsbewertung
des Dichters anders als aus traditionellen Argumenten entwickelt wird: Der Poet
ist aufgrund seines Namens ein s c h ö p f e r i s c h e r Künstler. Die Stellung dieser Lehre in Buchners theoretischem System wurde schon gestreift. Wichtig ist
aber außerdem — und für Buchners Vorgehen charakteristisch —, daß das Besondere am Tun des Dichters im Gegensatz zum Tun des Philosophen gezeigt wird.
Der Philosoph galt als der Inbegriff des Weisen, die Philosophie wurde als die
Grundlage sämtlicher Wissenschaften betrachtet, die Wirksamkeit des Philosophen
wurde in jener Zeit, da Wissenschaft und Tugend die Idealwerte der Persönlichkeit waren, als eine ungemein nützliche angesehen. Als Opitz im 3. Kapitel seiner
Poeterey die Poeten verteidigt, ist sein erstes Argument bezeichnenderweise dieses,
daß die großen Weisen des klassischen Altertums „sich doch des Poetennamens nie
geschämet haben"[49]. Buchner wiederholt dieses Argument: „Und wenn wir dem
Wercke recht nachdencken/so sind die Poeten nichts anders als Philosophi/ja
noch lange für denselben gewesen"[50]. Und darum betont er auch, daß die „Materie" des Dichters[51] sich von der des Philosophen in nichts unterscheide: „So nun
die Poëterey in Warheit eine Philosophie ist/die Philosophie aber alle Göttliche
und Menschliche Sachen in sich begreiffet/so erscheinet hieraus/daß die Poeterey
nicht enger/als die Welt und Natur an ihr selbsten/eingeschrencket sey/und der
Poet nicht allein bey allerley Menschlichen Händeln [...] Sondern auch von
Gött- und natürlichen Sachen/wie die Nahmen haben mögen/mit allem fuge
schreiben könne"[52]. Dann erfolgt aber eine überraschende Wende, indem der Ver-

---

[48] Separatdruck: *Filip Zesiens von Fürstenau Lustinne/Das ist/Gebundene Lust-
Rede von Kraft und Würkung der Liebe. Hamburg/Bey Heinrich Wernern/Im Jahr/
1645:* fol. Aij r und v.

[49] Braunes Neudr., 10.

[50] *Poet*, 13/14. Buchner fährt fort: „Darumb auch unser Tyrius derer Kunst eine ältere
Philosophie [...] genennet hat. Strabo nennet sie die erste Philosophie/und Plato heisset
die Poeten Väter der Weisheit."

[51] Vgl. zu diesem rhetorischen Begriff bes. W. Babilas, *Tradition und Interpretation*,
München 1961, 9 ff.

[52] *Poet*, 22/23.

fasser nun ausführt, daß das dichterische Schaffen eine primäre, die philosophische Untersuchung dagegen eine sekundäre Tätigkeit sei: „*Schaffen* ist etwas wesentliches machen/*Erkundigen* ist dessen verborgene Natur/Ursach- und Eigenschafften erforschen. Jenes bestehet auff ein thun und wircken/dieses auff fleißiges nachsinnen und betrachten. Jenes gehet vor/dieses folget nach. Denn ehe etwas ist/kan es in keine Betrachtung gezogen werden"[53]. Es hält nicht schwer, die Unzulänglichkeit dieser Unterscheidung aufzuzeigen. Aber damit würde man gerade das übersehen, was Buchner wollte. Ihm kam es weder auf eine exakte Abgrenzung des Dichters vom Philosophen, noch auf eine logisch schlüssige Argumentierung oder eine präzise begriffliche Formulierung an, sondern vielmehr darauf, daß der Leser oder Zuhörer durch die Macht der Worte — man beachte den rhetorischen Charakter dieses Passus! — wenn nicht überzeugt, so doch dazu überredet werden sollte, an die Vorrangstellung des Dichters vor dem Philosophen zu glauben[54]. — An anderer Stelle — im 2. Kapitel seiner *Anleitung* — nimmt Buchner nochmals einen Vergleich vor, nun handelt es sich jedoch um eine Abgrenzung des Poeten von anderen Schriftstellern. Der Dichter unterscheide sich durch seinen besonderen Stil, indem er „sich in die Höhe schwingt/die gemeine Art zu reden unter sich trit/und alles höher/kühner/verblümter und frölicher setzt/daß was er vorbringt neu/ungewohnt/mit einer sonderbahren Majestät vermischt/und mehr einem Göttlichen Ausspruch oder Orakel [...] als einer Menschen-Stimme gleich scheine"[55]. Damit wird offensichtlich dem Dichter die höchste der bekannten drei Stilarten, das *genus grande*, vorbehalten[56].

Das Lob des Dichters, das Buchner nicht müde wird zu singen, besteht demnach vor allem darin, daß der Dichter ein Philosoph ist, aber zugleich mehr als das, weil er selber der Schöpfer seiner *materia* ist, ein *alter deus,* der „Gott selbsten gleich geachtet worden". Ferner darin, daß er sich der höchsten Stilart bedient, so daß sein Werk „mehr einem Göttlichen Ausspruch oder Orakel [...] als einer Menschen-Stimme gleich scheine". Damit waren, so scheint es, die höchsten Gipfel erklommen: Dichteramt und Dichterwort werden in der göttlichen Domäne angesiedelt. Auch wenn man berücksichtigt, daß die Theorie von der Göttlichkeit des Dichters und seiner Kunst im Rahmen des traditionellen „Argumentationssystems" (J. Dyck) betrachtet sein will, ist nicht zu übersehen, daß gegenüber der Auffassung des „Pöbels", mehr oder weniger kunstvolle Reime machen könne ein jeder, die Würde der Dichtkunst mit der so nachdrücklichen Hervorhebung der *spezifisch künstlerischen Gestaltung* begründet wird. — Wenn im Folgenden versucht werden soll, die für Zesens Kunstauffassung relevanten

[53] *Poet,* 26.
[54] Zum Problem der Schlüssigkeit in der literarischen Theorie des Barock: J. Dyck, *Ticht-Kunst. Deutsche Barockpoetik und rhetorische Tradition,* Bad Homburg/Berlin/Zürich 1966, 113 ff., L. Fischer, o. c. 5, 39, 65.
[55] *Anleitung ...,* 16.
[56] Man vergleiche J. Dyck: *Philosoph, Historiker, Orator und Poet. Rhetorik als Verständnishorizont der Literaturtheorie des XVII. Jahrhunderts,* Arcadia 4 (1969), 1—15. Die überzeugende Interpretation der Buchner-Stelle, die Dyck hier vorträgt, weicht wesentlich von der L. Fischers (o. c. 52 ff.) ab.

Ansichten in ihrem Zusammenhang mit Buchners Theorie darzustellen, ist vorab
eine methodische Überlegung notwendig. Die Barockpoetik darf nicht als eine
wissenschaftlich fundierte Ästhetik in modernem Sinne betrachtet werden, sie ist
im wesentlichen eine Schulpoetik, die konkrete Anweisungen für die dichterische
Praxis enthält. Wo sie sich außerdem zu prinzipiellen Fragen äußert — Wesen
und Bedeutung der Dichtkunst, Eigenart des dichterischen Schaffens usw. —,
handelt es sich in der Regel um das Erbe der Renaissance-Poetik, und zwar um
Argumente zur Verteidigung der Kunst. Dennoch lassen sich dabei individuelle
Unterschiede feststellen, die den Grad des theoretischen Bewußtseins und ästhetischen Empfindens anzeigen können. Das wird um so eher der Fall sein, wenn die
herkömmlichen Formulierungen eine so beachtenswerte Differenzierung aufweisen
und die Teile des Argumentationssystems so geordnet werden, daß sie der Theorie
im Ganzen ein eigenes Gepräge geben. Mit Recht sagt C. Wiedemann: „Nicht die
Argumentation als solche ist in der Regel ernstzunehmen, sondern eine darüberlie-
gende Schicht der Akzentuierung, Amplifizierung und Mischung"[57]. Inwiefern die
Schulpoetik ein tragfähiges Fundament für die Entwicklung der Dichtung bildet
und in welchem Maße eine bestimmte Schulpoetik auf Kunstauffassung und Werk
eines Dichters eingewirkt hat, läßt sich wohl am deutlichsten an der werkimma-
nenten Poetik sowie an Vorreden, Widmungen, Briefen etc. ablesen. Erst in diesem Zusammenwirken von Schulpoetik, werkimmanenter Poetik und Vorredenpoetik wird so etwas wie eine barocke Literaturästhetik sichtbar.

„Schaffen ist etwas wesentliches machen" — so hieß es bei Buchner. Man hat
dabei an die alte Bedeutung des Wortes „wesentlich" zu denken, in der es noch
als Ableitung von Wesen („Sein, Dasein") empfunden wurde. Stielers Wörterbuch
stellt es mit „wesenhaft" gleich und umschreibt es u. a. mit „enter", „praesen-
ter"[58]. Der Sinn ist demnach: Schaffen ist etwas gegenwärtig, „dinglich" machen.
An anderen Stellen verwendet Buchner dafür das Verb „fürstellen": Der Poet
vermöge die „Sachen", „so niemals gewesen/gleich als wären Sie/fürzustellen"[59].
Es ist eben dieses Verb, das man vorzugsweise in bezug auf die Malerei anwen-
dete. Wo Buchner von künstlerischer Schöpfung spricht, hat man diese Dinge mitzudenken. Für ihn bedeutet „schaffen": Nicht-Existentes als Existentes plastisch
vorstellen, so daß die künstlerische Vergegenwärtigung nicht-existenter Dinge
gleichsam zur Neuschöpfung wird[60] und das solcherart „Fürgestellte" einer „zweiten Natur" gleichkommt[61]. — Gerade die täuschende Ähnlichkeit mit der Natur
schätzte und bestaunte man am Gemälde. In der Vorrede zu seiner ersten
Gedichtsammlung, der *FrühlingsLust* von 1642, äußert sich Zesen folgendermaßen

[57] C. Wiedemann, *Engel, Geist und Feuer. Zum Dichterselbstverständnis bei Johann
Klaj, Catharina von Greiffenberg und Quirinus Kuhlmann*, in: *Literatur und Geistesgeschichte*, Festgabe für H. O. Burger, hsg. v. R. Grimm und C. Wiedemann, Berlin 1968,
85—109, Zitat 86.
[58] Kaspar Stieler, *Der Teutschen Sprache Stammbaum und Fortwachs oder Teutscher
Sprachschatz*, 1691, reprographischer Nachdruck hsg. von S. Sonderegger, München
1968, Bd. I, 172.
[59] *Poet*, 9.
[60] *Poet*, 9/10: „. . . so zu reden/von neuen zu schaffen . . ."
[61] Vgl. für Begriff und Problematik der Mimesis im Barock: L. Fischer, o. c. 71 ff.

über die Wunderwerke der Malerei: „Es ist mir auch noch in frischer Gedächtnüß das wunderschöne Jungfer-Bild so an einer Thüren des Zimmers entworffen/ darauff ich dann dazumahl heimlich bey mir also spielete:

> Wie lebstu? oder nicht? du wunderschönes Bild?
> Es macht mich gar verzückt der blancken Brüste Schild:
> So offt ich wil die Thür auffmachen/
> So offt pflegstu mich anzulachen:
> Kan diß der Schatten thun? Was würde wol geschehn/
> Wan ich dein ursprungs-Werck lebendig solte sehn?
> Ich kan mir fast nicht bilden ein/
> Daß du solst ohne Seele seyn". (fol. A Vᵛ)

Das 17. Jahrhundert war versessen auf Gemälde und Porträts, zu keiner Zeit erfreute sich die Malerei einer solchen Beliebtheit. Die vornehmen Häuser glichen privaten Kunstsammlungen, die Wände waren meist über und über mit Gemälden bedeckt, vom Boden bis zur Decke hingen Landschaften, Porträts und allegorische Vorstellungen über-, unter- und nebeneinander. Die Wohnräume von Schloß Pommersfelden, die die charakteristische Ausstattung am reinsten bewahrt haben, vermitteln heute noch ein eindrucksvolles Bild der barocken Bilderwut. Die Malerei mit ihrer lebendigen Darstellung und ihrer staunenswerten Anschaulichkeit wurde zum Ideal der Dichtkunst. Die Barockpoetiker nehmen ganz bewußt die von Horaz verwendete Formulierung wieder auf: *Ut pictura poesis (Ars poetica,* 361). Immer wieder begegnet der Vergleich von Malerei und Dichtkunst. Buchner formuliert: „Keine Kunst ist der Poesi so nahe anverwandt/als die Mahlerey/denn sie beide der Natur nachahmen [. . .] und was der Mahler mit Farben thut/das thut der Poet mit Worten/darum die Mahlerey eine stumme Poesi/ die Poesie aber eine redende Mahlerey von den Alten genennet"[62]. Harsdörffer und Zesen kennen ebenfalls den Maler-Vergleich, der in der barocken Theorie allmählich fast topischen Charakter annimmt. Aber sie setzen beide die von Buchner geübte Praxis des steigernden Vergleichens fort und führen so über ihn hinaus. Buchner hatte sich lediglich darauf beschränkt, die Verwandtschaft von Dichtung und Malerei aufzuzeigen, und sich damit begnügt, beide Künste zusammen von der Philosophie abzuheben, denn in den nachahmenden Künsten komme es „nur auff eine äusserliche Erkäntnis" der Dinge an, nicht, wie in der Philosophie, auf „eine volkömmliche Wissenschafft": „Wird genug seyn/daß der Poët ein Thun darstelle/wie es entweder ist/seyn soll/ oder mag/das übrige aber andern befehle. Gleich einem Mahler/der seinem Ambte gnug gethan/wann er etwas so abbildet/ daß mans erkennen kann/was es sey/ob gleich die innerliche Beschaffenheiten/ und sein gantzes Wesen nicht angedeutet ist"[63]. Das ist der Faden, den die Jüngeren weiterspinnen[63a]. Der Nürnberger stellt die Arbeit des Dichters und des Ma-

---

[62] *August Buchners kurzer Weg-Weiser zur Deutschen Tichtkunst [. . .] hervorgegeben durch M. Georg Gözen,* Jena 1663, 46 — zit. nach Szyrockis Ausg. der *Anleitung,* Nachwort, 11.

[63] *Poet,* 27 f.

[63a] Auch Maché hebt diesen Unterschied zwischen Buchner und dem jüngeren Zesen hervor (aaO. 414 ff.).

lers kontrastierend nebeneinander: „Die Poeterey ist eine Nachahmung dessen/
was ist/oder seyn könt. Wie nun der Mahler die sichtbarliche Gestalt und Beschaffenheit vor Augen stellet/also bildet der Poet auf das eigentlichste die innerliche Bewantniß eines Dings"[64]. Die Beschränkung auf die Nachahmung der äußeren Beschaffenheit genügt offenbar den höheren Ansprüchen der neuen Dichtergeneration nicht mehr, die Jüngeren haben ihr Ziel höher gesteckt. Auch Zesen setzt
in seinem *Rosen-mând* an diesem Punkt an, wenn er Malerei und „Schreiberei"
vergleicht: „Dan ein Mahler [...] entwirft nur mit farben oder zügen das äuser-
liche sichtbare wesen und gestalt der menschen/tiere/bluhmen und anderer dinge/
wie sie seinen augen/denen er bloß folgen mag/fürkommen. Ja er reisset/zeuchnet
und zühet nur das jenige nach/was er für augen hat [...]. Aber was er nicht
sihet/oder gesehen hat/[...] das kan er auch nicht entwerfen". Demgegenüber
ist das Vermögen der Dichtkunst nicht hoch genug zu loben, „welche unsicht-
bahre dinge (o welch ein wunder/und was kan die kunst nicht tuhn!) sichtbar/
vernehmlich/ja leserlich machen und ausbilden/ja das jenige/was der mund gesprochen oder das ohr vernommen/und/das noch wunderbahrer ist/was das ge-
mühte in ihm selbst erst unsichtbahrlich verfasset/und er noch nicht gehöret/noch
gesehen/alles zugleich sichtbar und den augen vernehmlich darstellen kan. und so
ist der mahler ein abbilder und entwerfer der sichbahren dinge sichtbahrlicher
weise. Der schreiber aber ist ein ab-bilder und entwerfer der unsichtbahren dinge
sichtbarlicher weise. Ja die schrift ist eine stumme/doch sichtbahre rede; und die
schreiberei ist eine halb-götliche kunst und unbegreifliche Mahlerei ihres verborgenen uhrsprungs wegen". (57/58). Wenn Körnchen als negatives Element von
Zesens Erzählkunst hervorhebt: „Und nie vergißt Zesen uns die Gedanken seiner
Personen ausführlich mitzuteilen..."[65], übersieht er den Stolz des Dichters in bezug auf das Vermögen seiner Kunst.

Deutlich kommt das stolze Selbstbewußtsein dieser Dichter zum Ausdruck, die
Genugtuung darüber, daß ihre Kunst nicht nur der hochgeschätzten Malerei
gleichkommt, sondern sie sogar überflügelt. Ihr Beitrag zu der „Erhebung" und
„Ausarbeitung" der Sprache besteht darin, daß sie ihren bisher ungeahnten Glanz
und Reichtum weithin sichtbar gemacht haben. Haben sie doch der Muttersprache
zu neuen Möglichkeiten verholfen, indem sie mit ihren Kunstschöpfungen eindrucksvoll bewiesen, daß die deutsche Sprache dazu fähig sei, den unermeßlichen
Reichtum der „unsichtbahren dinge" sichtbar zu machen. Die staunende Verwunderung *(miraviglia)*, der barocken Kunsttheorie liebstes Kind, war von nun an
auch in der Dichtung heimisch. In diesem Licht ist auch Zesens *Adriatische Rosemund* neu zu sehen. Liebenaus Gratulationsgedicht zum Erscheinen des Buches
hält fest, was der Zeitgenosse an diesem Kunst-Werk bestaunte:

> Wi ahrtlich kanstu nuhr den sün der Libe bilden,
> das wäsen, gähn und tuhn mit farben schön vergülden!
> der augen raschen gang, wan si in ihrer gluth
> und schön'sten flamme sein; der Libe wankel-muht,

---

[64] *Poetischer Trichter*, II. Tl., 1653, 7.
[65] H. Körnchen, *Zesens Romane. Ein Beitrag zur Geschichte des Romans im 17.
Jahrhundert*, Berlin 1912 (Palaestra CXV), 86.

> stäht eigendlich alhihr. Di ROSEMUNDE läbet
> selb-selbst in disem Buhch', und in däm läsen schwäbet
>   fohr augen, als ein bild, das gähn und räden kan;
>   dahr-über sich entsäzt und wundert ihderman.

Die „geschikligkeit" des Dichters, der dieses „wunderwürdige Bild" mit den Farben gemalt hat, habe den Betrachter „verzükt gemacht". Bei der zeitüblichen Lobhudelei kann man den tatsächlichen Grad der Verwunderung wie der Bewunderung natürlich nur ahnen. Aber das zeitgenössische Urteil ist deswegen von größtem Belang, weil es zeigt, unter welchem Aspekt ein in literarischen Fragen bewandertes Publikum im Jahre 1645 eine Dichtung beurteilte. Zusammengenommen mit Zesens eigenen Äußerungen in der Vorrede, müssen die Worte des Freundes uns in der Überzeugung bestärken, daß das Kunstwerk der AR ganz bewußt ein Werk der Kunst sein wollte. Sie erinnern ferner daran, daß die Abfassung des Buches in engem Zusammenhang steht mit den Fragen, die die „nobilitas literaria" in jener Zeit beschäftigten, und daß die Leistung seines Verfassers somit in der virtuosen Meisterung der Gestaltungsprobleme zu sehen ist. Zesens AR war vom Standpunkt des Buchner-Kreises schon dadurch eine gelungene Kunstschöpfung, daß sie etwas auf überzeugende Weise „wesentlich" gemacht hat, also entstanden war in einem Akt des Schaffens im Buchnerschen Sinn. Damit hat der Dichter sich als Schöpfer, als $\pi o \iota \eta \tau \acute{\eta} \varsigma$, ausgewiesen und den Philosophen in den Schatten gestellt. Aus dem Obenstehenden erhellt, daß das Problem der „wesentlichen" oder „eigentlichen" Beschreibung, das Problem der naturgetreuen Darstellung also, Zesen schon von seiner Wittenberger Lehrzeit her vertraut war. Hinzu kam dann die Bekanntschaft mit den Romanen der Scudéry, die in dieser Hinsicht als mustergültig betrachtet werden konnten, weil sie die Ideale bereits in der Praxis verwirklicht hatten[66].

IV

Indessen ist Zesen, wie übrigens auch Harsdörffer, nochmals über seinen Lehrer hinausgelangt. Der Dichter bleibt nicht länger bei der „äusserlichen Erkäntnis" der Dinge stehen, er dringt zu ihrer „innerlichen Beschaffenheit" durch, ihre „verborgene Natur/Ursach- und Eigenschafften" sind ihm kein Buch mit sieben Siegeln. Damit ist eine weitere Angleichung des Dichters an den Philosophen vollzogen. Wenn Buchner noch die rationelle Forderung wiederholte, daß der Poeten „Thun und wircken auff Philosophische/das ist/der Weisheit angehörige Sachen gerichtet seyn soll"[67], so hat die neue Generation die innere Berechtigung der herkömmlichen Formulierung angezeigt. Sie hat den Nachweis erbracht, daß der Dichter kraft seiner besonderen Begabung und kraft seines Amtes zu allen Geheimnissen zwischen Himmel und Erde Zugang hat, daß ihm kein

---

[66] Kaczerowskys Darstellung erweckt zu Unrecht den Eindruck, als seien Zesen erst unter dem Einfluß dieser Romanlektüre die Augen für diese Probleme aufgegangen: o. c. 41 und bes. 78 ff. Das hängt natürlich mit des Verfassers Überschätzung des *Ibrahim Bassa* in bezug auf Zesen zusammen.

[67] *Poet*, 13.

Thema zu hoch und keine Sache zu tief sein kann. Der poetisierende Gelehrte
Schottel läßt sich mitten in seiner trockenen Abhandlung zu lyrischen Ergüssen
verleiten, diesen Sachverhalt zu feiern: „Die Natur ist unerforschlich/die Hoch-
heit der Künste unüberstiegen/die Schönheit der himlischen Dinge hochverwunder-
lich/Gottes Herrligkeit und dessen Menschenliebe unaussprechlich/die menschlichen Sinnen wegen jhres Vermögens unersinnlich/und wegen der Göttlichen uns
eingepflantzeten Kraft/unumgrentzet: Hie nun/und in allen derogleichen/wird
niemand zu einer näheren Stelle/als ein sinnreicher Poet/zugelassen: Welcher un-
gemeiner weise/unbestrikket von engem Bande beliebter Worte/mit geflügeltem
Vermögen dahin fähret/Gott/Natur und Künste/mit Göttlichen/Natur- und
kunstreichsten Worten abbildet/und dem Verstande und Begriffe des Hörers oder
Lesers aufs lieblichste vordeutet"[68]. Ein Poet, so heißt es in der gleichen Lobrede,
„kan das überjrrdische freymütiglich durchwanderen/das arbeitselige wünschen
der Welt/als mit geflügelter Freiheit überstreichen", ja er meint, „er spatziere
gleichsam durch die Blumenreichesten Auen der Wissenschaften/erlustige sich in
dem wunderkünstlichsten Lustgarten der Natur/erhebe sich auf den Göttlichen
Hügel der Weißheit . . . "[69] Johann Klaj übersteigert diese Gedanken zum Bild des
Engels: Der Dichter sei ein engelgleicher Geist[70]. Damit verglichen nehmen sich
Zesens Aussprüche zunächst recht bescheiden aus. Auch er nimmt jede Gelegenheit wahr, sein Gelehrtentum gehörig herauszustreichen. Wie ist der Hinweis in
der Vorrede zur *Assenat* auf den fast 200 Seiten starken Anmerkungsteil —
„darüm ist mein raht/daß man solche Anmärkungen zuallererst lese" — anders
aufzufassen denn als eingegeben von der Besorgnis, man könne ihn sonst über-
schlagen. Man darf die Gelehrsamkeit im barocken Roman nicht ausschließlich in
Verbindung mit der „epischen Mannigfaltigkeit" sehen[71], ihre Gründe sind kom-
plexer. In dem Zeitraum, in den das Erscheinen der AR fällt, dienen gelehrte Exkurse, Einlagen etc. nicht nur der Unterhaltung und Unterrichtung des Lesers,
sondern auch der Legitimierung der Erzählkunst und ihrer Schöpfer. Wie seine
Kollegen, so protzt auch Zesen oft und gern mit seinen Kenntnissen, auch an solchen Stellen, wo sie (vom heutigen Standpunkt!) störend wirken müssen. Aber er
verbindet sein gelehrtes Wissen doch auch nicht selten unmittelbar mit seiner
Kunst. Die wissenschaftlichen Ausführungen im *Rosen-mând* werden ausnahmslos von Mahrhold bestritten, in dem man spätestens nach der Lektüre der Vorrede
eine Selbstdarstellung des Autors erblickt. Der grundgelehrte junge Mann wird
geschildert als ein Grübler, sogar die Freunde haben vor seinem Sinnieren so viel
Respekt, daß sie ihn nicht stören wollen: „Also begaben sich diese beiden Freunde
in des Mahrholds wohnung/da sie ihn eben im garten unter einer dikken wein-

---

[68] Die 7. Lobrede in seiner *Sprachkunst* (1641), hier zitiert nach der *Ausführlichen
Arbeit Von der Teutschen HaubtSprache* (1663), reprographischer Nachdruck, hsg. v.
W. Hecht, Tübingen 1967 (2 Bde.), I. Bd., 114/115.
[69] ebd. 106/107.
[70] C. Wiedemann, *Johann Klaj und seine Redeoratorien*, Nürnberg 1966, 65 ff. Aus anderen Motiven heraus finden sich gleiche oder ähnliche Bilder auch bei der Greiffenberg und bei Kuhlmann: vgl. C. Wiedemann, *Engel, Geist und Feuer*, aaO.
[71] Kaczerowsky, o. c. 63 ff.

läube in seiner gewöhnlichen andacht sitzen fanden. Weil sie ihn nun in so tieffer süßigkeit und gleichsam verzukkerter entzükkung nicht straks verstören wolten: so gingen sie ein weilchen auf der andern seite des gartens herüm..." (162). „Entzücken" ist auch das Wort, das sich gleichsam wie von selbst einstellt, sobald Mahrhold die Gesellschaft in sein tiefes Wissen blicken läßt: „Nach folendeten des Mahrholds reden begunte die gantze geselschaft wach zu werden/die bisher mit solcher verzükkung und andacht zugehöret/daß es geschienen/als wan sie fast alle entschlaffen". Schon das soll sicher ein Lob sein — faßt man die Worte vorsichtshalber einmal so auf—, aber mehr noch die Versicherung von Rosemunds Vater, der ja selber ein gelehrter Mann war, „daß er ihn dadurch zu allerhand weit ausschweiffenden und nützlichen gedanken anlaß gegeben" (160).

Auch Zesen steigt in seiner Dichtung himmelan, kein Engel wie Klaj, aber doch ein Begeisterter, der sich „mit geflügeltem Vermögen" durch die Lüfte schwingt:

> Nim/Edles Paar/nim hin die Flammen meiner Jugend/
> das blitzlen meiner blüht/den sporen hoher tugend/
> der mich trieb Himmel-an/und riß den muntern Muht
> aus staub und asche fort nach jener klaren gluht
> selbst aus und über uns...
>
> ....
>
> So steigt durch staffeln auf ein Geist/der feuer fühlet/
> und trift das augen-märk/darnach er klüglich zielet/
> zur wahren Himmels-burg. So steig' ich auch gemach
> nach meinem zwekke zu/ans klahre sternen-dach.

Diese stolzen Verse sind an Eberhard Möller und Johansen Jakob Morian gerichtet, sie entstammen dem Widmungsgedicht der *Dichterischen Jugend-Flammen*, einer Sammlung von „Lob- Lust und Liebes-Liedern", die erst 1651 in Hamburg erschien, aber deren Entstehung in die „Rosemund-Zeit" hineinreicht. Hatte der „engelhafte" Klaj am Ende seiner *Lobrede* von sich selbst gesagt:

> Ich hab es gewagt/
>   Am ersten zu singen
>   Von Himmlischen Dingen[72],

so versichert Zesen in den genannten Widmungsversen:

> So schlägt in heisser brunst die keusche liebes-flamme
> gespitzigt über sich/als jener gluhten Amme;
> und wil von Eurer gunst indes sein angeblikt/
> bis sie inkünftig mehr/ja himmels-strahlen schikt/
> die über-weltlich seind.

Das Spiel mit Feuer und Flamme ist eine Anspielung auf das himmlische Feuer, das sich auf den Dichter herabsenkt und ihn „entflammt"; denn erst wenn er „von oben her entzündet" ist, kann er sich über die bloßen Reimer und Verseschmiede erheben und selber „himmlisch" werden[73]. Man ist nie ganz sicher, ob

[72] *Lobrede,* 27 (Neudruck, 411).
[73] Vgl. das Titelkupfer in B. Kindermanns Poetik: *Der Deutsche Poët* (1664). Zum Topos: Th. Blasius, *„Das himmlische Feuer". Eine motivgeschichtliche Studie,* Diss. Bonn 1949 (Masch.).

solche alten Vorstellungen, die zum festen Bestand der Theorie gehören, nicht
doch irgendwie von den Dichtern ernstgenommen werden[74]. In Zesens Werk sind
die Stellen so zahlreich, daß man fast den Eindruck bekommt, er habe an seine
göttliche Berufung, an den himmlischen Beistand und an die Göttlichkeit des
Dichters geglaubt. Bereits bei Homer wird der Dichter aufgrund seiner engen Beziehung zu den Göttern selber göttlich genannt (ϑεῖος ἀοιδός), Platon nimmt
das Adjektiv zustimmend wieder auf, es hält sich lange, wenn auch mit wechseln-
den Nuancen[75], bis es in der Kunsttheorie der Renaissance und des Barock wieder
auftaucht. Für manchen Dichter des 17. Jahrhunderts dürfte der Begriff mehr bedeutet haben, als dessen topische Verwendung in der Poetik der Zeit vermuten
läßt[76]. In Zesens Freundeskreis wurde zumindest auf das „Überweltliche" in den
Dichtungen des Färtigen mehrfach angespielt. Adelmund, die als „träu-beständige
Schwester" aus Brüssel an Zesen schreibt — der vom 4. Mai 1649 datierte Brief
wurde in den *Jugend-Flammen* abgedruckt —, drückt das in bezug auf die Lieder Zesens folgendermaßen aus: „Viel/derer gedanken zu schwach und noch an
der erden kleben/können sie dannenher auch nicht so bald begreiffen."
   Der Gedanke, daß die Dichtung ihren Schöpfer schon im Leben mit der Glo-
riole der Göttlichkeit auszeichne, durchzieht „Des Markholds Abschihds-lihd" an
Felsensohn, das in den Versen gipfelt:

> daß ich nuhn im klugen Sün
> himlisch und nicht irdisch bin[77].

Die *Lustinne* führt den Gedanken noch nachdrücklicher aus. An die Theorie
vom himmlischen Feuer anknüpfend, lobt der Dichter den *furor poeticus*, die
göttliche Raserei:

> wan er so klühglich ras't, entmuhtet seinen muht,
> enthärzt sein irdisch härz, und nichts als götlichs tuht[78].

So wie der Dichter göttlich ist, so ist es auch seine Kunst. Diese aus dem Altertum stammenden Gedanken[79] begegnen bei Zesen immer wieder, und zwar schon
früh, in der *FrühlingsLust* etwa (IV, Nr. I!). Daß in der *Lustinne* in diesem Zusammenhang Kunst und Wissenschaft in einem Atem genannt werden, ja die Wissenschaft eigentlich mehr als ein visionäres, prophetisches Deuten erscheint, ist
nur die Konsequenz dieses besonderen Dichterselbstverständnisses:

---

[74] In der Schäferdichtung *Der Norische Parnaß*, die 1677 in Nürnberg erschien, erwacht Myrtillus aus dem Schlaf und sagt, als er noch halb im Schlaf einige Verszeilen
gesprochen hat: „Es scheinet/du seyest gestern auf dem Parnaß schlaffen gegangen/weil
du heut erwachend so ein guter Poet bist." Floridan fügt hinzu: „Und vielleicht auch
ein Prophet" — „Ist nichts ungereimtes . . .", versetzt darauf Periander (o. c. 1).
[75] Vgl. L. Bieler, ϑεῖος ἀνήρ. *Das Bild des „göttlichen Menschen" in Spätantike und
Christentum*, Wien 1935.
[76] Vgl. C. Wiedemanns Untersuchungen.
[77] AR 25 ff., wiederholt in den *Jugend-Flammen*, 48 ff.
[78] AR (Ndr.), 234, Vs. 127 f.
[79] Vgl. A. Kambylis, o. c., Einleitung.

Des tichters stränger geist, die sühssen wütereien,
di eifer-folle brunst, di ihn der wält entfreien,
. . . .
bestähn auf vihrerlei: auf libe, kunst und deuten
was künftig sol geschähn, und tühffen heimligkeiten[80].

An erster Stelle wird hier die Liebe genannt. Das hat selbstverständlich etwas
mit dem äußeren Anlaß zu tun — das Werk handelt ja von „Kraft und Würkung
der Liebe" —, aber bei näherem Zusehen erweist sich das Verhältnis als umgekehrt: Von der Poesie ist die Rede, erst dann auch von der Bedeutung der Liebe
als Gegenstand der Dichtung. Es ist die Liebe, in der Gestalt der „Lustinne" apostrophiert, die in den Deutschen die „Tichterei" erweckt hat (Vs. 133 ff.), die Lie-
besdichtung steht am Beginn des neuen literarischen Aufschwungs (Vs. 142 ff.).
Durch die Liebe endlich seien den Deutschen die herrlichsten poetischen Gedanken gekommen. Deshalb fleht Zesen die Lustinne an:

. . . kom, schärfe meinen sün,
kom, wezze meinen geist, du sünnen-gäberin (Vs. 51 f.).

Damit ist das Stichwort gegeben: „du wez-stein der vernunft", heißt es (Vs.
131) in deutlicher Nachfolge von Opitz[81]. Es war denn auch Opitz gewesen, der
— in dem Gedicht „An die Teutsche Nation", das seine *Teutschen Poemata* eröffnet — die Venuslieder ausdrücklich an den Anfang seiner Poesie gestellt hatte:
Habe doch „der Venus Kindt" ihn zum Dichter gemacht. Allerdings sollten diese
leichten Verse nur den Anfang bilden:

Diß Buch ist mein beginn in Lieb und auch das ende:
Ein ander besser Werck zu dem ich mich jetzt wende,
Das soll vor diesem Buch so vielmahl besser sein,
Je besser Weißheit ist als Venus süsse Pein.

So lautet der Schluß des Eröffnungsgedichts, dem die „Beschluß Elegie" entspricht: Absage an das „blinde liebes werck". Der Dichter der *Geharnschten
Venus* (1660), Kaspar Stieler, war Opitz darin gefolgt. Das Wort von der Liebe
als „der Poeten Wezz-stein" steht auch bei ihm am Anfang, am Ende die Verabschiedung der Göttin der Liebe, die der Göttin der Weisheit weichen muß: „die
Venus wird nicht nur von mir besungen sein/iezt schwazzt Minerve mir ein anders Treiben ein"[82]. Beide Dichter besangen die Venus mitten im Krieg, Opitz
nimmt elegant auf die Zeitverhältnisse Bezug, wenn er sagt: „Die bitter süsse
Pein/Die muste mir an statt der Heldenthaten sein"[83]. Zesen bezieht sich ebenfalls auf sie, wobei er sich jedoch zunächst mehr auf die Dichtung als auf die
Liebe konzentriert, wenn er das Wort variiert: „Die Feder solte mir an statt der

[80] Vs. 125 ff. Dichter, Propheten und Manten werden schon von Platon als „göttlich"
nebeneinandergestellt: Men. 99 c—d, auch Apol. 22 c. Im 17. Jh. wird der Beweis in
der Regel mit dem Hinweis auf die „Profeten und Poeten" des AT geführt; vgl. bes.
S. Birkens *Teutsche Rede- bind- und Dicht-Kunst*, Nürnberg 1679, Vorrede.
[81] *Buch von der Deutschen Poeterey*, III. Kap., Ndr. 13.
[82] Vgl. das Nachwort zu meiner Ausgabe der *Geharnschten Venus*, Stuttgart 1970.
[83] „An die Teutsche Nation", Vs. 23 f.

Schwerter dienen"[84]. Aber sowohl in der AR („Dem vernünftigen Läser") wie in der *Lustinne* (Vs. 47f., 133ff.) feiert er die Liebe als eine Macht, die Krieg und Angst besiegt. So sollte Venus in der AR nun auch der Kunstprosa zum Sieg verhelfen, wie sie es zuvor (bei Opitz u.a.) der Lyrik getan hatte.

In Zesens Dichtung findet man bis zu dem *Gekreutzigter Liebsflammen oder Geistlicher Gedichte Vorschmak* von 1653 keine eindeutige Festlegung auf ein „höheres Ziel", wie eine solche etwa bei Opitz und Stieler begegnet. Die geistlichen Gedichte wurden, wie die weltlichen, in seiner „erst-auskommenden und fast kindlichen jugend/für zehen/ja achtzehn jahren/geschrieben" („An den Gott-liebenden Leser"); einen scharfen Trennungsstrich hat Zesen nie gezogen. Lediglich der — traditionell bedingte — Hinweis am Ende der Vorrede zur AR auf das Unschickliche, noch im Alter von „Liebessachen" zu reden, darf als eine leise Andeutung in dieser Richtung aufgefaßt werden. Die Verabschiedung des jugendlichen Leichtsinns — d. h. der Lieder von Wein, Weib und Gesang — will übrigens beim Dichter des 17. Jahrhunderts nicht wortwörtlich verstanden werden, sie ist in diesem moralistischen Zeitalter zumeist nichts anderes als eine konventionelle Entschuldigung. Sie bedeutet lediglich einen Tribut an die bürgerliche Vorstellung von Kunst und Moral, zugleich auch an das Dichterbild der Poetiken, das seinerseits im deutlichen Konnex mit den (positiven oder negativen) Kunstvorstellungen eines nicht-künstlerischen Publikums steht — womit sich der Kreis schließt. Wenn man aber bei Zesen nichts dergleichen findet, hat das in jenem Jahrhundert sicher seine Gründe. Darüber dürfte die Art und Weise, wie er das hochideale Bild vom Dichter-Philosophen mit der Welt der „Lustinne" verbindet, Aufschluß geben.

V

In den poetischen Werken des jungen Zesen kehrt in stetem Regelmaß ein Thema wieder: das der Liebe zu „Sophia". Ihr zu Ehren verfaßte Lieder finden sich in der ersten Gedichtsammlung, der *FrühlingsLust* von 1642, einige von ihnen wurden wiederholt im *Poetischer Rosen-Wälder Vorschmack* vom gleichen Jahr und in der Altes und Neues zusammenfassenden Sammlung *Dichterisches Rosen- und Liljen-tahl* (1670), in die auch zwei nicht schon früher publizierte aufgenommen wurden. Die bisherige Forschung hat sich mit den Sophiagedichten kaum beschäftigt, und wo einmal auf sie eingegangen wird, ist ihnen lediglich ein abfälliges Urteil beschieden. Alfred Gramsch, der als erster eine wissenschaftliche Würdigung von Zesens Lyrik versucht hat, sagt dazu: „Der Mystiker Liebe zu Sophia, der Gottesweisheit, wird hier auf seichte Schulweisheit übertragen"[85]. Ob man so über die barocke Auffassung von Weisheit und Tugend urteilen darf, sei dahingestellt. Jedenfalls ist bei Zesen die Weisheit als Sophia vermenschlicht, wie auch die Tugend als Adelheid vermenschlicht wird. In

---

[84] FL II, Nr. XII, Str. 3.
[85] *Zesens Lyrik*, Cassel/Leipzig/Zürich/Wien 1922, 29. F. van Ingen hat versucht, die Gedichte angemessener zu beurteilen: *Philipp von Zesens Gedichte an die Weisheit*, in: *Rezeption und Produktion*. Fs. für Günther Weydt, Bern und München 1972.

Zesens Gedichten ist Sophia eine weltliche Schöne, die Beschreibung ihrer körperlichen Schönheit bewegt sich in den üblichen, vom Petrarkismus vorgezeichneten Bahnen, der Dichter schmachtet nach ihrer Liebe wie ein gelernter Alamode-Hirt. Dennoch wird an einigen Stellen die religiöse Provenienz der Jungfrau offenbar. In dem Lied „Schönste willkommen/ach Liebste willkommen", das als Nr. 9 im VI. Dutzend der *FrühlingsLust* steht, heißt es (Str. 1) von ihren Lippen:

> Die Lippen/ach schauet!
> seyn immer betauet/
> Welches von Hermon der Höchste schenckt Ihr.

Das Bild ist eine deutliche Anspielung auf den 133. Psalm, wo der 3. Vers den Vergleich bringt: „Wie der thau/der vom Hermon herab fällt auff die berge Zion"[86]. Die zweite Strophe dieses Liedes bringt versteckte Anspielungen:

> Ihre Gespielen seyn Adel und Tugend/
> Stärcke/Gerechtigkeit/Klugheit und Zucht/
> Welches am nützesten unserer Jugend/
> Sonsten ist alles geneiget zur Flucht.
> Begehrstu zu singen
> Von künfftigen Dingen/
> Das zeiget sie Dier;
> Sie lesset bekräntzen
> im itzigen Lentzen
> unsere Heupter in träfflicher Zier.

Hier sind einige Stellen aus dem *Buch der Weisheit* (8. Kapitel) zusammengezogen: „Sie ist herrliches adels . . . " (Vs. 2) — „Ihre arbeit ist eitel tugend/Denn sie lehret zucht/klugheit/gerechtigkeit und stärcke/welche das allernützest sind im menschenleben" (Vs. 6) — „Begehret einer viel dings zu wissen/so kan sie errathen/beyde was vergangen und zukünfftig ist/sie verstehet sich auff verdeckte wort/und weiß die rätzel aufzulösen . . ." (Vs. 7).

Der Zusammenhang des Sophia-Bildes mit Zesens Bild vom Dichter zeigt sich hier sehr deutlich. Es ist die dritte von den in der *Lustinne* genannten Zielsetzungen des Dichters — das „deuten was künftig sol geschähn, und [von] tühffen heimligkeiten" —, die Zesens Liebe zu der Jungfrau der Sapientia erklärt. Der Zusammenhang erweist sich aber als noch weit enger, wenn man Wirkung und Effekt von beiden vergleicht. Sophia wird einmal als „Bild der Kunst", ein andermal als „Fürstin aller Kunst" apostrophiert (FL V, Nr. I, Str. 2 bzw. V, Nr. II, Str. 2), was mit Weisheit VII, 21 zu vergleichen ist: „. . . die weisheit/so aller kunst meister ist". Kunst und Wissenschaft werden auf diese Weise im Bild der Sophia verbunden: die Grundlage der Kunst ist die Weisheit. Nun ist das eine durchaus geläufige Ansicht in der Dichtungstheorie des 17. Jahrhunderts. Zesen meint aber offensichtlich eine Weisheit, welche die nur-menschliche übersteigt, eine Weisheit, die auf Offenbarung beruht und visionären Charakter besitzt. Im *Rosen-mând* ist die Vorrede denn auch in einem unverkennbar prophetischen Ton gehalten. Ich

---

[86] Zit. nach der Luther-Bibel in der Ausgabe Wittenberg 1696 — Der Hermon wird auch in einem weiteren Sophia-Gedicht erwähnt: FL V, Nr. II.

habe, so sagt der Verfasser, in der deutschen Sprache schon etwas Bedeutsames
entdeckt, „aber noch lange nicht alles/weil ich von augenblik zu augenblik noch
immermehr sehe/und ich sage frei heraus/daß in unsern vier selbstlautern
a/e/u/o/und in ihren vier mitgehülfen b/d/l/s/ein unerschöpfliches meer voller
verborgenheiten und geheimnüsse webet und lebet". Hatte der Dichter des Buches
der Weisheit gesagt: „Was aber weisheit ist/und woher sie komme/wil ich euch
verkündigen/und wil euch die geheimniß nicht verbergen [...]. Denn ich wil
mit dem gifftigen neid nicht zu thun haben/Denn derselbige hat nichts an der
weisheit" (VI. Kapitel, 24/25), heißt es bei Zesen: „Sihe da/lieber Leser/was ich
tuhe; wie ich [...] das häsliche neidische lachen des narren [...] in den wind
schlage/und dessen also ungeachtet/die lautere wahrheit [...] entdekke; ja
nichts verhähle/was mier mein Gott für geheimnüsse in der Natur gezeiget"[87]. Ist
es nicht, als ob man Zesen mit dem Dichter des alten Weisheit-Buches sagen
hörte: „Ich weiß alles/was heimlich und verborgen ist/Denn die weisheit/so aller
kunst meister ist/lehret michs" (VII, 21)? Kein Wunder, daß Fürsten und Herren
den Poeten „günstig und hold" sind (FL VI, Nr. III, Str. 6), denn der Dichter
Zesen bezeugt von seiner Sophia (FL V, Nr. II, Str. 5):

> Du machst/das Mich lieben werden
> Die Gewaltigen auff Erden

— was Weisheit VI, 21 f. und VIII, 10 entspricht. Die Weisheit ist denn auch
höher zu schätzen als aller irdischer Reichtum: „Ich gleichet ihr keinen edelstein/
Denn alles gold ist gegen sie wie ein geringer sand/und silber ist wie koth gegen
sie zu rechnen" (Weisheit VII, 9) — „Ist reichthumb ein köstlich ding im leben?
Was ist reicher/denn die weisheit/die alles schafft"? (Weisheit VIII, 4). Zesen bekennt in der *FrühlingsLust* (I, Nr. III): „Daß Weißheit der beste Schatz sey", der
Kehrreim der zwölf Strophen lautet:

> Ein ander suche Geld und Guth/
> Nach Weißheit steht mein Hertz und Muth.

Die Quintessenz dieses Liedes ist die Erkenntnis, daß angesichts der vergänglichen Dinge die Lehre der Weisheit zur Richtschnur des Handelns genommen
werden muß. Es ist auch die Quintessenz des Gespräches über den Reichtum, das
sich in der AR im Anschluß an die Rittmeisterepisode zwischen Markhold und
Rosemund entspinnt. Rosemund stützt sich auf den Propheten Daniel — dem „verborgene Dinge" offenbart wurden (Dan. II, 29 f.) — und paraphrasiert dessen
prophetisches Wort: „di gelährten [...] sollen im ewigen läben leuchten wi des
himmels glanz" (AR 223). Wer sich die Weisheit zum Leitstern erkoren hat,
herrscht ewig, denn die Freunde der Weisheit haben „ewiges wesen" (Weisheit VI,
23 bzw. VIII,16).

Die Stellung, die das oben zitierte Weisheit-Gedicht (FL I, Nr. III) im *Poetischer Rosen-Wälder Vorschmack* einnimmt, ist deshalb keine zufällige. Am

---

[87] Vgl. auch Weisheit VII, 17: „Denn er hat mir gegeben gewisse erkäntniß alles din-
ges/daß ich weiß/wie die welt gemacht ist/und die krafft der element..."

Ende der eigentlichen Handlung erscheinen plötzlich die drei Parzen, die „Töchter der Nacht", die dem Dichter einen panischen Schrecken einjagen: „Die Parcen waren mir jmmer greulicher anzusehen/Ihr ungeheures Rad begunte fort für fort heller zu knarren". Er ergreift die Flucht und beginnt „einen Gesang nach dem andern her zusingen" (PRW 72). Das Bild des drohenden Lebensendes und der allgemeinen Vergänglichkeit bringt ihm seine Sophia wieder in Erinnerung. Mit dem ersten Lied, das die Weisheit als den höchsten Schatz feiert, hat er sich wieder einigermaßen gefaßt, darauf macht er „den Anfang die niemahls gnugsam-gepriesene Weißheit ferner [. . .] zu loben und herraußzustreichen" (PRW 78), und singt das Lied „Sophia komm/du edles Bild" (= FL V, Nr. I). Unmittelbar darauf folgt das dritte und letzte Weisheitsgedicht („Weißheit/sage wo du bist": = FL V, Nr. II), dessen letzte Strophe wiederum die Paraphrase einer Stelle aus dem Buch der Weisheit darstellt: „Ich werde einen unsterblichen namen durch sie bekommen/und ein ewigeß gedächtniß bey meinen nachkommen lassen" (VIII, 12). Zesens barockisierte Fassung lautet:

> Du solt meines Nahmens Lob in die hohen Wolcken bauen/
> Stets zu schauen/
> Mein Gedächtnüß wird bestehn/
> Wo die Sterne gehn
> und unsterblich auch verbleiben
> und bekleiben/
> Nur dier/Neid/zu Trotz und Hohn:
> Wohl demselben! der den Lohn/
> Der da trotzt die hohen Sinnen/
> Kann mit Ehr und Ruhm gewinnen.

Es ist derselbe Begriff von „Ehr und Ruhm", den Markhold im Gespräch über den Reichtum den Geizkragen entgegenhält (AR 222). Es ist auch dasselbe Unsterblichkeitspathos, das das Lied „Auf das Adliche Zimmer der Poeten und Poetinnen" erfüllt (FL VI, Nr. 3). Dessen letzte Strophe setzt sich aus Elementen der Sophia-Gedichte zusammen, die nun aber auf die Dichtkunst bezogen werden:

> Ein ander mag lauffen nach irrdischen Sachen/
> Die alle vergehen/nach Silber und Gold;
> Wir wollen viel lieber das alles verlachen
> Wann Fürsten und Herren uns günstig und hold.
>   Die Schätze vergehen/
>   Poeten bestehen;
>   Ich nehme die Zier:
>   und muß ich gleich sterben/
>   im Grabe verderben/
> So bleibet mein Nahme doch immer allhier.

In Zesens Auffassung von Dichtkunst und Dichter gehen die Weisheit und die Kunst eine möglichst enge Verbindung ein. Die teils irdische, teils himmlische Jungfrau Sophia ist zur „Musa lyrica" geworden, und zwar zu einer lyrischen Muse, die ihren Dichter von Weisheit und Tugend singen läßt:

> Daß mein Mund mit Weißheit blühe
> und in Tugend sich bemühe. (FL V, Nr. II, Str. 1).

Die „vox poetica", die solchermaßen im Dienst des Höchsten steht — in des Wortes doppelter Bedeutung! —, steigt selber zu den höchsten Höhen, ja wird selber „himmlisch":

> Also steigt auch unser Mund/
> Will dem Himmel ähnlich werden. (FL IV, Nr. I, Str. 5).

Der von der himmlischen Weisheit inspirierte Dichter trägt selber wesentlich zu seiner endlichen Versetzung unter die Sterne bei, wenn er seiner „Berufung" gehorcht, wenn er dem Ruf seiner Muse folgt:

> Wo die güldne Saat der Sterne
> An dem blauen Himmel steht/
> Phöbus auff und nieder geht/
> Wo sein Licht uns scheint von ferne;
> Da sol unser Name stehn
> und den Sternen gleich auffgehn. (ebd. Str. 6).

Die in Poetik und Dichtung des Barock so bekannte Unsterblichkeitsidee erhält bei Zesen also eine leicht religiöse Färbung. Aufgrund der engen Verbindung des Dichteramtes mit der alttestamentlichen Weisheitslehre bekommt Zesens dichterisches Selbstverständnis etwas Eigenes und Originelles, wodurch sich auch sein Werk von dem seiner Zeitgenossen unterscheidet. Daß die Dichtung ihren Schöpfer unsterblich mache, ist ein Gedanke der Renaissance, der im Barock kaum abgewandelt und mit zäher Beharrlichkeit wiederholt wird. Aber Zesen dürfte an seine Berufung wirklich geglaubt haben. Es mag seine innere Überzeugung gewesen sein, daß sein frommer Sinn seinen Dichtungen etwas Überirdisches gab und daß sein vom Himmel stammendes Dichtertum ihn vor seinen Zeitgenossen auszeichnete. Das „Abschihds-lihd" an Felsensohn, das im ersten Buch der AR enthalten ist, endet mit der charakteristischen, selbstbewußten Versicherung: „daß ich nuhn im klugen Sün/himlisch und nicht irdisch bin". Es ist der Auserwählte, der im *Rosen-månd* die ihm von Gott geoffenbarten Geheimnisse einem Publikum mitteilt, das ihm fast andächtig zuhört.

Zesens eigene Muse ordnet sich aber nicht ohne weiteres in die mythologische Welt ein, die in der *Lustinne* heraufbeschworen wird. Aber der Dichter macht nicht viel Umstände, er nimmt die Sophia in den Kreis der „Heliconinnen" auf und läßt sie in der unmittelbaren Nähe der Pallas agieren (FL VI, Nr. VIII). Die Jungfrau der himmlischen Weisheit und die griechisch-römische Göttin der Wissenschaften und Künste vertragen sich bestens: Es ist eine Verbindung, die im 17. Jahrhundert nichts Ungewöhnliches hat und die übrigens auch erklärt, weshalb Sophia — wie Pallas — behelmt auftritt und — wie ihr heidnisch-mythologisches Gegenstück — „Fürstin aller Kunst" und Schirmherrin der Weisheit ist (FL V, Nr. II, Str. 2). Die Sophia und die Pallas sehen sich bei Zesen täuschend ähnlich, Sophia wird denn auch „die andere Pallas" genannt (RL Nr. 94, Str. 3); das *Buch der Weisheit* hat die weitgehende Angleichung der beiden Jungfrauen ermöglicht. Da ist es nicht verwunderlich, wenn die „Als-göttin der Weißheit" (Pallas) das Titelkupfer der AR ziert. Die Bedeutung dieser Göttin für den Dichter Zesen ist indessen größer, als man bisher bemerkt zu haben scheint.

In einem mythologischen Aufzug, den Mahrhold seiner Rosemund zuliebe veranstaltet, wird sie folgendermaßen beschrieben: „Die Als-göttin der Weißheit/Blauinne/oder Blauäugle/kahm/auch auf einem vergüldeten ehren-wagen/welchen zwee hirsche zogen/durch den hof gefahren; Sie trug Amazonische kleidung von sterbe-blauem sammet und atlas mit silbernen spitzen verbrähmet; ihre lantze war von eben-holtz auf das aller-zierlichste gedrähet/und an der spitzen vergüldet: der sturm-huht war blau angelauffen/und mit güldenen stärnlein übertzschäkkert: obenauf trug sie einen großen busch von sterbe-blau-weiss- und rosen-färbigen federn: für ihr lagen drei Bücher mit einer laute: das eine war halb eröfnet/und die andern geschlossen" *(Rosen-månd* 66/67). Die blaue Farbe, die diese Göttin schmückt, besonders deren „sterbe-blaue" Nuance, dürfte hellhörig machen: Ist es doch die Farbe, die Rosemunds schäferliche Behausung so auffallend beherrscht, in Erinnerung an ihr „Blaues wunder" (AR 96/97). Mahrhold-Zesen ist in der AR der Blaue Ritter, „Ritterhold von Blauen", er nennt sich an anderer Stelle auch einmal: Einer „der die Blaue farbe liebet"[88]. Dem Menschen des 17. Jahrhunderts war der Name alles andere als Schall und Rauch, er versuchte immer wieder — die Hochzeits-, Begräbnis- und Ehrengedichte beweisen es zur Genüge —, vom Namen auf eine charakterliche Eigenschaft der Person zu schließen. Zesen zeigt sich darin außergewöhnlich findig. In dem einleitenden Gedicht zu dem gelehrten Werk über den Fixsternhimmel, dem *Coelum Astronomico-Poeticum,* spielt er mit seinem latinisierten Namen — die Wortspiele sind im Druck hervorgehoben — und apostrophiert sich selber als Sohn der Pallas:

> CAESIA quae Pallas globulo Vivaria ficto
>   Vranies propiús conspicienda dedit,
> hic descripta Tibi, Procervm
>   Qvadriga, sacravit
> CAESIADES, recitans mystica
> Mythologum.

Sollte er, als in der AR den Namen *Caesius* zu der blauen Farbe in Beziehung setzte, nicht an die Pallas gedacht haben, deren Namen er im Anhang an die Rosemund-Geschichte umschreibt als: „Kluginne, Blauinne (caesia virgo)"[89]? Wie wäre sonst auch die Pallas-Gestalt auf der rechten Seite des Titelkupfers der AR zu erklären? Der Dichter, der die Sophia zu seiner Liebsten erkoren hat — sie

---

[88] Hochzeitsgedicht für Matthias Dögen: *Jugend-Flammen* 67 ff. Vgl. auch Zesens Lied von der Blauen Lilie, die seines Namens Farbe trägt: RL Nr. 60.

[89] In dem aus der gleichen Zeit (1644) stammenden Widmungsgedicht für den 5. Teil von Harsdörffers *Frauenzimmer Gesprächspielen* führt Pallas den Reigen der dem Dichter beistehenden Göttinnen an, das „bleu-mourant" fehlt auch hier nicht: „Die sterbe-blau-spielenden Aeugelein blitzen/und machen Kunstmütige Spieler erhitzen." — Paul Baumgarten ist in der Zesen-Forschung der einzige gewesen, der geahnt hat, daß hinter der Lieblingsfarbe des Dichters etwas mehr stecken könnte: „Vielleicht besitzt sie für ihn schon etwas von derselben symbolischen Bedeutung, die ihr später die romantische Unendlichkeitssehnsucht verlieh" *(Die Gestaltung des Seelischen in Zesens Romanen,* Leipzig 1942, 121). Auch Kaczerowsky, der sonst auch geringfügigen Details seine Aufmerksamkeit schenkt, weiß, obwohl er auf die große Bedeutung dieser Farbe ausführlich eingeht, dem Bekannten nichts Neues hinzuzufügen (o. c. 15 f.).

wurde ihm sogar „vertrauet"[90] —, mußte sich Pallas zur Göttin erwählen: „Weil
nun aus der Weisheit alles entstehet/und durch die alles/das einen Bestand haben
sol/gehandhabet und beherschet muß werden; so hat man der Pallas/als der Göttin der Weisheit/alle Vermögen/die der Weisheit eigen sind/zugeschrieben. Und
eben daher ward sie für eine Erfinderin/schier aller Künste [...] gehalten"[91].
Nicht uninteressant ist auch, daß ebenfalls in Beziehung zu dieser Gottheit die
„Geheimnisse" erwähnt werden, die zu durchgründen es einer besonderen Begabung bedarf: „Weil [...] die Weisheit/samt den Künsten/im verborgnen lieget/
und ihre Höhe und Tiefe von gar wenigen Gaben erreichet wird/auch daher vor
unsern Augen ein Wunder zu sein scheinet ... "[92].

   Auf diese Weise wird die Pallas mit der Göttin der Liebe in Verbindung gebracht, die zusammen mit einem „Libes-reizzerlein" auf der linken Seite des
Titelkupfers der AR abgebildet ist. Durch die Verbindung mit der Göttin der
Kunst und der Weisheit ist die Verewigung der Rosemund gewährleistet, weil
alles, was „einen Bestand haben sol", von ihr „gehandhabet und beherschet" sein
muß. Die Liebe ist, wie die Schönheit, ja wie überhaupt alles Irdische, vergäng-
lich. Das will wohl der große Prunkleuchter im Hause von Rosemunds Vater anzeigen. Er stellt die Venus dar, umschwebt von zwölf „Libes-kindern", die mit
dem Zeichen der Göttin bekränzt sind („mit rosen-kränzen auf den häubtern")
und denen die Liebesblitze der Lustinne aus den Augen schießen: „In den augen
diser Libes-kinder [...] wahr ein kleiner flammender tahcht, welcher durch
seine gluht den Libes-reizzerlein die augen bewähglich machte". Dann aber wird
eine Gestalt beschrieben, die das liebliche Bild grausam zu zerstören droht: „Unter disen zwölfen schwäbete noch ein kleiner gleichsam erzürneter Lihb-reiz,
dessen flügel von güldenen und silbernen schupen, mit einem gespanneten bogen,
welchen er über sich nahch den brännenden lüchtern zu-hihlt, gleichsam als wan
er di flammen aus-schühssen wolte; mit diser beigeschriebenen Losung: alles verkährt". (AR 47). Der „gleichsam erzürnete" Cupido, der mit seinem Bogen die
Lichter zu löschen versucht, scheint von der Vorstellung des Todes als eines
Bogenschützen beeinflußt zu sein. Daß Amor und Mors ihre Attribute austau-
schen, ist ein bekanntes Thema in der barocken Literatur: Es erklärt den Umstand, daß so häufig Junge sterben und Alte sich verlieben. Daß Cupido aber
mit seinen Pfeilen die Liebesflammen löschen will, ist wohl neu. Zesen hatte ein
lebhaftes Interesse für die Welt der Mythologie, und sein mythologisches Handbuch von 1688 zeigt, daß er auf diesem Gebiet sehr belesen war. Übrigens gehörte
es zur Aufgabe des Barockdichters, die Mythologie mit eigenen Erfindungen zu
bereichern[93]. Der beigefügte Spruch verstärkt den Eindruck, daß Venus' Herrschaft unter dem Gesetz der Vanitas gezeigt wird: „alles verkährt" bedeutet in der

---

[90] FL VI, Nr. IX. *vertrauen = verloben:* vgl. Stielers Wörterbuch (s. Anm. 58), Bd. I,
342.
[91] *Der erdichteten Heidnischen Gottheiten [...] Herkunft und Begäbnisse [...] kurt-
bündig beschrieben durch Filip von Zesen,* Nürnberg 1688, 479.
[92] ebd. 490.
[93] Vgl. M. Windfuhr, *Die barocke Bildlichkeit und ihre Kritiker,* Stuttgart 1966,
255 ff.

Sprache dieser Zeit, daß alles der Zeit anheimfällt und unwiderruflich vergeht. Der Prunkleuchter ruft somit die Vergänglichkeit aller irdischen Freude und Schönheit, Jugend und Liebe ins Bewußtsein. Im holländischen Goldenen Zeitalter waren es gerade die Sänger der Liebe und der Freude, die das „Verkähren" zum Ausdruck brachten. Brederos Devise lautete: „'t Kan verkeren", und der Dichter des *Friesche Lusthof*, Jan Janszoon Starter, mahnt in seinem „Boetsangh":

> Ryckdom, hoogheyd, schoonheyd, jeughd
>   Syn maer yd'le schynen,
> Wulpsche liefde, dart'le vreughd
>   Sal als roock verdwynen,
> 's Werelts roem, als een bloem,
>   Moet in 't end verkeeren.

Als Markhold und Rosemund sich zum erstenmal begegnen und von den Schwierigkeiten, die sich ihrem Verhältnis in den Weg stellen sollten, noch nichts ahnen, steht ihre Liebe schon im Zeichen der Vergänglichkeit. Und was das Rosen- oder Venuskind, Rosemund selbst, betrifft: Der Bogenschütze hat sie bereits auf dem Visier, er zielt bereits nach den „brännenden lüchtern" ihrer Augen. Wenn die „schöhnheit dises götlichen mänschen-kindes", das man „mehr ein ängel- als mänschen-bild zu nännen pfläget" (4), auch jedermann entzückt, sie ist dennoch nicht dauerhaft. Es bedarf der Kunst des Dichters, sie in seinem „Bild" zu verewigen: „Es ist nichts irdisches und vergängliches an ihr als der hinfällige leib, welcher doch nichts däs zu weniger seiner schöhnheit und ahrtigen bewägung halben auch fast götlich scheinet, und billich nimmer-mehr vergähen solte" (4). Die Rose, das Zeichen der Venus, ist zugleich das beliebteste Sinnbild für die Vergänglichkeit irdischer Schönheit und Pracht... [94]. Ohne Hilfe der Dichtkunst würde sie, das Symbol der Rosemund, unweigerlich der Vergänglichkeit ausgesetzt sein:

> Dann alles ist flüchtig
> und alles ist nichtig/
> Nur dieses der edelen Sänger besteht. (FL VI, Nr. III).

Erst wenn sie sich mit der Palme verbindet, dem immergrünen Baum[95], ist ihr Dauer beschieden: Auf der linken, der „Venus"-Seite des Titelkupfers, ranken sich die Rosen um einen hochaufragenden Palmbaum. Der Palmbaum versinnbildlicht, als Zesens Symbol, zugleich die Dichtkunst, die unter dem Druck der Neider und der widerstrebenden Zeitverhältnisse nur um so herrlicher emporsteigt und Frucht trägt. So heißt es in der *Lustinne* (Vs. 140 ff.):

> ... Dein Folk erhöbet sich,
> stürbt ab der stärblichkeit, steigt wi di palme pfläget
> im prässen mehr entpohr...

Schon in der *FrühlingsLust* hatte Zesen das bekannte Sinnbild [96] auf die Dichtkunst angewandt (FL IV, Nr. I, Str. 2):

[94] Vgl. D. W. Jöns, *Das „Sinnen-Bild". Studien zur allegorischen Bildlichkeit bei Andreas Gryphius*, Stuttgart 1966, 105 ff., insbes. 114 ff.

[95] Das Sinnbild des ewig grünenden Palmbaums geht auf den 92. Psalm zurück.

[96] Der Spruch „palma sub pondere crescit" wurde unzählige Male emblematisch dargestellt.

> Aber doch iemehr beschweret
> Eine Palme sich befindt/
> Desto mehr sie Krafft gewinnt
> und sich weit/als vor entpöret/
> So wird unterdrücket nie
> Die geehrte Poesie/
> Sondern pfleget sich zu rechen/
> Wenn der Neid sie gleich wil schwächen.

Es bereitet der Palme „Lust", sich gegen die „Last" zu stemmen, dann zeitigt sie süße Früchte. Zugleich jedoch, aufgrund seines ewigen Grünens, kann der Palmbaum als das Sinnbild für die Dauer im Wechsel der Zeiten gelten: „deßwegen er auch ein Siegeszeichen der Zeit ist und heist"[97]. Die Abschiedsszene am Beginn der AR, die Rosemund unter dem Palmbaum zeigt, kann denn auch emblematisch gedeutet werden als: ein Abschied im Zeichen des der Zeit Trotzenden, d. i. der Dichtkunst. Und dabei hat, das wil bedacht sein, der Abschied für die Geschichte geradezu strukturbestimmende Bedeutung. Von Abschied zu Abschied gliedert sich das Geschehen, ein Abschied steht am Beginn, ein Abschied steht am Ende. — Daß den Zeitgenossen das Vergänglichkeitsemblem der schnell verblühenden Rose in dem Namen der Adriatischen Heldin nicht verborgen blieb, wie ihnen auch bewußt war, daß durch Zesens Kunst d i e s e r Rose zu ewiger Dauer verholfen wurde, belegt schließlich das Widmungsgedicht „Auf di ROSEMUND", das Der Mundtere[98] beisteuerte und das in der AR vor der *Lustinne* abgedruckt ist. In zwei Strophen wird die Vergänglichkeit der schönen Blumen breit ausgemalt, die dritte und letzte Strophe bringt die Blumenvergleiche in Zusammenhang mit Rosemund:

> Wan es nuhn wahr, daß alles mus verbleichen,
>   Was nicht bestäht durch schrift und klugen geist;
> So kan kein tohd, di Rose-mund erreichen,
>   Di dise Schrift däm stärblich-sein ent-reisst. (AR 230).

Über die tieferen Gründe, weshalb die Kunst — die „andere Natur" — in diesem Fall der Natur trotzig entgegenarbeitet, sagt der oberflächliche Reim des Mundteren nichts aus.

„Last hägt Lust" — es ist Zesens Devise, die das Titelkupfer schmückt, der Spruch stimmt zum Emblem des Palmbaums. Aber trifft er auch auf die Rose zu? Diese Frage stellt Rosemund sich selbst, ohne aber eine eindeutige Antwort zu bekommen. Diese gibt indessen das „Spruchlied auf den Wahl-spruch/Last häget Lust" in den *Jugend-Flammen* (15f.), dessen erste Zeile lautet: „Dornen-büsche tragen rosen". Das Sinnbild von der aus den Dornen blühenden Rose war im Barock sehr beliebt, es drückt in seinem allgemeinsten Sinn die Verwobenheit von Lust und Schmerz aus[99]. Aber zugleich be-deutet es noch etwas Höheres. Ebenso

---

[97] Harsdörffer, *Poetischer Trichter,* III. Tl., Nürnberg 1653, 370.
[98] d. i. Matthias Palbitzki.
[99] Vgl. D. W. Jöns, o. c. 120 ff.

wie der Lohn der die Last mutig tragenden Palme ihr ewiges Grünen ist, so haben
die Rosen, die den Dornen abgetrotzt werden, einen höheren, ja Ewigkeitswert.
In der christlichen Emblematik wird das häufig in der Form ausgedrückt, wie
man sie in Sigmund Birkens Versen zu Dilherrs emblematischer *Hertz- und See-
len-Speise* findet:

> Auf Dornen/Rosen blühn. Ob Dornen mich versehren:
> Gott mir aus Rosen bindt ein ewigs Kränzelein[100].

Ebenso wie der Palmbaum, widersetzt sich auch diese Rose der Zeit. Die AR
enthält selber den betreffenden Hinweis. „Bei dem tische der Adelmund hing eine
grohsse tahffel", so erzählt uns der Dichter, die auf der einen Seite eine greuliche
Landschaft darstellte, eine Einöde, bevölkert von einem „hauffen abschäulicher
wald-männer" und „lauter reissenden tihren", auf der anderen Seite einen „un-
gestühmen flus", in dem sich der „wasser-vater, Schwim-ahrt, mit seinem schil-
fichten haubte" zeigte. Die Beschreibung des Gemäldes wird folgendermaßen zusammengefaßt: „Es wahr in däm ganzen gemälde nichts als furcht und schrökken
zu sähen". Nur eines war an dem Ganzen erfreulich: „. . . in der mitten stund ein
dikker dorn-hak, auf welchem eine wunderlihbliche rose, ungläublicher gröhsse,
härführ blikte. Dise wahr auch di einige lust und lihbligkeit däs ganzen gemäldes:
dan si wahr so lihblich, so roht, und so eigendlich entworfen, daß man schihr
lust bekahm, dahrnach zu greiffen. Oben auf stunden dise wort; Anche tra le
spine nascon le rose. Dornen tragen auch rosen." (AR 48/49). Man geht wohl
nicht fehl, wenn man in dieser Allegorie das Bild der bösen Welt mit ihren Müh-
salen und Gefahren erblickt, mit der siegreich blühenden Rose als deren tugend-
vollem Gegenstück. Die dornenumgebene Rose hatte ja in der christlichen Allego-
rese von jeher die Bedeutung des Höheren und Tugendvollen[101]: Sie versinnbildlicht das die Zeit Überwindende und ewig Bleibende. Denn daß die Tugend das
Unvergängliche im Vergänglichen darstellt, ist der Kerngedanke der barocken
Ethik, der selbstverständlich auch bei Zesen begegnet, und zwar in folgender,
säkularisierter Gestalt:

> Die Schöne muß weichen/
> Die Röthe verbleichen/
> Die Tugend besteht. (FL VI, Nr. IV, Str. 4).

Sowohl die beschwerte Palme wie die dornenumgebene Rose trotzen der Zeit.
Das ist die Antwort auf Rosemunds Frage, die „tühffe heimligkeit" der Geschichte:
Die Venusrose muß sich zur Tugendrose wandeln, damit sich der Spruch „Last
hägt Lust" in vollem Umfang auch auf sie beziehen kann. Wenn auch für Rosemund das düstere Wort gilt:

> Ich muß gedencken/daß ich auch
> nichts bin/als lauter Schnee und Rauch

---

[100] Johann Michael Dilherr, *Hertz- und Seelen-Speise/Oder Emblematische Haus-
und Reise-Postill*, Nürnberg 1663, 1028. Der gleiche Gedanke findet sich in J. G. Schottels „Slußliedlein auf [. . .]Die Röselein": *Fruchtbringender Lustgarte*, 1647, 149 ff.
Vgl. auch D. W. Jöns, o. c. 126/127.
[101] Vgl. D. W. Jöns, o. c. 120 ff.

— Die Tugendreiche kann sich dennoch mit dem Gedanken trösten:

Bleibt doch der Liebe Ruhm und Ehr (FL IV, Nr. VI, Str. 7),

gewährleistet durch ihren Freund, den Pallas-Diener. Ist es doch die Pallas allein, die in allem, „das einen Bestand haben sol", dem Dichter hilfreich zur Seite steht. Die Frucht von Rosemunds brennender Liebe ist ihre unvergängliche Gestalt in Form des Kunstwerkes. So wird auf dem Titelkupfer des Buches ihr Name auf den Schild der Pallas gehoben[102], umstrahlt von der Sonne, dem Licht der Ewigkeit. Liebe, Gelehrsamkeit und Kunst gehen in der Konzeption des Dichter-Philosophen Zesen eine ebenso enge wie fruchtbare Verbindung ein. Deshalb gehören auch *Rosemund* und *Rosen-mând* aufs engste zusammen — folgerichtig korrespondiert der Venus-Leuchter aus der Dichtung der „Libinne" mit dem Pallas-Leuchter aus der Schrift, in der die „Kluginne" waltet: „Hernachmahls/als es dömmerlich zu werden begunte/begaben sie sich in ein zimmer/in welchem ein großer prunk-leuchter hing/in dessen mittelstem kreise die Als-göttin der Weisheit Kluginne mit einem brennenden wind-lichte über sich stund/und mit vielen nacht-eulen ümgeben war/derer augen gleichsam als kleine licht-näppe einen solchen schein von sich sprüheten/daß das gantze zimmer darvon erleuchtet ward" *(Rosen-mând,* 33). Die Zusammengehörigkeit beider Werke wird — außer durch die überdeutliche Erwähnung der „sterbe-blauen" Farbe, von der oben die Rede war, und natürlich durch die beiden gleichen Hauptfiguren — unter anderem noch dadurch unterstrichen, daß eine Schäfergruppe in auffälliger Bekleidung — „halb in sterbe-blau- halb in rose-farben atlas gekleidet" (67)[103] — der Rosemund zu Ehren einige „überaus-ahrtige schäfer-lieder" zum besten gibt, vor allem aber durch ein merkwürdiges Gebäck, das am vorletzten Tag die festliche Tafel in Sünnebalds Haus beschließt: „Sonderlich aber ward im letzten gange ein springbrunnen von weiss- und gelbem zukkerkant/mit wein gefüllet/aufgetragen/ und in einer breiten künstlich-getriebenen güldenen schüssel mitten auf die tafel gesetzet. Dieser brunnen hatte rund ümher einen was erhobenen rand/dardurchs sechs läuen ihre köpfe/gleichsam so herfür tähten/als wan sie aus dem brunnen gekrochen kähmen/und durch ihren rachen den wein in die schüssel von sich gaben. Mitten aus diesem brunnen kahm ein Indischer Palm-baum über sich gestiegen/aus dessen länglich-runten nüssen ein edler wein auf allen seiten heraus sprühete/ und die kleinen rosen-stökke/so zwischen den läuen/doch oben auf dem rande/stunden/befeuchtete" (192/193).

Zesen hat die Rosemund in zahlreichen Werken namentlich genannt. Eine zentrale Gestalt ist sie jedoch im *Rosen-mând* (wie später in der *Helikonischen Hechel*) und natürlich in der Geschichte, die dem „rühmlichen gedächtnüs der über-mänschlichen" jungen Dame (AR 228) dienen sollte. „Dein lob wil ich mit

---

[102] Zum Schild der Göttin: *Der erdichteten Heidnischen Gottheiten [...] Herkunft und Begäbnisse,* 460. Der Schild kann allerdings auch — ein für die Interpretation kaum wesentlicher Unterschied — als Muschel der Venus gedeutet werden.

[103] Dem entspricht Rosemunds „leichtes sommerkleid, von schähl- oder stärbeblauem zerhauenem atlas, mit einem rose-farben seidenen futter, wi di Schähfferinnen zu tragen pflägen" (AR 31).

Demant-stein/aufs lichte glas der ewigkeiten schreiben" *(Jugend-Flammen,* 14, Str. 4). Diese, an einen Freund gerichteten Worte charakterisieren wohl am treffendsten das Anliegen des Rosemund-Dichters.

VI

Nach Scholtes Forschungen kann wohl kein Zweifel mehr darüber bestehen, daß Rosemund als das Symbol von Zesens Dichtergenossenschaft zu gelten hat. Tatsächlich sind die Beziehungen zwischen der Rosemund-Geschichte und dem von Zesen angeregten Rosemund-Kult in der Genossenschaft so zahlreich, daß ihnen ausschlaggebende Bedeutung zukommt[104]. Zweifellos wird Rosemund in der *Lustinne* als die Sonne der Genossenschaft apostrophiert, und es ist mehr als nur wahrscheinlich, daß diese Lobrede von der Liebe zum Gründungstag des Vereins der „Deutschgesinneten" verfaßt wurde; den Zusammenhang des Lustinne-Gedichts mit der AR unterstreicht der Name Pilgram (Vs. 331), der rückwärts gelesen Marglip = Markhold ergibt. Es ist aber dennoch fraglich, ob mit dieser Deutung der Sinn des Buches erschöpft ist. Der „über-irdischen" Rosemund wäre wohl kaum ein würdiges Denkmal gesetzt, wenn sie gleichsam als Abstraktum oder als Mumie „fortleben" würde, zum Sinnbild eines Dichtervereins erstarrt. Die AR will — darauf wollten die obigen Ausführungen hinweisen — vor allem ein schönes junges Mädchen mit seinem Liebesglück und Liebeskummer im Kunstwerk, ja d u r c h das Kunstwerk l e b e n lassen und es in seiner vorbildlichen treuen Liebe verewigen.

Eine ausschließlich symbolische Interpretation vermag nicht zu befriedigen, weil sie einigen wichtigen Aspekten nicht genügend Rechnung trägt. Bei einer solchen Deutung stellen sich jedoch auch andere, sachliche Bedenken ein. Ist es doch auffällig, daß Zesen beim Schreiben seines Buches offensichtlich an ein weibliches Publikum gedacht hat, während die Genossenschaft hauptsächlich männliche Mitglieder zählte. Folgende Stellen seien noch einmal in Erinnerung gerufen: „ . . . indähm ich ihnen ein solches jung-fräulein zu verträten anbefähle, welches noch zur zeit fremd und unbekant ist, und bei unserem hohch-deutschen Frauen-zimmer gärn in kundschaft gerahten wolte"; „ . . . indähm ich wohl weus, daß si einem Frauen-zimmer, welches nicht so gahr machiavellisch-wältsälig ist, auch nicht di geringsten ehren-dihnste versagen können". Die „Auf-trahgs-schrift" spricht ferner davon, daß „das hohch-deutsche Frauen-zimmer" der ausländischen Schönen sicher wohlwollend entgegentreten werde, das Schlußgedicht aus dem Anhang, das Lied „An di reise-färtige Rosemund", stellt die Vermutung bereits als Tatsache dar: „das träu-gesünnete lihb-sälige frauen-zimmer der hohch-deutschen fölkerschaft stähet schohn üm seinen stolzen Rein, und wartet deiner ankunft mit fräudigem verlangen". Der Dichter der *Adriatischen Rosemund* hat sich in seinen poetischen Werken immer schon mit Vorliebe an die Damen der damaligen literarischen Gesellschaft gerichtet. Im *Poetischer Rosen-*

---

[104] Kaczerowsky hat (o. c. 103 ff.) Scholtes Nachweise noch um einige wichtige vermehrt.

Wälder Vorschmack entschuldigt er sich bei dem „hoch- lieb- und löblichen Frauenzimmer" — das er im übrigen als „Günstiger Leser" anredet —, die Lieder der *FrühlingsLust* habe der Dichter an den Tag gegeben, damit sie „im spatzieren- gehen das lüsterne Frauenzimmer ergötzen/wo es nur einige Ergötzung daraus schöpffen kan" (f. Aijᵛ). Die Beispiele ließen sich leicht vermehren. Immer und immer wieder wendet sich Zesen an die Frauen — man denke nur an die außeror- dentlich erfolgreichen Erbauungsbücher für die Hand des „züchtigen Frauenzim- mers" —, wie auch sein poetisches Spiegelbild Markhold nicht nur bei den Hol- länderinnen, sondern auch bei den „hold-säligen Franzinnen" in hohem Ansehen stand: „Si hatten vernommen, wi ihn di ädlen Deutschinnen, di lihblichen Muld- und Elbinnen, ja die unvergleichliche Adriatinne selbst, so höchlich geli- bet; drüm begegneten si ihm mit däs-zu höhflichern und züchtigern gebährden, sich ihm auch an-nähmlich zu machchen (12). An anderer Stelle wird erzählt, wie „etliche Franzinnen" ihm mit bemerkenswerter „ehr-erbütigkeit" begegnen (32), auch sagt Markhold einmal von sich selbst, er sei eben „kein sonderlicher Jungfer-feind" (53). Ist der Gedanke so abwegig, daß die Geschichte auch eine p ä d a g o g i s c h e Aufgabe zu erfüllen hatte, und zwar als *Frauenzimmerlek- türe?* Daß Markhold (als Mahrhold) mit wahrer Leidenschaft in seinen tatsäch- lich nicht unansehnlichen Kenntnissen kramt und daß die Zuhörer seinen Ausfüh- rungen gebannt lauschen, wurde bereits gezeigt. Auch in der Rosemund-Geschichte hebt er manchmal warnend den Zeigefinger, etwa wenn er in Paris der Demuht einen Vortrag hält, „damit er si zur beständigkeit in ihrem Glaubens-bekäntnüs ermahnte" (AR 115).

In diesem Zusammenhang verdient ein Passus der „Auf-trahgs-schrift" etwas mehr Beachtung. Der Autor spielt hier wieder mit dem Namen Rosemund — Rosemund als Heldin des Buches und als das Buch selbst — und sagt: „Si dür- fen sich auch im übrigen nicht befahren, daß si das hohch-deutsche Frauen- zimmer übel entfangen würd, wan si eine aus-länderin verträhten und mit sich in ihre geselschaft führen wärden; dan si würd gewüslich ihren fleis, si zu ver- gnügen, nimmer-mehr sparen, und sich zu ihrer ergäzzung und lust so zu be- kwähmen wüssen, daß sich auch ihre Landes-fräundinnen selbst gegen si dank- bahr-lich erzeugen wärden" (5). Hervorzuheben sind hier die Begriffe „vergnü- gen", „ergäzzung" und „lust". Die damalige Auffassung von Dichter und Dich- tung ließ ein *l'art pour l'art* nicht zu, es handelt sich immer um eine irgendwie zweckgebundene Kunst, eine zweckfreie Dichtung entwickelt sich erst allmählich im 18. Jahrhundert. Es ist undenkbar, daß Zesen nur die „ergäzzung" im Auge gehabt hätte, auch wenn er den moralischen Nutzen nicht ausdrücklich nennt. Daß er diesen — beinahe ein Ausnahmefall in seiner Zeit — unerwähnt läßt, mag damit zusammenhängen, daß er möglicherweise nicht die Sicht auf anderes, ihm selber Wesentlicheres, hat verdecken wollen. Wie dem auch sei, im Barockzeitalter steckt in aller dichterischen „ergäzzung" zugleich Belehrung, das Horazische *pro- desse et delectare (Ars poetica, 333/334)* herrscht uneingeschränkt: „Der Poet be- lustiget mit Nutzen/und nutzet mit Belustigung"[105]. Allerdings steht das Ergöt- zen an erster Stelle, wie Buchner ausdrücklich vermerkt: „Denn des Poeten Ampt

---

[105] Harsdörffer, *Poetischer Trichter,* III. Tl., 377.

ist/neben nützlichem Unterricht/die Gemüther zu förderst zu belustigen und zu ergetzen"[106]. Zu dem Unterrichten würden auch die Worte Zesens aus der Vorrede passen, wo er seine Liebesgeschichte von den Liebesromanen der Ausländer, die zumeist „unabgemässes ge-plauder in sich halten", abhebt. Eine deutsche Liebesgeschichte sei dagegen „mit einer lihblichen ernsthaftigkeit vermischet, damit wihr nicht so gahr aus der ahrt schlügen, und den ernsthaften wohlstand verlihssen". Dementsprechend huldigt er in der *Lustinne* der „deutschen Freyen", vor der die deutschen Völker sich anbetend auf die Knie werfen:

> Den Reichs-stuhl sah' ich auch darauf Lustinne sizzet/
> die Liebes-Königin/und durch die Lüfte blizzet;
> vohr dehr ein großes Volk demühtig nieder-knieht/
> da Lieb-reiz üm und üm mit güldnen Pfeilen sprüht.
> Der Weih-rauch steigt entpohr: man sihet auf den Höhen
> die Opfer angeflamt in follem rauche stähen.
> Gantz Deutschland stället nuhn der Freijen Feyer ahn/
> und süngt auch in der Angst/ so/ als es nie getahn[107].

Diese Freije sei deutschen Ursprungs, an ihr sei nichts Fremdes:

> Der Deutsche gläubt gewis/und saget ohne schäu/
> daß seine Freije bloos von Deutschem Bluhte sey[108].

Ihr begegnet man in der AR wieder, und zwar auf einem Gemälde ... in Sünnebalds Haus: „Näben disem zur rächten hing di Deutsche Lustinne, die Freie, Istevons, des vihrden Königes der Deutschen Eh-gemahl, in einem blau-angelauffenen halben harnisch, mit vergüldeten schupen. In der rächten hand hihlt si den königlichen Reichs-stahb, und das ritterliche schwärt zugleich: in der linken ein härze, dahr-aus unaufhöhrlich feuer-flämlein härführ-blizzelten. mit dem rächten fuhsse traht si auf einen Löwen, und mit dem linken auf einen Lind-wurm. Aus ihrem gesichte blikte so ein fräund-sähliger schein, und zugleich ein durchdrüngendes ernst-haftes wäsen härführ; Fohr ihrem Reichs-stuhle lahg ein grohsses Volk auf den knihen, das Si als eine irdische Göttin verehrete" (50). Die national-romantische Färbung dieser deutschen Venus macht aus der Göttin der Liebe eine Gestalt, die zwar „fräund-sählig" lächelt, aus deren Gesicht aber „zugleich ein durchdrüngendes ernst-haftes wäsen" hervorblickt. Ist es Zufall, daß die Freije hier einen „blau-angelauffenen" Harnisch trägt, wie nirgends sonst, wo man die (gewaffnete) Venus beschreibt[109]? Es ist die Farbe der Pallas, die ihr ernsthaftes Wesen symbolisieren mag. In der Beschreibung fällt ferner auf, daß sie mit dem rechten Fuß auf einen Löwen, mit dem linken auf ein drachenähnliches Ungeheuer tritt, einen Lindwurm. Auch dafür findet sich keine Entsprechung in der Literatur der Zeit. Sollte ein bibelfestes Jahrhundert darin nicht eine Anspielung auf den 91. Psalm gesehen haben, in dem Gott seinen Gläubigen verheißt: „Auff den löwen und ottern wirst du gehen/und treten auf den jungen löwen und drachen" (Vs. 13). Damit bekäme ihre weltliche Macht, in den Reichsinsignien

---

[106] *Anleitung ...*, 27; vgl. ferner *Anl.* 48, *Poet* 32 ff.
[107] Zitiert nach dem Separatdruck: Vs. 41—48.
[108] ebd. Vs. 67/68.
[109] Bei Zesen: *Heidn. Gottheiten* 679 ff.

6*

(Zepter und Schwert) versinnbildlicht, zugleich eine religiöse Dimension. Zesen, der sich — wie oben gezeigt — häufiger säkularisierter religiöser Motive bedient, hätte dann die heidnisch-irdische Göttin[110] mit christlich-religiösen Elementen ausgestattet[111]. — Venus bezeichnet aber zugleich den Frieden[112]; in der *Lustinne* heißt es von ihr, daß sie im Krieg „dem andern Volk' obsieget" (Vs. 138), der Dichter rühmt ihr nach (Vs. 123 f.):

> Du bist es/die aus Krieg den ädlen Frieden macht/
> weil dich der Krieges-Her vohr seine Göttin acht

— und lobt anschließend die Deutschen wie ihre Göttin (Vs. 139 f.):

> Ein hohes Loob führ Sie/ein höhers noch führ Dich/
> du deutsche Freije du.

Denkt man diese, allerdings möglicherweise allzu kühnen Gedanken zu Ende, spricht Zesen hier nicht nur allgemein und im herkömmlichen Sinn von der allbesiegenden Macht der Liebe, sondern stellt er in dem edleren und erhabeneren Bild der deutschen Freije, die auch in der AR verherrlicht wird, die wunderwirkende „Kraft und Würkung der Liebe" dar, als Gegenkraft gegen Haß und Zwietracht, die, so „schähdlich und verdamlich", den Untergang der „izigen Deutschen" „beförtern" (AR 208). Das wäre dann Zesens gesellschaftliches Engagement. Der Begriff der Liebe durchdringt sein ganzes Werk. Auf Liebe ist die Deutschgesinnete Genossenschaft gegründet, Liebe beherrscht sein erstes umfangreicheres Prosawerk; Liebe zur Sprache veranlaßte ihn zum Schreiben seines *Rosen-mândes*, in dessen Vorrede er den Leser bittet: „so laß doch ei lieber! die lieblikeit deiner augen/lieber Leser/dieses aus liebe/von liebe/mit liebe/ja durch liebe geschriebene liebes-zeichen lieblich/liebsälig und freundlich anlächeln" (f. A iiij); die gelehrten Schriften *Wider den Gewissenszwang* (1665) ermahnen zur Liebe und machen „die vergessenheit der Kristlichen Liebe"[113] für alle Händel und Krieg verantwortlich. Dementsprechend betrachtet Markhold in der AR den Glaubenskrieg, der dreißig Jahre lang in Deutschland wütete, als „unsers Gottes gerächte strahf-ruhte; sonst könt' es nicht mühglich sein, daß uns unsere eigne Glaubensgenossen so verfolgeten" (209). Deswegen mag Zesens Worten aus der Vorrede zu dem der *Adriatischen Rosemund* so eng benachbarten *Rosen-mând* programmatische Bedeutung zukommen: „Ich schreibe aus liebe zur sprache/aus liebe zu dier/aus liebe zu meinem Vaterlande, durch liebe werde ich getrieben; mit liebe vermische ich meine reden: damit sie solcher gestalt verlieblichet/dier/der du liebest/zu lesen belieben möchten; damit der unanmuhtige immerwährende ernst mit lieblichen schertz-reden verzukkert/mit fröhlichen lust-geprängen versüßet/einen

---

[110] Er meint ausdrücklich nicht die „Himmlische", sondern die „Irdische" Venus: *Lustinne* Vs. 93 ff.

[111] Später legte der junge Goethe eine ähnliche kühne Verbindung, bei der die gleichen Psalmenverse eine Rolle spielten. Vgl. den Aufsatz des Vf.: *Dionysos und Apoll. Zu „Wandrers Sturmlied" des jungen Goethe,* Neophilologus LII (1968), 268—286.

[112] Vgl. *Heidn. Gottheiten* 657.

[113] *Des Weltlichen Standes Handlungen und Urteile wider den Gewissenszwang, f. A* iij.

lieblichen schmak bekähme. So gatten sich alhier ernst und schertz; so küssen sich nutz und lust; so ümhälsen sich frommen und liebe; so vermählen sich ernsthaftigkeit und liebligkeit" (f. A iij^v und A iiij).

Die deutsche Venus hat mit ihren ausländischen, leichtfertigen Abarten nichts zu tun, „ernsthaftigkeit und liebligkeit" prägt ihr Wesen, ihr Bild wird den Deutschen entgegengehalten, die durch die ausländischen Romane bereits „so gänge gemacht sein, daß si von ihrer gebuhrts-ahrt und wohl-anständigen ernst-haftigkeit schihr abweichen dürften, wan man also fortfahren solte" (Vorrede zur AR). Die Lektüre der neuartigen Liebesgeschichte werde denn auch, so sagt ihr Verfasser, einem Frauenzimmer gefallen, „welches nicht so gahr machiavellisch-wält-sälig ist".

Zesen hat seine Heldin deutlich in einer symbolischen Nähe zur Venus angesiedelt. Von dem Sinnbild der Rose war in dieser Beziehung schon die Rede. Auch die 6 Bücher des Romans deuten auf die Liebesgöttin hin: Die Zahl sechs war ihr geheiligt. Noch nachdrücklicher wird die Rosemund-Venus-Identifikation in der Beschreibung von Rosemunds Haaren ausgedrückt. Markhold erzählt selber, daß sie „eins teils ringel-weise gekrümmet und angekläbet, anders teiles nachh der kunst auf-geflammet" waren (55). Das erinnert an die auf dem kurz vorher beschriebenen emblematischen Gemälde von der Lustinne gesprochenen Worte:

> Aus däm Mehre bin ich kommen,
>   aus däs bitren salzes kraft
>   hab' ich dises sein gewonnen;
>   dässen schaum an meinen lokken
>   wi gefrohrne wasser-flokken
>   annoch haft.

> Meinen krum-gekrüllten hahren
>   hat di wild-erbohste Se
> (wi di hohlen wällen waren)
>   gleiche krümmen eingetrükket,
>   da des schaumes silber blikket
>   in di höh. (50)

„Krause Haare, krauser Sinn" — an dieses Sprichwort denkt man unwillkürlich, wenn Rosemund sagt: „Bin ich gleich mitten im Adriatischen Mehre gebohren, und den wällen [...] in etwas nahch-geahrtet; so hab' ich doch izund solche stürmende wällen-ahrt verlahssen..." (86). Damit ist zugleich der letzte Schritt in der Annäherung der Heldin an die aus dem Meerschaum geborene Göttin vollzogen.

Geht man nun von der Voraussetzung aus, daß Zesen in seiner Geschichte von der Liebe der Adriatischen Rosemund den moralistischen Prinzipien seiner Zeit huldigte und dem deutschen Frauenzimmer ein idealistisches Bild von der Liebe vorhalten wollte, wird man in Rosemund die Idealgestalt einer treuliebenden Frau erblicken müssen. Auf ihre vorbildliche Treue hat man in der Literatur immer schon hingewiesen, das „träu-beständig" oder „träu-befästigt" — als Epitheton Rosemunds, aber auch Markholds und beider Liebe — zieht sich leitmoti-

visch durch das ganze Buch. Die *Constantia* war der ethische Leitgedanke der
großen barocken epischen und dramatischen Kunst; darauf nicht zuletzt beruht
ihre „Exempelhaftigkeit"[114]. Von dieser zeittypischen Geistigkeit ist auch Zesens
Buch gespeist, die unverbrüchliche Treue prägt die Tugendhaftigkeit der Heldin,
von der sich das Recht auf ihre Verewigung durch die Kunst herleitet. Wie in
allen Barockromanen, versichern sich auch die Helden der AR gegenseitig ihre
Treue: „... und meine härz-allerlihbste bleibe beständig, gleich wi ich beständig
bleibe, und der ihrige stärben wül" (81). Rosemunds Treue ist ohne weiteres
deutlich, sie ergibt sich aus allen ihren Gedanken und Handlungen; Markhold,
der von Frauen Umschwärmte, wird vom Erzähler immer wieder gegen den möglichen Verdacht der Untreue durch quasi-beiläufige Bemerkungen in Schutz genommen. Als er sich z. B. in Paris von der schönen Luhdwichche „mit einem
kusse" verabschiedet, beeilt sich der Erzähler hinzuzufügen: „nahch landes ge-
wohnheit" (145). Eine solche explizite Hervorhebung seiner Charakterstärke
wäre eigentlich überflüssig, denn ein Deutscher ist eben treu. Die deutsche „träu"
wird in Markholds Ausführungen über die „alten und izigen Deutschen" als hervorragende Charaktereigenschaft seiner Landsleute erwähnt (198); und in dem
„völkerpsychologischen" Abschnitt (79) werden gerade in diesem Punkt Deutsche
und Franzosen einander gegenübergestellt: „Wahrlich, er würd nicht läugnen können, daß Härz-währt, als ein Hohch-deutscher, der aller-träueste, aller-härzhafteste
und aller-beständigste sei; daß Eifereich als ein Wälscher, der aller-libes-eifrigste,
aller-schähl-sichtigste und im schändlichen argwahn vertühfteste wüherich sei;
und daß ändlich dise Franzinne, die allerunbeständigste, di aller-wankel-mühtigste
und aller-leicht-sünnigste sei." Die ganze Härz-währt-Eiferich-Episode scheint
darauf zugeschnitten zu sein, die deutsche Treue herauszustellen. Noch ein paar-
mal wird eben im Zusammenhang mit Markholds Pariser Abenteuern der Begriff
„träu-deutsch" in den Vordergrund geschoben. Das der Rosemund aus Paris über-
sandte „Chanson" — das wohlgemerkt einer Pariser Schönen, und zwar einer gewissen Charlotte gilt — gefällt der „träu-beständigen" Heldin im fernen Amsterdam über alle Maßen — „sonderlich weil es von träu-deutscher hand hähr-rüh-
rete" (104). Und die Luhdwichche-Episode mündet in des schönen Mädchens Ver-
sprechen, „daß si keinen andern, als einen Deutschen, di si führ di träuesten
schäzte, nimmermehr ehligen wolte" (146). Die Abenteuer in der Fremde, mit
ihren zahllosen Gefahren und Verlockungen, erfüllen also auch hier, wie im traditionellen Barockroman, die Funktion, die Helden hinsichtlich ihrer höchsten
Tugend, ihrer Beständigkeit, zu prüfen.

Aber dennoch weicht die AR eben in diesem wichtigen Punkt von der — früheren wie späteren — Tradition ab. Gehört es doch zur kanonischen Regel, daß die
Abenteuer im Barockroman einen glücklichen Ausgang nehmen, damit die Moral
klar zutage trete: So wird das Laster gestraft und die Tugend belohnt. Das ist der

---

[114] „Wo immer das Lebensgefühl des Barocks seinen Ausdruck findet, dort fließt
etwas von jener Vorstellung der „constantia" ein, die der Zeit als die menschliche Ur-
tugend gilt": W. Welzig, *Constantia und barocke Beständigkeit*, DVjs 35 (1961), 416 bis
432, Zitat 417.

Beitrag des Romans zur „Erweckung der Liebe zur wahren Tugend"[115]. — Der offene Schluß der AR gestattet eine solche Apotheose nicht, eher wird hier ein tragischer Ausgang suggeriert. Eine Interpretation der AR kann nicht um die Frage umhin, weshalb der Schluß so vom Üblichen abweichend gestaltet ist. Gewiß ist es verfehlt, in dem angedeuteten tragischen Schluß eine Kritik an Rosemunds übergroßer Empfindsamkeit sehen zu wollen und sie mit der Maßhaltestelle am Schluß der *Lustinne* zu begründen. Ein solches Thema, das Sterben an gebrochenem Herzen, war zwar nicht unbekannt in der Literatur. Jörg Wickram ließ, zur Warnung seiner jungen Leserinnen („Allen Junckfrawen ein guote Warnung . . .") in seinem Roman *Gabriotto und Reinhart* (1551) gleich zwei Paare an gebrochenem Herzen sterben. Aber eine solche Interpretation verträgt sich unmöglich mit dem Idealbild der fast göttlichen Schönen aus Zesens Geschichte.

Die biographische Deutung hat es verhältnismäßig leicht: Die AR ist eben die Geschichte einer tragischen Liebe, wie sie sich tatsächlich zugetragen hat. Aber auch dann bleiben manche Fragen ungelöst. Zum ersten ist zu erwägen, warum Zesen, wäre die historische Rosemund wirklich gestorben, sich einen solchen Effekt als Schluß seiner Geschichte hätte entgehen lassen. Der Hinweis auf „eine von ihren guhten Fräundinnen", die sich die Begebenheiten nach der Trennung der Liebenden zu erzählen vorgenommen habe (AR 228), ist doch wohl allzu dürftig, das Auslassen von Rosemunds „Krankheit zum Tode" glaubwürdig zu rechtfertigen. Zum anderen hätte Zesen Sünnebald eines schweren Verbrechens beschuldigt, als er kurz nach dem Tod seiner Tochter die Liebesgeschichte ans Licht gab, denn sein Starrsinn hätte die Tochter in den Tod getrieben. Die Forschung hat tatsächlich Zesens spätere Schriften gegen den Gewissenszwang mit der AR in Verbindung gebracht und in ihnen die Bestätigung für ihre Ansicht gesehen, daß man dieses zentrale Thema in Zesens Schaffen gleichsam als die Idee hinter dem Buch anzunehmen habe: an einem exemplarischen (eventuell selbsterlebten) Einzelfall darzulegen, wie verhängnisvoll sich der Gewissenszwang auswirke. Das Thema des Gewissens und der freien Entscheidung spielt unleugbar eine Rolle in der AR. Aber wenn es von so zentraler Bedeutung wäre, wie man meist anzunehmen scheint, ist doch befremdend, daß das Urteil über Sünnebald auffällig mild ausfällt. Es ist nur die Rede von seiner „al-zu-harte[n] stand-haftigkeit" (212). Mit gleichem Recht könnte man Markhold diesen Vorwurf machen. So wie es sich mit Sünnebalds Gewissen nicht verträgt, seinen väterlichen Einfluß nicht zugunsten der katholischen Religion anzuwenden, so besteht auch Markhold auf dem Recht seines Gewissens und erklärt seinem Freund im Rückblick auf die Ereignisse seine Entscheidung mit den bezeichnenden Worten: „ . . . daß es mein gewüssen nicht gestatten wolte, mich dässen zu verschreiben" (65); er bezieht sich hier wohlgemerkt auf die einzig verbleibende von den ursprünglich drei Bedingungen des Vaters, nämlich die eventuell aus der Ehe geborenen Töchter katholisch erziehen zu lassen. Die beiden anderen — die ältere Tochter sollte vor der jüngeren Rosemund heiraten, Rosemund sollte bei ihrem Glauben gelassen

---

[115] Man vergleiche etwa die Happelsche Übersetzung von Huets *Traité de l'origine des romans* in der Faksimileausgabe Stuttgart 1966, 104 ff.

werden — waren schon nicht mehr relevant, weil der Vater die eine hatte fallenlassen, die andere dadurch gegenstandslos geworden war, daß Rosemund von sich
aus zum Luthertum hat konvertieren wollen. Von Gewissens*zwang* kann denn
auch überhaupt nicht die Rede sein, wohl aber von einem Gewissens*problem,* das
für beide Parteien als unlösbar gilt!

Durch das sowohl für Sünnebald wie für Markhold gleich unlösbare Problem
entsteht der tragische Konflikt. Aber es bildet zugleich die Grundlage für eine
ganz neue Darstellung und poetische Verklärung des Constantia-Begriffs: Zesen
zeigt, wie sich die Tugend in einer ausweglosen Situation verwirklicht. Das ist in
der damaligen Romanliteratur völlig neu; es ist das Thema des großen Märtyrerdramas — ohne die endliche Verklärung des Helden. Wenn man die Möglichkeiten bedenkt, die sich zu dessen Gestaltung anbieten würden, wären in der Tat
allerlei Hemmnisse denkbar gewesen, die z. T. in der zeitgenössischen Literatur
als konfliktauslösende Elemente auftreten, wie: einer der Partner ist verheiratet,
unvermögend oder nicht standesgemäß. Auch die Rittmeistergeschichte, die sich,
wie sich zeigen wird, auch in anderer Hinsicht als bedeutsam für die in der AR
erörterten Probleme erweist, enthält einen solchen Konflikt. Für Zesen konnte
jedoch nur eine Schwierigkeit in Frage kommen, die einerseits von beiden Parteien gleicherweise als nicht zu beseitigendes Hindernis empfunden würde, sich
andererseits mit einem „hohen" Stoff vertrüge. Der Umstand, daß die Rittmeistergeschichte weder von Markhold noch von Rosemund auf das Kernproblem
ihres Liebesverhältnisses bezogen wird, darf als ein Indiz gesehen werden, daß
auch für das Empfinden der Hauptgestalten die Dinge hier anders liegen, die
Problematik in ihrem Fall tiefer wurzelt. Zesen hat eine Situation geschaffen, aus
der es kein Entrinnen gibt, in der das Geschehen, der Ausgangssituation (Trennung der Liebenden) gemäß, seinen unaufhaltsamen Lauf nimmt. Gerade die Rittmeisterepisode mit ihrer Spiegelung des Problems zeigt, daß diese „Niederländische Geschicht" für Markhold und Rosemund eben nicht die Bedeutung eines
„utopischen Gegenbildes" hat, wie Klaus Kaczerowsky glaubt[115a]. Es geht um anderes. Ebenso wie die in den Rittmeister verliebte junge Holländerin ist Rosemund darin vorbildlich, daß sie lieber sterben will, als „ihre vergnügung in den
irdischen schäzzen und reichtühmern" zu suchen (226), wenn sie den einzigen
„schazz" auf Erden nicht bekommen kann. Beide sind sie inmitten größten Reichtums und äußeren Glücks „armsälig", werden gar noch „armsäliger". Ist es bei
der adligen Jungfrau der Vater, der sich entschließt, die „armsälige foländ armsäliger zu machchen" (218), ist es bei der Rosemund das Bewußtsein, Markhold
mit sich ins Unglück zu reißen: „ich bin armsälig, und verarmsälige dehnjenen,
dehm ich alle libe, alle fräundschaft und träue zu leisten geschworen habe" (226).
Bei der in etwa gleichen Problematik ist es doch bezeichnenderweise nur diese
eine Seite des Problems — die Armseligkeit im Reichtum —, die in den reflektierenden Worten der Heldin der AR aufgegriffen wird. Und damit wird der entscheidende Unterschied deutlich und wird zugleich die Eigenart des spezifisch
Zesenschen Problems sichtbar. Der Vater der niederländischen Jungfrau hat zwar

[115a] o. c. 120 ff.

„ein wenig mit-leiden mit den trähnen seiner tochter", aber sein „gäld-geiz gahb ihm fast augen-bliklich di sporen, [...] dise arm-sälige foländ arm-säliger zu machchen" (218). Rosemunds Vater ist ehrlich bekümmert über das harte Los seiner Tochter, „di ihm vihl liber wahr als alle schäzze der wält..."[116] Dem Vater Sünnebald fällt denn auch keineswegs die Rolle des bösen Gegenspielers zu. Im Gegenteil: Die vom Vater aufgeworfene Barriere wird von den unglücklich Liebenden respektiert, keinen der drei am Geschehen unmittelbar Beteiligten trifft Schuld. Es ist der „ungeneugte himmel", der ein „ungestümes verhängnüs" über diesen Menschen walten läßt. Das ist die Erkenntnis, zu der Rosemund am Ende gelangt: „es träkt immer eines das andere, dehr-gestalt, daß ich seinem wüten unaufhöhrlich unterworfen bin" (225 f). — Schließlich wäre noch zu bedenken, daß auch aus anderen, praktischen Gründen eine Ehe am Schluß nicht in Betracht kommen könnte. Markhold trägt zu deutliche autobiographische Züge, als daß eine solche, den biographisch faßbaren Rahmen mit Gewalt sprengende, Schlußapotheose möglich gewesen wäre. Die AR sollte nämlich auch ein „Künstlerroman" sein — der erste in der deutschen Literaturgeschichte überhaupt[117]. Auf die Divergenz von Autobiographie und idealisierter Liebesgeschichte ist auch das eigentümliche Verhalten Markholds zurückzuführen, das immer wieder, bis zum Schluß, Zweifel an der Echtheit seiner Liebe aufkommen läßt.

Das volle Licht fällt auf die weibliche Hauptgestalt. Was auf der einen Seite als etwas Unbefriedigendes, ja vielleicht sogar als ein Nachteil angesehen werden kann, erweist sich auf der anderen Seite als ein Vorteil. Das Seelenleben einer heiß liebenden Frau steht im Mittelpunkt des Werkes. Aber Zesen bleibt nicht bei der Schilderung einer typisch weiblichen, überfeinerten Empfindung stehen, wenn auch das in der deutschen Literatur neue Element der seelischen Verwicklungen — „der Libe wankelmuht", wie Der Aemsige es nannte — sicher den Geschmack des Publikums traf[117a]. Beispiele für seelische Komplikationen bot die ausländische, besonders die französische Romanliteratur seit D'Urfé, in verwirrender Fülle. Das vorherrschende Element der Liebe im Zeichen des Abschieds, wie sie in der AR begegnet, ist aber die Schwermut zum Tode. Die melancholischen Züge verleihen Zesens Frauengestalt das Rührende, das man damals so sehr zu schätzen wußte, daß es in keinem Roman der Folgezeit fehlen durfte[118]. Zesen hat mit seiner lei-

---

[116] AR 213. So gibt er Rosemund auch in Markholds Hände: „Er überlüfert mihr freilich (gahb er zur antwort, nahch-dähm er sich gegen ihn bedanket hatte) einen sehr hohch-währten schaz, welchen ich mehr als mein läben libe, und an dehm mein härz nuhr alein hanget..." (AR 81).

[117] Man sollte diesen Begriff hier aber mit Vorsicht anwenden (vgl. weiter unten). Für Kaczerowsky steht dagegen ohne weiteres fest: „Die Adriatische Rosemund — ein autobiographischer Künstlerroman" (o. c. 93—98).

[117a] „Diese Frauengestalt, dieses Fühlen, diese echten Laute seelischen Schmerzes, und vor allem d i e s e L i e b e war den Menschen des siebzehnten Jahrhunderts n e u u n d ü b e r r a s c h e n d !" Diese Worte, von Max von Waldberg mit Bezug auf die Lettres Portugaises (1669) gesprochen, gelten auch für Zesens AR: Der Empfindsame Roman in Frankreich, I. Teil, Straßburg und Berlin 1906, 53.

[118] M. v. Waldberg, o. c. 25: „Die Melancholie war ihnen namentlich in der schönen Literatur ein wohlvertrautes, viel verwendetes Inventarstück. Sie war vor allem ein so

denden Rosemund gleichsam schon die wenig später einsetzende Vorliebe für die
in melancholischen Stimmungen schwelgenden französischen Romanen vorweggenommen (La Fontaines "sombre plaisir d'un coeur mélancolique"), seine Heldin
ist gewissermaßen die Melancholie *in effigie:* „Wan ein mahler di trühb-säligkeit
und das weh-leiden ab-bilden wolte, so könt' er in wahrheit kein bässeres gleichnüs und äbenbild dahr-zu fünden, als wan man si in solcher gestaltnüs entworfen
hätte" (225). Die Pflege der melancholischen Stimmung begann im 17. Jahrhundert rasch zur modischen Sitte der galanten Damenwelt zu werden. Die Dichter
trugen das Ihre dazu bei, und auch Zesen scheint sich auf die neue Mode eingestellt zu haben[119]. Damit stand er in der ausländischen Tradition[120], die deutsche
Literatur sollte erst im 18. Jahrhundert folgen. Dadurch aber, daß am Ende nicht
die glückliche Vereinigung der Liebenden steht, kann Zesen die Melancholie in
unerhörter Weise steigern, bis sie den Punkt erreicht, wo die barocke *morbidezza*
anfängt. So wie er anfangs die „übermänschliche" Schönheit der Rosemund in
zahllosen lyrischen Lobpreisungen verherrlicht hat [121], so beschreibt er nun in
krassen Worten den Zerfall ihres einst so schönen Körpers bis in alle Einzelheiten: „Di fohr-belihbten wangen verfihlen; di augen warden gleichsam wi mit
einem blauen gewäb' üm-gäben, und lagen schohn sehr tühf in ihren winkeln; di
aller-schöhnsten lippen, di ein mänsch ih-mahls mit augen gesähen hat, verblichchen wi eine rose zur zeit des heissen mittages; di rägen glider, der rasche gang,
di über-aus-lustige gebährden, di anmuhtige höhfligkeit, di härz-entzükkende leibes-gestalt, waren ganz verlasset, und spihleten fast das gahr-aus; der reine klang
ihrer so lihblichen stimme ward heisch und un-verständlich; ja der ganz leib
fleischte sich von tage zu tage so sehr ab, daß si mehr einem schatten als mänschlichem leibe gleich sahe" (212); „Di augen waren halb eröfnet, der mund verblasset, di zunge verstummet, di wangen verblichchen, di hände verwälket und
unbewähglich; ja der ganze leib lahg eine guhte zeit gleichsam ganz geist- und
sehlen-lohs" (226). Was hier auffällt, ist die geradezu „medizinische Sachlichkeit"
(Jungkunz). Die wirksame Kontrastierung des Einst und Jetzt war in der Roman-

wesentliches Element aller poetischen Liebesempfindung [. . .], daß ihr Fehlen fast auf
eine Unvollkommenheit oder Schwäche der Liebe einen Schluß gestatten konnte." Vgl.
für die beliebte Abart der leidenden Heldin im späteren Barockroman: Antonie Claire
Jungkunz, *Menschendarstellung im deutschen höfischen Roman des Barock,* Berlin
1937, 134 ff.

[119] Vgl. R. Burton, *The Anatomy of Melancholy* (1621). Allgemein: L. Babb, The *Elizebethan Malady: A Study of Melancholy in English Literature from 1580 to 1642*
(1951). Es fehlte nicht an Gegenstimmen, vgl. etwa: *Le Tombeau de la mélancolie ou le
vray moyen de vivre joxeux,* par le Sieur D. V. G., Dernière édition Paris 1639;
J. P. Langius, *Democritus ridens* (1665); Aug. Pfeiffer, *Antimelancholicus oder Melancholei-Vertreiber* (1683).

[120] Wie früh schon in Frankreich die passioniert-melancholisch dargestellte Liebe ihren
Einzug nimmt, hat Walther Küchler nachgewiesen (*Empfindsamkeit und Erzählungskunst im Amadisroman,* Zs. f. französische Sprache und Literatur XXXV, 1909,
158—225): der französische Amadis zeigt gegenüber dem spanischen Original eine auffallende Verstärkung der empfindsamen Züge.

[121] Mit Recht sagt Jungkunz, Zesen müsse sich Zwang antun, wenn er Frauenschönheit nur sachlich beschreiben will: o. c. 68.

kunst wie in der Lyrik des 17. Jahrhunderts ein gern benutztes Stilmittel. Das Barock liebt grelle Farben und harte Antithesen. Aber daß der Verfall der Schönheit so sachlich, fast ohne jede poetische Verkleidung dargestellt wird, ist ein Zeichen dafür, daß es sich hier um ein herkömmliches Versatzstück aus älterem, außerliterarischem Schrifttum handelt[122]. Tatsächlich handelt es sich um ein beliebtes Requisit der Erbauungsliteratur, speziell der Bußdichtung, und zwar nachweislich seit dem Mittelalter[123]. Aber der Romanschreiber bedient sich dieses Mittels in ganz neuer Weise; seine Darstellung will den Leser nicht aufrütteln, sondern rühren und sein Mitleid mit der Geprüften erregen. Auf das Miterleben hin ist die Gestaltung angelegt, damit die Schauder bis in den letzten Nerv dringen, die „packende Darstellung" soll nicht an letzter Stelle auch Nervenkitzel sein: „Ganz besonders wichtig aber ist es, daß der Dichter seinen Leser den fortschreitenden Verfall von Rosemunds einstiger Schönheit Stück für Stück durch diese Art der Beschreibung miterleben läßt"[124]. Eine abermalige Steigerung wird dadurch erreicht, daß Rosemund ihr Leiden in schmerzlicher seelischer Einsamkeit auszustehen hat: „Nichts aber kahm ihr schmärzlicher fohr, als daß si keinen einigen mänschen hatte, dehm si ihr anligen und weh-leiden klagen dorfte; dan Markhold wahr nicht zugegen; Adel-mund, dehr si sonst alle ihre heimlig-keiten, di si unter ihrem härzen verborgen truhg, entdäkket hatte, wahr al-zu-weit entfärnet; dem Hern Vater konte si nichts dahrvon sagen; und ihre Schwäster wolte si es auch nicht wüssen lahssen; dehr-gestalt, daß si nihmand hatte, dehm si ein teil ihrer bekümmernüs aufbürden könte" (227/228).

Bis zuletzt aber verläßt sie die Tugend nicht. Mag die Schönheit verfallen, der Körper dahinsiechen, unangreifbar ist die Tugend: „Tugend ist ein Spanisch Rohr/bricht nicht/wann man sie schon bieget"[125] Und die Tugend war es auch, die — bei aller blendenden Schönheit — Markhold bis ins Herz getroffen hatte. Das groß angelegte, z. T. in kontrastierender Gegenüberstellung mit der Schwester entworfene Porträt der Rosemund (55ff.) mündet in den bezeichnenden Satz: „... so begahb ich mich wohl-vergnüget nahch hause, und begunte von dähm Nuhn an di Rosemund vihlmehr ihrer himlischen tugend, als über-irdischen schöhnheit wägen, zu liben" (57). Daß Schönheit erst dann vollkommen sei, wenn Schönheit der Gestalt sich mit Schönheit der Seele verbindet, ist auch die Moral der seltsamen Erzählung vom „Lust-wandel des Guhts-muhts" (119 ff.), die wohl hauptsächlich aus diesem Grund so ausführlich wiedergegeben wird. Von den drei Schönen, die dem Guhtsmuht vorgeführt werden, erkennt er — als ein zweiter Paris — der „Gahr-schöne" den Preis zu: „diser verehret' er nicht alein den apfäl der schöhnheit, sondern auch das märk-zeuchen der weusheit, und der hohen ernsthaftigkeit" (128). Das weibliche Schönheitsideal des 17. Jahrhunderts basiert auf der Annahme, daß in einem schönen Leib auch eine schöne Seele wohne, wie

[122] Jungkunz hebt die „geradezu volkstümliche Darstellungsweise" hervor: o. c. 168.
[123] Vgl. F. van Ingen, *Vanitas und Memento mori in der deutschen Barocklyrik*, Groningen 1966, 293 ff.
[124] Jungkunz, o. c. 168/169.
[125] Catharina Regina von Greiffenberg, *Sonette, Lieder und Gedichte*, 1662, reprographischer Nachdruck Darmstadt 1967, 86.

auch das Umgekehrte unweigerlich der Fall sei[126]. Auch das *Antworts-schreiben an ein Frauen-zimmer von hohem stande, auf den saz; Daß auf der unteren wält keine schöhn-heit zu fünden sei* (im Anhang zur AR, 263ff.) gehört in diesen Zusammenhang. Es beweist durch die Berufung auf den „kluhg-sünnigen" Niphus, den berühmten italienischen Gelehrten aus dem 16. Jahrhundert[127], daß hier älteres Gedankengut verarbeitet wird. Auch Harsdörffer läßt einen der Gesprächspartner in einer gelehrten Unterhaltung über die Schönheit sagen: „Tugend ist die waare Schönheit/und ohn diese kan man selbe für ein köstliches Gefäß mit verborgenem Gifft halten"[128]. Aber das Ideal der vollkommenen Schönheit wurde doch erst durch die verfeinerte Kultur der französischen Romane aus dem beginnenden 17. Jahrhundert verbreitet[129]. Es war also für den Roman unbedingt notwendig, diesen Aspekt von Rosemunds Schönheit hervorzuheben, damit sie dem neuen Ideal ganz entspricht. Aber notwendig war es auch in bezug auf Markhold, denn erst die mit Hilfe der Ratio ins Licht des Bewußtseins gehobene Liebe ist (im Sinne der Liebestheorie der *Astrée)* eine echte Liebe; „le vrai amant" muß verfügen über „la connaissance éclairée, précise, des vertus et des mérites de l'objet élut"[130]. Die Tugend wird im Barockroman gleichsam kristallisiert in der Liebe. Aber da der Tugendbegriff von der Vernunft bestimmt ist, muß auch die Liebe, die solcherart der Tugend eng benachbart ist, in der Nähe der Vernunft angesiedelt werden. Nicht Erotik, sondern eine oft fast platonisch vergeistigte Liebe ist das Thema des Barockromans[131].

Rosemunds Tugend konkretisiert sich in der barocken Kardinaltugend: der Constantia. Aber sie manifestiert sich auch noch auf andere, ebenso überzeugende und vielleicht rührendere Weise: Ihre Liebe zu Markhold vertieft sich allmählich zu einer selbstlosen Hingabe, die auch zur Selbstaufopferung bereit ist. Es ist eine hingebungsvolle Selbstlosigkeit, die eine religiöse Komponente hat. — Rosemund gehört zu den seltenen Gestalten, die im Barock vom Affekt der Eifersucht gequält werden[132]. Nach der Auffassung des stoisch gefärbten ethischen Ideals des 17. Jahrhunderts ist die Eifersucht unbedingt als ein *vitium* zu betrachten, und so heißt sie denn auch in der AR ein „verbrächchen", dessen verhängnisvolle Folgen in der Härz-währt-Eiferich-Episode breit ausgemalt werden. Denn der „libes-

---

[126] Vgl. etwa Zesen im *Simson* (484): „In einem häslichen Hause wohnet gemeiniglich ein häslicher Würt: doch in einem häslichen Leibe noch vielmehr/ja gantz unfehlbar eine häsliche Seele."

[127] Kaczerowsky hat die hier interessierenden Stellen aus den *De pulchro et amore libri* (1531) mit Zesens Text verglichen: o. c. 108.

[128] *Frauenzimmer Gesprächspiele,* II. Tl., 2. Ausg. 1657, 199 ff., Zit. 200 (Ndr. 218).

[129] So sagt M. Magendie über die Heldin der *Astrée,* das Vorbild für viele Liebesgeschichten: „elle ne néglige pas la politesse extérieure des manières, mais elle forme surtout l'esprit et le cœur; c'est l'âme qu'elle veut orner de qualités sérieuses et durables" *(La Politesse Mondaine et les théories d'honnêteté, en France, au XVIIe siècle, de 1600 à 1660,* Paris 1925, 170).

[130] Magendie, o. c. 196. Es heißt hier bezeichnenderweise: „il faut un travail intérieur de l'âme, qui confirme le jugement des yeux."

[131] Vgl. auch E. Cohn, *Gesellschaftsideale und Gesellschaftsroman des 17. Jahrhunderts. Studien zur deutschen Bildungsgeschichte,* Berlin 1921, 116—118.

[132] Vgl. Jungkunz, o. c. 171 ff.

eifrige" Franzose ist mit diesem Laster behaftet, es geschieht „aus eingebilde-
tem arg-wahn und lauterer schähl-sichtigkeit", daß er den „tapferen" Deutschen
zum Duell herausfordert (72). „Argwahn, „schähl-sichtigkeit" — es sind fast
die gleichen Worte, die der Erzähler ein wenig später mit Bezug auf Rosemund
verwendet (82). Rosemunds Schuldgefühl ist so stark, das es sie sogar im Traum
verfolgt (92). Aber sie entdeckt selber ihre charakterliche Schwäche und weiß
diese auf ebenso wirksame wie bezeichnende Weise zu heilen: Sie zieht sich ins
Schäferleben zurück.

In der ersten Hälfte des Barockjahrhunderts war das Schäferleben schon zur
modischen Sitte geworden, zu einem reizvollen Spiel, in dem sich die aristokratische Gesellschaft vom beengenden Hofzeremoniell erholte. Aber die „Schäferei"
wurde daneben auch noch als ein Zufluchtsort für die bedrängte Seele empfunden, als ein Ort der Stille, wo das empfindsame Herz Zwiesprache hält mit Gott
und mit sich selbst, und wo der Mensch — gleichsam vorübergehend in den Stand
der paradiesischen Unschuld versetzt — den Weg zur Gesundung findet. Es ist
ein Irrtum zu meinen, daß die schäferliche Episode in der AR lediglich als ein
Echo ähnlicher Episoden in der *Astrée*, nicht aber „aus innerer Notwendigkeit"
entstanden sei[133]. Die religiöse Triebfeder hinter der frühbarocken Schäferei (auch
der AR) sollte nicht übersehen werden; die Dichtung der Nürnberger enthält
zahlreiche, deutliche Hinweise auf den religiösen Zug vieler Wald- und Feld-Spa-
ziergänge[134]. Das Lob der Einsamkeit wurde nicht erst von den melancholischen
und idyllischen Dichtern des 18. Jahrhunderts gesungen. Aufschlußreich sind
etwa die Einsamkeitsgedichte aus der *Fortsetzung Der Pegnitz-Schäferey [...]*
abgefasset und besungen durch Floridan (Nürnberg 1645, 71ff.)[135]. Allerdings
steht im 17. Jahrhundert die Vorliebe für die Einsamkeit, die man im Wald oder
im Garten sucht, unter dem Aspekt des frühpietistischen „Stille-Seyn". So besingt
die Greiffenberg das *Lob der zu Zeiten angenehmen Einsamkeit:*

> Ach Einsamkeit/mein einigs Leben/
> du vielbeliebte Sinnen-Ruh!
> wie spricht der Geist so lieblich zu!
> es kan sich ungescheut erheben
> zu ihme die verlangens-Krafft/
> und nehmen seinen edlen Safft![136]

Für diese Art der Frömmigkeit ist die Flucht aus dem geschäftigen, „hohch-
fahrenden" Weltleben typisch, nicht als bleibendes Sich-Zurückziehen, sondern als
eine fromme Besinnungspause an einem dazu geeigneten Ort, wo man die Stimme
Gottes deutlicher zu vernehmen und das unruhige Herz seinem ewigen Ruhepol

[133] So Eberhard Lindhorst, *Philipp von Zesen und der Roman der Spätantike. Ein
Beitrag zu Theorie und Technik des barocken Romans*, Diss. Göttingen 1955 (Masch.),
82.

[134] Auch E. Cohn hebt den Zusammenhang hervor, der besteht zwischen „Mystik
und Schäferdichtung": o. c. 112.

[135] Auch enthalten in Harsdörffer — Birken — Klaj: *Pegnesisches Schäfergedicht
1644—1645*, hsg. von K. Garber, Tübingen 1966.

[136] aaO 352. Vgl. auch ihr „Spazir- oder Schäfer-Liedlein": 346.

näher zu sein glaubt: „Meine Seel! sey still in Gott" (Cath. Reg. von Greiffenberg). Es waren die Gottsuchenden Seelen des 17. Jahrhunderts, die — zur Vertiefung ihres religiösen Erlebens — die Ruhe der Natur suchten; seither haben alle
Empfindsamen sich in die Einsamkeit zurückgezogen. Hat man diese frühpietisti-
sche Geistigkeit einmal in ihrer ganzen Bedeutung auch für die erste Hälfte des
Barockjahrhunderts gesehen[137], wird man Zesen in dieser Hinsicht keine ausgesprochene Sonderstellung einräumen wollen. Dann wird man nicht mehr so
schnell geneigt sein, die seelische Welt der Rosemund mit der „Woge der Empfindsamkeit" in den Niederlanden in Verbindung zu bringen, wie es Cysarz
tat[138], sie aus Zesens oft berufener „gemüthafter Weichheit" herzuleiten[139], ihre
angeblich subjektivistischen Erlebnisformen, in denen die „empfindsamen Erlebnisse in subjektiver Wollust" ausgekostet werden, als Vorwegnahme der „seelen-
haften Ausdrucksdichtung" der Goethezeit zu deuten[140], oder sie gar damit zu erklären, daß man den Dichter als einen „vorweggenommenen Romantiker" hin-
stellt[141]. Rosemunds Frömmigkeit ist — wie die Markholds, wie sie besonders im
Rosen-mând zum Ausdruck kommt — kein zufälliges Requisit, nicht einfach
„irgendeine Tugend", die im zeitüblichen Sinn „eben zum Bilde des vollendeten
Menschen gehörte"[142]. Sie ist im Gegenteil der wesentlichste Teil im Aggregat
ihrer Wesenszüge, sie bestimmt ihr Handeln und ihr Denken.

Die Bedeutung der Schäferepisode in der AR ist kaum zu überschätzen, man
darf sie als das Herzstück des Buches ansehen. Aber man verfehlt den Sinn, wenn
man ihre Funktion lediglich darin sieht, daß sie die Konvention des Idyllischen
der Barockzeit erfüllt[143]. Schon Gander hat uns einreden wollen, wir seien „gut
beraten", wenn wir die Rosemund-Geschichte als eine Idylle betrachten[144]. Zesen
bedient sich für Rosemunds Rückzug in die Einsamkeit der ihm zur Verfügung
stehenden, eben konventionellen literarischen Mittel. Das geht auch daraus hervor, daß das Schäferleben — von Rosemund selber sehr ernstgenommen —
für die Nebenfiguren in der gelockerten Form des modischen Spiels abläuft, zumindest in der ganz in heiterem Ton gehaltenen Erzählung des Dieners, der
Markhold in Paris über Rosemunds Begebnisse „zur zeit ihres schäffer-läbens"

---

[137] Auch Horst-Joachim Frank macht den Vorschlag, den Pietismus-Begriff „wegen
des Zusammenhangs auch auf die Entstehungszeit auszudehnen": *Catharina Regina von
Greiffenberg. Leben und Welt der barocken Dichterin*, Göttingen 1967, 88 f.

[138] *Deutsche Barockdichtung*, Leipzig 1924, 67.

[139] Waltraut Kettler, *Philipp von Zesen und die barocke Empfindsamkeit*, Diss. Wien
1948 (Masch.), 16 f. und pass.

[140] Ursula Rausch, *Philipp von Zesens „Adriatische Rosemund" und C. F. Gellerts
„Leben der schwedischen Gräfin von G"*. *Eine Untersuchung zur Individualitätsentwicklung im deutschen Roman*, Diss. Freiburg/Br. (Masch.), 6 und pass.

[141] H. Obermann, *Studien über Philipp Zesens Romane*, Diss. Göttingen 1933, 28.

[142] So Paul Ganter, mit Bezug auf das französische Schrifttum: *Das literarische Porträt
in Frankreich im 17. Jahrhundert*, Diss. Heidelberg 1939, 30.

[143] So sieht Kaczerowsky (o. c. 33 ff.) in dem Abschnitt mit dem Titel: „Das Herzstück des Romans — die Schäferepisode" die Stellung von Rosemunds Schäferleben in
der AR.

[144] Jakob Gander, *Die Auffassung der Liebe in Philipp von Zesens „Adriatischer
Rosemund" (1645)*, Diss. Freiburg—Schweiz o. J. (1930), 61.

unterrichtet (87ff.): Ihre Besucher erscheinen ebenfalls im Schäferkostüm, es werden Schäferlieder an Bäume geheftet und gesungen etc., alles wie in einer pastoralen Dichtung. Es ist der Diener, ein Außenstehender also, der auch die ernsthafte Seite des Schäferlebens erwähnt: „dan der äusserste kummer ist also geahrtet, daß er alwäge zur einsamkeit seine ehrste zuflucht nähmen wül, weil die Sehle bei gesellschaften das gift ihrer krankheit so frei und ungehintert nicht ausstohssen darf, auch nicht eher, si sei dan dässen entladen, der gegen-mittel und und des trohstes fähig ist" (88/89)[145]. Aber erst Rosemunds eigenhändig verfaßter (zweiter) Brief läßt tiefer blicken, er belegt in aufschlußreicher Weise die eigentliche, äußerst bedeutsame Funktion der Episode im Rahmen der Geschichte. Es ist auch bezeichnend, daß, während der erste Brief an einem Montag (Mond!) geschrieben wurde, der zweite von einem Freitag datiert ist, der (als sechster Wochentag) der „dies Veneris" ist (Heidnische Gottheiten 692): Die wahre Liebe besiegt die vorübergehende „launische" Stimmung der Heldin.

Die Schäferepisode bewirkt die Vollendung von Rosemunds Tugend, eine Vollendung, die erkämpft werden wollte: Es „kan die Tugend auch nit blühen sonder Plag" (Cath. Reg. von Greiffenberg). Die Erkenntnis ihrer Schuld hat denn auch eine Funktion, die mit der der contritio in der Bußlehre zu vergleichen ist[146], und deshalb markiert sie die entscheidende Wende in ihrem Verhalten zu Markhold. Stille und Einsamkeit sind bekanntlich Kernbegriffe des Pietismus[147], die inneren Beweggründe für Rosemunds Schäferleben werden so recht deutlich. Im stillen Kämmerlein oder in der ungestörten Ruhe der Natur findet die ruhelose gequälte Seele, in heiliger Andacht und durch die Lektüre frommer Bücher den Blick unverwandt auf den ewigen Ruhepunkt gerichtet, wieder zu sich selbst. Das ist der eigentliche Grund, weshalb Rosemund zeitweilig dem Blendwerk der Welt entflieht[148] — daß sie ein tiefgläubiges Mädchen ist, das auch über religiöse Fragen nachdenkt, wird verschiedentlich hervorgehoben (z. B. 24, 106f.) — und das Leben einer „armsäligen Schähfferin" wählt: „. . . nahch-dähm ich solchen hohch-fahrenden stand verlahssen, und nicht mehr in einem so köstlichen hause wohne, hab' ich auch der frommen schähflein ahrt und eigenschaft an mich genommen [. . .]. Jah ich bin from, de-mühtig, stil und sitsam worden; da ich fohr-mahls [. . .] arg-wähnisch, hohch-fahrend, auf-geblasen und unruhig gewäsen bin. Solche laster hab' ich nuhn gänzlich, vermittelst dises nidrigen läbens, das ich izund führe, aus meinem härzen vertilget" (86). Die Einzelzüge, in die ihre Frömmigkeit aufgegliedert wird — „de-mühtig, stil und sitsam" — korrespondieren mit den Elementen, die ihr einstiges Laster, das Böses-Denken („Arg-wahn") bestimmten: „hohch-fahrend, auf-geblasen und unruhig". Und wieder ist es für Rosemunds religiöse Lebenshaltung bezeichnend, daß die Tugend der Demut an erster Stelle steht, als Gegensatz zum Laster der Hoffart. Die

---

[145] Vgl. auch Simson 68 f. Es ist deshalb nicht korrekt, wenn Baumgarten aus dem Zitat schließt: „Mit dieser Begründung banalisiert Zesen das Schäferleben Rosemunds gewissermaßen zu einem Erholungsaufenthalt" (o. c. 124).

[146] Auch Markholds Bezeichnung „härzliche beräuung" legt die Verbindung nahe.

[147] Vgl. August Langen, Der Wortschatz des deutschen Pietismus, Tübingen 1954, 156 f., spez. 174—180.

Hoffart war ja die erste der sieben Hauptsünden, die antithetische Gegenüberstellung von Demut und Hoffart nahm auch im pietistisch gefärbten Schrifttum einen bedeutenden Platz ein[149]. Aufgrund der pietistischen Liederdichtung
kann man sogar sagen, daß die christliche Buße „unter dem Signum der Demuts-
übung" erscheint[150]. Es war in lutherischen Kreisen vor allem Johann Arndt —
dessen Schriften Zesen im *Rosen-månd* (200) empfiehlt und dessen *Paradiesgärtlein* er ins Holländische übersetzt hat —, der die Demut als eine Tugend hervorgehoben hat, durch die der Mensch zu Gott gelangen könne. Im *Wahren Chri-
stenthum*[151] heißt es: „Viel Menschen suchen viel Mittel, mit Gott vereinigt zu werden [. . .]. Aber in Wahrheit ist, nächst dem wahren lebendigen Glauben, welcher das Herz reiniget von der Creaturliebe, [. . .] kein besserer und leichterer
Weg dazu, denn die wahre gründliche Demut" (III, 5, I). Man geht kaum fehl,
wenn man Rosemunds Schäferleben als eine solche Bußübung ansieht. Das wird
vollends deutlich, wenn man die Auswirkungen der „Schäferei" auf Rosemunds
Verhalten zu Markhold mit den Worten vergleicht, mit denen Arndt die Buße beschreibt: „Denn Buße ist nicht allein, wenn man den groben äußerlichen Sünden
Urlaub gibt, und davon ablässet, sondern wenn man in sich selbst gehet, den in-
nersten Grund seines Herzens ändert und bessert. [. . .] Daraus folget, daß der
Mensch sich selbst muß verleugnen, das ist, seinen eigenen Willen brechen [. . .]
absagen alle dem, das er hat [. . .] sein eigen Leben hassen [. . .] seinen Kräften
nichts zuschreiben [. . .], sondern ihm selber mißfallen [. . .]. Das ist die wahre
Buße und Tötung des Fleisches [. . .]. Die Buße und Bekehrung ist die Verleugnung sein selbst . . ." (I,4.2—4). So sagt auch Spener: „ . . . das erste practische principium des Christentums die Verleugnung sein selbst"[152] Es ist klar, daß es hier
um eine spezifisch pietistische Ausdeutung der Buße geht, bei der dem Begriff der
humilitas als Prinzip der Selbstverleugnung eine hervorragende Stellung innerhalb
des christlichen Lebens eingeräumt wird. Und es ist ebenso klar, daß Rosemunds
Frömmigkeit am Ende ihres Schäferlebens von dieser Selbstverleugnung bestimmt
wird. Das Laster des Hochmuts wird — ein feiner psychologischer Zug — viel später noch einmal von Rosemund selber zur Sprache gebracht, im Wortlaut an ihren
Brief erinnernd, in dem sie Markhold von ihrer „Bekehrung" unterrichtet. Unter dem
unedlen Hochmut, so sagt sie, „verstäh' ich den stolz, [. . .] die hoh-fahrt, den
auf-geblasenen geist, dehr sich inner den schranken der tugend nicht halten kan, dehr
andere näben sich verachtet, und keinen hohch-hält als sich selbst" (173). Deutlich
wirkt hier stoisches Gedankengut nach, wie es Descartes' Lehre von der Be-

---

[148] Allerdings erklärt sie ihre Entscheidung in einem ersten Brief an Markhold anders
(82), aber er war vor dem „Durchbruch der Erkenntnis" abgefaßt. Erst das zweite
Schreiben, das denn auch im Wortlaut mitgeteilt wird (85/86), belehrt uns eines Besseren.

[149] Vgl. etwa das bezeichnende Lied „Demuht und Hoffart" in J. G. Schottels Sammlung *Fruchtbringender Lustgarte* (1647), 259.

[150] Ingeborg Röbbelen, *Theologie und Frömmigkeit im deutschen evangelisch-lutheri-
schen Gesangbuch des 17. und frühen 18. Jahrhunderts*, Göttingen 1957, 156 ff., Zit.
156.

[151] Die Arndt-Zitate nach I. Röbbelen, o. c. 157.

[152] *Pia desideria*, Frankfurt a. M. o. J., 13 — zit. nach I. Röbbelen, o. c. 158.

herrschung der Leidenschaften mit Hilfe der Tugend zusammenfaßt[153]. Aber der
Hinweis auf das stoisch-cartesianische Ideal reicht offensichtlich nicht aus, die
Eigenart von Rosemunds Tugend zu charakterisieren. Mit den alten Mystikern
sagten es auch die evangelischen Theologen — sogar ein unverdächtiger orthodo-
xer Lutheraner wie Johann Gerhard —, daß im Gebot der „Selbstentwerdung"
die Quintessenz der christlichen Ethik enthalten sei. Die Selbstentwerdung mache
Platz für den Geist Gottes, ja sie erzwingt die Gnade[154]. Erst die Erfüllung des
Demutsgebots macht Rosemunds Tugend vollkommen. Die in christlicher Liebe
erkämpfte Demut gibt ihr auch jenes „lihbliche", das der Rose, die sie in ihrem
Namen trägt, den herrlichen Geruch verleiht, der die Dornen vergessen macht:
„Harter Dorn Geruchlos steht/Schön Geruch von Röslein geht" (Schottel). Das
unterscheidet Rosemund auch von den trotzig-heroischen Märtyrerinnen der
Barocktragödie, trotz ihrer Constantia. Mit einem barocken Bild könnte man
sagen: Aus der schnell verblühenden Venusrose ist die christliche Tugendrose geworden, deren süßer Geruch nicht nachläßt, wenn auch die Blüten verwelkt sind.
So redet die Tugendrose bei Johann Ludwig Prasch:

> Wiewohl ich sterblich bin/und heute steh und falle/
> So bleibet doch fürbaß mein herrlicher Geruch[155].

Rosemund hat sich gleichsam „ent-selbstet" — wie es im damaligen Sprachgebrauch hieß —, ihre Liebe ist geläutert und erscheint in ihrer opferbereiten Selbstlosigkeit beinahe religiös verklärt. Nicht von ungefähr läßt Zesen sie später die
Worte sprechen, die zum typischen Vokabular der barocken Märtyrerinnen gehören: ‚das zeitliche ist mihr verhasst, und das ewige macht mich muhtig' (107).
Markholds Reaktion auf diesen Akt der tugendvollen Liebe ist bezeichnend („Er
verstund ihre beständigkeit, und härzliche beräuung ihres verbrächchens": 86):
„Hatt' er si fohr disem häftig gelibet, so libet' er si izund noch vihl tausend-
mahl häftiger, und noch vihl inbrünstiger, als er nih-mahls getahn" (87). Es ist
die Frucht der vollkommen Tugend, daß Markhold, der für sie anfänglich bloß
ein Gefühl des Mitleids hegt, innerlich zu glühen beginnt. Beispielhaft ist Rosemunds Liebe in ihrer Beständigkeit, „über-irdisch" aber in ihrer Selbstlosigkeit.
Die Unglückliche, die heimlich zum Luthertum konvertiert, ringt sich sogar zu
dem Entschluß durch, ihrem Geliebten „in beständiger träue zu läben" (107) und
ihn dennoch freizulassen: „ . . . ob ich mich gleich so fäst und mit einem solchen
unauf-löhselichen bande, ihm aus libe, verbünde; so wül ich doch nicht, daß Er
gebunden sei: und [. . .] so gähb' ich ihn allezeit frei, und wül durchaus nicht,
daß er mihr zu libe di ehliche Libe gahr verlahssen sol" (105). Dadurch übersteigt
ihre Constantia das barocke Maß beträchtlich. Rosemund wächst durch ihren
Entschluß, dem geliebten Mann auch in der Entsagung die Treue zu halten, über

---

[153] „Die Übung der Tugend ist ein untrügliches Mittel gegen die Leidenschaften",
heißt es im 148. Art. seines *Traité des passions* (1649).
[154] Vgl. das charakteristische Arndt-Zitat bei I. Röbbelen, o. c. 158 Anm. 89.
[155] *Gründliche Anzeige von Fürtrefflichkeit und Verbesserung Teutscher Poesie, samt
einer poetischen Zugabe*, 1680, 87.

sich hinaus. Dieser fast übermenschlichen Treue gemäß gelten die letzten Worte, die sie im Buch spricht, ihrem Markhold; sie drücken in ergreifender Weise aus, daß es eben die Sorge um sein Glück ist, was sie am unglücklichsten macht: „wan ich noch alein unglüksälig wäre, so solte mich mein unglük nicht so sehr betrüben" (226).

Sämtliche Studien, die die Liebe in Zesens AR zum Gegenstand haben, lassen seltsamerweise diesen Aspekt in der Regel außer acht. Man hat verschiedentlich auf die Realistik der Darstellung hingewiesen[156] oder den stilisierten Idealismus in der hyperbolischen Schönheitsbeschreibung hervorgehoben (Zierlichkeitsideal). Zwischen diesen beiden Polen des Realismus und des Idealismus bewegt sich tatsächlich Zesens Geschichte, aber mit der offenkundigen Tendenz, das Idealbild von der treuliebenden Frau in einer sich in schwindelerregenden Höhen verlierenden Spirale über das irdische Maß hinaussteigen zu lassen, bis Rosemund wie eine Verklärte vor des Lesers Blick erscheint und die anfänglich rein schmükkende Hyperbel von der „über-irdischen" oder „über-mänschlichen" Heldin den tieferen Sinn bekommt, der der „lihblichen ernsthaftigkeit" aus der Vorrede entspricht[157]. In diesem Licht besehen dürfte auch die oft berufene Handlungsarmut anders zu bewerten sein. G. Müller hat die richtige Beobachtung gemacht, daß diese hier als positives Element aufgefaßt werden sollte, denn gerade die dünne Handlung dient psychologischer Entfaltung[158]. Diese Ansicht darf als eine Art Ehrenrettung von Zesens „Roman" betrachtet werden. Denn nach der maßgeblichen Meinung von H. Körnchen — in seiner noch immer vielzitierten Studie über *Zesens Romane* (1912) —, sei die AR als Roman einfach mißlungen. Körnchen spricht von „Fehlern" und „Entgleisungen", besonders in bezug auf die ungeschickte Technik, eigentlich die ganze Handlung in die Vorgeschichte zu verlegen — „... alles Wichtige ist schon geschehen, als Zesen mit Markholds Abreise einsetzt" —, so daß das Urteil des Verfassers unweigerlich negativ für den Dichter Zesen ausfallen muß: „So, wie Zesen den Stoff in Angriff nahm, war er überhaupt nicht zur Behandlung in einem Roman geeignet"[159]. Jeder Einsichtige wird dieser Meinung zustimmen müssen, denn das allerwenigste, was man von einem Roman erwarten darf, ist doch die Entwicklung einer (wenn auch noch so dünnen) Handlung. Und gerade das fehlt in der AR ganz; auch da, wo so etwas wie eine Handlung entfaltet zu werden scheint, handelt es sich in Wahrheit um spannungsschwache Zustandsschilderungen[160]. Sollte das zutreffen, würde der Roman — und

---

[156] So hebt z. B. Körnchen (o. c. 86) die einzigartige „Lebenswahrheit" Rosemunds hervor.

[157] Einzig K. Gartenhof hat in Rosemund die „ätherischte Gestalt" gesehen, „die je durch einen Renaissanceroman des 17. Jahrhunderts geschwebt ist", deren „Erscheinung in einen formlosen Nebel zerfließt": *Die bedeutendsten Romane Philipps von Zesen und ihre literaturgeschichtliche Stellung*, Nürnberg 1912, 27.

[158] *Deutsche Dichtung von der Renaissance bis zum Ausgang des Barock* (1927), 2. unveränderte Auflage Darmstadt 1957, 215.

[159] Körnchen, o. c. 84.

[160] Vgl. Körnchen, o. c. 85/86: „So bleibt denn Zesen in Zustandsschilderungen und Stimmungsmalerei stecken."

erst recht aus der Sicht des 17. Jahrhunderts — gar keiner sein —, zumindest nicht in herkömmlichem Sinn[160a].

VI

Dieser Schluß ist weniger befremdend, als es zunächst den Anschein haben mag. Aus allen Einzelzügen ihrer Beschreibung, sowohl ihrer äußeren wie inneren Schönheit, geht hervor, daß Rosemund eine ins Idealistische stilisierte Gestalt ist — und sein soll. Sie ist ein „auf einen Sockel gestelltes Wesen"[161], Zesens Geschichte setzt ihr nicht nur ein Denkmal, sie ist darin selbst ein Denkmal, und zwar im eigentlichen Wortverstand. Mit den typographisch herausgehobenen Worten „das rühmliche gedächtnüs der über-mänschlichen ROSEMUND" beschließt Zesen seine Geschichte, damit sein Anliegen umreißend. Von einem „wunderwürdigen Bild", von einem „selb-selbst" lebenden Bild, „das gähn und räden kan", hatte auch Der Aemsige gesprochen (8). Und wie unpassend kurz ist der Titel für einen barocken Roman: „Adriatische Rosemund" — er wirkt wie eine Aufschrift oder eine erläuternde Unterschrift zu einem gemalten Porträt. Ein Porträt: mit diesem Begriff könnte man vielleicht Zesens erstes erzählerisches Prosawerk schärfer fassen.

Das 17. Jahrhundert ist in der Literatur die Zeit, in der die Kunst der Menschenschilderung zum erstenmal eine ungeahnte Höhe erreichte. Allerdings geht es noch nicht um eine individualisierende Beschreibung, die charakteristische Wesenszüge der individuellen Persönlichkeit in Erscheinung treten läßt[162]. Die Porträtierung des Menschen ist damals noch auf typisierende Darstellung festgelegt; was sie von der Persönlichkeit zeigt, ist ein idealisiertes Bild. Wo der Mensch jener Zeit öffentlich auftritt, da ist er nicht er selbst, da repräsentiert er das Idealbild eines Standes, eines Amtes etc., da spielt er eine Rolle. Der Topos von der Welt als einem Spektakulum geht nachweislich auf die Antike zurück, aber zu keiner Zeit wurde er so ernstgenommen wie im Barockzeitalter, wo das ganze Leben unter dem Aspekt eines Schauspiels und das Dasein als Spielen einer Rolle gesehen wurde[163]. In Frankreich hatte sich schon früh eine literari-

[160a] Das soll natürlich nicht heißen, daß das Buch nicht streng komponiert wäre. Im Gegenteil: Die kunstvolle Anordnung des Stoffes (die „ordo artificialis") ist unverkennbar. Man denke nur an die kunstvoll konstruierten wechselseitigen Bezüge einzelner Romanpartikeln. Ein Brief Markholds löst z. B. Rosemunds seelische Krise aus, wie andererseits Rosemunds Antwortschreiben Markhold erschüttert; man könnte hier geradezu von einer spiegelbildlichen Anlage sprechen.

[161] Was Jungkunz allerdings in Abrede stellt: o. c. 109.

[162] Vgl. für den Unterschied zwischen der Individualität des 17. Jahrhunderts und der Persönlichkeit der Goethezeit: W. Flemming, *Die Auffassung des Menschen im 17. Jahrhunderts*, DVjs 6 (1928), 412/413, 416.

[163] Vgl. zur Schauspielmetapher etwa: Joh. Sofer, *Bemerkungen zur Geschichte des Begriffes „Welttheater"*, Maske und Kothurn 2 (1956), 256 ff., vor allem den Aufsatz *Dasein heißt eine Rolle spielen* in der gleichnamigen Aufsatzsammlung von H. O. Burger, München 1963, 75—93. Lehrreich sind auch die vielen Schauspielmetaphern unter dem Lemma „Leben" in G. Treuers poetischem Wörterbuch *Deutscher Daedalus/Begreiffendt ein vollständig außgeführtes Poetisch Lexicon/und/Wörter-Buch*, Frankfurt 1660.

sche Gattung ausgebildet, die zunächst als Pendant zum gemalten Porträt entstanden war, alsbald aber auch zu einem beliebten Zeitvertreib in den Salons
wurde[164]. Wie im gemalten Porträt ersteht im literarischen Porträt ein Menschen-
bild, das zwar auf der Wechselwirkung von Leben und Lebensideal basierte, aber
doch im ganzen ein idealisiertes Gepräge hatte. Den außerordentlichen Anklang,
den diese Gattung beim Publikum fand, bezeugen die Sammlungen, die in schnel-
ler Folge erschienen. Segrais, der Sekretär der Mlle de Montpensier, veröffentlichte 1659 eine Anzahl Porträts unter dem Titel *Divers Portraits*. Noch im
gleichen Jahr erschien eine nur wenig von der ersten abweichende Sammlung:
*Recueil des Portraits et Eloges en vers et en prose dédié a Son Altesse Royale
Mademoiselle*[165]. Ihren Siegeszug trat die Gattung aber seit dem Erscheinen des
Grand Cyrus (1649—1653) der Scudéry an, des vielgelesenen und häufig nachge-
ahmten Werkes; seit der Zeit hat das literarische Porträt seinen festen Platz in
den Romanen, bei La Calprenède, Scarron und Furetière. Die schon erwähnte Studie von Jungkunz über die *Menschendarstellung im deutschen höfischen Roman
des Barock* zeigt, obwohl hier der Begriff des Porträts nirgends verwendet wird,
daß das „portrait littéraire" auch im deutschen Roman heimisch geworden ist.
Ganter weist mit Nachdruck darauf hin, daß man die Erfindung des Porträts keineswegs der Scudéry zuschreiben dürfe, denn schon vor ihrem Cyrus-Roman sei
es bekannt gewesen[166], die wesentlichsten Elemente, vielleicht sogar die gat-
tungsmäßige Form, sind sicher älter. Er verweist in diesem Zusammenhang
auf das 1642 erschienene Buch *Les Femmes Illustres ou les Harangues Héroiques
de Monsieur de Scudéry, avec les Véritables Portraits de ces Héroines,* in dem die
galante Porträtmanier bereits verspottet wird. Allerdings kannte die Frühzeit das
Porträt noch nicht als selbständige, geschlossene literarische Form, diese wurde
erst um die Mitte des Jahrhunderts üblich. Die einzelnen Bemerkungen über eine
Person fanden sich in der Regel über das ganze Werk verstreut, erst die Zusam-
menschau aller Einzelzüge ergab das eigentliche Porträt. Je mehr sich eine Geschichte der Gattung des Porträts annäherte, um so mehr traten die äußeren Ereignisse zurück, denn: „der unmittelbare Zweck des Porträts als Gattung ist
[. . .] immer die Persönlichkeit selber, nicht ihr Lebenslauf"[167].
    Eine Handlung im herkömmlichen Sinn hat die AR nicht, der Abschied am
Schluß läßt das „Geschehen" wieder in die Ausgangssituation münden[168]. Jakob
Gander hat es so formuliert, daß in der AR kein erzählender Zug walte, daß das
ganze Werk vielmehr aus einer Abfolge von Zustandsbeschreibungen bestehe: „Es

[164] Vgl. für die Anfänge: Arthur Franz, *Das literarische Porträt in Frankreich im
Zeitalter Richelieus und Mazarins,* Diss. Leipzig 1905; für die spätere Zeit: Paul Ganter,
o. c.
[165] Neuausgabe von Ed. de Barthélemy, Paris 1860. Die umfassendste Ausgabe erschien 1663: *La Galerie des Peintures* . . .
[166] o. c. 16 ff.
[167] Ganter, o. c. 12.
[168] „Diese Passage am Ausgang des Romans bekräftigt die inhaltliche Bedeutsamkeit
des Anfangs für das ganze Geschehen; zwischen den beiden Beschwörungen einer mit-
leidenden Natur spielt die empfindsame Liebesgeschichte von Markhold und Rosemund
als eine Folge von Abschieden sich ab" (Kaczerowsky, o. c. 88).

werden demnach nur weitere ‚Situationen', ohne Phase eines Geschehniszusammenhangs, reihend verfilmt"[169]. Dem entspricht Körnchens Ansicht, daß die AR nur „Momentbilder" aus dem Leben zweier Liebender enthalte, und die Beobachtung W. Flemmings vom „punktuellen Charakter" der barocken Lebensläufe, die kein Bild einer kontinuierlichen Seelenentwicklung vermitteln[170]. Die Personenbeschreibung des 17. Jahrhunderts ist bestrebt, die elementaren und bleibenden Wesenszüge eines Menschen festzuhalten, wobei sie alles das geflissentlich übergeht, was zufällig und der Zeit unterworfen ist[171].

Zesen war ein ausgezeichneter Kenner der französischen Literatur seiner Zeit. Außerdem verfaßte er seine AR in Holland, das sehr stark unter dem Einfluß der französischen Kultur stand und aus ihr vieles übernommen hatte, wahrscheinlich auch die Kunst des literarischen Porträts. Die „Grande Mademoiselle", Mlle de Montpensier, erzählt in ihren Memoiren, daß die Damen ihrer Gesellschaft ihre Porträts aus Holland mitgebracht hätten, nach deren Muster nun auch die vorliegenden (nämlich der erwähnten Sammlung) verfaßt worden seien. Tatsächlich läßt ein Werk wie die *Batavische Arcadia* von Johan van Heemskerck (1637) schon einiges von der späteren Porträtmode sichtbar werden, wenn auch nur in Umrissen. Die Vermutung, die Anfänge des literarischen Porträts in die Lyrik verlegen zu müssen[172], namentlich in die petrarkistische Liebespoesie, wird im Fall des holländischen Werkes dadurch gestützt, daß der unglückliche Liebhaber seinen Petrarca ständig bei sich trägt[173]. Würde man sich dazu entschließen können, in Zesens Rosemund-Geschichte mehr ein literarisches Porträt als einen Roman zu sehen, dürfte manches, was in der bisherigen Forschung rätselhaft blieb, zumindest eine befriedigendere Erklärung finden.

Zunächst würde man die männliche Hauptfigur und ihre Handlungen anders bewerten. Über Markhold wurde schon viel geschrieben, aber kaum jemals etwas Positives. Er kommt in nahezu allen Darstellungen gleich schlecht weg. Körnchen sagt z. B.: „... wir hören kaum ein Wort des Bedauerns, geschweige der Verzweiflung über die Unmöglichkeit des Ehebundes, für ihn war diese Liebe eine Episode [...]. Seine Liebe ist mehr ein Akt der Höflichkeit [...], es ist die Liebe eines geschniegelten Stutzers, der selbstgefällig über seine Eroberungen triumphiert"[174]. Gander spricht es ihm einfach nach, der etwas zurückhaltendere Baumgarten weist auf die Egozentrizität Markholds hin, die er (nota bene!) aus

---

[169] o. c. 61.

[170] Körnchen aaO 84; Flemming aaO 406.

[171] Kaczerowsky hebt hervor, „daß Zesen seine Figuren gar nicht als Individuen konstituiert", daß sie vielmehr „von vornherein fixiert sind". Im Zusammenhang damit kommt er auch zu einer neuen Wertung des Psychologischen: „die seelische Gespanntheit bereichert und schmückt die literarischen Figuren, wird aber nicht als der eigentliche Beweggrund des Geschehens thematisiert": o. c. 48 und 77 bzw. 49.

[172] Vgl. Ganter, o. c. 13 f.

[173] *Inleydinghe tot het ontwerp van een Batavische Arcadia*, ed. D. H. Smit, Zwolle 1935, 24: „... zijnde gaen sitten op een groen bewassen heuveltje, haelde voor den dag een kleyn' en handighe *Petrarca*, die noyt sints het begin van sijn ongheluckighe liefde uyt sijn sack verhuyst was geweest."

[174] o. c. 87/88.

der Affektpsychologie der Zeit erklärt: Im 17. Jahrhundert bewege sich eben alles
Seelische „im Zirkel des Ichhaften"[175]. Das Egozentrische wird auch von Kaczerowsky als das Entscheidende in Markholds Verhalten gesehen: Er sei „viel zu
sehr mit sich selbst beschäftigt" und außerdem seien ihm seine Bücher wichtiger
als das Mädchen[176]. Für Kaczerowsky steht der Held irgendwo am Rande:
„Markhold hat mit der Liebesproblematik nichts zu tun; er unterwirft sich von
vornherein dem Verhängnis". Deswegen bemühe er sich auch überhaupt nicht um
die Ehe: „unbeirrt verfolgt er seinen Weg und nimmt seine Abschiede"[177]. Damit
erklärt Kaczerowsky, gleichsam an Zesens Statt, die „hoffnungslose Untätigkeit
des Helden", für den das „quasi-Verlöbnis" „geradezu eine Zumutung" be-
deute[178]. Schon Körnchen hatte ausgesprochen, was nach ihm wohl alle Forscher
irgendwie verspürt haben: „ . . . man hat beinahe die Empfindung, es sei ihm ganz
angenehm, um die Ehe herumzukommen"[179].

Diese kleine Blütenlese zeigt zur Genüge, daß man in Markhold alias Ritterhold von Blauen doch wohl nur eine negative Figur sieht, einen „Ritter von der
traurigen Gestalt". Zu diesem Schluß kommt man zwangsläufig, wenn man die
AR als psychologischen Roman betrachtet, eventuell sogar auf autobiographischer
Grundlage. In der AR handelt es sich dann, grob gesagt, um eine Liebe, die scheitert am Desinteresse des männlichen Partners, dem der Konfessionskonflikt höchst
gelegen kam, sich das Mädchen, das ihm in rührender Treue zugetan war, auf
eine Art und Weise vom Halse zu schaffen, die ihm keinen Vorwurf einbringen
konnte. Tatsächlich wird in der Geschichte etwas derartiges suggeriert. So wird
etwa erzählt, Markhold sei von Amsterdam nach Utrecht übergesiedelt, „damit er
in solcher stillen lust seiner bücher" auf bessere Zeiten für ihre Liebe warte, denn
in Amsterdam störten ihn „teils seine tähglichen fräunde, teils auch das alzu
nahe beisein der härz-entzükkenden Rosemund" (211). Seinem Freund teilt er
über den Anfang ihrer Liebe mit: „ich bin mehr aus mit-leiden, als aus innerlicher
begihr, zu ihrer libe bewogen worden" (45/46). Unter „mit-leiden" haben wir
sicher Sympathie zu verstehen. Aber man wird ihm damit doch wohl kaum gerecht. Sollten die Beteuerungen, die Liebe zu seiner Geliebten sei zu einer heftigen
Leidenschaft entbrannt, nur geheuchelt sein, geheuchelt auch seine Trostworte, die er
immer wieder an die betrübte Rosemund richtet? Die beabsichtigte Durchsichtig-
keit des Pseudonyms macht eine solche Annahme wenig glaubhaft. Oder sollte
Zesen so naiv gewesen sein, sich eine solch gefährliche Blöße zu geben? Dieser
Auffassung scheint die Forschung noch immer zu huldigen, Kaczerowsky
glaubt sogar sagen zu können, dies und jenes sei „gleichsam gegen den Willen
Zesens" geschehen, . . . obwohl er an vielen Stellen seiner Untersuchung gerade den hohen Kunstverstand des Dichters lobend hervorhebt. Will man die
obigen Zitate aus der AR richtig verstehen, muß man sie in ihrem Zusammenhang
sehen. Es handelt sich nicht um irgendeine Leidenschaft, die sich, gut oder

[175] Gander, o. c. 19; Baumgarten, o. c. 37 ff.
[176] o. c. 96.
[177] o. c. 93 und 95.
[178] o. c. 122 und 94.
[179] o. c. 88, wörtlich wiederholt bei Gander, o. c. 19.

schlecht psychologisch motiviert, so oder so entwickelt, wie auch Rosemund für den jungen Markhold nicht bloß ein „härz-entzükkendes" Mädchen mit „libes-entzükkenden" Augen ist. Für ihn ist Rosemund von vornherein ein hehres Wesen, dessen vorbildliche Idealität ihm sofort in die Augen springt und später nur noch vertieft wird, — womit sich sein „Mitleid" zur Liebe steigert. Und so schließt sich an die oben zitierte Mitleid-Stelle der bezeichnende Satz an: „und ich habe dises schöne Wunder mehrmahls mit entzükkung und gleich-sam mit einer heiligen furcht angeschauet, als in meinem härzen mit libe verehret, weil ich si zu meiner libe vihl zu hoch schäzte" (46). Dieser Respekt — ein Element, das in den „Individualschäfereien" völlig fehlt — ist die Frucht der neuen, verfeiner-ten Bildung, wie sie sich in der *Astrée* niedergeschlagen hat: „Il es impossible d'aimer ce qu l'on n'estime pas"[180]. Aus diesem Gefühl der Hochachtung vor dem idealen Bild erwächst auch seine Scheu: „Ich hihlt si alzu hoch; mich als einen stärblichen, und Si als eine götliche. drüm schäz' ich mich vihl zu geringe mit solch-einem überirdischen mänschen-bilde fräund-schaft oder Libe zu pflägen. Ich lihbte si nicht, sondern hihlt si nuhr hoch und währt; und kahmen mihr gleich bisweilen verlihbte gedanken ein, so geschah' es doch nuhr aus mit-leiden. wi? (sprahch ich bei mihr selbst) kan es wohl mühglich sein, daß dich das einzige wunder, das kunst-stükke der zihrligkeit, welches di grohsse Zeuge-mutter der dinge ihmahls härführ gebracht hat, liben sol? du bist jah nicht würdig, daß si dich ein-mahl an-blikken, vihl weniger so lihb-sählig entfangen sol" (52). Und wenn er so überdeutlich zögert, Adelmunds Vorschlag, eine feste Verbindung zwi-schen ihm und Rosemund anzubahnen, zu akzeptieren, geschieht es aus der Über-legung heraus, daß er sie nur unglücklich machen würde, weil die hemmenden Fak-toren sich als zu stark erweisen werden. Damit sucht er nicht um die Ehe herumzu-kommen, wie etwa Kaczerowsky aus dieser Szene schließen will; damit zeigt er Realitätssinn und zugleich Besorgnis um das Glück des Mädchens. Man erblickt Markhold, wie er, in seinen „gedanken sehr vertühffet" (61), sein Glück und das der Rosemund gegeneinander abwägt. Aber Adelmund ist zuversichtlich — und das Geschehen nimmt seinen Lauf, wie es durch die symbolisch schwer geladene Ab-schiedsszene am Beginn des Buches angedeutet wird. In den oben zitierten Passagen wird Markhold durchaus nicht negativ gezeichnet, im Gegenteil. Das gesamte Ge-schehen steht aber im Zeichen des Schicksals: das „ungestüme verhängnüs" herrscht von dieser Stunde an, wo Adelmund sich einschaltet, unumschränkt. Wäre die AR ein Liebesroman in der gängigen Art gewesen, hätten sich die Helden zur Wehr gesetzt, bis schließlich ihre Tugend belohnt würde, wie es in allen Barockromanen üblich ist. Geht es aber darum, ein Porträt von der fast übermenschlichen Tugend einer Frau zu zeichnen, in farbigen Worten festzuhalten, wie sie sogar in ausweg-loser Lage sich selbst und ihren Grundsätzen treu bleibt, wird von dem Punkt an, wo die Exposition vollendet ist, die eigentliche Handlung belanglos. Mit den ein-leitenden Szenen, die vom Beginn der Liebe handeln, ist Markholds Rolle ausge-

---

[180] Ed. 1624, 152 — zit. nach Magendie, o. c. 196. Vgl. für die Liebesauffassung des D'Urféschen Werkes speziell: Egon Winkler, *Komposition und Liebestheorien der „Astrée" des Honoré d'Urfé,* Diss. Breslau 1930.

spielt, er kann von der Bildfläche verschwinden und handelt sozusagen nur noch
hinter den Kulissen, während Rosemund auf offener Bühne agiert. Markhold fungiert bloß als *agens*, damit sich die Vollkommenheit Rosemunds zeige[180a]. So ist
wohl auch seine Reflexion zu deuten, nachdem er Rosemunds Brief gelesen hat, in
dem sie von ihrer Entscheidung, sich ins Schäferleben zurückzuziehen, berichtet.
Zu ihrer Vollkommenheit, die sie als Idealbild haben soll, fehlt eben noch ein
wichtiges Element: „Er sahe si ver-zweifält, arg-wähnisch, libes-eiferig, und
doch auch beständig, dihnst-erböhtig und wider behärzt zu-gleich. Das eine
macht' ihm schmärzen und weh-leiden, das andere gahb ihm trohst und hofnung" (82). Dann folgt kurz darauf der im Wortlaut mitgeteilte Brief, dessen
Schlüsselstellung im Ganzen gezeigt wurde. Wenn Körnchen sagt: „Markhold
tritt mehr und mehr zurück"[181], entspricht das nur den Tatsachen. Was im Liebesroman ein Mangel wäre, ist im literarischen Porträt ein Vorzug: Alles Licht
fällt nur auf die Heldin, deren „Bild" herrlich und strahlend im ewigen „gedächtnüs" bleiben soll.

Liest man die AR als ein „portrait littéraire", befremdet auch der offene
Schluß nicht mehr. Denn dem Verfasser eines Porträts ist — wie oben betont
wurde — nicht der Lebenslauf als Folge von sich sukzessiv entwickelnden Ge-
schehnissen wichtig, sondern lediglich als eine Reihe von Momentaufnahmen, die
für das Wesen der Persönlichkeit charakteristisch sind und den Porträtierten ins
jeweils gewünschte Licht stellen. Selbstverständlich müssen die literarischen Por-
trät-Maler hier mit der Romantheorie in Konflikt geraten, wenn sie das ganze
Gewicht ihrer künstlerischen Bemühungen auf die Ausmalung seelischer Eigenart
legen und darüber die Handlung vernachlässigen; sollte doch am Ende ein die
Tugend krönender Abschluß stehen. Zesen ist in der deutschen Literatur der erste
gewesen, der sich um die ethische Forderung der Romantheorie offensichtlich
nicht gekümmert hat. In Frankreich sollte erst Madame de La Fayette mit ihrer
Princesse de Clèves (1678) endgültig mit dem Gesetz der literarischen Ethik auf-
räumen, „wenigstens so weit, als es nicht beim Abschluß der Romanhandlung die
Entscheidung über das Schicksal der Hauptfiguren beeinflußt", so daß die
Romane abschließen „mit einem großen Fragezeichen, ohne der dunkeln Zukunft
vorgreifen zu wollen"[182]. In dieser Hinsicht hat Zesen also — wenn man der hier
vorgetragenen Deutung zu folgen bereit ist — mit seinem „Roman" eine wichtige
Neuerung vollzogen, die — das darf nicht vergessen werden — nicht nur von
den Franzosen, sondern auch von den Holländern angebahnt wurde. Der erwähnte *Arcadia*-Roman von Heemskerck schließt genauso offen wie Zesens AR,
nur weniger tragisch, wenn auch deutlich elegisch, nämlich mit einer gereimten
„Minne-klachte" des Helden. Ob dieser traurige Held seine „schoone Rosemond"
für sich zu gewinnen gewußt hat, verrät uns der Autor nicht. Deshalb darf man
nicht ohne weiteres behaupten, daß Zesen den Tod seiner Heldin pietätvoller-

---

[180a] Es sei daran erinnert, daß Markhold von Sünnebald der „heiland und artst seiner tochter", der „mitler und wänder ihrer krankheit" genannt wird (224; man beachte
die religiös geladenen Begriffe).

[181] o. c. 87.

[182] Waldberg, o. c. 189 und 190.

weise verschwiegen habe oder ihn deswegen unerwähnt läßt, weil er „für den Tod der historischen ‚Rosemund' [. . .] kein literarisches Muster" vorgefunden habe, während doch andererseits gerade ihr Tod den Anlaß zum Schreiben des Buches bildet, wie Kaczerowsky will: „Der Tod der historischen ‚Rosemund' ist nichts mehr, aber auch nichts weniger gewesen als die notwendige Voraussetzung für die Verherrlichung ihrer Treue zu Markhold im Roman"[183]. Man würde meinen: ihre melancholische Krankheit würde dazu voll und ganz genügt haben. Das Buch endet mit Rosemunds Krankheit, zu weiteren Schlüssen gibt die AR keine Veranlassung. Selbst wenn das Schicksal sich zu ihrem Besten gekehrt hätte — im Leben der angeblich „historischen" Rosemund nämlich —, würde das an der Intention von Zesens Geschichte, so wie er sie gestaltet hat, nichts ändern. Ja man könnte sogar noch einen Schritt weiter gehen: Angenommen, man hätte in Rosemund eine historische Gestalt zu sehen, könnte gerade der Umstand, daß sie n i c h t gestorben wäre, Zesen dazu veranlaßt haben, im Buch ihren „Tod" gewissermaßen auszusparen. Zu der Erkenntnis, daß das Leben in der Wirklichkeit anders verläuft als in der Welt des Romans, in der sich hinter der Maske der agierenden Personen historische Gestalten verbergen, war man auch im 17. Jahrhundert schon gelangt. Das beweist etwa Heemskercks *Arcadia*. In der (nicht zustande gekommenen) endgültigen Fassung sollte Reynhert schließlich seine Rosemond heiraten[184]; in Reynhert hat man zweifellos den Autor selber zu sehen[185], in Rosemond Cunera van Luchtenburg, die sieben Jahre vor Erscheinen des Romans (1637) einen gewissen Daniel Lamijn heiratete (1630), während sich Heemskerck selber 1640 mit Alida van Beuningen verheiratete. Der Tod von Zesens Rosemund geht nicht aus der Geschichte selber hervor, sondern wird aufgrund von späteren Gedichten erschlossen.

Daß Rosemund außerhalb des Buches und noch vor Erscheinen der AR eine Rolle spielt, muß nicht unbedingt bedeuten, daß sie mehr war als eine nur-dichterische Gestalt. Zesen hat hier etwa der literarischen Mode folgen können: Dante hatte seine Beatrice, Petrarca seine Laura, Ronsard seine Cassandra, Montemayor seine Diana, Sannazaro seine Carmosina Bonifazio. Zesen scheint bemüht gewesen zu sein, Rosemund zu einer zweiten Laura emporzustilisieren. Diese Vermutung legen vor allem Rosemunds Worte in der *Helikonischen Hechel* (4 f.) nahe: „Ach! wie glüklich ist die seelige Laure/indem sie noch vor ihrem tode so einen geschikten Dichtmeister gefunden: welcher ihre hohe himmelstugend/nicht allein bei ihrem leben [. . .] geliebet; sondern auch [. . .] dem unvergänglichen buche der ewigkeit einverleibet [. . .]. O welche große ehre! o welch ein hohes glük!" Wenn der Dichter noch lange nach der Fertigstellung seiner AR die Schöne in Gedichten besingt, könnte das mit der Stilisierung dieser Frauengestalt zusammenhängen, die Kaczerowsky treffend als den „Rosemund-Kult" bezeichnet[186]. Daß

---

[183] Kaczerowsky, o. c. 115, 92 und 110.

[184] Wir sind darüber durch diesbezügliche Angaben im Nachwort zur 2. Ausgabe des Werkes unterrichtet: vgl. D. H. Smit, *Johan van Heemskerck 1597—1656*, Amsterdam 1933 (Diss. Utrecht), 141.

[185] Smit, o. c. 57 f. und pass.

[186] o. c. 114 ff.

sie darin als eine Gestorbene erwähnt wird, mag aus dem zeittypischen Kokettie-
ren mit der melancholischen Stimmung erklärt werden. Es gehörte übrigens auch
zur literarischen Konvention, den Tod der Geliebten zu besingen; in der petrarkistischen Lyrik wird nicht nur laufend geliebt, sondern auch laufend Abschied genommen und laufend gestorben. Petrarca selber war mit seinem Laura-Kult vor-
angegangen, auch für Heemskercks Reynhert ist der große Italiener darin vorbildlich[187]. Dieser Mode hatte Zesen auch in der *FrühlingsLust* gehuldigt, wo er
seiner verstorbenen Adelheit („O Adelheit mein Schatz") gedenkt: „Auff
die Seine/ da Sie verschieden" (III, Schlußgedicht). Was läge, in Anbetracht
der damals so beliebten literarischen Melancholie, die in der petrarkistischen
Tradition teils vorbereitet, teils vorgebildet war, näher als eine fortlaufende
Steigerung des besonders im Schluß der AR geweckten elegischen Tons in dieser
Richtung; eben im Zusammenhang mit dem Rosemund-Kult wäre das zu erwägen. — Es bleibt aber die Tatsache bestehen, daß Zesen sich in der AR dieses
Effekts nicht bedient hat. Kaczerowsky, der in seiner Studie mit erstaunlicher
Akribie den zeitlichen Verlauf der Geschichte zu rekonstruieren versucht hat,
kommt aufgrund seiner Berechnungen zu dem Schluß, daß der Dichter die „historische Chronologie" zugunsten der in der *Préface d'Ibrahim* geforderten Zeiteinheit (ein Jahr) geändert und auch aus diesem Grund den Tod der Heldin nicht
dargestellt habe: „Zesen muß an dieser Stelle wegen der Zeiteinheit abbrechen
und überläßt es jemand anderem, vom endgültigen Ausgang zu berichten"[188].
Dabei scheint übersehen zu werden, daß die Offenheit des Schlusses nicht
dadurch entsteht, daß Rosemunds Ableben nicht *dargestellt* wird, sondern daß es
nicht erwähnt wird. Mit Fug und Recht darf man den ersten Satz des letzten Absatzes (228) als den eigentlichen Schluß der Geschichte ansehen: „Solcher-gestalt
ward di wunder-schöne Rosemund ihres jungen läbens weder sat, noch fro, und
verschlos ihre zeit in lauter betrühbnüs" (228). Nichts hätte Zesen daran gehindert — auch die Beachtung der Zeiteinheit nicht —, hinzuzufügen: „bis sie kurz
darauf verstarb". Aber ihr Tod ist offenbar gar nicht (oder: noch nicht?) inten-
diert. Sollte es wirklich ein „Zufall" sein[189], daß der Dichter die Geschichte mit
Rosemunds Betrübnis ausklingen läßt, ohne auf den weiteren Verlauf ihres Lebens
einzugehen?

Zusammenfassend sei hier nochmals hervorgehoben: Wer die AR als einen
Roman ansieht, in dem es um den Lebensgang einer (historischen oder fiktiven)
Gestalt geht, wird den Schluß, wie immer interpretiert, als äußerst unbefriedigend
empfinden müssen und möglicherweise von einem kompositorischen Mangel oder

---

[187] „wel Reynhert! riep hy uyt, soudet u verdrieten, de schoone Rosemond, twintigh
Iaer in haer leven, en thien Iaer nae haer dood te beminnen, ghelijck Petrarca sijn lieve
Laura dede, als ghy verseeckert waert dat u min geen ommin soude veroorsaecken?
Neen, neen, (vervolghde hy al suchtende daer op) die tyd is eyndelijck, en mijn liefde
is oneyndelijck; dat is op voorwaerde, en ick min haer sonder voorwaerde" (ed. Smit,
25).
[188] o. c. 54. Der Vf. fügt ehrlichkeitshalber hinzu: „Eine solche Interpretation kann
natürlich nicht beweiskräftig belegt werden."
[189] Diesen Begriff verwendet Kaczerowsky (aaO) in diesem Zusammenhang.

gar von Fehlern und Entgleisungen sprechen wollen, es schließlich dem Dichter schwer anrechnen, daß er offenbar nicht imstande war, eine Erzählung zu Ende zu führen[190]. Diese Einwände dürften in erhöhtem Maße für einen Barockroman gelten, denn — von der topischen Forderung des exempelhaften Schlusses in der Romantheorie abgesehen — damals pflegte man das Leben eines Menschen ausschließlich von seinem Ende her zu beurteilen[191]. Wer dagegen in der AR den Versuch sieht, die neue Gattung des literarischen Porträts in der deutschen Literatur zu realisieren, wird am Schluß wenig auszusetzen finden; im Gegenteil: das Wesentliche ist gesagt, das Porträt ist fertig. Eine Erwähnung oder gar eine Darstellung des Todes der Heldin hätte den Blick von ihr weg zu Markhold und seinen obligaten Klagen abschwenken lassen, womit die intendierte Wirkung zerstört wäre. Gerade der Umstand, daß Markhold sich so sehr im Hintergrund hält und daß der Erzähler nach Rosemunds letzter, leidenschaftlich-schmerzlicher Klage (225/226) die Geschichte im nüchtern-berichtenden Ton abschließt, bestätigt die Interpretation des Buches als eines Porträts. Das Bild braucht nur noch abgerundet zu werden, der Rest kann sachlich-distanziert berichtet werden, — man denkt unwillkürlich an den Schluß von Goethes *Werther*.

So ist es kein leeres Wortspiel, wenn Der Aemsige sowohl in seinen Reimen wie in den begleitenden Zeilen so nachdrücklich das bildende Element der AR betont. Die traditionelle *ut-pictura*-Theorie wird hier von neuem und auf neue Weise fruchtbar gemacht. Mag Zesen auch mit dem Schluß seiner Erzählung den Forderungen, die man am Romanschluß zu stellen pflegte, nicht genügen, so ist doch die Rosemund-Geschichte, als Porträt einer vollkommenen Liebe, als Ganzes vorbildlich. Die AR ist ein Denkmal, das sowohl dem Andenken wie dem Nachdenken dient. Darin liegt — neben dem künstlerischen Wert, der dem 17. Jahrhundert alles andere als gleichgültig war — der moralische Wert und wohl auch der moralische Anspruch des Buches begründet. Das ist der Sinn hinter dem Bild, auf das die Bezeichnungen „träflich", „wäsentlich" und „selblich" (47) uneingeschränkt zutreffen.

VII

Zesens AR ist eine Hohe Schule der tugendvollen Liebe. Der Aemsige mißt ihr aber noch eine weitere Bedeutung zu, wenn er von den darin enthaltenen „räden" sagt: „dadurch ein höhfling recht und wohl würd aus-gezihrt". Damit fällt ein zweites Stichwort, das zum Verständnis der AR beitragen kann. Ebenso wie sich die Begriffe „träu-beständig" etc. leitmotivisch durch die ganze Geschichte hindurchziehen, so ist der Begriff „höhflich" gleichsam der rote Faden, der das Muster des Betragens aller Hauptfiguren bestimmt.

Damit wird zugleich der Bereich der Frauenzimmerlektüre verlassen, es wird eine weitere Bedeutungsschicht sichtbar, die ebenfalls auf unmittelbare Anregungen der Zeit zurückzuführen ist: die *politesse mondaine*. Zu Anfang des Jahrhun-

---

[190] etwa Körnchen, o. c. 84 („Fehler", „Entgleisungen") und 94/95.
[191] Für Belege vgl. F. van Ingen, o. c. (s. Anm. 123) 315 f.

derts begann das gehobene Bürgertum sich allseitig zu entfalten, und diese neue
Gesellschaft suchte für die Verwirklichung ihrer Tendenzen nach neuen Lebens-
und Umgangsformen. Daß man sich dabei am Hofleben und am Hofmann orien-
tierte, war in Anbetracht der sozialen Stellung dieser Gesellschaftsschicht nur selbstverständlich, selbstverständlich war es aber auch, daß man die Akzente anders
setzte. Man schuf sich eine Lebensform, die sich auf Höflichkeit („l'honnêteté")
aufbaut, und ein Persönlichkeitsideal, das sich mit dem Begriff des „gentilhomme" bezeichnen läßt. „L'Honnêteté", „gentilhomme" — schon die Bezeichnungen deuten an, daß die Impulse von Frankreich ausgingen. Hier waren, zwischen
1600 und 1643, die meisten Schriften entstanden — und zwar unter italienischem,
z. T. auch spanischem Einfluß —, die der „perfection du gentilhomme et l'honnêteté" dienten und die dazu beitrugen, daß sich die neuen Konventionen rasch
über ganz Europa ausbreiteten. In Frankreich erschien auch das klassische Lehrbuch, das Faret unter dem Titel *L'Honeste Homme* 1630 herausgab (eine deutsche
Übersetzung von Caspar Bierling erschien 1647: *Ehrliebender Welt-Mann*). Auf
die Bedeutung dieser Schriften für die Literaturgeschichte hatte 1921 schon Egon
Cohn hingewiesen — *Gesellschaftsideale und Gesellschaftsroman* —, als nur
wenige Jahre später die noch immer grundlegende Untersuchung von M. Magendie erschien: *La Politese Mondaine et les théories d'honnêteté, en France, au*
XVIIᵉ siècle, de 1600 à 1660 (1925). Was Cohn nur angedeutet hatte, wurde bei
Magendie anhand einer fast erdrückenden Materialfülle eindrucksvoll belegt: daß
es gerade die Romane und die kleineren epischen Gattungen waren, die der neuen
Lebensform zum Sieg verhalfen. Kein Autor, der auf der Höhe der Zeit war,
konnte sich dem Reiz des Neuen entziehen, . . . aber ebensowenig der Verpflichtung, den modischen Tendenzen in seinem Werk irgendwie Ausdruck zu verleihen. Mit ungeheurer Geschwindigkeit verbreitete sich das Höflichkeitsideal auch
in Holland, wo Zesen seine AR schrieb. Die *Batavische Arcadia* verkörpert,
mit Rosemond als strahlendem Mittelpunkt, das Ideal der vollkommenen
Liebe und der vollendeten Lebensform[192]. — Aber aus welchen Elementen setzten
sich die Begriffe „l'honnêteté" und „honnête homme" (oder „gentilhomme") zusammen? Die Frage ist nicht leicht zu beantworten, denn es sind äußerst komplexe Begriffe, die die Mitte halten zwischen „le sens moral et le sens mon-
dain"[193]. In den Romanen jedoch sind sie — das läßt sich verallgemeinernd
sagen[194] — meist auf die „conversation" und die „galanterie" bezogen, und man
darf Magendies Umschreibung für die Triebfeder hinter dem Auftreten des Gentilhomme ohne Einschränkung akzeptieren: „Le désir de plaire par l'extérieur est
la forme élémentaire, mais nécessaire, de l'instinct sociable, principe essentiel de la
vie mondaine"[195].

[192] Vgl. D. H. Smit, o. c. 61; Holland wird in der Arc. genannt: „een schouwburgh
van alle beleeftheyt en wel-leventheyt" (in der ergänzten Ausgabe).

[193] So Magendie, o. c. 469. Vgl. ebd. über Begriff und Verwendung der Bezeichnung:
467—473.

[194] Magendie, o. c. 469.

[195] o. c. 31.

Der Wunsch, in der Gesellschaft zu gefallen, läßt sich am wirkungsvollsten in Gebärden und Gesprächen realisieren. Die „Komplimentierbüchlein", die zu Sitte und Anstand anleiten wollten, orientieren sich denn auch hauptsächlich an diesen beiden Elemten: *Complementier-Büchlein/Darin Ein richtige Art unnd Weise grundförmlich abgebildet wird/wie man so wol mit hohen Fürstlichen als niedrigen Personen/auch bey Gesellschafften/Jungfrawen und Frawen Hoffzierlich conversiren/reden und umbgehen müsse.* So lautet der Titel eines im Jahre 1643 in Nürnberg herausgegebenen Komplimentierbuches; erfolgreich war vor allem Georg Grefflingers *Ethica Complementoria, das ist: Complementier-Büchlein* (1645, wiederholt neu aufgelegt), in dem ebenfalls die Verbindung zu den „zierlichen Geberden und Reden" gelegt wird. Harsdörffers *Frauenzimmer Gesprächspiele,* deren erster Band 1641 erschien, hebt in der Vorrede zur 2. Auflage von 1644 die Übereinstimmung mit den neuen Tendenzen in Umgang und Verkehr nachdrücklich hervor: „... daß ich [...] Anleitung geben wollen/und den Weg weisen/wie bey Ehr- und Tugendliebenden Gesellschaften freund- und fruchtbarliche Gespreche aufzubringen. [...] Eingedenk/daß gute Gesprech gute Sitten erhalten und handhaben ..."[196].

Harsdörffer rechnet offenbar mit der verwunderten Frage des Lesers, ob man einem „Frauenzimmer" so hohe Gedanken und Gesprächsgegenstände zumuten könne. Er entgegnet darauf, daß man früher wie heute „übertreffliches und Tugendberühmtes Frauenvolck" finde, — „absonderlich in Niederland ..."[197]. Tatsächlich waren in Holland die „querelles des femmes" längst entschieden. Johan van Beverwijck, dessen *Schat der Gesonthijt* und *Schat der Ongesonthijt* Zesen verdeutschte, ließ 1639 eine Schrift von der Vorzüglichkeit des weiblichen Geschlechts erscheinen: *Van de Wtnementheyt des Vrouwelicken Geslachts* (eine zweite Auflage erschien 1643). Zesen handelt denn auch in Übereinstimmung mit der herrschenden Sitte, wenn er — wie Baumgarten formuliert — der Frau „von allen seinen Zeitgenossen" eine „bessere Würdigung" zuteil werden läßt[198]. Dabei wird zu jener Zeit oft gesagt, die Frau sei ein besseres, vollkommeneres Wesen als der Mann, also gleichsam eine Vorwegnahme von Schillers Ansichten in seinem Aufsatz *Über Anmut und Würde* (1793)[199]. Ja es ist die Frau, so drückt es die *Astrée* aus, die den Mann „himmelan" ziehe: „Qui doutera [...] que Dieu ne nous les ait proposées en terre que pour nous attirer par elles au ciel"[200]? Der

---

[196] Blatt iij, im Ndr. Bd. I, 17.

[197] ebd.

[198] o. c. 81.

[199] „Man wird, im ganzen genommen, die Anmut mehr bei dem weiblichen Geschlecht (die Schönheit vielleicht mehr bei dem männlichen) finden, wovon die Ursache nicht weit zu suchen ist. Zur Anmut muß sowohl der körperliche Bau als der Charakter beitragen; jener durch seine Biegsamkeit, Eindrücke aufzunehmen und ins Spiel gesetzt zu werden, dieser durch die sittliche Harmonie der Gefühle. In beidem war die Natur dem Weibe günstiger als dem Manne."

[200] Zit. nach H. Bochet, *L'Astrée, ses origines, son importance dans la formation de la littérature classique,* Genève 1923, 61. Nicht uninteressant ist die Feststellung Beverwijcks, daß die „Godsaligheyt" eine vorzugsweise weibliche Tugend zu sein scheint: Ausgabe von 1643, 3. Tl., 16.

Gentilhomme vervollkommnet deshalb seine Tugenden im Umgang mit der Damenwelt[201]; es gehört sich denn auch, daß er die Liebe sucht: „le propre de l'homme
c'est de servir, de rechercher et d'adorer une belle maitresse"[202]. Die Liebe ist im
Barockroman, zumindest in der typisch barocken Gattung des Prüfungsromans,
nicht nur ein konventionelles Motiv: In der Liebe wird die Quintessenz menschlichen Zusammenlebens zusammengefaßt, durch sie führt der Weg zur Tugend[203].

Wie Zesen-Markhold dieser Forderung nachkommt, zeigt seine AR. Es begegnet
auf fast jeder Seite die Bezeichnung „höflich" in Verbindung mit Gesprächen und
längeren Reden. Die Höflichkeit gehört zu Rosemund wie ihre Tugend und
Treue. Sie empfängt die Besucher mit „sehr höflichen gebährden", sie weiß höflich zu reden und zuzuhören. Es ist bei ihr keine anerzogene, sondern eine einge-
borene Eigenschaft. Deshalb heißt es, als sie Markhold ungern abreisen sieht:
„aber der wohl-stand und ihre angebohrne zucht und höhfliche schahm wolten
ihr nicht so vihl gestatten, daß si sich däs-wegen gegen den Markhold beklaget
hätte" (225). Es ist denn auch selbstverständlich, daß sie bei den höflichen Gesprächen die führende Rolle hat. Nachdem Markhold seinem Freund die äußere
Erscheinung und die „Gebärden" seiner Rosemund beschrieben hat, singt er das
Lob ihrer Reden: „Ach! mein Fräund, wan ich ihm di klugen räden, di si
damahls mit solchen wohl-anständigen und färtigen gebährden so meisterlich
verschönern konte, daß man nicht wuste, ob man ehrst das gehöhr oder das gesichte gebrauchen solte, alle mit einander erzählen würde, so müst' er gestähen,
daß ich si noch nih-mahls nach würden geprisen habe. Wan si zu räden begunte,
so ward also-bald ein stil-schweigen unter uns allen, und ein ihder wahr begih-
rig zu hören, was dise Schöne führ-bringen würde. Nihmand wolte sich auch
unterstähen ihr in di räde zu fallen, wo si nicht ehrst eine guhte zeit stille ge-
schwigen hätte. dehr-gestalt, daß si meisten teils das wort führete, wiwohl si solches aus keinem führ-wüzz' oder unbedachtsamkeit tähte: dan sie verzog oftmahls eine guhte weile, und wolt' uns auch zeit lahssen, das unsrige fohr zu
bringen, aber nihmand wahr unter uns allen, dehr si nicht liber gehöret, als selbst
gerädet hätte" (56). Der Diener, der Markhold in Paris von seinem Besuch in
Rosemunds Schäferhütte Bericht erstattet, lobt zuerst die Schönheit der Schäferin
— er weiß, was sich gehört — und vergißt nicht, ihre Gespräche zu erwähnen:
„Ich kan meinem Hern nicht sagen, was dises schöne Wunder führ träfliche
nahch-dänkliche räden führete, [...] daß sich ihderman höhchlich verwundern
muste, und Hülf-reich ändlich gezwungen ward, solche träfliche höhfligkeit bei
ihrer gegenwart selbst zu erhöben: Welcher schähffer, (sahgt' er) o wunder-
schöne, und welcher mänsch hat ihmahls solch' eine über-aus-höhfliche schähfferin gesähen! wi glüksälig ist dise hehrde, di solch' eine schöne und solch' eine
verständige Hühterin hat" (95). An dieser Stelle wird auch deutlich, daß man die
„Prunkreden" als ein galantes Spiel auffaßte, als „Gesprächspiele": „Als si nuhn

---

[201] Vgl. Magendie, o. c. Tl. I, Kap. VI (88 ff.): „La Galanterie et les Dames".
[202] Astrée, ed. 1621, III, 411 — zit. nach Magendie, o. c. 199.
[203] Vgl. E. Cohn, o. c. 116: „Die Liebe wird zum moralischen Gefühl, [...] sie wird
entmaterialisiert und dafür vergeistigt."

noch eine lange zeit gehöhflet hatten, und dise prunk-räden kein ände nähmen wolten, in-dähm ein ihder das feld zu behalten gedachte, so brachte si Adelmund noch ändlich von einander, und sahgte mit lächlen zur Rosemund; Ich vermeinte, daß ich eine Schähfferin besuchen wolte, aber ich befünde, daß unter einer schähfferin tracht di aller-sünlichste und gnaueste höhfligkeit, di man auch am erz-königlichen hofe, unter däm Käserlichen Frauen-zimmer, zu Wihn kaum anträffen würd, verborgen lihgt" (96). Natürlich behauptet Rosemund das Feld! So ergeht es Markhold auch bei den Reden, die er mit Adelmund führt, noch bevor er Rosemund kennengelernt hat: „Dise wort-gepränge währeten eine guhte zeit; dan hatt' ich das meinige eingeworfen, so brachte si straks andere gegen-würfe; [. . .] dehrgestalt daß ich ändlich gezwungen ward, diser kluhg-sünnigen Jungfrau gewonnen zu gäben" (41). Nur im *Rosen-månd* ist Mahrhold etwas kühner, da kann der Pallas-Diener es sich erlauben, den Kampf unentschieden ausgehen zu lassen (*Rosen-månd*, 31). Die betreffenden (wichtigsten) Stellen wurden hier so ausführlich wiedergegeben, weil sich darin der Geist des Werkes wohl am deutlichsten ausdrückt. Es ist auch einleuchtend, daß die Gespräche im Barockroman einen so bedeutenden Platz einnehmen. Konzentriert sich doch die Galanterie um das Gespräch. Johan van Heemskerck hält in einem seiner Gedichte der Amsterdamer Jugend vor:

Tracht eere-soeckend volck, tracht Amsterdamsche Jeught,
Dat ghy wel-sprekens kunst en wijsheyd krijgen meught[204]

— in seiner *Arcadia* spielt die „Wohlredenheit" denn auch die Hauptrolle. In Frankreich war es nicht anders,[205] zu den großen Romanen der Scudéry bemerkt Magendie: „Ces grands romans contiennent [. . .], sous forme d'entretiens, un véritable cours de conversations à l'usage des honnêtes gens"[206]. Genau das kann man auch von Zesens *Rosemund* sagen. Charakteristisch ist die Stelle, die Markhold zeigt, wie er um die Gunst der „Böhmischen Gräfin" wirbt: „Ich hihlt mich anfangs so ein-gezogen in räden und gebährden, und nahm alle wort, di ich rädete, so g'nau in acht, daß ich dadurch schohn etwas gunst zu erlangen begunte. Nahch-mahls ward ich schohn kühner, und fing an mit aller-hand höhflichen prunk-räden zu schärzen; aber ich nahm mich nichts däs zu weniger so in acht, daß ich di Gräfin nuhr alle-zeit zur Fräundin behalten möchte. Lätslich kahm ich auch mit den gebährden dahr-zu, und belähbte gleichsam dadurch meine worte; ich begegnet' ihr alle-zeit mit solcher demühtigkeit, und doch zu-gleich auch mit solchen libes-reizerischen blikken, daß si gezwungen ward, selbige nicht alein an zu nähmen, sondern auch mit zweifachcher dank-bahrkeit zu erwidern. Si baht mich, daß ich ihr doch bis-weilen di ehre beweisen, und auf ihrem zimmer zu-sprächchen möchte. wohr-auf ich mich also-bald mit der aller-ersünlichsten höhfligkeit bedankte, und solcher hohen ehre vihl zu unwürdig schäzte, mit

[204] Zit. nach D. H. Smit, o. c. 158 Anm. 1.
[205] Vgl. Magendie über die Rolle der Gespräche: o. c. 246 ff., bes. 277: „Les personnages ont moins pour mission d'agir et de vivre, que d'épuiser toutes les formes possibles du bien dire."
[206] o. c. 684.

führwändung, daß ich solch-einem hohch-verständigen und höhflichen Fräulein, mit meiner grobheit und unhöflichen räden nuhr verdrühslich fallen
würde" (130/131). Das humoristische Gegenstück bildet die Werbung Wildfangs
um das Bauernmädchen, die „Wummel" (vgl. 141f.!): Sie stellt die Lächerlichkeit
dieser „lächcherlichen libe" erst unter Beweis, sie beweist auch, daß Wildfangs
„Honnêteté" nur äußerlich ist, ein dünner Firnis, daß er aber innerlich ein Gro-
bian ist und bleibt — und daher keinen Anspruch auf den Titel Gentilhomme
haben kann.

Dagegen verkörpert Markhold das Ideal des „honnête homme" voll und ganz.
Er ist gelehrt, aber er verbringt doch auch nicht den ganzen Tag in Gesellschaft
seiner Bücher; er wird von Mädchen und Frauen umworben, von den Freunden
geachtet; er weiß sich äußerst korrekt zu benehmen, er weiß zu unterhalten, er ist
„politisch", ist auf den Gebieten der Künste und Wissenschaften wohlbeschlagen,
er hat Zutritt zu den vornehmsten Häusern, er verkehrt mit größter Leichtigkeit
mit Ausländern, insbesondere mit ihrer weiblichen Spezies. Kurz: Er gefällt überall da, wo er auftritt, sein „désir de plaire" führt immer zum Erfolg, er ist ein
gerngesehener, von allen geschätzter Gast.

Auf den ersten Blick hat es den Anschein, daß in der AR die französische
Lebensform mit ihrer „politesse" und „galanterie" übernommen wurde, zugleich
mit der ihr zugrunde liegenden Lebensanschauung. Dem ist jedoch nicht so. Zesen
betont in der Vorrede, daß deutsche Liebesgeschichten, anders als die „wälschen",
nicht „alzu geil und alzu weichlich" sein sollten, „damit wihr nicht so gahr aus
der ahrt schlügen, und den ernsthaften wohl-stand verlihssen". Sein Tugendideal, das an der Gestalt der Rosemund entwickelt wurde, zeigt zur Genüge, wie
das gemeint ist; auch Markhold ist kein Flattergeist. Man wird darum die Freizü-
gigkeit in erotischen Dingen, an der in der gleichzeitigen französischen Romankunst kein Mangel ist, in der AR vergebens suchen. Die Treue, die „träu-deut-
sche" Beständigkeit, stellt Zesen den ausländischen Geschichten gegenüber, speziell den französischen, über die Magendie kurz und bündig urteilt: „L'incon-
stance était à la mode"[207]. Auch Zesens AR ist ein „manuel de l'amour" und ein
„manuel de savoir vivre" — aber auf „treudeutsche" Art. Markhold ist denn
auch kein Sklave seiner Leidenschaften und Gefühle, er weiß sich zu beherrschen. Darin ist ein Abrücken von D'Urfé zu sehen. Der schmachtende Céladon
zieht sich in die Wildnis zurück, als er die geliebte Astrée nicht bekommen
kann. Eine solche Haltung war Zesen wohl zu „weichlich", er läßt seinen
Helden einen betont männlichen Standpunkt einnehmen, der sich am Maßhalte-
prinzig der Zeit [207a] orientiert. Der in Anlehnung an die AR entstandene Roman
von Johann Joseff Bekkh, die *Elbianische Florabella* (Dresden 1667), zeigt in
vergröberndem Maßstab Zesens Standpunkt: „Geschiht es ja daß zwey Tugend-
hafte Gemüther doch nicht durch die Verhengnüß Gottes mögen vereinigt wer-
den/so laße man es viel lieber gehen/als daß mā es mit Gewalt mit einer oder der
andern List zuwegē wolte bringen. [. . .] Wir müßen die Liebe auch nicht Mei-

---

[207] o. c. 93.

[207a] Vgl. dazu neuerdings: Dieter Kafitz, *Lohensteins ,Arminius'*. Stuttgart 1970,
129 ff. Man siehe vor allem *Lustinne*, Vs. 307—316!

ster seyn laßen/sondern das/was nicht seyn kan/willig verschmertzen" (Vorrede).
Markhold resigniert und setzt seinen Weg fort, den ihm die Tugend weist; deshalb zieht er in die Welt hinaus. So heißt es in „Des Markholds Ticht-schreiben
an seine Frau Mutter" (29), daß ein „wohl-behärztes härz" hinausziehen müsse,
alles „blöde-sein" zu meiden habe, „wo anders sein gemüht und härz wül tapfer
sein/nicht weibisch und verzagt". Das Abschiedslied an Felsensohn, das unmittelbar vorangeht, faßt den Gedanken noch deutlicher (27, Str. 11):

> Weich- und weiblich-sein gezihmt
> einer Jungfer und den Weibern;
> aber dehr sich mänlich rühmt,
> muß nicht kläben an den leibern,
> di nahch ehr und ruhm nicht gähn,
> und im schwachchen Volke stähn.

Darin, wie in Markholds „Courtoisie", klingt vielleicht etwas von der idealistischen Gesinnung des mittelalterlichen Ritters nach[208], aber mehr noch drückt sich
darin das humanistische Ruhmstreben aus. Ritterhold von Blauen ist kein Galan,
kein „welscher Weichling", der sich mit seinem Liebesglück und Liebesleid in die
Privatsphäre zurückzieht: Er ist ein Mann von Welt, oder, wie man damals das
„honnête homme" übersetzte: ein Welt-Mann.

In diesem Zusammenhang ist auch der soziale Anspruch der AR zu berücksichtigen. Abweichend von den höfisch-galanten Romanen ist die Rosemund-
Geschichte vor allem darin, daß Geschehen und Gestalten völlig unpolitisch und
ganz privat sind. Man hat Zesens Werk u. a. deswegen mit den sog. Individualschäfereien verglichen, d. h. mit ausgesprochen „privaten" Geschichten[209]. Für
die nicht-höfische Lebenssphäre hatte man die Bezeichnung „bürgerlich" schnell
zur Hand, allzu schnell. Man hat zweifellos recht, wenn man diesen Begriff für
viele, vom großen repräsentativen Barockroman abweichende Werke verwendet.
Aber es fragt sich doch, ob „bürgerlich" die einzig in Frage kommende Alternative ist. Kaczerowsky steht ausdrücklich auf diesem Standpunkt, gerade in bezug
auf die AR: *Bürgerliche Romankunst im Zeitalter des Barock* nennt er seine
Rosemund-Studie. Er zitiert zustimmend — oder doch mit nur leisen Reserven —
die Worte, mit denen A. Hirsch seinerzeit den gesellschaftlichen Hintergrund der
nicht-höfischen Werke des Barock skizziert hat: „ . . . sie zeigen einen Menschen-
typ von anderer seelischer Struktur: unhöfische Menschen, unhöfische Schicksale,
unhöfische Seelenlagen." Es fehle hier „vor allem die ethische Stilisierung des
Lebens, die das Kennzeichen der höfischen Kultur ist; es fehlt das höfische Ethos
und damit auch die für diese Kultur entscheidende menschliche Haltung"[210]. Aus

[208] Nur insofern ist Obermanns Parallele zur mittelalterlichen Geisteswelt zuzustimmen: o. c. 3 ff. („Ein Versuch, Sonderart dieser Welt an hochmittelalterlichen Begriffen zu verdeutlichen").
[209] So hat z. B. H. Meyer in seiner Studie über den *Deutschen Schäferroman des 17.
Jahrhunderts* (1928) die AR ausführlich gewürdigt; auch Kaczerowsky stellt die AR in
die Tradition dieser Gattung: o. c. 10 ff.
[210] A. Hirsch, *Bürgertum und Barock im deutschen Roman. Ein Beitrag zur Entste-
hungsgeschichte des bürgerlichen Weltbildes* (1934), 2. Auflage bes. von H. Singer,
Köln/Graz 1957, 92.

der in diesem Beitrag zur Diskussion gestellten Interpretation der Rosemund-Figur und ihrer Lebenssphäre erhellt, daß man mit der simplifizierenden Antithese höfisch-bürgerlich nicht auskommen kann. Die höfische Welt und die neue bürgerliche sind im 17. Jahrhundert nicht grundsätzlich getrennt, der Hof gab mit seinem zeremoniellen und streng geregelten Lebensformen den Ton an: „Denn die internationale höfische Bildung wird Grundlage der bürgerlichen"[211]. Was sich in der Literatur der Zeit bis Chr. Weise an bürgerlichen Formen und Ideen niederschlägt, ist allenfalls ein kaum hörbares Präludieren auf das 18. Jahrhundert. Allerdings ist es überdeutlich, weshalb Kaczerowsky den Ansichten von Hirsch beipflichten muß: Er betrachtet die Geschichte der Rosemund nach wie vor als eine autobiographische und nimmt die Stilisierungen — die er gleichsam am Rande erwähnt — mit in Kauf. Das ist aber die einzige Konzession, die er gegenüber Hirsch zu machen bereit ist, bei dem es vom höfischen Roman im Unterschied zum „unhöfischen" (i. e. Schäferroman) heißt: „Er ist nicht Darstellung der Wirklichkeit, sondern Aufforderung an die Wirklichkeit. Die Schäferromane dagegen sind Erlebnisdarstellung"[212].

Aber genau das, was hier vom höfischen Roman gesagt wird, nämlich daß er nicht Darstellung der Wirklichkeit, sondern eine Aufforderung an sie sei, darf mit vollem Recht von Zesens AR gesagt werden. Es ist ein idealisiertes Porträt — wie immer die wohl oder nicht vorhandene Wirklichkeit dahinter ausgesehen haben mag —, in der AR ist die „ethische Stilisierung des Lebens" mit Händen zu greifen. Herausgehoben, hochgestellt werden z. B. schon die Personen in bezug auf ihre soziale Stellung: nicht bürgerlich, sondern ausgesprochen aristokratisch. Das muß auch Kaczerowsky zugeben, wenn auch in einer für seine Ansicht bezeichnenden Formulierung: „Durch die erdichteten Namen wird der unmittelbare Bezug zur biographischen Wirklichkeit aufgegeben zugunsten einer eigenständigen künstlerischen Wirlichkeit"[213]. Das trifft ausnahmslos für alle in der AR auftretenden Personen zu, aber natürlich in erster Linie für die beiden Hauptgestalten. Markhold (oder „Mahrhold" im *Rosen-mând)* ist zweifellos eine Verdeutschung für Philipp, d. i. Philipp von Zesen. Aber der Name wird hier nicht in der eigentlichen Bedeutung („Pferdefreund"), sondern in der übertragenen („Ritter") verstanden, so daß Ritterhold von Blauen derselbe ist wie der Held des Romans (in der lateinischen Form *eques* — Reiter/Ritter — treffen beide Bedeutungen zusammen). Und so haben auch die Zeitgenossen es empfunden. Rist verspottet Zesen als den „Junker Sausewind", der „sogar durch öffentlichen Druck sich equitem strenuum et nobilissimum, einen hochedlen und gestrengen Ritter selber genennet"[214]. Tatsächlich pflegten die Mitglieder der Deutschgesinnten Genossenschaft Zesen in ihren Ehrengedichten so anzureden. Markhold, der „von träu-deutschem geblüht' entsprossen" ist (12), wird noch zum Sproß eines uradligen Geschlechts emporstilisiert, wenn Rosemund von sei-

---

[211] E. Cohn, o. c. 78. Deshalb irrt Baumgarten, wenn er sagt (o. c. 125): „Zesen mußte seinen höfischen Stil vom bürgerlichen Lebensbereich aus gewinnen."

[212] Hirsch, aaO

[213] o. c. 13.

[214] *Friedejauchzendes Teutschland,* Nürnberg 1653, 1. Zwischenspiel.

nem Namen sagt, daß ihn „Rohm schohn fohr so vielen hundert jahren gekännet hat“ (105). Auch Rosemund ist „aus hohem bluht’ entsprossen“, ihr Vater hatte ein hohes Amt inne, sein Haus ist das eines vornehmen Patriziers. Die ganze Lebenswelt in Sünnebalds Haus ist die patrizisch-aristokratische, es herrscht eine Geselligkeit, in der sich die „politesse mondaine“ verwirklichen kann. Vielleicht noch deutlicher als in der AR kommt das im epischen Rahmen des *Rosen-månds* zum Ausdruck: Feste, Komplimente, Galanterie und gelehrte Gespräche bestimmen die Szene. Rosemund hält sich vorzugsweise im Garten auf: Das ist der idealtypische Ort, wo die blühenden Rosen, Lilien, Tulpen und Narzissen zu einem Vergleich mit der Schönheit der Dame einladen, wie ihn Zesen zuvor in der *FrühlingsLust* (III, Nr. 9; VI, Nr. I) dargestellt hatte. Das traditionelle Thema kehrt denn auch in der AR wieder (124/125). Was spielt sich im Barockroman nicht alles im Garten ab[215]! Es ist denn auch nicht angängig, die Gartenszenen in der AR im Zusammenhang mit der wohl aus dem spätgriechischen Roman stammenden Sitte der Beschreibung von Kunstwerken im Epos zu sehen[216]. Der Garten gehört zur Szenerie von Rosemunds vornehmer Umgebung, wie der Garten überhaupt aus dem Bild dieser verfeinerten Kultur mit ihrer prachtliebenden Architektur nicht wegzudenken ist[217].

Dasselbe gilt für den Brunnen, der den Garten in der AR schmückt. Zesen braucht ihn nicht unter dem Einfluß der Brunnen im *Ibrahim Bassa* der Scudéry geschildert zu haben[218]: „Und dieweil eines Garten Seehl ist die Wasserspil und Prinnen, so sollen unsere Garten reichlich, das ist übermäßig mit Prinnen begabet und geziehret sein...“, schreibt der österreichische Fürst Lichtenstein in seinem Gartentraktat[218a]. Da sehen wir denn auch Rosemund, wie sie am Brunnen sitzt: „wihr wärden si gleich bei einem brunnen anträffen, da si sich in ihrer einsamkeit [...] so erbärmlicher weise beklaget“ (104) — „Dan es mus ein-ihder bekännen, daß solche und dehr-gleichen wasser-künste denen-jenigen, di den büchern obligen, bis-weilen sehr wohl zu statten kommen, und di abgemärgelten sünnen wider von näuem erfrischen und beläben.“ (190). Hier treffen wir sie an, die zarte Jungfrau, im Garten, wo sie sich „mit ihrer lauten ganz aleine befand, und dem sprüng-brunnen zu-sahe“ (61), — denn auch die Beherrschung der Musik gehört zum Bild der à-la-mode erzogenen Frau. Deswegen erklärt der Musiker-Dichter Wolfgang Caspar Printz in seiner *Historischen Beschreibung der edelen Sing- und Kling-Kunst* (Dresden 1690): „... daß [...] durch einen/so auff der Cithar zu spielen weiß/ein weiser/und mit allen Wohlanständigkeiten gezierter

---

[215] „Hier ist der Platz für die Spiele, deren Hauptmotiv das ‚Sich-Verlieren und auf schwierigen Umwegen Wiederfinden‘ ist, der Platz für die Liebesabenteur der damals überraffinierten Gesellschaft. Der steife barocke Garten verlegte sie in diese Verborgenheit, wie man in einem geweihten Raum ein nicht entsprechendes Gehaben in Heimlichkeit und Verstecktheit verbannt“: Erika Neubauer, *Lustgärten des Barock*, Salzburg 1966, 73.

[216] So etwa Eb. Lindhorst, o. c. 97 ff.

[217] Vgl. W. Flemming, *Deutsche Kultur im Zeitalter des Barock* (Handbuch der Kulturgeschichte), ²Konstanz 1960, 257 ff., 268 ff., 350 ff.

[218] So Kaczerowsky, o. c. 67.

[218a] Zit. nach Erika Neubauer, o. c. 46.

Mensch ist angedeutet worden: Da man hergegen einen/der gar kein Belieben an der Music gehabt/entweder für einen unempfindlichen/oder einen solchen Menschen gehalten/der einen übel übereinstimmenden und wiederwertigen Geist hätte"[219]. Die himmlische Kunst der sinnenberückenden Musik wurde im 17. Jahrhundert hoch gelobt, kein Wunder, daß man ihr in puncto Liebe wunderwirkende Kraft zuschrieb: „Amor docet musicam", „Musica multis est incitamentum amoris", so oder ähnlich lauteten viele Wahlsprüche von Collegia musica der Zeit[220]. Die zarte Laute spielte dabei die Hauptrolle. Das Gedicht über die „süße Laute" des Jacob Cats weiß von der süßen Freude zu berichten, dem heimlichen Segen, der auf unbekannten Wegen in die Seelen herniedersteigt:

> Daer is een soete vreught, een heymelijcke zegen,
> Die op de zielen daelt, door onbekende wegen[221].

So ist auch die Wirkung zu verstehen, die „ein überaus lihbliches lautenspihl" auf Markhold ausübt, welches ihn gleichsam gahr entzükte": „ . . . ich wuste nicht ob ich bezaubert . . .", bis Adelmund ihn zu Rosemund geleitet — „und führete mich in den garten, da wihr zu einem überaus-schönen Lust- und sprüng-brunnen gelangten" (42). Es ist der Beginn — der charakteristische Beginn! — der Liebe; auf fünf Kupfern der Originalausgabe finden wir die Laute neben Rosemund dargestellt als ein sie auszeichnendes Attribut[222]. Neben „der Rosemund verblühmten räden" (60) ist es ihr Lautenspiel (das sie Markhold „zu ehren gespilet": 24), wodurch das Mädchen ihre Liebe zu erkennen gibt. Es gibt ein „öffentliches" Auftreten der Rosemund, das ihre vollendete Tugend und ihre vollkommene Liebe eindrucksvoll in Erscheinung treten läßt, es gibt aber auch das stille, „private" Beisammensein am idealtypischen Ort des Gartens mit dem rieselnden Brunnen und der flüsternden Laute, das sie als das Idealbild einer stillen, zartliebenden Frau zeichnet, — „Di wasser-strahlen, wi mich dauchte, stigen immer höher und höher, und ih mehr ich si sahe, ih stärker si riselten. Rosemund nahm ändlich di laute, damit si ihren lihblichen klang mit däm stamrenden gemürmel und lihblichem geräusche däs wassers vermählete" (62). Aber ob „öffentlich" oder „privat": Vor unseren Augen ersteht das Bild einer jungen Frau und ihrer Lebenswelt, wie sie weniger realiter als idealiter existiert. Es ist die stilisierte Gesellschaft der „honnêtes gens", in der die „politesse mondaine" das alles bestimmende, alles beherrschende Leitbild ist. In einer solchermaßen von der „honnêteté" gekennzeichneten Welt bewegt sich auch Markhold graziös, der vollendete „gentilhomme": „Ich neugte mich, dem wälschen gebrauche nahch, führ ihr zur ärden nider, ihren flügel-rok zu küssen, und baht si üm verzeuhung, daß ich so verwägen sein dürfte, ihre vihlleicht anmuhtige gedanken zu verstöhren" (61).

---

[219] 175/176, zit. nach dem Faksimile-Nachdruck, hsg. v. O. Wessely, Graz 1964.

[220] E. Rebling, *Den Lustelycken Mey. Muziek en Maatschappij in de Zeventiende Eeuw in Nederland*, Amsterdam/Antwerpen 1950, 85.

[221] Aus dem Gedicht „De luyt, de soete luyt" (in: *Sinne- en minnebeelden*, 1618).

[222] Allzu einseitig erklärt Kaczerowsky (o. c. 109): „Rosemund ist solchergestalt als die Muse von Zesens sangesfreudigem Freundeskreis zu erkennen."

Unhöfisch ist diese Welt, aber ebenso unbürgerlich. Vielleicht wird das am ehesten deutlich, wenn man die Rosemond aus Heemskercks *Arcadia* mit der Rosemund aus Zesens Werk vergleicht. Reynhert, Markholds Gegenstück, fleht das Schicksal an, es möge seine Geliebte umstimmen, damit die Sonne ihrer Höflichkeit („Son van uwe beleeftheyt") auch ihn bescheine — bis ihn bei Tische das Glück unverhofft überrascht, „als Rosemond hem, met een heel vriendelijck opsicht, het hoofd van een gesoden snoeck (eines gesottenen Hechtes) voordiende . . ."[223]. In Heemskercks Geschichte wird im einzelnen eine durch und durch bürgerliche Gesellschaft geschildert, trotz aller Idealistik im Ganzen. In der AR erscheint aber nur die aristokratische beau monde der Zeit, und auch sie nur insofern, als ihre Kultur den Hintergrund bildet, vor dem das idealisierte Porträt der Rosemund gemalt werden kann. Hier hatte Heemskercks Roman Zesen keine Anregung geben können, vielleicht aber wohl in anderer Hinsicht.

VIII

Ist die AR kein Roman im üblichen Sinn, wird man die Frage stellen müssen, welche Rolle dann hier die „Abenteuer" sowie die Einlagen, die lyrischen wie die epischen (die „Novellen" und die gelehrten Exkurse), spielen. Es wird angesichts der im Anfang dieses Aufsatzes erwähnten Mehrdeutigkeit nicht überraschen, daß die Antwort keine eindeutige sein kann. Markholds wiederholte Abschiede isolieren die Heldin immer mehr, so daß man sagen kann, er weckt die in ihr schlummernden Tugenden erst zu vollem Leben, damit sich, Zug um Zug, das Porträt vervollständige. So sind die „Abenteuer" (Markholds Reise nach Frankreich) an erster Stelle eine Prüfung der Heldin, eine Prüfung des Helden sind sie eigentlich nur nebenbei, weil dieser für das Porträt lediglich eine nebensächliche Rolle spielt. Andererseits wird der Leser durch die Schilderung der Pariser Gesellschaft mit der Kultur der großen Welt bekannt gemacht; sie bildet die notwendige Ergänzung zu der privaten Lebenssphäre in Sünnebalds Haus. In diesem Teil der Geschichte spielt Markhold als Gentilhomme die Hauptrolle. Außerdem haben die Pariser Erlebnisse noch eine weitere Funktion. Sie zeigen das verkehrte Spiegelbild (Duell-Episode) des Rosemund-Porträts. Zugleich wird durch die „Abenteuer" die drohende Monotonie des Porträts verhindert, sie tragen zur Abwechslung und Auflockerung bei.

Letzteres wird auch durch die novellistischen Einlagen bewirkt. In diesem Sinn, nämlich als unterhaltsame Partien in der lockeren Form einer Erzählung im Rahmen einer ereignisreichen, spannenden Haupthandlung, sind sie gattungshaft vorgeprägt im französischen Roman seit D'Urfé. Aber sie gestatten es dem Dichter auch, das Unterhaltende mit dem Belehrenden zu verbinden, denn bloße Unterhaltung sind diese „Novellen" keineswegs. Gegenüber Kaczerowskys Ansicht von einer „ganz besonders auffälligen Partikularität" dieser eingeschobenen Erzählungen[224] ist daran zu erinnern, daß jede von ihnen in charakteristischer Weise

[223] ed. Smit, 27 und 123.
[224] o. c. 60 ff.

jeweils eine Seite des Porträts beleuchtet. — Die lyrischen Einlagen — wozu Zesen
Anregungen aus der deutschen Schäferdichtung erhalten haben könnte — lockern
das Ganze noch weiter auf, ebenso wie die galanten Briefe und die Gemäldebeschreibungen, auch diese ein wichtiger Bestandteil des französischen Romans.
Aber sie zeigen auch wieder die Gewandtheit des auf allen Gebieten gleich gut
beschlagenen Gentilhommes. Sie dürfen deshalb nicht ausschließlich als Belege für
die Interpretation der AR als eines „autobiographischen Künstlerromans" gewertet werden[225]. Ein französischer Anonymus sagte von Guilleragues, dem mutmaß-
lichen Verfasser der berühmten *Lettres portugaises:* „Il a beaucoup d'érudition, il
fait très bien les vers, aussi bien que les lettres amoureuses"[226]. Die Fähigkeit,
Verse zu machen und galante Briefe zu schreiben, zeugten von einer guten Erzie-
hung, sie waren eine conditio sine qua non für den Gentilhomme. — Schließlich
sind die größeren gelehrten Exkurse — die Ausführungen über Venedig und die
deutsche Geschichte — näher zu betrachten. Sie waren von jeher dem Zesen-For-
scher ein Dorn im Auge. Vom Standpunkt des 17. Jahrhunderts waren sie im
Roman jedenfalls keine störenden Fremdkörper, sie gehörten ebenso wie die
mythologischen Ausführungen, Gemäldebeschreibungen etc. zum Wissensstoff, den
der Romanautor zu vermitteln hatte[227]. Es sollte außerdem nicht übersehen werden, daß der Dichter sich eben durch diese Gelehrsamkeit als *poeta doctus* ausweist und daß sie, da die profunden enzyklopädischen Kenntnisse den agierenden
Personen in den Mund gelegt werden, die Idealität der Figuren erhöhen.

Zesen hat sein Porträt mit allerhand Elementen ausgestattet, die vorwiegend
aus der Tradition der französischen Erzählkunst stammen, zum Teil auch auf
deutsche Einwirkungen zurückzuführen wären. Eberhard Lindhorst drückt es so
aus: „Soviel Erlebnisgehalt das Werk auch besitzen mag, in keinem anderen
Roman Zesens finden sich so viele Parallelen zu anderen dichterischen Werken
wie hier"[228]. Aber wichtiger dürfte der Umstand sein, daß Zesens Geschichte in
der Gegenwart spielt, was im Barockroman in Frankreich und (später) in
Deutschland relativ selten der Fall ist, daß — und dies ist in der Gattung des traditionellen Romans nicht vorgebildet — die Personen aus der nichthöfischen,
wenn auch aristokratischen Gesellschaftsschicht stammen, daß sich schließlich das
Geschehen topographisch „genau" bestimmen läßt. Für den sozialen Stand wie
für die Verlegung des Geschehens in die Gegenwart hat man deshalb auf die sog.
Individualschäfereien hingewiesen. Aber es wurde schon gesagt, daß von dieser
Gattung kein Weg führt, und nicht führen kann, zu dem von idealistischen Konventionen geprägten Rosemund-Porträt, das so deutlich vorbildlichen Charakter
hat. Vielleicht kann hier die Erkenntnis weiterhelfen, daß die eigentliche „Rose-
mund-Welt" durch die Namen der Personen auf zwei Kulturen hinweist. „Sünnebald" ist deutlich dem „Sinibalde, Comte de Lavagne, chef de l'Illustre famille

---

[225] Vgl. oben Anm. 117.
[226] Zit. nach der Einleitung in F. Deloffres Ausgabe des Werkes, Paris 1962, 23.
[227] Vgl. Magendie, o. c. 238 ff., spez. in bezug auf die AR: Kaczerowsky, o. c. 63—65.
E. Cohn, o. c. 71: „Ein ungeheurer Wissenshunger ist ein Symptom dieser Epoche, eine
Neugier, alles zu wissen, eine Bereitwilligkeit, alles aufzunehmen."
[228] o. c. 105.

des Fiesques" aus dem *Ibrahim Bassa* (I, 165) der Scudéry nachgebildet. Er verweist nach Frankreich, kompositorische und motivische Elemente der AR weisen, wie schon oft und überzeugend dargetan wurde, in die gleiche Richtung. Der Name der Heldin aber ist sicher holländischen Ursprungs. Die bekannte Sammlung *Den Bloem-Hof van de Nederlantsche Ieught* (1608) enthält mehrere Gedichte auf eine holländische Schöne dieses Namens, Justus de Harduwijn veröffentlichte 1613 seine weltliche Lyrik unter dem Titel *De weerliicke Liefden tot Roose-mond,* in P. C. Hoofts Gedichten begegnet der Name sehr häufig, auch Jacob Cats bedient sich in den *Sinn' en Minnebeelden* (1618) des modischen Namens. Jacob Westerbaen ersetzt in seiner freien Übertragung der *Basia* des Johannes Secundus die antike Neaera durch die holländische Roosemond. Als der Moralschriftsteller Justus van Effen in der 2. Hälfte des 18. Jahrhunderts die Helden und Heldinnen der romantischen Geschichten aufzählt, die bei früheren Generationen beliebt waren, findet man selbstverständlich neben den Cyrus, Pharamond, Clelia, Cassandra und Cleopatra auch Rosemond wieder[229]. Schließlich ist eine Rosemond die Heldin der *Batavische Arcadia* von Jacob van Heemskerck.

Heemskerck beabsichtigte, mit seiner *Arcadia* den ersten holländischen Prosaroman zu schreiben, nach dem Vorbild der *Astrée.* Er gab dem Drängen seiner Freunde nach und ließ 1637 eine vorläufige Fassung erscheinen: *Inleydinghe Tot het ontwerp van een Batavische Arcadia.* Das Buch war bald vergriffen, so groß war die Nachfrage, daß der Verfasser gleich daranging, die vollständige Arcadia, wie sie ihm vorschwebte, fertigzustellen. Unter der Hand jedoch bekamen die gelehrten Partien die Oberhand, und das Büchlein trug, als es zehn Jahre später als *Batavische Arcadia* erschien, einen ganz anderen Charakter. Aber die erste Fassung, die vom lesehungrigen Publikum verschlungen wurde, ist gerade für Zesens AR von Interesse. Hier werden die Schauplätze der Handlung genau beschrieben (Den Haag, Den Deyl, Valkenburg, Katwijk, Wassenaar), das Haus Rijnvliet, in dem Rosemond wohnte, existierte in der Wirklichkeit, das Geschehen spielt in der unmittelbaren Gegenwart[230]. Der Erfolg war auch in der literarischen Welt so groß, daß es zahllose Nachahmungen dieses Buches gab, bis ins 18. Jahrhundert hinein[231], wobei allerdings das belehrende Element immer mehr in den Vordergrund trat. Das Urbild aller holländischen Arcadia-Dichtungen, Heemskercks Büchlein von 1637, bestimmt aber die Form, die sie alle mehr oder weniger deutlich ausgeprägt beibehielten: Ein örtlich und zeitlich fixierbares Geschehen, verbunden mit schäferlichen Episoden; dazu lyrische Einlagen, Gemäldebeschreibungen, Briefe etc., besonders auch Abhandlungen über die Geschichte des Landes, wobei die nationale Einstellung die Regel ist. Auf diese Weise erfüllt Heemskerck die Forderungen der Gesellschaft seiner Zeit an den Roman, ein „ouvrage d'érudition" zu sein[232]. So beschließt der Verfasser seine Vorrede „Aende Hollantsche

---

[229] *De Hollandsche Spectator,* 1756, Nr. 211.
[230] Wie übrigens auch Rodenburgs *Trouwen Batavier* (1617), der das Geschehen in Leiden und Den Haag ansiedelt.
[231] Vgl. die Liste in Jan Ten Brink, *Romans in proza,* Leiden o. J., 292 ff.
[232] Vgl. Magendie, o. c. 165 ff.

Jonkheyd": „En soo sult ghy eyndelijk, onder 't soet van Minne-praetjes, al spelende komen tot kennisse van uwe Vaderlandsche gelegentheden"[233]. Es ist das erste Mal in der holländischen Literatur, daß in der modischen Form eines Schäferromans neben Eros und Aphrodite die Pallas gefeiert wird[234], wie es in der deutschen Literatur zum ersten Mal in Zesens AR geschieht. In Anlage und Idee weisen beide Werke so viele gemeinsame Züge auf, daß es nicht von vornherein als unwahrscheinlich gelten muß, daß Zesen in Holland, wo er sein Werk verfaßte, wichtige Anregungen aus dieser Richtung erhielt. Wenn die AR in der deutschen Literaturgeschichte auch eine Sonderstellung einnimmt, so ist zu bedenken, daß sie sich ohne große Mühe in die Literatur des Landes einordnen läßt, das den Schauplatz der wichtigsten Begebnisse bildet. — Aber eben im Vergleich damit läßt sich auch feststellen, daß Zesens Werk nicht nur anspruchsvoller, sondern vor allem auch tiefgründiger und künstlerisch wertvoller zu nennen ist. Zesens Dichtung weist einen Beziehungsreichtum auf, der völlig barock ist. Zugleich weist sie durch die der französischen Literatur entlehnten Schilderungen von überfeinerten Empfindungen in die Zukunft. In der französischen Literatur sollte La Fayettes *Princesse de Clèves* die hier angebahnte Entwicklung vollenden: In diesem sentimentalen Roman kat'exochen werden die schmerzlich-wonnigen Reize des Liebesleids voll ausgeschöpft. Die deutsche Literatur sollte erst im folgenden Jahrhundert in Gellerts *Leben der schwedischen Gräfin von G. (1747)* Zesens Ansätze weiterführen, um sie in Goethes *Werther* gipfeln zu lassen. Mit Recht hat man deshalb die AR an den Anfang dieser Entwicklung gestellt[235]. Aber die unleugbaren Übereinstimmungen sollten nicht darüber hinwegtäuschen, daß zwischen der „Empfindsamkeit" der AR und der der Goethezeit wesentliche Unterschiede bestehen. Zesens Werk ist nicht ohne weiteres „der Ausdruck eines empfindsamen Menschen in einem noch [. . .] unempfindsamen Jahrhundert"[236]. Mit solchen vereinfachenden Verallgemeinerungen tut man dem Dichter zuviel Ehre, rückt aber sein Werk in ein schiefes Licht, weil man es unter einem unangemessenen Aspekt betrachtet. Hier hat Egon Cohn die Dinge bereits richtig akzentuiert, als er das Streben nach psychologischer Vertiefung, wie es sich seit Zesens AR im Barockroman bemerkbar macht, in Zusammenhang mit der leitenden Idee des Werkes betrachtet wissen wollte[237]. Und so läßt sich Rosemunds Empfindsamkeit nicht einfach mit Hinweisen auf ein erschütterndes biographisch-faktisches Erlebnis des Dichters erklären. Aber ebensowenig nützt die Feststellung, daß die Empfindsamkeit in diesem Werk aus fremden Quellen gespeist ist. Durch die Konzentrierung auf das Psychologische wird Rosemunds Tugend erst „eigendlich" dargestellt, die Kunst, die eben erst entdeckt hat, daß Worte das innere Erleben des Menschen ausdrücken können, diese neue Kunst mit ihrer von Frankreich her beeinflußten

---

[233] ed. Smit, 19.
[234] So Jan Ten Brink, o. c. 289.
[235] Vgl. die in Anm. 139 und 140 genannten Untersuchungen.
[236] Waltraut Kettler, o. c. 6.
[237] o. c. 122 f.

neuen Eleganz der Sprache[238] erreicht in Deutschland in den vierziger Jahren des Jahrhunderts die Höhe, die eine Darstellung des Innenlebens erst ermöglicht: „Es ist aber die Schreibung nichts anders als eine Abbildung der Wörter/wie die Wörter Abbildungen sind unserer Gedanken." So formuliert es Harsdörffer[239], Zesen nimmt den Gedanken im *Rosen-mând* wieder auf. Rhetorik, Preziosität und Sentimentalität verbinden sich zu einer neuen Einheit: „Die Worte werden Bilder der Seele"[240]. Die Kunst, die in ihren erhabenen Idealbildern dem Leben übergeordnet ist, nähert sich in der Art der Darstellung dem Leben an; sie kann nun, während das Volksbuch und der Roman Jörg Wickrams aus mangelnder Ausdrucksfähigkeit die Beschreibung psychischer Reaktionen noch sehr summarisch oder gar nicht berücksichtigen, ihre ganze Kraft auf die Darstellung des Psychologischen verwenden. Es ist dennoch festzuhalten, daß die genauen Seelenschilderungen in der AR der ausschließlichen Tendenz dienen, das Bild der „Mänschgöttin" gehörig auszumalen, damit wir sie als eine „schöne Seele" in Erinnerung behalten, — ihr zum Ruhm, uns zum Vorbild. In dieser Hinsicht dürfen Cohns Worte über die *Princesse de Clèves* auch auf Zesens *Adriatische Rosemund* bezogen werden: „Hier wird in der Tat dem Tugendprinzip alles untergeordnet; in diesem Werk ist die Tugend nicht bloße Redensart, [...] sondern essentieller Zentralpunkt [...] Man wird mit gutem Grund die Heldin dieses Romans [...] als schöne Seele ansprechen dürfen"[241].

Um die „schöne Seele" konzentriert sich auch bei Zesen alles Geschehen, das nur am „autobiographischen" Faden entwickelt, nicht aber aus ihm gesponnen wird. Die AR steht, trotz aller Verschiedenheit im einzelnen, am Anfang des deutschen Barockromans. Zesen ist der erste Dichter, der in einem Werk zugleich der Venus wie der Pallas huldigt, der Kunst und Leben in einer idealistischen Höhe verbindet, die sogar den meisten seiner Zeitgenossen zu hoch und zu verwegen vorkommen mußte. Es war sein Schicksal, daß er für ein Publikum schrieb, das „an der Erde klebte" und das nicht imstande war, das verwickelte Gewebe seiner „geheimnüsse" zu durchschauen und zu entwirren. So blieb er schon in seiner Zeit ein Einzelgänger, ein seltsamer Kauz, dem man fortan achselzuckend oder mitleidig lächelnd begegnete. Die AR wurde schon im 17. Jahrhundert mißverstanden. Thomasius mokiert sich darüber, daß einer eine so naive Geschichte erzählen könne: Eine Dame wird „für Liebe in einen Kerl, mit dem sie noch nicht conversiret, gleich kranck, und lässet sich [...] auff eine so einfältige Art berükken, daß die Adriatische Rosemunde so einfältig nicht hätte seyn können"[242]. Das Zitat zeigt auch deutlich, daß inzwischen eine andere Zeit angebrochen war, die mehr auf psychologische Motivierung als auf die formalen Aspekte eines idea-

---

[238] Heemskerck sprach von „een opgeswollen vloed van cierlycke woorden" als positivem Ergebnis seines Aufenthaltes in Frankreich.

[239] *Schutzschrift/für Die Teutsche Spracharbeit,* im Anhang zur 2. Ausgabe der *Frauenzimmer Gesprächspiele,* Bd. I, 1644, 30.

[240] E. Cohn, o. c. 107.

[241] o. c. 24.

[242] *Freymüthige [...] Gedancken Uber allerhand [...] Neue Bücher Durch alle zwölff Monat des 1689. Jahrs.* Halle 1690, 656/57.

listisch-stilisierten Porträts sah. Die Galante Zeit hatte eine andere Kunstvorstel-
lung, Zesens Stunde war vorbei, bevor sie noch geschlagen hatte. „Wie wenige erkannte er, worauf es in der Kunst ankam", sagt Cohn, „aber diese Erkenntnis
hat ihn oft zu Spitzfindigkeiten und Klügeleien geführt, die ihn seinen literarischen Freunden entfremdeten"[243]. Es war sein Ehrgeiz, mit seiner Kunst zum
Praeceptor Germaniae zu werden. Aber er griff zu hoch, er hat seine Zeit . . . und
sich selbst überschätzt.

[243] o. c. 146.

BERND FICHTNER

IKONOGRAPHIE UND IKONOLOGIE IN PHILIPP VON ZESENS „ADRIATISCHER ROSEMUND"

(Wir zitieren nach dem von Max Hermann Jellinek besorgten Neudruck der „Adriatischen Rosemund" (= Neudrucke deutscher Litteraturwerke des 16. und 17. Jahrhunderts 160—163, Halle 1899), abgekürzt: Jell.

Karel van Manders Kommentar lag uns in folgender Ausgabe vor: Karel van Mander: Wtlegginghe op den Metamorphosis Pub. Ovidii Nasonis. Amsterdam 1616.

Der niederländische Text wurde von mir ins Deutsche übertragen).

I. METHODISCHER ANSATZ

Die *Adriatische Rosemund* enthält eine Fülle ausführlicher Beschreibungen von Kunstwerken, die die Zesenforschung als Elemente eines allgemeinen Lehrzweckes und Zierbedürfnisses, als typischen Ausdruck des Zeitstils, als Modeerscheinung versteht[1]. Folgende Überlegungen wollen der Frage nachgehen, ob diese umfangreichen Verbildlichungen einen Stellen- und Funktionswert im Kontext des Romanganzen einnehmen, der möglicherweise über eine reine Schmuckfunktion, über das dichtungstheoretische Postulat von Mannigfaltigkeit hinausgeht. Die Arbeitshypothese, daß die Bilderreihen sich zu einer übergreifenden Einheit, die den Roman im Modus eines Programms durchzieht, zusammenfügen, ist an diesen selber zu entwickeln.

Bei dieser Fragestellung kommt als Disziplin der Kunstwissenschaft die Ikonologie zu Hilfe. Der Sprachgebrauch von Ikonologie meint sowohl die wissenschaftliche Methode als auch den Gegenstand der Wissenschaft, wobei im folgenden Ikonologie als Gegenstand gemeint sein soll. Ikonologie als Wissenschaft befaßt sich mit der Inhaltsdeutung künstlerischer Darstellung. Sie hat vor allem dort einzusetzen, wo die Gegenstände der Kunst auf eine Darstellung von nicht gegenständlichen Begriffen transzendieren, etwa in Allegorien, allegorischen Mythologien, Pathosformeln etc.. Der innere Zusammenhang, die Dimensionen allegorischer Schichten im Einzel- und im Gesamtkunstwerk (z. B. Kathedrale, Schloß), sowie der gesellschaftliche Kontext als deren Voraussetzung sind insgesamt als Beziehung zu reflektieren. Vorbedingung der eigentlichen Ikonologie ist die Ikonographie als Disziplin der Gegenstandsidentifizierung, als Bezeichnung und Feststellung des Inhalts. Eine besondere Aufgabe stellt sich dann, wenn komplexe ikonographische Bestände unter einem spezifischen Thema zu bestimmen

---

[1] vgl. zuletzt Kaczerowsky, K., *Bürgerliche Romankunst im Zeitalter des Barock. Philipp von Zesens „Adriatische Rosemund"*. Berlin 1969, S. 66 f.

und richtig zu ordnen sind[2]. Die Problematik, die sich bei der Übertragung kunstwissenschaftlicher Methodik auf einen literarischen Gegenstand ergibt — wir haben es in der *Adriatischen Rosemund* nicht mit Kunstwerken, anschaulichen Qualitäten, sondern mit deren Beschreibung zu tun — wird im einzelnen zu behandeln sein.

II. DER IKONOGRAPHISCHE BESTAND

Im folgenden Schritt soll nun versucht werden, Ansätze einer ikonographischen Bestimmung der umfangreichen Bildbestände an Beispielen vorzustellen. Im Vordergrund stehen die ikonographischen Bestände des Adelmund-Zimmers (Jell. 46—51), die Pariser Gemäldegalerie (Jell. 1110115); ferner sind mit einzubeziehen der Brunnen und Garten Sünnebalds (Jell. 42) und die Grotte (Jell. 189—190).

Im Rahmen der Bilderreihen führt Zesen folgende Darstellungen vor: Ein Leuchter, 12 Putti umschweben eine Venus. — Zwei Embleme. — Ein Bild mit emblematischem Charakter, das Neptun zeigt. — Die Verwandlung des Aktäon durch Diana. — Die Geburt der Venus. — Ein Bild der Göttin Freia aus der nordischen Mythologie. — Juno und Minerva, eine zerstörte Stadt (Troja?) beklagend. — Saturn verschlingt seine Kinder. — Pyramus und Thisbe. — Der Tod des Adonis. — Die Entführung des Ganymed. — Die Entführung Helenas.

Folgende Ikonographien entsprechen literarischen Vorbildern: Das Saturn- und das Ganymedbild hat Zesen wörtlich aus d'Urfés *Astrée* übernommen[3]. Ebenso verweist die Schilderung des Leuchters[4], des Brunnens und der Grotte auf literarische Vorbilder[5]. Der Illustrator der *Adriatischen Rosemund* bemüht sich redlich der Darstellung des Leuchters (vgl. Abb. 5) und des Brunnens (vgl. Abb. 6) gerecht zu werden; er scheitert aber bei dem Versuch, die ausführlichen Ikonographien in konkrete, anschauliche Gebilde zu übersetzen. Auf eine literarische Konzeption scheint auch das Bild der Freia hinzuweisen. Vermutlich ist der ikonographische Bestand des Bildes aus verschiedenen Versatzstücken eigenmächtig zusammengesetzt, wenn es von der Göttin heißt, daß sie in der rechten Hand zugleich Zepter und Schwert, in der linken dagegen ein brennendes Herz hält, ferner mit einem Fuß auf einem Löwen mit dem andern auf einem Drachen steht.

Der größte Teil der Ikonographien bezieht sich auf Ovids Metamorphosen. Das Adelmund-Zimmer:

Der Ehebruch der Venus mit Mars — Ovid Metam. IV 171—189; Die Verwandlung des Aktäon durch Diana — Ovid Metam. III 131—252; Die Geburt der Venus — Ovid Metam. IV 536—537 (Nicht auf Ovid rekurrieren die beiden

[2] vgl. Bauer, H., Artikel Ikonologie In: *Die Religion in Geschichte und Gegenwart*, 3. Aufl., hrsg. von K. Galling, 3. Bd. Tübingen 1959, Sp. 674—676.

[3] vgl. Gartenhof, K., *Die bedeutendsten Romane Philipp von Zesens und ihre literargeschichtliche Stellung.* Programm Nürnberg 1912, S. 46f.

[4] vgl. Will, H., *Die ästhetischen Elemente in der Beschreibung bei Zesen.* Gießen 1922 (Gießener Beiträge zur Deutschen Philologie 6), S. 43f.

[5] Die Vorbilder für Brunnen und Grotte sind wahrscheinlich dem ,Ibrahim Bassa' der Scudery entnommen, vgl. Kaczerowsky, S. 67

Embleme, die emblematische Rosendarstellung, die deutsche ‚Lustinne' und Minerva und Juno eine zerstörte Stadt beklagend). Die Pariser Gemälde-Galerie: Saturn verschlingt seine Kinder — Ovid Fasti IV; Pyramus und Thisbe — Ovid Metam. IV 55—165; Der Tod des Adonis — Ovid Metam. X 708—714; Ganymed — Ovid Metam. X 152—161. Die Verse zu Pyramus und Thisbe — auf Täfelchen den Bildern hinzugefügt — sind zum Teil wörtliche Übersetzungen, ebenso die Klage der Venus.

Folgende Indizien, auf die noch ausführlicher einzugehen ist, lassen jedoch eine enge Anlehnung an Ovid-Illustrationen des 17. Jahrhunderts vermuten. 1. Zesen selbst zitiert den Ovid-Kommentar des Karel van Mander (Jell. 242), der in unmittelbarem Zusammenhang mit einer Illustrationsreihe des Goltzius zu den Metamorphosen steht. 2. In den Ikonographien, die Zesen als Gemälde ausgibt, fällt das Fehlen von Farbe auf; die einzige Ausnahme des Ganymed-Bildes erklärt sich aus der wörtlichen Übernahme. 3. Die sprachliche Struktur der Ikonographien macht bestimmte Momente deutlich, die nicht unmittelbar aus dem Ovid-Text herzuleiten sind, dagegen direkt auf Ovid-Illustrationen verweisen. 4. Zesen hat Embleme, graphische Vorlagen, zu Gemälden umfunktioniert; ein analoges Verfahren läßt sich bei vorliegenden Illustrationen vermuten.

Um diesen Zusammenhang zu verdeutlichen, sind kurz einige Aspekte der Geschichte dieser Ovid-Illustrationen aufzuzeigen. In den Niederlanden kann man zu Beginn des 17. Jahrhunderts in Hinblick auf die stattliche Anzahl der Ovid-Ausgaben geradezu von einer Ovid-Renaissance sprechen[6]; ähnlich verlagert sich im frühen 17. Jh. der Schwerpunkt der emblematischen Produktion nach den Niederlanden. Fast alle Ovid-Ausgaben werden reich mit Holzschnitten oder Kupferstichen geschmückt. Diese Ausgaben werden für die allegorischen und mythologischen Darstellungen das, was die Bibel und die Legenda Aurea für die religiösen sind.

Die Geschichte der Ovid-Illustrationen zeigt in der endlosen Aufeinanderfolge von Wiederholungen, Entlehnungen und Diebstählen eine ungemeine Beharrlichkeit der ikonographischen Typen[7], die es fast aussichtslos erscheinen läßt, Zesen auf eine bestimmte Ausgabe zu fixieren. Von Bedeutung erweist sich in Hinblick auf Zesen die Lyoner Ausgabe von 1557 mit den hervorragenden Illustrationen des Bernard Salomon, genannt Petit Bernard (ca. 1508—1561). Seine Illustrationen finden sich nicht in einer durchlaufenden Ovid-Übersetzung, die auch ohne Abbildungen bestehen könnte, sondern gehören zu einer Folge von 178 Stanzen, in denen die wichtigsten Erzählungen Ovids zusammengefaßt sind. Salomon wird nun die Hauptquelle, aus der besonders die Illustratoren der Niederlande lange geschöpft haben. Eine der bekanntesten Ausgaben der Salomon-Nachfolge ist die des Florianus; sie erlebte allein in Amsterdam von 1608—1632 vier Auflagen. Im Umkreis der Salomon-Nachfolge haben wir eine mögliche Vorlage für Zesen zu suchen.

---

[6] hierzu Duplessis, G., *Essai bibliographique sur les differentes editions des oeuvres d' Ovide ornées de planches publiées aux XVIe et XVIIe siècles.* Paris 1889.

[7] hierzu Henkel, M., D., *Illustrierte Ausgaben von Ovids Metamorphosen im XV., XVI. und XVII. Jahrhundert.* In: Vorträge der Bibliothek Warburg VI. Leipzig 1926/27, S. 58—114.

Kehren wir zu Zesen zurück. Der *Adriatischen Rosemund* ist ein umfangreiches Preisgedicht auf die „Lustinne" angefügt (Jell. 231—244). Der Anhang gibt ausführliche Quellenangaben zu den verschiedenen Mythologien der Venus-Geburt, in denen der Ovid-Kommentar des Karel van Mander zitiert wird. Von van Mander führt eine direkte Linie zu den Ovid-Illustrationen des H. Goltzius (1585—1617), die unter dem theoretischen Einfluß van Manders entstanden sind. Die 52 Illustrationen werden nach seinen Zeichnungen und zum Teil unter seiner Anleitung von Schülern auf die Platte übertragen[8]. Sie gehören zum Vorzüglichsten, was es an klassizistischen Ovid-Illustrationen gibt; über die große Popularität und Beliebtheit dieser Stiche gibt Reznicek in seinem Goltziu· Buch zahlreiche Belege[9]. In ihrer klassizistischen Ausrichtung zeigt sich ein· ·eutliche Affinität zu Zesens Kunstgeschmack.

Auffallend sind bei Zesen die ausdrücklichen Hinweise auf den Gemäldecharakter der Ikonographien, so besonders Jell. 47, 48, 49, 113, 114. Hinweise auf Farbe fehlen gänzlich, obwohl sie insgesamt bei Zesen eine große Rolle spielt[10].

Zesens Ovid-Ikonographien zeigen nun durchgehend fast die gleiche Struktur: im Gegensatz zu Ovid, der das Geschehen in der epischen Haltung des „und dann" erzählt, zeigt das Imperfekt in Zesens Ikonographien eher die Distanz von Vergegenwärtigung, Veranschaulichung. Der Charakter der Gleichzeitigkeit, der Simultaneität des Bildes tritt mehr hervor als des Nacheinanders ovidischen Erzählens. Exemplarisch sei diese Struktur an dem Pyramus-Thisbe-„Gemälde" deutlich gemacht (Jell. 112—113). Ovid gibt das Geschehen als episches Nacheinander. Hier findet die Löwin, nachdem sie ihren Durst gestillt hat, das Gewand der Thisbe. Pyramus kommt später, findet das Gewand seiner Liebsten, trägt es zum Brunnen und ersticht sich; dann erscheint Thisbe und erkennt den verhängnisvollen Irrtum — Zesen gibt das Geschehen als Gemälde, dem die Klage von Pyramus und Thisbe in Versen angefügt wird (Jell. 112—113). Die Abb. 14 (Holzschnitt der Salomon-Nachfolge) kann fast mit Zesens Worten wiedergegeben werden. Der Vordergrund zeigt einen Brunnen, bei dem Pyramus in seinem Blute liegt; Thisbe setzt sich den Degen an die Brust und ersticht sich. „Von färnen stund ein junger leue, welcher das oberkleid der Tisbe zerfleischte, und mit bluhte, welches er noch am rachchen kläben hatte, beschmuzte ..." (Jell. 112). In den angefügten Versen dagegen wird Ovid fast wörtlich übersetzt (vgl. bes. Ovid Metam. IV 108 u. 110—114, ferner IV 142—144). Eine ähnliche Struktur wird deutlich an der Adonis-Ikonographie[11] und der Mars-Venus-Ikonographie, die wohl auf Graphiken des Goltzius rekurriert, indem hier für Zesen die betonte Figur des Sonnen-Apoll bestimmend geworden ist[12].

[8] Bartsch, A., *Le Peintre graveur*. Leipzig 1854—1870, Bd. III. p. 104 Nr. 31—82.

[9] Reznicek, E. K. J., *Die Zeichnungen von Hendrik Goltzius*. Utrecht 1961.

[10] vgl. Will, a. a. O.

[11] vgl. Abb. 15 mit der Adonis-Ikonographie (Jell. 113f) und mit Ovid Metam. X 708—740; die Klage der Venus (Jell. 114) dagegen zeigt ein wörtliches Übersetzen des Ovid-Textes, besonders Metam. X 719—20, 722—723, 725—728.

[12] vgl. diese Ikonographie (Jell. 47) mit Abb. 16 u. Abb. 17 in Gegensatz zu Metam. IV 171—189. Möglicherweise hat Zesen den Apoll in Abb. 16 als Sonne verstanden und aus beiden Vorlagen sein Gemälde kompiliert.

Für Zesens Bildlichkeit liegen in der Emblematik ohne Zweifel entscheidende Voraussetzungen. Generell ist es schwierig hier Zusammenhänge zuverlässig und eindeutig zu bestimmen. Der Problematik des Zusammenhangs von Emblematik und literarischer Bildlichkeit bei Zesen kann in diesem Rahmen nicht im einzelnen nachgegangen werden; einige Perspektiven dieser Fragestellung seien aber aufgezeigt. In Zesens Ikonographien finden sich zwei Embleme mit genauer Angabe der Herkunft — die *Nederduytschen Poemata* des Heinsius von 1616; sie finden sich gleichfalls in den *Emblemata Amorum* des Vaenius (Otto van Veen) von 1612, die Zesen mit großer Wahrscheinlichkeit gekannt hat. Es ist nun nicht mit Sicherheit zu entscheiden, ob Heinsius von Vaenius oder umgekehrt abhängt[13].

Beide kennzeichnen in der niederländischen Emblematik des 17. Jahrhunderts entscheidende Stationen. 1607 gibt Vaenius seine *Emblemata Horatiana* heraus, die Zesen 1656 übersetzt hat. Es sind sinnbildliche Darstellungen von Sprüchen des Horaz, im Geist humanistischer Gelehrsamkeit verfaßt; 1608 folgen die *Emblemata Amorum*. Wohl als Geschenk für Liebende gedacht, ist der wissenschaftlich-humanistische Anspruch hier ganz aufgegeben, das Emblem wird fast reines Spiel. Der allegorische Aufwand bezieht sich auf die kleinen Wahrheiten der ‚Ars amandi' im Alltagsleben. Einige Aspekte dieses Ansatzes werden relevant für die weitere Entwicklung der niederländischen Emblematik. Eröffnet Vaenius mit seinen *Emblemata Amorum* die Möglichkeit, ein abstraktes humanistisches Begriffssystem auf alltägliche Wirklichkeit zu beziehen, so tritt nun bei Heinsius die Kategorie des Bedeutungshaften mehr zurück, die alltägliche Wirklichkeit des galanten Lebens wird selbst dargestellt. „Eine neue Form von Bild wird durch das Emblematische hindurch sichtbar"[14], die in ihren Perspektiven auf das Genre und Stilleben vorausweist. Die Ausrichtung der niederländischen Emblematik auf einen bürgerlichen Begriff von Realität, auf Alltagswirklichkeit zeigt in ihrer Tendenz Analogie und Affinität zum Kunstwollen der *Adriatischen Rosemund*. In der Abkehr von den Stilprinzipien des heroisch-galanten Romans unternimmt Zesen das Wagnis, seine eigene private Existenz literarisch in der Form eines Künstlerromans auszudrücken.

Mit diesen Vorlagen aus den Emblembüchern nimmt Zesen nun eine entscheidende Veränderung vor; sie verlieren ihre alte Funktion, indem sie in der literarischen Fiktion an die Wand gehängt werden und damit Rang und Würde eines Tafelbildes erhalten — ein für das 17. Jahrhundert außergewöhnlicher Vorgang. Im architektonischen Zusammenhang nehmen Embleme hier immer eine genau fixierte Position ein, als Gelenkstellen, die zwischen architektonischem Hauptbild und der Ornamentik im einzelnen vermitteln. Vermutlich können wir diesen Vorgang des Umfunktionierens von Vorlagen auch bei den Ovid-Illustrationen annehmen.

[13] Zur Frage der Priorität von Heinsius oder Vaenius vgl. Praz, M., *Studies in seventeenth-Century Imagery*. Roma 1964, S. 96 u. S. 364.
[14] Monroy, E. F. von, *Embleme und Emblembücher in den Niederlanden 1560—1630*. Hrsg. von Erffa, H. M. von, Utrecht 1964, S. 57.

In den Ikonographien Zesens zeigt sich eine qualitative Umwandlung der er-
schließbaren Vorlagen literarischer oder bildlicher Provenienz. Der Verfasser der
Adriatischen Rosemund tendiert hier wohl kaum ausschließlich auf jene viel zitierten Lehrzwecke und Zierbedürfnisse des 17. Jahrhunderts. Vielleicht läßt sich ein
Schema, ein Programm erschließen, in welchem die ikonographischen Bestände zu
einer übergreifenden Einheit sich zusammenfügen. Hier hat nun die ikonologische
Fragestellung einzusetzen.

III. DIE IKONOLOGISCHE FRAGESTELLUNG

Ikonologie als Methode fragt nach den Zusammenhängen in der Sinngebung
allegorischer Schichten im Kunstwerk. Das Zeitalter des Humanismus bis über die
Anfänge der Aufklärung hinaus bevorzugte die Allegorie im weitesten Sinn als
Kunstgegenstand; unter literarischem Diktat wurde der Aspekt des ‚ut pictura
poesis’ bestimmend. Personifikation, Emblem, Mythologie etc. dienten dazu, einen
meist ehtischen, moralischen Vorwurf darzustellen. Träger solcher Programme
waren die sogenannten Concetti — eine zunächst literarische Erfindung szenischer
oder zyklischer Ensembles unter einem bestimmten Thema. Bei der Annahme einer
literarischen Ikonologie in der *Adriatischen Rosemund* ist davon auszugehen, daß
diese wesentlich flexibler als ihre kunstgeschichtlichen Vorbilder ist, daß sie etwa
den konstitutiven Raum- und Erzählzusammenhang zu sprengen vermag, sich in
verschiedene Dimensionen entfalten und Bezüge zum Romanganzen aufnehmen
kann.

Ausgangspunkt unserer Überlegungen wird der von Zesen zitierte Karel van
Mander sein. Wir werden versuchen, seinen Ovid-Kommentar *Wtlegginghe op den
Metamorphosis Pub. Ovidii Nasonis* und sein allegorisches Handbuch für
die künstlerische Praxis *Ujtbeeldinge der Figueren* als ‚clavis interpretandi’
einer literarischen Ikonologie in der *Adriatischen Rosemund* zu benutzen. Für
die niederländische Kunstgeschichte des 16./17. Jahrhunderts nimmt van Mander
etwa die Stellung und Bedeutung wie Vasari für das Cinquecento in Italien ein.
Van Mander hat sich intensiv mit Deutungsproblemen der Metamorphosen beschäftigt; das Ergebnis seiner Studien stellt der schon 1600 begonnene und dann
1604 als besonderer Teil in sein ‚Malerbuch’ aufgenommene Ovid-Kommentar
dar. In der Einleitung beschreibt er als ein Ziel seines Unternehmens die Beseitigung zahlreicher Mißverständnisse der niederländischen Prosaübersetzungen und
Auslegungen Ovids. Mit Nachdruck verwirft er die mittelalterliche Auffassung
des ‚Ovid moralisé’, der Verchristlichung heidnischer Fabeln. Die mythologischen Geschichten haben ihren Nutzen, weil sie die Sitten bessern, den Menschen
zu einem aufrechten, ehrlichen und tugendhaften Leben ermahnen und ihn zur
Erkenntnis der Natur führen. Er deutet die Metamorphosen in drei Richtungen,
der naturhistorischen, der historischen, der allegorisch-moralisierenden. Charakteristisch für die mythologischen tresors ist die Vielfalt der Deutungsmöglichkeiten.
Ujtbeeldinge der Figueren ist als Anleitung und Leitfaden für Verfasser allegorischer, emblematischer Programme wie auch für den Künstler mit allerlei praktischen Hinweisen und Winken gedacht.

Das erste komplexe ikonographische Ensemble stellt das Zimmer in Sünnebalds Villa dar, in dem Markhold und Rosemund sich begegnen (Jell. 46—51). Geradezu betont wird dieser Raum als „Walstat der niderlage" mit den Implikationen von Unglück und Unheil dem Leser vorgestellt[15]. Zesen beginnt mit der Beschreibung des Leuchters; Amor versucht mit seinem Pfeil die Lichter der Venus und der Putti auszulöschen. Die Devise „alles verkährt" (Jell. 47) scheint nur aus dem Gesamt von Ikonographien und Geschehen einen aufschließenden Sinn zu erhalten[16]. Die Illustration zu dieser Szene (Abb. 5) zeigt die Liebenden unter dem Leuchter, die Hände ineinander gelegt; Markhold deutet mit seiner linken Hand auf den Leuchter, bei der Rosemund ist ein kleiner Hund zu sehen. Es fällt auf, daß die Abb. eine Szene gibt, die sich im Roman selbst nicht findet, alle anderen Illustrationen beziehen sich unmittelbar auf den Text. Es ist zu vermuten, daß die Abb. einen ähnlichen Verweisungscharakter wie das Titelkupfer des *Simplicissimus* aufzeigt[17]. In der emblematischen Literatur bedeuten ineinander gelegte Hände die Versicherung ewiger Treue und Liebe, der Hund bezeichnet ebenfalls Treue und Anhänglichkeit[18]. Die Beschreibung des Leuchters — betont an den Beginn des Ensembles gesetzt — erhält im Zusammenhang mit der Illustration vermutlich einen ganz spezifischen Stellenwert: wie der Leuchter über dem Paar erscheint, so möchten wir seine Devise je variiert über die anderen Ikonographien und über den ganzen Roman gestellt sehen. Den Dimensionen der Devise, ihren Relationen zum Gesamtgefüge der Ikonographien und zum Geschehen ist nun nachzugehen.

Über dem Leuchter findet sich das Deckenbild ‚Mars bei Venus'. In seiner Anbringung zeichnet es sich gewissermaßen als Hauptbild aus. Van Mander gibt zur Mars-Venus-Ikonographie folgende Auslegung: „... in Mars und Venus kommen Tapferkeit und Liebe zusammen. Vulkan duldet nicht, daß sie zusammen-

[15] vgl. diesen Aspekt, der jeweils aus dem unmittelbaren Erzählzusammenhang kaum zu rechtfertigen ist und wohl als Vorausdeutung des tragischen Ausgangs fungiert, u. a. in Jell. 38, 40, 45, 46, 54.

[16] Die tragische Liebesgeschichte unter dem Motto „alles verkährt" zeigt deutliche Parallelen zu einem Emblem des Alciatus mit dem Titel „Das absterben einer schoenen frawen": der Tod legt dem blinden Cupido einen Pfeil in den Köcher. Die Verse lauten:

> „Dem knaben Cupido durch list
> Der Tod sein pfeyl inn kocher legt,
> So er schlief, und soelchs gar nit wißt.
> Ein schoen iung weyb, wie er dann pflegt,
> Schoß er damit, das erß bewegt
> In hitz der lieb, yrt sich gar weyt,
> Dann man sy yetz inn kirchhoff tregt:
> Also kumbt offt groß layd fur freyd'".

In: Alciatus, A., *Emblematum Libellus*. Paris 1542. Neudruck der Wissenschaftlichen Buchgesellschaft. Darmstadt 1967, S. 149.

[17] vgl. Weydt, G., *Nachahmung und Schöpfung im Barock*. Studien um Grimmelshausen. Bern und München 1968, S. 290.

[18] vgl. ineinander gelegte Hände u. Hund als Sinnbilder der Treue in: *Emblemata. Handbuch der Sinnbildkunst des XVI. und XVII. Jahrhunderts*. Hrsg. von A. Henkel und A. Schöne. Stuttgart 1967, Sp. 1013f u. Sp. 556f.

kommen; denn eine große irdische Hitze vertilgt sie beide, benimmt ihre Prinzipien und läßt nicht zu, daß sie gründen. Deshalb haben die Poeten dies erzählt, weil die Dinge und Handlungen dieser Welt ein gewisses Maß und Ordnung erfordern, um zu bleiben und zu bestehen." (Fol. 24r). Das Deckenbild läßt sich in diesem Kontext als Präfiguration der Geschichte der Liebenden begreifen. Zesen gestaltet in der *Adriatischen Rosemund* ein für seine Zeit hochaktuelles Thema, das Problem der Mischehe. Markhold verläßt Rosemund, um „Maß und Ordnung" bestehen zu lassen; die Bedingungen des Vaters sind für ihn unannehmbar[19].

In den beiden Emblemen erscheint das Thema „alles verkährt" wieder. Die Devise des ersten, „Ardo d'appresso & da longhi mi struggo" (Jell. 48), die aus einem Sonett Petrarcas „L'aura gentil"[20] stammt, impliziert unmittelbar Rosemunds Schicksal; diese Relation wird evident in dem anderen Emblem belegt:

„Di mükke fleugt so lang' üm dise gluht,
bis si ihr selbst den bittern tohd antuht" (Jell. 48).

Nun beginnt das Programm sich in die Breite auszufächern. Konnten das Dekkenbild als Präfiguration der Haupthandlung, die Embleme in ihren Relationen zu Rosemunds Schicksal begriffen werden, so macht die Aktäon-Ikonographie (vgl. Abb. 19) eine Spiegelung der Wildfang-Geschichte deutlich (Jell. 129—142), die wieder in einem bestimmten Konnex zur Haupthandlung steht.

Dieser Wildfang, „ein rächter grober und ungeschliffener mänsch" (Jell. 131), verliebt sich, von einer Gräfin abgewiesen, in eine Bauernmagd namens Hummel. Sein niederes und triebhaftes Verhalten wird in derber Realistik geschildert. Bei van Mander heißt es von Aktäon: „Er wird von seinen eigenen, bösen Lüsten gefangen und verschlungen, indem sein eigenes und ungestümes Gemüt, das seinen unkeuschen Augen untertan ist, ihn in sein äußerstes Verderben führt" (Fol. 20r.). Von hier lassen sich zum Teil wörtliche Entsprechungen zur Wildfanggeschichte und zu Zesens Aktäon-Ikonographie deutlich machen. Als Wildfang von der Gräfin abgewiesen wird, „so wahr er in solcher seiner unsünnigen leidenschaft so wunderlich, daß er fohr angst und wehleiden nicht wuste, was er begünnen solte . . . . Ja er ställte sich so närrisch an, daß ihn ändlich ihderman führ einen hirnblöden hihlt" (Jell. 140). Die Aktäon-Vorlage — Diana wird im Bade überrascht — kehrt sich bei Zesen in eine Groteske um. Als Wildfang „in solcher seiner unglüklichen libeshaft vihlmahls auf das feld lustwandeln ging, so begahb es sich eines mahls, daß er an eine bach geriht, und eine junge bauernmahgd baden sahe. Der Wildfang säzte sich von färn unter das gesträuche, und hatte di ganze zeit über seine sünnen und augen auf dise fohrgebildete Schöne gewändet" (Jell. 140). Seine „fol- und tolbrünstige libe" (Jell. 141) führt ihn, mit van Man

---

[19] Aus Gewissensgründen mag und kann Markhold sich den Bedingungen des Vaters nicht verschreiben. Die Verhältnisse werden als nun einmal bestehende angenommen und respektiert. Zesen selbst hat sich in einem Briefwechsel mit Comenius ausführlich mit dem religiösen Toleranzgedanken beschäftigt. Vgl. Forster, L., *Dichterbriefe aus dem Barock*. In: Euphorion 1953, Bd. 47, S. 390—411.
[20] vgl. Praz, S. 79.

der zu reden, in sein äußerstes Verderben. Die Erzählung steht so vermutlich in der Funktion einer umgekehrten Spiegelung zur Haupthandlung und fügt sich dem Concetto „alles verkährt" an.

Ein komplexes Gefüge allegorisch-emblematischer Dimensionen verbindet Zesens Venusbild mit dem Romanganzen[21]. Die „schaumgeborene Lustinne" zeigt eine wohl evidente Entsprechung zu Rosemund, wenn wir die Verse

> „Aus däm Mehre bin ich kommen,
>   aus däs bitren salzes kraft
> hab' ich dises sein gewonnen;
>   dässen schaum an meinen lokken
>   wie gefrohrne wasser-flokken
>   annoch haft.

> Meinen krum-gekrüllten hahren
>   hat di wild-erbohste Se
> (wie di hohlen wällen waren)
>   gleiche krümmen eingetrükket,
>   da des schaumes silber blikket
>   in di höh." (Jell. 50)

mit folgender Stelle aus einem ihrer Briefe vergleichen: „Bin ich gleich mitten im Adriatischen Mehre gebohren, und den wällen (welche bald from, bald stille, bald widerüm ergrimmet und erbohsset, fohr hohchmuht, entpohr steigen) in etwas nahchgeahrtet" (Jell. 86). In diesen Zusammenhang gehört vermutlich auch Rosemunds gelehrter Exkurs über ihre Vaterstadt Venedig (Jell. 154—182). Das Titelkupfer (Abb. 1) zeigt eine Muschel von einer Frau und einem Ritter in römischer Tracht gehalten; auf der Muschel — ein fester Bestandteil der Venus-ikonographie — ist der Titel *Adriatische Rosemund* zu lesen.

Das Rosenmotiv — wohl eine der engsten Analogien zur Rosemund-Venus-Relation durchzieht fast leitmotivisch das ganze Werk[23]. Die emblematische Darstellung „Anche tra le spine nascon le rose" (Jell. 49) scheint Zesens Devise „Last [spine] häget Lust [rose]" wider; die Devise erhält für das Geschehen der Handlung eine bestimmte Bedeutung[24]. In der Emblematik wird die Rose fast durchgehend als Sinnbild für die Verwobenheit von Lust und Schmerz, als Bild der Ver-

---

[21] s. S. 10; Zesen zeichnet diese Ikonographie mit lat. Versen des Sidon aus; was Zesen von diesen Versen nicht umgedichtet hat, gibt er in Prosa als Erklärung... „daß der Mahler noch den Apelles selbst, von welchem er di erfündung dises gemäldes entlähnet hatte, weit übertroffen" (Jell. 50). In den Metamorphosen wird die Venusgeburt nur kurz erwähnt, in der Graphik des 17. Jahrhunderts stellt sie ein zentrales Thema dar. Auf einer Vorlage des Goltzius für einen Stich finden sich folgende Verse: „Sum Venus orta mari..." (vgl. Reznicek, a. a. O. Nr. 275), ähnlich läßt Zesen seine Venus als Ich sprechen: „Aus dähm Mehre bin ich kommen..." (Jell. 50); dagegen zeigen die Verse, die Zesen vorgibt zu übertragen, den Anfang „Egressam nuper Venerem de marmoris undis/ adspice..." (Jell. 49).

[22] In längeren Passagen wird Rosemunds Haar geschildert, das ihr in Wellen auf die Schulter herabfällt, vgl. Jell. 55, besonders 94.

[23] vgl. besonders Jell. 23, 56, 94, 185.

[24] hierzu Kaczerowsky, 105f.

gänglichkeit und Hinfälligkeit des Schönen verstanden[25]. Ein weiteres wichtiges
Analogon zur Rosemund-Venus-Entsprechung stellt die Musik dar, die unter allen
menschlichen Künsten und Fähigkeiten immer der Venus zugeordnet wird. So
spielt die Musik bei der ersten Begegnung Markhold-Rosemund eine wichtige
Rolle[26]. In fast allen Stichen des Romans, in denen Rosemund erscheint, wird sie
mit einer Laute abgebildet; es sind dies Abb. 2, Abb. 3, Abb. 6, Abb. 12[27].
Allein in Abb. 6 scheint die Laute ihre Existenzberechtigung unmittelbar aus dem
Text zu erhalten: „. . . da sich di Rosemund mit ihrer lauten ganz aleine befand,
und dem sprüngbrunnen zusahe" (Jell. 61), und in Abb. 13: „Dise Schöne wahr
indässen gleich aufgestanden . ., daß si mit ihrer lauten nahch selbigem lust-ohrte
zu gegangen kahm" (Jell. 187).

In diese Motivkette reihen sich die Grazien ein. So folgt bei Zesen in Buch I
nach dem musikalischen Willkommensgruß der Rosemund die Schilderung des
Brunnens mit den drei Grazien (Jell. 42). Die Grazien treten immer im Gefolge
der Venus als ihre Begleiterinnen und Dienerinnen auf; sie verteilen die Gabe anmutiger Rede und lassen die Rosen sprossen[27]. Schließlich gehört noch in diese
Relation die Schilderung der Grotte in Buch V (Jell. 189—190). Fast alle
Momente verweisen auf die Venusikonographie: die aufgeblühten roten Rosen,
die zahlreichen Muscheln, vor allem rote Purpurmuscheln, ferner ein Neptun- und
ein Venusbrunnen. Die gesamte Ikonographie scheint aus allegorisch-emblematischen Elementen verschiedenster Provenienz zusammengesetzt zu sein. Der mond-
förmige Eingang verweist auf Venus; die Schildkröten auf den toskanischen Säu-
len können als Sinnbild der Ehe verstanden werden[28]; fast mystische Züge strahlt
das rot leuchtende Steinherz aus, das auf Korallen „gleichsam als auf dornen"
(Jell. 190) liegt[29].

Der ikonographische Bestand des Bildes der Freia konnte nicht aufgehellt werden[30]. Das Bild „Minerva und Juno, eine zerstörte Stadt beklagend" steht wohl in
unmittelbarer Relation zur Abhandlung des Buches V. Bei van Mander finden
sich längere Passagen zur Zerstörung Trojas, welche in fast beschwörenden Worten die Schrecken des Krieges darstellen und auf die Gegenwart beziehen: „So
werden Städte und Länder von böser Ungerechtigkeit und Gesetzesbrüchen verdorben und zerstört. So ist es ergangen mit vielen edlen hochberühmten Städten
und Schlössern, . . . von welchen auch nichts als der Name übriggeblieben ist.
. . . Schmutzige Üppigkeit, Unmäßigkeit haben bewirkt, daß diese ganze und gar
dem Erdboden gleichgemacht wurden; wo dann später mit Hilfe der Zeit alles mit
Dornen, Disteln, Gestrüpp und dunklen Wildnissen bedeckt wird, um es dann mit

---

[25] vgl. Henkel/Schöne, Sp. 290ff.
[26] vgl. besonders Jell. 42.
[27] vgl. Henkel/Schöne, Sp. 1782f
[28] vgl. Henkel/Schöne, Sp. 609f u. Sp. 1749f, ferner Alciat, S. 233.
[29] vgl. Abb. 18, die der Impresensammlung des Typotius (Symbola Divina, Prag
1601—1603) entnommen ist. Jöns weist nach, daß Gryphius diese Imprese bewußt auf-
greift, sie jedoch ihrer ursprünglichen Bedeutung entkleidet und nur den metaphori-
schen Wert verwendet. In: Jöns, D., Das ‚Sinnenbild'. Stuttgart 1966, S. 71—72.
[30] Vielleicht steht das Bild in Relation zur Vorrede, in der programmatische Forderungen für einen neuen deutschen Roman aufgestellt werden (Jell. 6).

blutgierigen Tieren und allem schmutzigen Ungetier aufs neue zu bevölkern. Dies möge man deutlich als Spiegel vor Augen halten .... wenn man ernsthaft auf die Ursachen achtet, durch welche die Lande verdorben, Städte verwüstet, Könige und Herrscher gestürzt und die Völker ausgerottet worden sind" (Fol. 94r/95v).

Bei Zesen lesen wir in seiner Abhandlung von den Deutschen und Deutschland: „Jah ich kan es mit räckt seinen untergang nännen; indähm die schöhnsten Stätte, di lustigsten und prächtigsten Schlösser und Herrenhäuser muhtwüllig, nicht alein verwühstet, verbrant und eingeäschert, sondern auch gahr geschleiffet wärden. Der himmel erzittert dafohr, di wolken wärden bewäget, die stärne lauffen betrübet, di sonne verhüllet ihr antliz, der mahnd erblasset, und di irdischen uhrwäsen erböben; wan si schauen und sähen di bluhtigen und nimmer-mehr verantwortlichen verwühstungen" (Jell. 208). Das Thema des Dreißigjährigen Krieges scheint dann wieder aufgegriffen zu werden in dem Saturn-Bild (Jell. 111f).

Die Ikonographien des ersten Buches sprengen mit ihren allegorischen Bezügen und Entsprechungen die unmittelbare Relation zum Erzählablauf, in dem sie ihren Platz haben. Die ‚Walstatt der Niederlage' — gewissermaßen eingerahmt von den Ikonographien — weitet sich in Spiegelungen, Umkehrungen und Brechungen auf das Gesamt des Romans aus. Ähnliches läßt sich in der Pariser Gemälde-Galerie aufzeigen (Jell. 111—115).

Die erste Ikonographie besteht aus einer sehr drastischen Beschreibung des Saturn; verwüstete Schlösser, zerbrochene Kronen und Reichsstäbe sind seine Insignien. Saturn wird gleichgesetzt mit Chronos, der alles verschlingenden Zeit. In diesem Bild der Vanitas sind Vergänglichkeit und Tod gemeint (hierzu van Mander Fol. 3r u. 112r). Bezogen auf das Thema „alles verkährt" klingt hier mit der Tragik des einzelnen, persönlichen Schicksals zugleich die geschichtlich-weltliche Breite von Krieg und Zerstörung an.

Zu Pyramus und Thisbe (Jell. 112—113) gibt van Mander folgenden Kommentar: „Die Geschichte gibt verschiedene lehrreiche Auslegungen. 1. Die Jugend soll die unbändigen Leidenschaften der Liebe meiden. 2. Eine Ehe gegen Wunsch und Verbot der Eltern einzugehen wird ein unglückliches Ende und einen bösen Ausgang nachziehen. 3. Die Eltern sollen nicht so hartnäckig und gewaltsam die jungen Liebenden zwingen, denjenigen zu verlassen, zu welchem sie eine so große und natürliche Liebe haben, und sie sollen nicht verhindern wollen, was oft nicht verhindert werden kann, weil daraus die größte Not und das größte Elend entsteht und eine zu späte fruchtlose Reue" (van Mander Fol. 24r). Hier führen sicher genaue Relationen zur ‚Niederländischen Geschichte' (Jell. 215—221), jedoch in einer bestimmten Spiegelung und Brechung zur Haupthandlung; hier wie dort ein Liebespaar, das an der ehelichen Verbindung durch die Eltern gehindert wird. Die Vermittlung zwischen tragischem Geschehen der Haupthandlung und Erzählung vermag die Pyramus-Thisbe-Ikonographie in ihren allegorischen Dimensionen zu leisten. In der ‚Niederländischen Geschichte' gelingt nach einer sensationellen Entführung die Versöhnung mit den Eltern, und alles kommt zu einem glücklichen Ende. Eine der ‚Niederländischen Geschichte' ähnliche formale Funktion erfüllt die Aktäon-Wildfang-Relation als Gegenbild der Liebe Markholds.

Das Adonis-Bild nimmt das vorige Thema wieder auf. Bei van Mander heißt es: „Endlich lehrt diese Fabel, wie die Jugend dadurch, daß sie oft den guten, oft göttlichen, weisen Rat mißachtet, ein jämmerliches Unglück überfallen kann, wie zum Beispiel einen kläglichen, unreifen Tod zu erleiden, wenn sie sich mit Mars anlegt, der dieses Unglück mit sich bringt" (Fol. 79r).

Ihren Abschluß erhält die Bilderreihe in Buch III durch das Ganymed-Bild. Daß vermutlich eine Gegenüberstellung zum Saturn-Bild gemeint ist, vermag die Auslegung van Manders zu verdeutlichen: „Ganymed wird verstanden als die menschliche Seele, die am allerwenigsten mit leiblichen Unvollkommenheiten der bösen Lüste befleckt ist; diese wird früh von Gott erwählt und an sich gezogen. Und wie Gott immer durstig ist nach Weisheit, Aufrichtigkeit, Sanftmut und den anderen Tugenden oder Schönheiten der Seelen, so nimmt er diese Menschen oder ihre inwendigen Werke an wie lieblichen Nektar oder Göttertrank. So haben wir den Raub Ganymeds, der in außergewöhnlicherweise seinen Eltern verlorenging, zu verstehen" (Fol. 77r/78v). Harmonie, Glück und Verklärung zeigt der Abschluß dieser Ikonographien, er bildet so den Gegensatz zu den Schrecken des Saturn. Bezogen auf das Schicksal der ,überirdischen' Rosemund klingt so etwas wie eine Rechtfertigung Markholds an.

Fassen wir unsere Überlegungen in einen kurzen Überblick zusammen. Die Ikonographien gehen entschieden über den unmittelbaren Zusammenhang mit dem Erzählablauf hinaus; sie fügen sich nicht einer epischen Integration. In ihnen wird eine Aneinanderreihung von Beschreibungen gegeben, Posten von Addition, zwischen denen ein komplexes Gefüge allegorisch-emblematischer Dimensionen ausgespannt wird. Dieses Gefüge suchten wir als Ikonologie im literarischen Sinn zu verstehen. Bestimmend wurde die Devise des Leuchters „alles verkährt", die wir als zugrunde liegendes Programm, als Concetto interpretierten. Dieses Concetto zeigt in einem Teil seiner Ikonographien als Präfigurationen unmittelbaren Bezug zum tragischen Ausgang des Geschehens; ein anderer Teil nimmt in paralleler oder reziproker Spiegelung und Brechung Bezüge zu den eingefügten Geschichten und Nebenhandlungen auf. Schließlich erfährt es in seiner Relation zu den gelehrten Abhandlungen und Exkursen eine Differenzierung und Ausfächerung in weltlich-geschichtliche Breite. Wir vermuten, daß in den Ikonographien die Basis zu einem allegorischen Gefüge gelegt wird, das den Roman im Modus eines Concettos durchzieht.

IV. IKONOLOGIE UND AUTOBIOGRAPHISCHER GEHALT

Versucht man die ikonologischen Aspekte und den autobiographischen Gehalt der *Adriatischen Rosemund* zusammenzusehen, so wird ein eigenartiges Spannungsverhältnis deutlich. Eine Autobiographie kleidet sich in die Form eines Künstlerromans; bürgerliche Existenz versucht sich in allegorisch-emblematischen Elementen auszudrücken, deren Provenienz auf eine grundsätzlich andere gesellschaftliche Basis verweist. Ikonologische Strukturen setzen Konnotationen voraus, die als Herrschaft in feudal-aristokratischen Gesellschaftsstrukturen vermittelt sind. In der abendländischen Geschichte entwickelt sich in einzelnen Stationen

Abb. 1   Titelkupfer

Abb. 2   Rosemund unter einem Palmbaum
trauernd. S. 3

Abb. 3   Rosemund erwacht aus der
Ohnmacht. S. 24

Abb. 4   Markhold am Seine-Ufer in Paris

Abb. 5 Der Kronleuchter. S. 59

Abb. 6 Rosemund vor dem Springbrunnen sitzend. S. 78

Abb. 7 Das Duell. S. 93

Abb. 8 Rosemund vor ihrer Schäferhütte
sitzend. S. 115

Abb. 9 Markhold beim Brettspiel. S. 132

Abb. 10 Guhtsmuhts hilft Wohlart vom Pferde absteigen. S. 160

Abb. 11 Der Seesturm. S. 193

Abb. 12 Rosemund erläutert Markhold das Stadtbild Venedigs. S. 201

Abb. 13 Rosemund findet im Garten
Markholds Brief S. 245

Abb. 14 Pyramus und Thisbe (Salomon-Nachfolge)

Abb. 15   Venus beklagt Adonis (Salomon-Nachfolge)

Abb. 16   Mars bei Venus (Goltzius-Werkstatt)

Abb. 17 Mars bei Venus (Goltzius)   *Abb. 18* Typotius, Symbola Divina

Abb. 19 Diana und Aktäon (Salomon-Nachfolge)

das Allegorische als grundsätzliche Spannung zwischen Physis und Bedeutung. Natur als geschichtlich geprägte und Geschichte als stoffliches Moment, als erschaffenes Geschehen verschränken sich ineinander zum Bild. Die Wendung von Geschichte in Natur liegt Allegorischem zugrunde; in diesem Prozeß kristallisiert sich in der Geschichte des Abendlandes Allegorie als hieratische Ostentation, die jeweils spezifische repräsentative, gesellschaftliche, d. h. politische Aspekte ausweist. In der Autobiographie der bürgerlichen Existenz wird dagegen Geschichte als persönliche Lebensgeschichte begriffen, privater Gehalt, zeitgenössische Problematik werden bestimmend. Inwieweit bürgerliche Lebenssphäre als unpolitische, private Existenz mit den repräsentativen politischen Ansprüchen von Allegorie im weitesten Sinn, von Ikonologie in Konflikt gerät, wäre an Zesens Werk als grundsätzliche Problematik der Barock-Literatur zu entfalten. An den Spannungsmomenten im ästhetischen Bereich wäre deutlich zu machen, wie das Neue der bürgerlichen Weise der Erfahrung von Wirklichkeit und ihrer Aneignung in dieser geschichtlichen Phase sich noch notwendig in alte Formen kleiden muß.

In dem allegorischen Gefüge der *Adriatischen Rosemund* wird das Konkrete Einzelne auf das Typische bezogen; ferner scheint der allegorische Apparat die Funktion zu erfüllen, ganz neue Dimensionen von Erfahrung in kanonisierte Formen zu gießen. Markhold und Rosemund als handelnde und leidende Personen werden gleichsam aufgehoben in ein Gefüge von Bedeutungen. Das Geschehen, die Personen s i n d nicht, sie b e d e u t e n . Typisierung, Präfiguration, Verbildlichung sind generell verankert in der Autorität der Tradition. Die Realität wird entmächtigt, indem sie in diesem Verfahren entwirklicht und Bild wird. Die Bildlichkeit des Allegorischen wurzelt letztlich in einer außerpoetischen, jenseits der Subjektivität liegenden Zuordnung von Ding und Bedeutung, von res und verbum[31], wobei in diesem Kontext Zesen die Kategorie des Repräsentativen, des Öffentlichen, des Politischen nicht mehr realisieren kann.

Der Zusammenhang von bürgerlicher, privater Existenz und Ikonographie scheint generell mit der Ovid-Renaissance des 17. Jahrhunderts zu korrespondieren; sie wird in Marinos *Adone* zum ersten Mal manifest (Paris 1623). In seinem Gefolge wird die Verbindung von Metamorphosen-Erzählung und Schäferdichtung konstitutiv. Warburg zeigt in seiner Untersuchung *Die Erneuerung der heidnischen Antike*[32] die Ursachen und Tendenzen dieser Ovid-Renaissance. Die vorgebildeten Metamorphosen fungieren in den verschiedenen Künsten als Modelle, die den Ausdruck der neuen, sensuellen Erfahrungen ermöglichen und unter Berufung auf diese Autorität rechtfertigen.

In Hinblick auf Zesen scheint hier private Existenz ein Korrektiv und ein Korrelat gefunden zu haben. Der neue Modus der Erfahrung und Aneignung von Wirklichkeit erhält in dem Gesamt der Ikonologie den Begriff, das Concetto, womit jene anschaulich gemacht, d. h. Bild werden können. Die aus den vorgege-

---

[31] Hierzu Benjamin, W., *Ursprung des deutschen Trauerspiels.* (Revidierte Ausgabe besorgt von Rolf Tiedemann) Frankfurt/M. 1963, S. 174—210.
[32] Warburg, A., *Die Erneuerung der heidnischen Antike.* Berlin 1932.

benen Metamorphosen sich konstituierende Ikonologie stellt gleichsam ein Modell dar, das den Ausdruck dieser neuen Erfahrung ermöglicht; als Modell setzt es Maß und Grenze und gibt zugleich der privaten Existenz die noch notwendige Bestätigung und Sanktionierung.

Nachweis der Abbildungen

Abb. 1—13: Illustrationen der „Adriatischen Rosemund"
Abb. 14: „Pyramus und Thisbe": Henkel, a.a.O. Tafel XIX. Abb. 36
Abb. 15: „Venus beklagt Adonis": Henkel, a.a.O. Tafel XIX Abb. 38
Abb. 16: „Mars bei Venus" — Goltzius-Werkstatt München,
Staatliche Graphische Sammlung
München
Abb. 17: „Mars bei Venus" — Goltzius, Staatliche Graphische Sammlung München
Abb. 18: Typotius, Symbola Divina: Jöns, a.a.O. Abb. 11
Abb. 19: „Diana und Aktäon": Henkel, a.a.O. Tafel XV, Abb. 28

Franz Günter Sieveke

PHILIPP VON ZESENS »ASSENAT«

Doctrina und Eruditio im Dienste des »Exemplificare«*

I

Wer sich anschickt, einen Roman Zesens zu interpretieren, sieht sich angesichts der umfangreichen Zesen-Literatur leicht dem Vorwurf ausgesetzt, Eulen nach Athen zu tragen, und es scheint ein ἀδύνατον zu sein, neue und für den Leser interessante Deutungsaspekte aufzeigen zu können. Aber nicht nur die Forschungssituation macht es dem Interpreten schwer, für seine Deutung zu werben, sondern der Dichter selbst. Schon zu Lebzeiten war er Verleumdung und hämischem Spott bei seinen Feinden ausgesetzt, denen vor allem seine Bemühungen um die Reinigung der deutschen Sprache eine willkommene Zielscheibe für Angriffe boten. Unter diesen Widersachern tat sich besonders sein einstiger Freund Johann Rist hervor. Auch Zesens dichterisches Vermögen wurde von einigen seiner Zeitgenossen sehr in Zweifel gezogen. Hier sind weniger die Unmutsäußerungen des Konkurrenten Grimmelshausen im ersten Teil seines *Wunderbarlichen Vogelnest*[1] zu nennen als vielmehr das vernichtende Urteil Joachim Meiers in seinem Roman *Die Durchlauchtigste Heberärinnen [!] JISKA REBEKKA RAHEL ASSENAT und SEERA. In einem vortrefflichen ROMAN, Oder angenehmen Helden-Geschichte ... auffgeführet*. Dort heißt es über Zesens biblische Romane:

> „Aber seine Erfindungen seynd so elend und Pöbelhafft / ohne Abwechselungen / Anmuth und Verwirrungen / daß man auch wohl eines Coridons amour geschickter ... auffführen können"[2].

Auch in unserem Jahrhundert, in dem das wissenschaftliche Interesse an der Literatur des Barockzeitalters aus seinem Dornröschenschlaf erwachte, konnte

---

*Der vorliegende Aufsatz wurde erstmals veröffentlicht im Jb. d. Dt. Schillergesellschaft. Bd. 1 (1969), S. 115—136.

[1] Johann Jakob Christoffel von Grimmelshausen, *Das wunderbarliche Vogelnest*, Teil 1, hrsg. v. J. H. Scholte, Halle/S. 1931, S. 103. — Grimmelshausen nimmt Anstoß an Zesens Anmerkungen, die ihm Irrtümer in der Behandlung der Josefsgeschichte vorwerfen.

[2] Leipzig u. Lüneburg 1697, Vorrede Bl. 7ᵛ f. (Zit. nach Werner Volker Meid, *Zesens Romankunst*, Phil. Diss. Frankfurt a. M. 1966, S. 46, Anm. 2) — Vgl. Max Wehrli, *Das barocke Geschichtsbild in Lohensteins Arminius*, Frauenfeld/Leipzig 1938, S. 90.

man zunächst Zesens Romanen nichts Positives abgewinnen. Hans Körnchen[3] gestand Zesen zwar zu, er sei »ein bemerkenswert guter Erzähler, aber schöpferische Phantasie« ginge »ihm ab«[4], um ihm dann wenig später »unkünstlerische Tendenz« und »naive Überschätzung gelehrten Wissens«[5] vorzuwerfen. Ja, er verstieg sich schließlich zu der Behauptung, in Zesens Romanen herrsche » nicht blühendes Leben, sondern Verknöcherung«[6]. Ein solcher odor inertiae belastet seither die gesamte Zesen-Forschung, die anscheinend nicht in der Lage ist zu erklären, was es mit solcher Gelehrsamkeit und ihrer Bedeutung für Zesens Romankunst auf sich hat. So sieht etwa Willi Beyersdorff in der Anhäufung von Wissensstoff bei Zesen lediglich eine concessio an den »Universalismus der Zeit«: »Die Grundtendenz war Darbietung des Wissens als solches, ohne daß Zesen bestimmte Anschauungen konsequent vertrat«[7]. Selbst Hans Obermann spielt in seiner 1933 erschienenen Dissertation[8] Historie und Polyhistorie gegen Phantasie aus, obwohl er einen Ansatz zu einer Erklärung der Gelehrsamkeit im barocken Roman unternimmt. Doch dürfte gerade seine Erklärung gründlich den eigentlichen Sinn der Gelehrsamkeit in barocker Dichtung verfehlen: »Zesen scheint in der Assenat zuerst Historiker, also Fachmann ... sein zu wollen«[9]. Dennoch sei die Arbeit des Historikers Zesen mißlungen, herausgekommen sei bei seinem Roman »gelehrte Phantastik« oder, besser gesagt, »die sich im Wissenschaftsbereich objektivierende Sensibilität«[10]. Der Roman sei »Historien- oder Polyhistorienausschnitt«[11]. Paul Baumgartners[12] Urteil über die Gelehrsamkeit Zesens lautet zwar nicht so negativ, trägt dafür aber zur Lösung des Problems nichts bei, wenn er bemerkt: »Dieser gelehrten Phantastik liegt vielmehr der Wunsch zugrunde nach Sicherung der eigenen Wahrheit von der Vergangenheit her« als Äquivalent zur »Unsicherheit und Vergänglichkeit der Existenz«.

Beliebt wurde schließlich in der Literaturgeschichte der Vergleich Zesens mit Grimmelshausen, der sich ja bei einer Behandlung der *Assenat* anbot. Hier hatte man ein zeitgenössisches Beispiel dafür, wie ein „wahrer" Dichter den von Zesen behandelten Stoff gestaltete. So verwundern dann auch nicht Urteile wie das von Clara Stucki: »Es ist der Unterschied zwischen dem wahrhaft schöpferischen Menschen Grimmelshausen, dessen Wurzeln im Dunkel des Absoluten gründen, und dem äußerlich bleibenden, bloß nachahmenden Modeliteraten [Zesen], zwi-

---

[3] Hans Körnchen, *Zesens Romane*. Ein Beitrag zur Geschichte des Romans im 17. Jh., Berlin 1912.

[4] Körnchen, a.a.O., S. 116.

[5] Körnchen, a.a.O., S. 128f.

[6] Körnchen, a.a.O., S. 117.

[7] Willi Beyersdorff, *Studien zu Philipp Zesens Biblischen Romanen »Assenat« und »Simson*, Leipzig 1928, S. 38.

[8] Hans Obermann, *Studien über Philipp von Zesens Romane. Die Adriatische Rosemund. Assenat. Simson*, Phil. Diss. Göttingen 1933.

[9] Obermann, a.a.O., S. 73.

[10] Obermann, a.a.O., S. 74.

[11] Obermann, a.a.O., S. 75.

[12] Paul Baumgartner, *Die Gestaltung des Seelischen in Zesens Romanen*, Frauenfeld/Leipzig 1942, S. 101.

schen dem Dichter und dem Schriftsteller«[13]. In den neueren Arbeiten über Zesens *Assenat* von Herbert Singer[14] und Werner Volker Meid[15] spielt die Gelehrsamkeit des Dichters und ihr Niederschlag im Roman keine Rolle für die Interpretation, obwohl gerade sie in die Augen fällt und bisher nie befriedigend erklärt wurde. Die vorliegende Arbeit versucht nun, die uns im Roman *Assenat* fast auf jeder Seite begegnende Gelehrsamkeit des Dichters als ein den Sinn und die Absicht des Werkes unterstützendes, vielleicht sogar ermöglichendes Element aufzuzeigen.

II

Was ist nun der Gegenstand von Zesens *Assenat* oder, fragen wir anders, welches Problem oder welcher Stoff reizte einen gelehrten Dichter wie Zesen zu einem solchen gelehrten Roman? Es war ein Stoff, den die *Genesis* in den Kapiteln 37 und 39 bis 50 kurz und vielfach nur andeutend erzählt: die Geschichte Josephs und seiner Brüder. Eine Episode in dieser Geschichte, die Ereignisse in Potiphars Hause *(Gen. 39)*, war ein beliebter Vorwurf für das Drama des 16. Jahrhunderts[16] — geeignet, dem Zuschauer ein Exempel moralischen Wohlverhaltens angesichts heftiger Anfechtung nachdrücklich zur Nachahmung vor Augen zu führen: Der getreue Diener, den die Herrin zu verführen trachtet, weigert sich standhaft, verfällt der Rache der Verschmähten und wird schuldlos dessen angeklagt, was die Verschmähte vergeblich von ihm begehrte. Solcher oder ähnlicher Anfechtung mochte der Zuschauer täglich begegnen. Hier wies das Verhalten Josephs den rechten Weg zur Tugend[17].

Das deutsche Theater des 17. Jahrhunderts findet zunächst keine Beziehung mehr zum Josephsstoff, bis schließlich die lateinische Jesuitenbühne in der leicht verwandelten Form dieses biblischen Stoffes ein dankbares Sujet zu glänzenden Staatsaktionen entdeckt[18]. Unter diesem höfischen Aspekt betrachtet, gewann die Josephserzählung dann auch wieder an Interesse für den sogenannten barocken Roman — aber nicht nur für diesen[19]. Ein Roman jedoch konnte sich nicht mit der bloßen Wiedergabe der biblischen Josephsgeschichte begnügen: Die inventio des Dichters mußte die knappe Darstellung der *Genesis* ergänzen, aber der Wahr-

---

[13] Clara Stucki, *Grimmelshausens und Zesens Josephsromane. Ein Vergleich zweier Barockdichter*, Zürich/Leipzig 1933, S. 130. — Mit anderen Worten kommt Margarete Nabholz-Oberlin zum gleichen Urteil: Zesen verarbeitete denselben Stoff wie Grimmelshausen — »allerdings mit weniger Genie und Selbständigkeit« *(Der Josephroman in der deutschen Literatur von Grimmelshausen bis Thomas Mann*, Phil. Diss. Basel 1950, S. 11).

[14] Herbert Singer, *Joseph in Ägypten. Zur Erzählkunst des 17. und 18. Jhs.* In: Euphorion 48 (1954), S. 249—279. Über Zesens Josephroman s. S. 257—262.

[15] W. V. Meid, *Zesens Romankunst.*

[16] Alexander von Weilen, *Der ägyptische Joseph im Drama des XVI. Jhs.*, Wien 1887.

[17] Vgl. auch Herbert Singers Aufsatz, S. 249—252.

[18] Johannes Müller, *Das Jesuitendrama in den Ländern deutscher Zunge vom Anfang (1555) bis zum Hochbarock (1665)*, Augsburg 1930, Bd. I, S. 50.

[19] Über die Behandlung des Josephs-Stoffes in der Barockdichtung s. H. Obermann, a.a.O., S. 75.

heit entsprechend; denn so fordert Augustus Buchner in seiner Schrift *Poet:*
»Demnach so ist des Poeten Ambt ein Thun darstellen / wie es ist/ seyn soll/
oder kañ«[20].

Diese Forderung Buchners schließt das sogenannte freie Walten und Schalten
der dichterischen Phantasie mit dem Stoff für den Barockpoeten aus. Er ist vielmehr gezwungen oder fühlt sich zumindest bemüßigt, Quellenforschung zu betrei-
ben, um nicht der Unwahrheit bezichtigt zu werden. Wie aber der Dichter mit
seinen Quellen umgeht, welche er auswählt und was er aus ihnen verwertet, das
ist der gravierende Unterschied auf dem Gebiet des barocken Romans, vornehm-
lich aber des Bibelromans. Hier stellen Grimmelshausens und Zesens Josephsromane in der Tat zwei grundverschiedene Gestaltungsmöglichkeiten ein und desselben Stoffes dar.

Wie der Titel schon sagt, bietet Grimmelshausen uns *Des Vortrefflichen Keu-
schen Josephs in Egypten / Erbauliche / recht ausführliche und vielvermehrte
Lebensbeschreibung / Zum Augenscheinlichen Exempel der unveränderlichen
Vorsehung Gottes*, eine Lebensbeschreibung also mit dem Zweck, einen theologischen Sachverhalt exemplarisch und damit auch der Wirklichkeit entsprechend zu
dokumentieren[21]. Geleitet von dieser Absicht, ist es verständlich, daß vor allem
Josephs persönliche Geschichte und die seiner Familie das Hauptgewicht im
Roman erhalten. Grimmelshausen bietet eine durch schwankhafte Züge aufgelok-
kerte, chronologisch geordnete Nacherzählung der Josephsgeschichte der *Genesis;*
durch diese Reihung von Episoden verrät er auch hier wieder seine Verbunden-
heit mit dem pikaresken Roman. Sein Quellenstudium, auf das er auch auf dem
Titelblatt stolz hinweist, verfolgte im wesentlichen den Zweck, Material für die
schwankhaften Einlagen zu sammeln. Gesichtspunkte der kritischen Auseinandersetzung mit den Quellen lassen sich bei Grimmelshausen nicht feststellen, wenn
man folgendem Satz aus der *An den Leser* überschriebenen Vorrede des Romans
kein großes Gewicht beilegt: »doch muß ich gestehen daß ich auch viel Dings /
so gar zu fabelhafftig lautet / als unnütze Mährlein ausgelassen«[22]. Wer sich der
Mühe unterzieht, den Roman mit den Quellen zu vergleichen, wird feststellen,
daß Grimmelshausen zwar sein Publikum mit Gelehrsamkeit beeindrucken will
und daß er mit Quellen renommiert, ohne sich doch eng an sie anzuschließen. Ja
vielfach weicht er von der Quelle ab, wo er ihr doch ohne Not hätte folgen können[23].

Daß Zesen mit seinem Roman etwas anderes beabsichtigt als Grimmelshausen,
läßt sich auch in diesem Falle wieder aus der Ankündigung auf dem Titelblatt

---

[20] August Buchners *Poet. Aus dessen nachgelassener Bibliothek heraus gegeben von
Othone Prätorio / P. P. In Verlegung der Erben / Gedruckt zu Wittenberg bey Michael
Wenden*, 1665, S. 32.
[21] Neuausgabe von W. Bender, Tübingen 1968. — Der Titel der Erstausgabe läßt den
Gedanken noch deutlicher erscheinen: *Exempel / Der unveränderlichen Vor- / sehung
Gottes. / Unter einer anmuthigen und / ausführlichen Histori / vom / Keuschen Joseph
in Egypten / Ja- / cobs Sohn. Vorgestellt.*
[22] Grimmelshausens *Keuscher Joseph*, S. 5 in der Benderschen Ausgabe.
[23] Körnchen, a. a. O., S. 111.

ablesen. Sie lautet: *Filips von Zesen Assenat; das ist Derselben / und des Josefs Heilige Stahts- Lieb- und Lebens-geschicht*[23a]. Wir sehen deutlich, daß das, was bei Grimmelshausen das Wichtigste war, die Lebensgeschichte Josephs wiederzugeben, hier nur beiläufige Bedeutung gewinnt, daß zwei andere Aspekte zumindest gleichberechtigt im Roman beachtet sein wollen: der politische und der erotische Aspekt, und diese als voneinander untrennbar; denn — so hat es Günther Müller einmal formuliert[24] — »‚politische' und erotische Bindung gehören unlöslich zusammen, wo nur der höfisch-gesellschaftliche Mensch einer belangvollen Liebe fähig ist und wo jede erotische Passion von einem staatlichen Funktionsträger auf eine Repräsentantin staatlicher Wirklichkeit gerichtet ist«. Welche Bedeutung diese Intention für die Auswahl des Stoffes hat, wird uns später noch beschäftigen müssen. An dieser Stelle soll zunächst einmal die Form der Darbietung des Stoffes Gegenstand einer kurzen und nur vorläufigen Betrachtung sein.

In der *Dem Deutschgesinten Leser* betitelten Vorrede lesen wir folgende wichtige Sätze: »Aber diese meine Geschicht ist / ihrem grundwesen nach / nicht erdichtet. Ich habe sie nicht aus dem kleinen finger gesogen/ noch bloß allein aus meinem eigenen gehirne ersonnen. Ich weis die Schriften der Alten anzuzeigen / denen ich gefolget«[25]. Hier wie auch in seiner Kritik an der subjektiven Geschichtsverfälschung der üblichen Romanliteratur nennt Zesen den wichtigsten Gesichtspunkt für sein Verfahren als Romanschriftsteller: Quellentreue. Diese setzt aber eine umfangreiche und langjährige Forschung, Quellenerfassung und Quellenkritik voraus. Bedenken wir, daß die erste Erwähung eines geplanten Josephsromans in der 1651 erschienenen *Rosenmånd* erfolgt, so läßt sich ungefähr der Zeitraum der gelehrten Studien zur 1670 erschienenen *Assenat* umreißen: Ein Zeitraum von etwa 20 Jahren. Diese gelehrten Studien finden ihren Niederschlag im Roman selbst — so bei der Beschreibung religiöser oder kultureller Eigenarten der Ägypter —, vor allem aber in den *Kurtzbündigen Anmärkungen*, die Zesen seinem Roman folgen läßt[26]. Auf 185 Seiten — der Roman umfaßt 344 Seiten — trägt Zesen Quellenbelege, botanische Überlieferungen, Moralisches und Erbauliches aus alten Schriftstellern, vor allem aber Erörterungen ägyptologischer Fragen zusammen: hier hat er die Ergebnisse seiner gewaltigen Belesenheit aufgestapelt, wie uns Zitate aus antiken Autoren und aus Kirchenvätern, aus arabischen, syrischen und jüdischen Schriftstellern bezeigen. Diese — fast möchte möchte man sagen — skurrile Marotte barocker Poeten, ihren Dichtungen Anmerkungen und Quellenbelege beizugeben, ist uns vertraut etwa bei den Dramen des Andreas Gryphius. Dies ist aber nicht eine Eigenart des Gryphius, sondern fast aller hohen (!) barocken Poesie. Was Zesens Verfahren von dem des Gryphius unterscheidet, ist die Tatsache, daß unser Dichter nicht nur belegt, woher er sein Wis-

---

[23a] Philipp von Zesen, *Assenat*, hrsg. v. V. Meid, Tübingen 1967.

[24] Günther Müller, *Höfische Kultur der Barockzeit.* In: Hans Naumann u. G. M., *Höfische Kultur*, Halle/S.. 1929 (Dt. Vierteljahrsschr. f. Literaturwissensch. u. Geistesgesch., Buchreihe, Bd. 17) S. 134f.

[25] Zesen, *Assenat*, Vorrede, S. [A6ᵛ].

[26] Zur Unterscheidung der verschiedenen Formen der »Anmärkungen« und über ihre verschiedenen Funktionen s. H. Obermann, a.a.O., S. 66—75.

sen hat, sondern — und das zeichnet ihn als poeta doctus aus — daß seine Anmerkungen gleichzeitig den hohen Anforderungen eines quellenkritischen Rechenschaftsberichts genügen wollen, wie wir aus dem weiteren Titel der *Kurtzbündigen Anmärkungen* entnehmen können: heißt es doch hier, daß nicht nur die »Zeugnüsse so wohl der Heiligen / als unterschiedlicher anderer Schriften / daraus dieselbe *[Assenat]* zusammengeflossen / zu ihrer *[Assenat]* bewährung / angeführet« werden, sondern »auch zugleich vieler widrige meinungen dargetahn und erwiesen werden«[27]. Was aber Zesen gänzlich als poeta doctus ausweisen dürfte, ist die hohe Einschätzung dieser wissenschaftlichen Erörterungen, gibt er doch in der bereits genannten Vorrede seinen Lesern den Rat, »daß man solche Anmärkungen zuallererst lese«, um den Roman mit »grösserem nutzen so wohl / als verstande« zu lesen[28].

III

Sucht man nach Gründen für Zesens Hochschätzung der Gelehrsamkeit und gelehrten Dichtertums, so wird man sie einmal in seinem Bildungsgang suchen müssen. Am 8. Oktober 1619 in Priorau bei Dessau als Sohn eines lutherischen Pfarrers geboren, besuchte er von 1630 bis 1639 das von Christian Gueintz, dem Schüler Wolfgang Rathes und Verfasser *Der Deutschen Recht-Schreibung Auf gut befinden . . . . verfasset (1645)*, geleitete Gymnasium in Halle, studierte dann von 1639 bis 1641 in Wittenberg, wo August Buchner lehrte, und schließlich im Sommersemester 1641 in Leipzig. Schaut man sich die Lehrpläne der Schulen des 17. Jahrhunderts an, so stellt man fest, daß sie auf ein ganz bestimmtes Bildungsideal tendierten: auf den Polyhistor, der das Wissen der Zeit im enzyklopädischen System gliederte und so das Chaos der Welt in eine überschaubare Ordnung brachte. Philologie und Historie nahmen in den Lehrplänen eine bevorzugte Stellung ein. »Über« die »vorwiegend philologisch-historische Schicht lagerte sich dann bald eine naturwissenschaftliche, in der infolge der kosmographischen Arbeit und der Verarbeitung der ersten Reisebeschreibungen über die neuentdeckten Länder die Geographie voranstand. Astronomie fehlte in des Kopernikus Nachfolge ja auch nicht«[29]. Neben dieser auf polyhistorische Gelehrsamkeit zielenden Schulbildung darf man den Einfluß der Kultur und Wissenschaft der Niederlande auf Zesen nicht unterschätzen, wo der Dichter den größten Teil seines Lebens verbrachte. Alle diese Faktoren wirken bei ihm zusammen und prägen seine Hochschätzung der Wissenschaft in dem Maße, in dem er selbst ein Wissenschaftler wird, wie seine sprachtheoretischen, poetologischen und historischen Arbeiten zeigen sowie seine astronomischen, mythologischen und geographischen Studien[30]. Zesens Bildung reicht aber allein nicht aus, seine Vorliebe für gelehrte

---

[27] *Assenat*, S. 345.
[28] *Assenat*, Vorrede, S. [A 7r].
[29] Joseph Dolch, *Lehrplan des Abendlandes*. Zweieinhalb Jahrtausende seiner Geschichte, Ratingen (1959), S. 266.
[30] Vgl. H. Obermann, a.a.O., S. 58—62.

Schriftstellerei zu erklären. Ein zweiter Grund muß hinzugenommen werden: die
Tradition, in der er steht, die als Ideal den poeta doctus intendierte. Die Wirksamkeit dieses Ideals, dessen Geschichte seit seiner Genesis in der hellenistischen Poesie
— etwa seit Kallimachus — noch zu schreiben ist, reicht bis in die Zeit Zesens und
prägt auch das Selbstbewußtsein unseres Dichters, der — wie wir kurz zeigen
wollen — den Anforderungen an einen poeta doctus genügen will. Solche Ansichten resultieren verständlicherweise aus der Behandlung der Dichtkunst im Unter-
richtssystem der Zeit: Die Poesie hatte ihren festen Platz in den »artes liberales«.
Als *ars* aber war sie lehr- und lernbar: »ars erit quae disciplina percipi debet«
hatte schon Quintilian (2, 14, 5) gesagt, und der war Autorität. Wenn aber Dichtung lehrbar ist, dann erklärt sich die Flut von Poetiken im 17. Jahrhundert,
dann erklärt sich auch die in ihnen immer wieder geäußerte Forderung nach Gelehrsamkeit und Forschergeist als Grundeigenschaften des Poeten. Kaspar Stieler
gibt in diesem Zusammenhang in seiner *Teutschen Sekretariat-Kunst* (Nürnberg
1673) dem Dichter sogar den Rat, da das menschliche Gedächtnis zu schwach sei,
um den für sein Handwerk notwendigen Wissensschatz stets bereitzuhalten, solle
er »Gemeinstellen (loci communes)« einrichten, »in welche man dasjenige / so
man gelesen / einzeichnet / und zu künftigem Gebrauch verwahret«[31].

Wie selbstbewußt Zesen sich dieser Tradition des poeta doctus verpflichtet
weiß, spricht sich in der bereits mehrfach genannten Vorrede des Romans aus.
Hingewiesen wurde schon auf die Stelle, an der er die Quellentreue als Kriterium
der besonderen Eigenart seiner Dichtung in den Vordergrund stellt. Damit
braucht man sich aber nicht begnügen, sondern es lassen sich noch weitere Gesichtspunkte für Zesens Beurteilung als poeta doctus zusammentragen. Gleich zu
Beginn erweist er mit rhetorischem Raffinement, wie ein Kenner der Literatur
eine solche Vorrede gestaltet: Er beginnt mit der oft bewährten Technik, die
miratio als prorömialen Aufmerksamkeitserreger zu benutzen. Aber — und das
verdient Erwähnung — in einer interessanten Abwandlung des antiken Musters.
Das *mirari* wird bei Zesen nicht erst durch den Hinweis auf das Neue stimuliert,
er geht vielmehr vom *mirari* als Faktum aus:

> »MJch deucht / ich sehe die Welt ihr leschhorn rümpfen. Mich dünkt / sie ziehet
> das maul. Ich höre / sie fraget: was ungewöhnliches / was seltsames / was neues ist
> dis?«[32]

Wirksam unterstützt wird diese Aufmerksamkeit heischende Einleitung der
Vorrede durch eine wohldurchdachte Dosierung des rhetorischen Ornatus: Drei-
gliedrigkeit des Ausdrucks für einen Gedanken (miratio), wobei 1. und 2. Glied
durch Anapher und syntaktischen Parallelismus gekennzeichnet sind: »MJch
deucht...« — »Mich dünkt...«, während sich das dritte Glied durch Variatio
und Amplificatio zur Steigerung der Eindringlichkeit abhebt: »Ich höre / sie [die
Welt] fraget...«. Doch hier interessiert nur die Frage nach dem Selbstverständnis

---

[31] Kaspar Stieler, *Teutsche Sekretariat-Kunst,* Teil 1, S. 141. — Zit. nach Joachim
Dyck, *Ticht-Kunst.* Deutsche Barockpoetik und rhetorische Tradition, Bad Homburg v. d.
Höhe, Berlin, Zürich (1966), S. 59.
[32] *Assenat,* Vorrede, S. Av^r.

Zesens als poeta doctus und nach der Artikulation dieses Selbstverständnisses. Dazu können wir uns auf Inhalt und Komposition der Vorrede beschränken. Die zitierte miratio hat natürlich ihren Grund, wie Zesen ausführt, und dieser liegt schon im Titel selbst: in der Ankündigung einer »Heiligen Lieb-geschicht«. Dergleichen sei, wie er selbstbewußt — vergleichbar dem Horazischen »cármina nón priús / Audíta . . . / cánto« *(Carmina* III; 1, 2ff.) — hervorhebt; ein *novum:*

> »Freilich ist es was neues / was fremdes / was seltsames. Ja es ist was heiliges / dergleichen auf diese weise noch niemand verfasset«[33].

Eine solche Äußerung entspricht gelehrt rhetorischer Tradition. Um seine Behauptung nun zu erhärten, gibt Zesen einen Überblick über die Geschichte des galanten Romans, der »nicht-heiligen / ja unheiligen Liebesgeschichten«, der in seiner eindeutig abwertenden Beurteilung der Ablehnung des *Amadis*-Romans bei Grimmelshausen in dem *Sylvander*-Gedicht zu Beginn des Romans *Proximus und Lympida* entspricht:

> »HJnweg nun! Amadis / und deines gleichen Grillen /
> Mit denen sich bißher pflegt schändlich anzufüllen
> Das junge Freyer-Volck«[34].

War mit dem Überblick über die Geschichte des galanten Romans die Behauptung, mit dem eigenen Werk ein *novum* zu bieten, schlecht und recht bewiesen, so stand das eigentliche argumentum für das, worin das Neuartige bestand, noch aus. Weshalb stellt die *Assenat* eine »heilige Liebesgeschichte« dar? Diese Frage wird ebenfalls — wenn auch nur kurz und für unsere Vorstellungen vielleicht nicht ganz einsehbar — beantwortet: Heilig ist sie durch die Quelle, nach der sie erzählt wird, die *Genesis* also, und durch die Personen. Auf diesen Argumentationsteil der Vorrede folgt nun eine Charakteristik seiner Bearbeitung, auf die wir schon hinwiesen und die sich ja auszeichnete durch den Wert ihrer Quellentreue. Wichtig scheint dem poeta doctus noch der Hinweis, daß sein Roman den Anforderungen der Poetik genüge, daß er — um Horazens Begriffe, die in den Renaissance- und Barockpoetiken eine enorm wichtige Rolle spielen, zu verwenden — mit seiner Dichtung *delectare* und *prodesse* gewährleiste. Aber — und das führt er wieder im Hinblick auf seine den gelehrten Dichter auszeichnende Quellentreue an — sein Werk genüge den Forderungen der Poetik auf höhere Weise. Erreichen andere Romane das delectare durch Entstellen der Wahrheit, so bedarf sein Werk dessen nicht. Die Darstellung der reinen Wahrheit entfaltet genug Anmut:

> »Jene [die anderen Liebesromane] werden darüm mit erdichteten wunderdingen ausgezieret / ja oft im grundwesen selbst erdichtet / oder auf dichterische weise verändert; damit sie in den gemühtern der Leser üm so viel mehr verwunderung gebähren möchten . . . Hier aber haben wir keiner erdichtungen / keiner

---

[33] *Assenat,* Vorrede, S. Av^r.
[34] J. J. Chr. v. Grimmelshausen. *Des Durchleuchtigen Printzen Proximi und seiner ohnvergleichlichen Lympidae Liebs-Geschicht-Erzehlung,* hrsg. v. F. G. Sieveke, Tübingen 1967, S. 6.

vermaskungen / keiner verdrehungen nöhtig gehabt. Die nakte Wahrheit dieser sachen / davon hiesige Geschicht handelt / konte solches alles ohne das genug
tuhn«[35].

Durch solche Darstellung der unverfälschten Wahrheit aber erreicht der Dichter auch eine höhere Stufe des prodesse als gemeinhin andere Dichtung.

Zum Schluß der Vorrede aber führt Zesen, wie es sich für einen gelehrten
Dichter schickt, die Quellen an, denen er weitgehend verpflichtet ist — verbunden mit einer kurzen Quellenkritik, die in den Anmerkungen des Romans einen
breiteren Niederschlag findet.

Da vor allem für die *Assenat*-Handlung das *Alte Testament* keine Anhaltspunkte bot oder — um Zesens Worte zu gebrauchen — »zu kurtz redet / oder
aber gar schweiget« — die *Genesis* nennt lediglich an zwei Stellen ihren Namen
(41,45 und 41,50)—, war die Heranziehung anderer Schriften erforderlich. Der
Dichter nennt als wichtigste Quellen:

»der Assenat Geschicht« — gemeint ist die *Historia Assenat*, die Zesen in einer
Bearbeitung des Vincenz von Beauvais in dessen *Speculum Historiale* vorlag
(deutsche Fassung 1664), dann die *Verfassung des letzten Willens der zwölf Ertz-
väter*, eine pseudoepigraphische Schrift, der der Bericht von *Genesis* 49 (Jakobs
Segen und letzter Wille) zugrunde lag[36], und mit besonderem Nachdruck die
Schriften des »weltberühmten Atanasius Kircher«. Wie aus den Anmerkungen des
Romans hervorgeht, verdankt Zesen besonders dessen 1652—1654 in Rom erschienenem *Oedipus Aegyptiacus* den größten Teil der archäologischen, religions-
geschichtlichen, sprachwissenschaftlichen und geographischen Fakten. Aus den
Anmerkungen geht aber auch hervor, daß ihm diese genannten Werke nicht ge-
nügten: Neben antiken Autoren und Kirchenvätern zieht er vor allem zur Erörterung theologischer und völkerkundlicher Fragen eine Reihe zeitgenössischer
Schriften heran, deren Aufzählung ich mir hier erspare[37]. Wichtig aber bleibt zu
bedenken, daß Zesen als Quellen nicht nur Erzählungen, sondern gleichberechtigt
neben diesen hochwissenschaftliche Abhandlungen heranzieht. Es geht ihm also
nicht um die Übernahme bestimmter Erzählmotive, sondern um ‚historische
Wahrheit' — das heißt im Hinblick auf diesen Roman: um kultur- und religions-
historische Wahrheit; der Roman soll ja »nicht erdichtet, nicht aus dem kleinen
finger gesogen« sein.

Welchen Sinn hat nun solche Gelehrsamkeit in einer Dichtung? Befriedigend
läßt sich diese Frage nur beantworten, wenn man nach dem Sinn barocker Poesie
überhaupt fragt und diese Frage den Bestimmungen der barocken Poetik entsprechend beantwortet. Wie die Poesie überhaupt, so muß auch der Roman sich durch
den Nachweis seiner Nützlichkeit rechtfertigen, und diese wird gemeinhin in der
Vermittlung einer Lehre gesehen: Das Horazische *prodesse*, auf das Zesen ja
schon in der Vorrede zu sprechen kam, wird durchweg als *docere* begriffen. Die

---

[35] *Assenat*, Vorrede, S. A 6ᵛ—A7ʳ.

[36] Die Historia Assenat und die Testamente der zwölf Ertzväter sind abgedruckt bei
J. A. Fabricius, *Codex Pseudoepigraphicus Veteris Testamenti*, 1713.

[37] Über Zesens Quellen und ihre Charakterisierung, s. H. Obermann, a.a.O., S. 66 bis
75 u. V. Meid in dem Nachwort seiner Ausgabe der »Assenat«, S. 18*—23*.

Lehre aber, die aus der Dichtung zu gewinnen ist und auf die wir in unserem spe-
ziellen Falle noch besonders eingehen müssen, dokumentiert sich entweder in war-
nenden Beispielen verwerflichen Handelns oder — und dies soll uns in Zesens
Assenat vor allem interessieren — in empfehlenswerten Beispielen vorbildlichen
Verhaltens. Aber nur wenn Dichtung der ‚Wahrheit‘ entsprach, hatte sie exemplarischen Wert, war sie befugt, zur imitatio des von ihr geschilderten vorbildlichen
Verhaltens aufzurufen. Die Funktion barocker Dichtung, imitatio beim Leser zu
bewirken, ergo Exemplarisches bieten zu müssen, implizierte also geradezu das
Bestreben nach Gelehrsamkeit. Nur durch Vollständigkeit konnte man das Gültige und Beispielhafte in den Griff bekommen. Nur das wirklich Gewußte gab
seine Bedeutung frei[38].

Gestaltet der Dichter also einen historischen Stoff — und biblische Stoffe sind
für das 17. Jahrhundert historische Stoffe — mit dem Zweck, seinen eigentlichen
Sinn (Beispielhaftigkeit) aufzudecken, so wird dieser Sinn immer nur durch die
genaue Kenntnis der Einzelheit verbürgt: »Die Einzelheit empfängt deswegen ihre
Wichtigkeit« — so Herbert Heckmann über Gryphius' *Papinian*—, »damit durch
sie der Sinn um so schärfer hervorgehoben werde. Man ist auführlich, weil man
den Sinn bis ins Einzelne gewahrt wissen will«[39].

Zu solchen Einzelheiten, die bis ins Detail dargelegt werden, gehören auch uns
heute obskur erscheinende Anschauungen, die aber damals zum Wissen der Zeit
gehörten. So läßt sich Zesen etwa aus über die ägyptischen Kosmetika (S. 115),
über die Wirkung von Aphrodisiaka (S. 128), er erwägt die verschiedenen Theorien über Ursprung und Verlauf des Nils (S. 38—40) oder erklärt, weshalb die
nach Ägypten eingewanderten israelischen Mütter so fruchtbar waren, daß sie »in
einer einigen tracht« »zu weilen vier / sechs / ja acht kinder zur welt« brachten.
»Und diese große fruchtbarkeit veruhrsachte das stähtige trinken des Nielwassers:
welches die Aekker und Leiber nicht allein fet/sondern auch so fruchtbahr
machte / daß beide so überaus reichlich früchte trugen . . .« (S. 342). Verzichtet
der Dichter im Roman selbst zwar auf ausführliche wissenschaftliche Erörterung
dieser Themen, so holt er dies in den *Anmärkungen* nach. Vor allem aber zitiert
er die Gewährsmänner für sein Wissen hierüber. Kurios erscheint uns heute auch
die Erklärung über den Ursprung von Josephs Schönheit: Sein »Uhranherr oder
übervorgroßvater Tahre« war ein vortrefflicher Bildhauer, dessen Götterbilder
zum Verlieben schön waren. Weil nun Abrahams Mutter dessen »so künstlich-
schön ausgearbeiteten bilder fort und fort angesehen / und ihr derselben schönheit dermaßen tief eingebildet / daß alle ihre Kinder ihnen gantz ähnlich geworden; so habe sie solche schönheit ihren nachkommen bis in das vierde Glied
gleichsam erblich und eigen gemacht« (S. 7).

Bedeutungsvollere wissenschaftliche Detailschilderungen behandeln das gesamte
Gebiet ägyptologischer Fragen, um das historische und kulturelle Kolorit, in dem
die Handlung spielt, wiederzugeben: so etwa die Schilderung eines Isisfestes (S.

---

[38] Herbert Heckmann, *Elemente des barocken Trauerspiels*. Am Beispiel des »Papinian« von Andreas Gryphius, Darmstadt 1959, S. 22.
[39] H. Heckmann, a.a.O., S. 23.

130—132), die bloß reihende Aufzählung exotischer Pflanzen im Lustgarten der Sonnenburg zu Heliopel (S. 225), die exakte Beschreibung der Pyramiden und des ägyptischen Bestattungszeremoniells (S. 233—240) oder der Einbalsamierung Assenats (S. 306 bis 308). Solche ,wissenschaftlich' ,exakte' Detailschilderungen, die nach Aussage der ihnen zugeordneten umfangreichen Anmerkungen aus einem ausgiebigen Quellenstudium resultieren, sind in ihrer Umfänglichkeit oft unmotiviert und vielfach von modernem Empfinden aus betrachtet nicht recht in die Romanhandlung integriert. Das aber dürfte dem Geschmack der Zeit nicht widerstrebt haben. Auch die Diskrepanz zwischen mosaikartig zusammengetragenem historischen Wissen und sogenanntem »historischen Verständnis« darf nicht verwundern. Wer Exemplarisches aufzeigen wollte, dem brachte Geschichte nicht etwas Neues oder gar Fortschritt, sondern Wiederkehr von Gleichem. So kann sich Zesen zwar um eine detaillierte Erfassung der ägyptischen Mythologie bemühen, aber zugleich in eine christliche Bewertung umschlagen, die Götter Götzen nennen und von den Priestern sagen: sie verstünden es arglistig, »das arme volk zu betrügen / und in ihrer abergleubischen gottesfurcht zu erhalten« (S. 372).

Was ist nun aber das Exemplarische in Zesens Roman, das der imitatio wert erscheint, und wen geht es an, d. h. wer soll es imitieren? Zur Beantwortung dieser Frage werfen wir einen Blick auf den Inhalt.

IV

Wie die gelehrten Quellenstudien sich im Roman niederschlagen und ihn in gewisser Weise strukturieren, so versetzt die Kenntnis der Romantradition Zesen in die Lage, auch die in dieser Tradition entwickelten Erzähltechniken mit Geschmack anzuwenden. Gemäß der geltenden Konvention nennt er seinen Roman nach der weiblichen Hauptperson[40]. Der Roman setzt ein mit Josephs Ankunft in Memphis. In den parallel gebauten Büchern I und II, die gleichsam die Exposition der Romanhandlung bilden, unterrichtet uns der Dichter über Josephs und Assenats Jugendgeschichte, er erzählt von Träumen und Orakeln, die die Zukunft Josephs und Assenats zu determinieren scheinen und somit die kommenden Ereignisse des Romans festlegen. Diese Träume erfüllen sich denn auch in den Büchern III und IV für Joseph: Er ist den heftigen Verführungsattacken Sephiras, der Gemahlin Potifars, ausgesetzt, er bleibt standhaft und gerät auf diese Weise ins Gefängnis. Die Deutung der Träume des ägyptischen Königs befreit ihn aus der Haft, ja nicht nur dies, sie bewirkt auch die bereits angedeutete Erhöhung zum *Schaltkönig*. Im V. Buch gehen auch das Orakel und die Träume, die Assenats Geschick vorausdeuteten, in Erfüllung. Sie wird Josephs Gemahlin. Der größte Teil des VI. Buches ist der Beschreibung seines Hochzeitsfestes sowie desjenigen seiner Gönnerin, der Königstochter Nitokris, gewidmet. Überhaupt nehmen solche Beschreibungen höfischer Feste den größten Raum im Roman ein. Ansonsten schildert dieses Buch Josephs staatsmännische Leistungen: die Vorsorge für die Hungerjahre, die Festigung und Erweiterung der Macht des Königs und nach des

---

[40] V. Meid im Nachwort seiner »Assenat«-Ausg., S. 19*.

10*

Königs Tod seine Tätigkeit als Reichsverweser. Auch die Hochzeit der Königstochter Nitokris mit dem libyschen Königssohn gehört in den Bereich seiner politischen Erfolge. Schließlich wird noch ein Teil der Familiengeschichte behandelt: das Wiedersehen Josephs mit seinen Brüdern und die Übersiedlung der Israeliten nach Ägypten. Das letzte Buch des Romans (VII) behandelt einen sehr langen Zeitraum (66 Jahre), »der durch Assenats, Jakobs und Josephs Tod markiert wird«[41]. Wie schon im vorhergehenden Buch stehen auch hier die Ereignisse aus Josephs persönlichem Leben im Hintergrund, während der politischen Tätigkeit die eigentliche Aufmerksamkeit des Dichters gewidmet ist.

Aus diesem knappen Überblick über den Inhalt der einzelnen Bücher der *Assenat* ist natürlich noch nicht der kunstvolle Aufbau des Romans ersichtlich. Im Gegensatz zu Grimmelshausens chronologisch vorgehender Erzählweise bedient sich Zesen eines konventionellen Kunstgriffs höfischen Erzählens, der aus dem griechischen Liebesroman entlehnten medias-in-res-Technik. Die Vorgeschichten, die für den Leser zum Verständnis wichtig sind, werden innerhalb des Romans nachgeholt. Dieses Verfahren schafft natürlich schärfere Einschnitte und bietet dem Leser willkommene Ruhepunkte. Ausgehend von zwei Personengruppen — Joseph/Sephira und Nitokris/Assenat — erzählt Zesen seinen Roman bis zur Verlobung zwischen Joseph und Assenat im fünften Buche in zwei parallellaufenden Handlungsfäden. Dabei bleiben Zeit und Handlung in den ersten beiden Büchern fast stehen: Buch I ist zwar der ersten Personengruppe gewidmet — speziell der Josephshandlung — aber durch die breite Erzählung des Orakels über Assenats künftiges Geschick und der verschiedenen Deutungen des Orakels — einschließlich der richtigen aus Josephs Mund — erlahmt das durch die medias-in-res-Technik so spontan einsetzende Geschehen augenblicklich. Ähnlich steht es in Buch II: Durch einen Schauplatzwechsel zu Beginn wird der Leser zwar an den königlichen Hof geführt zur Königstochter Nitokris — aber nur um hier aus dem Mund eines hebräischen Knaben über die Vorgeschichte Josephs und seine Herkunft aus einem »fürnehmen«, »uhralten« und »mächtigen« Geschlecht sowie über die drei Träume, die Josephs Geschick andeuten, unterrichtet zu werden. Erst Buch III und IV treiben die Handlung bei Zesen — jeweils an verschiedenen Schauplätzen und bei den beiden Personengruppen getrennt — voran. Aber auch weiterhin unterbrechen — und hier steht Zesen in deutlicher Nachfolge des *Amadis*-Romans — einzelne Episoden und Exkurse den erzählten Handlungsablauf des Romans: etwa die galante Liebesgeschichte von Josephs Sohn Manasse oder der Bericht vom Schicksal Hiobs oder auch die Ausführungen über eine Pyramidenbesichtigung bzw. von der Einbalsamierung Assenats, die wiederum Gelegenheit für gelehrte Beschreibungen bieten.

Wie sehr Zesen mit dieser Erzähltechnik dem gebildeten Geschmack seiner Zeitgenossen entsprach, beweisen die vier Auflagen, die der Roman innerhalb von zehn Jahren erfuhr (1670, 1672, 1679 gleich zweimal) und die mindestens sechs Auflagen einer dänischen Übersetzung in der Zeit von 1711 bis 1776[42]. Aber noch

---

[41] W. V. Meid, *Zesens Romankunst*, S. 45.
[42] W. V. Meid, a.a.O., S. 44 u. im Nachwort der »Assenat«-Ausg., S. 13*.

ein anderes Faktum zeugt dafür: 1672 veröffentlicht Grimmelshausen seinen Roman *Proximus und Lympida*. Walter Ernst Schäfer hat in seiner 1957 erschienenen Dissertation gezeigt, daß Grimmelshausen das Zesensche Kompositionsprinzip geradezu kopiert hat: medias-in-res-Technik, Wechsel zwischen zwei Handlungsfäden, ausgehen von ebenfalls zwei Personengruppen[43] — fast ein Zugeständnis an den erfolgreicheren Konkurrenten in Sachen Josephs-Roman.

Aus dieser knappen Übersicht über Inhalt und Aufbau des Romans geht deutlich hervor, daß Zesen in den Hauptzügen der Handlung — sehen wir von der Geschichte Assenats ab — der Darstellung der entsprechenden Kapitel der *Genesis* folgt: »Aber« — und das hat Werner Volker Meid einsichtig nachgewiesen — »Zesen setzt eigene Schwerpunkte. Im sechsten, dem vorletzten Buch, verarbeitet er ungefähr die Hälfte der Josephsgeschichte, wie sie die Genesis darbietet (Gen. 41,46—57; 42—46; 47,1 bis 26). Was so in den Hintergrund gerät, sind die Familienszenen, das engere Geschehen um Jakob und seine Sippe, von der ersten Reise der Söhne des Patriarchen nach Ägypten über die Erkennungsszene bis zu Jakobs Audienz bei Pharao.«[44] Wie sehr das rein Biographische in den Hintergrund tritt, verdeutlicht auch die von Meid aufgezeigte Diskrepanz zwischen Erzählzeit und erzählter Zeit im Roman: »Josephs dreijährige Gefängniszeit wird hier auf dreizehn Seiten abgetan, das sich anschließende achttägige Fest, während dem Joseph zum Vizekönig erhöht wird, nimmt dagegen beinahe den dreifachen Raum ein.«[45]

Dieses dichterische Verfahren zeigt, daß Zesens Interesse auf dem politischen Aspekt der Josephsgeschichte ruht und daher auch das politische Geschehen — und das umfaßt im Denken der Zeit den Bereich des höfischen Lebens — breiter ausgestaltet. Seit Josephs Befreiung aus dem Kerker nimmt die Schilderung höfischer Feste den breitesten Raum ein: Der Roman führt somit die höfische Repraesentatio eindrucksvoll vor Augen. In der Form höfischen Lebens werden auch Josephs Söhne erzogen; das zeigt sich beispielsweise in ihrem Verhalten zum weiblichen Geschlecht: »Sie waren so scheu vor der Liebe nicht. Sie mochten ein schönes Frauenzimmer wohl sehen ... Sie warden erzogen als junge Fürsten« (S. 308 bis 310). Galanterie wird durchaus positiv und höfischem Verhalten angemessen beurteilt.

Diesem Bild vom Hofleben widerspricht auch nicht eine bisweilen geäußerte Kritik am Rechtswesen, dem Strafvollzug[46] oder gar am Hofleben selbst: »So ge-

---

[43] Walter Ernst Schäfer, *Die sogenannten »heroisch-galanten« Romane Grimmelshausens*, Phil. Diss. Bonn 1957 (Mschr.), S. 101—104.

[44] W.V. Meid, *Zesens Romankunst*, S. 44.

[45] W.V.Meid, a.a.O., S. 45.

[46] *Assenat*, S. 147: »Mit den Königlichen Gefängnüssen war es dazumahl in Egipten fast eben also beschaffen / als mit den Zuchtheusern in Europe. Die Königlichen gefangene / wan sie arm waren / musten ihre kost und kleider mit schwerer arbeit verdienen. Waren sie aber reich / so ward ihnen ein großes kostgeld abgenommen; und dan gingen sie müßig. Beides trug der Schatzkammer des Königs / als auch dem Gefängnüsmeister ein großes jahrgeld ein. Und darüm warden wenig Verbrecher mit dem Tode gestraft. Alle musten in dergleichen gefängnüsse tantzen. Und ihre rechtsachen schob man auf die lange harrebank; damit der genos üm so viel grösser wäre.«

het es gemeiniglich bei Hofe. Die hofluft hat diese ahrt / daß sie das gedächtnüs der wohltahten in einem hui verzehret / oder doch zum wenigsten benebelt« (S. 157). Solche Kritik entspricht fast immer den »gängigen Vorstellungen der Zeit«[47]. Sie wird stets immunisiert durch den gestalteten Aufweis vorbildlichen höfischen Verhaltens. Beispiel hierfür ist die Charakterisierung der Königstochter Nitokris: »Sie war zwar bei hofe gebohren; und mitten im hofwesen erzogen. Gleichwohl hatte die schärfe der hofluft die lauterkeit ihres redlichen hertzens keineswegs verletzen oder benebeln können« (S. 157).

Aber der Roman gewinnt nicht nur von Josephs Erhöhung ab höfischen Charakter, schon seine Tätigkeit an Potiphars Hof darf unter staatsmännischem Aspekt betrachtet werden: gleichsam als Propädeutikum für zukünftige Regierungsgeschäfte. Bei der Beschreibung der Verwaltertätigkeit Josephs ist Zesen natürlich der damals weitverbreiteten ,Hausväterliteratur' verpflichtet[48]. Bemerkenswerter erscheint uns aber, daß die dort gepriesenen virtutes (hier im römischen Sinne von Fertigkeiten) zugleich fürstliche Tugenden sind. In diesen Komplex sind etwa auch die breit ausgeführten Darlegungen über Josephs gartenarchitektonische Leistungen einzuordnen. Schon Justus Lipsius weist — zwar in anderem Zusammenhang — in seiner Schrift *De constantia* darauf hin, daß »das Gartenbawen ein alt ding« sei und daß »es Könige vnd grosse Leute gebraucht« haben[49].

Solche Darstellung höfischer, d. h. politischer Lebensgestaltung rechtfertigt die Ankündigung des Titelblattes, die *Heilige Stahts- und Liebgeschicht* des ägyptischen Joseph und der Assenat zu schildern. Ist die *Assenat* nun der Species des heroisch-galanten Romans zuzuordnen? Auf Grund einer Reihe von traditionellen Motiven der europäischen Liebespoesie könnte man geneigt sein, die Frage zu bejahen: So bezeichnet sich etwa die in Liebe zu ihrem Leibeigenen entbrannte *Fürstin* Sephira als dessen Sklavin (S. 116)[50], die in unerfüllter Liebe Verschmachtende macht sich Luft in affektgeladenen Liebesklagen (S. 119f.; 122)[51], nicht erwiderte Liebe schlägt in Haß (S. 142)[52], die Liebeskrankheit in *Leibeskrankheit*

---

[47] W. V. Meid, a.a.O., S. 49.

[48] Über den Einfluß der Hausväter-Literatur bei Grimmelshausen s. Manfred Koschlig, *Der Mythus vom »Bauernpoeten« Grimmelshausen.* In: Jahrb. d. Dt. Schillergesellsch. 9 (1965), S. 38—40.

[49] Justus Lipsius, *Von der Bestendigkeit [De constantial].* Faks.-Druck d. dt. Übersetzung d. Andreas Viritius, hrsg. v. Leonhard Forster, Stuttgart 1965, S. 73f.

[50] *Assenat,* S. 116: »Ich habe euch nie vor einen Leibeigenen erkant: aber wohl mich schon längst vor die eurige.«

[51] *Assenat,* S. 119 f.: »So bald die Königliche Fürstin weg war / fing Sefira jämmerlich an zu klagen. Ach! sagte sie / ach! ich elende! ich trostlose! bin ich nun so unglüklich / daß Nitokris meine liebe wissen muß? O grimmiges verhängnis! O unglükseelige Liebe / die ich häge! O Josef! Josef! in was vor einen jammer versetzet mich deine schönheit? Ich bitte dich / und du bist nicht zu erbitten. Ich flöhe dich an / und du erhörest mich nicht. Ich falle dir zu fuße / und du richtest mich nicht auf. Du lessest mich liegen in schmaach und verachtung ...«

[52] »Nun erfuhr er [Potiphar] das widerspiel selbst aus dem munde seiner Gemahlin. Diejenige / die ihn vor diesem so manches mahl gepriesen / klagte ihn nun selbsten an.«

um (S. 153)[53] — vergleichbar etwa dem pallor amantium der römischen Elegiker[54]. Alle diese aufgezählten Motive aber gehören der Sephira-Geschichte an und werden eindeutig negativ bewertet. Im Romanganzen hat sie eine besondere Funktion zu erfüllen, auf die noch kurz hingewiesen wird. In der Joseph/Assenat-Handlung tritt das erotische Element stark hinter dem politischen zurück. Auch in seinem Aufbau entspricht der Roman nicht recht dem von Günther Müller an Anton Ulrich aufgezeigten Typus des heroisch-galanten Romans[55]: Schon die geringe Anzahl an Personen unterscheidet die *Assenat* von dem »normalen« heroisch-galanten Roman. Allein dieses Faktum bedingt eine Reduzierung von Verwirrungen, Vorgeschichten, Unterbrechungen und Neuaufnahmen der Romanhandlung auf ein überschaubares Maß. Auch in den Vorgeschichten fehlen die sonst üblichen Verwirrungen. Man erinnert sich der eingangs genannten Kritik Joachim Meiers, der Zesen vorwarf, er erzähle in seinen biblischen Romanen »ohne Abwechselungen / Anmuth und Verwirrungen«. Ein ganz gravierender Unterschied aber zwischen dem heroisch-galanten Roman und Zesens Roman besteht darin, daß der erstgenannte erst kurz vor seinem Ende einsetzt. »Die Handlung eines solchen Romans vollzieht sich nach dem uralten, nach Heliodor immer weiter vererbten Schema der Geschichte vom standhaften Prinzen und der tugendhaften Prinzessin, die einander lieben, gewaltsam getrennt werden und einander schließlich nach mannigfachen Irrfahrten, Gefahren, Verwechslungen und Anfechtungen wiederfinden.«[56] Indem Zesen von diesem Schema abweicht und Josephs Erhöhung und Vermählung mit Assenat in die Mitte des Romans verlegt, gewinnt er die Möglichkeit, seine Dichtung ganz anders zu strukturieren und Josephs staatsmännische Leistungen in den Vordergrund zu rücken. Dadurch aber offenbart sich die eigentliche Absicht Zesens: keinen heroisch-galanten, sondern einen politischen Roman zu schreiben[57]. Darin sollte der imitatio würdiges politisches Handeln aufgezeigt werden. Es ist keine singuläre Erscheinung, wenn Zesen die Josephsgeschichte unter diesem politischen Aspekt betrachtet. Der bekannte Jesuit Jeremias Drexel (1581—1638) hebt in seinem moralisch-exegetischen Kommentar der Josephsgeschichte mit Nachdruck hervor, diese »historia« sei »Vtilis-

[53] »Hiermit veränderte sich ihre Liebeskrankheit in eine rechte Leibeskrankheit«.

[54] Horaz, *carm.* III 10,14. — Vgl. hierzu auch Ovid, *ars amat.* I 729: »Palleat omnis amans, hic est color aptus amanti«. Von Dido, die sich nach der Abreise des Aeneas in einer ähnlichen Situation wie Sephira befindet, heißt es bei Vergil, *Aeneis* IV 499: »...pallor simul occupat ora«.

[55] Günther Müller, *Barockromane und Barockroman.* In: Lit.-wiss. Jahrb. der Görres-Gesellsch. 4 (1929), S. 17. Ferner in: Günther Müller, *Deutsche Dichtung von der Renaissance bis zum Ausgang des Barock*, 2. Aufl., Darmstadt 1957, 246—252. — Siehe auch W. V. Meid, *Zesens Romankunst*, S. 46f.

[56] H. Singer, a.a.O., S. 253.

[57] Wir möchten mit W. V. Meid (*Zesens Romankunst*, S. 45 u. 78) gegen H. Singer (a.a.O., S. 260f.) mit Nachdruck betonen, daß es sich hier nicht um eine Legende, sondern um einen politischen Roman handelt, wenn wir andererseits auch wiederum Singer beipflichten müssen, daß Joseph Züge eines Heiligen aufweist. Die Species des religiösen Romans der Barockzeit ist leider noch nicht genügend erforscht. Es sei verwiesen auf die demnächst erscheinende Mainzer Diss. von Dieter Breuer, *Der Philoteus des Laurentius von Schnüffis. Zum Typus des geistlichen Romans im 17. Jh.*

sima politiae«[58], da es von Joseph schon bei Philo heiße: »... Prorex Aegyptius, integerrimus Iosephus; vir verè ciuilis, ciuilissimus fuit, ... qui summi Magistratus forma, qui optimi Princips idea, qui virtutum effigies exstitit viua«. Zesen exemplifiziert seine politischen Vorstellungen in der Person Josephs. Seine staatsmännischen Tugenden werden ausführlich und breit analysiert und zwar im Hinblick auf imitiatio: »Josef war ein rechter Lehrspiegel vor alle Stahtsleute. Er gab ein lehrbild allen Beamten der Könige und Fürsten. Vor diesen edlen Spiegel möchten alle Stahtsleute / alle Amtsleute / alle Befehlshaber trähten / und sich bespiegeln« (S. 328). Zesens *Assenat* wollte also gleichsam als Fürstenspiegel — oder besser noch — als Lehrspiegel des vorbildlichen Hofmannes verstanden sein. Dabei schwebt dem Dichter — wie Meid[59] schon betont — als Ideal der absolutistische Wohlfahrts- und Sicherheitsstaat vor, der — den Gedanken des Justus Lipsius in seinen *Politicorum sive civilis doctrinae libri sex* entsprechend — persönlich und patriarchalisch vom Fürsten geleitet würde. So zeigt Joseph beispielsweise bei der Deutung der Träume Potiphars zwar die Konsequenzen an, wie der Hungersnot zu begegnen sei, geht dabei aber über die biblische Vorlage hinaus, indem er darlegt, daß die zu ergreifenden Maßnahmen »nicht allein die wohlfahrt der untertahnen / in so gar böser zeit / erhalten; sondern auch die Königliche macht ... selbsten üm ein märkliches« vermehren »und zu höherer glükseeligkeit« erheben sollen (S. 173). Dieser Gedanke begegnet uns mehrfach im Roman. Ihm entsprechen auch Josephs Vorkehrungen, dem Müßiggang in Ägypten zu begegnen: die Ägypter müssen genaue Rechenschaft über ihr Tun ablegen, auf diese Weise ist eine Kontrolle ihres Lebens gewährleistet. Schließlich wird ein reguläres Zwangsarbeitssystem eingeführt, dessen Nutznießer der absolutistische Monarch ist. Aber auch andere Eigenschaften, die Erasmus beispielsweise unter die »artes pacis« seiner *Institutio Principis Christiani* einordnet, zeichnen Joseph aus: Joseph bereist Ägypten, um Land und Leute besser kennenzulernen (S. 227f.)[60], er läßt ferner das Sumpfgebiet in Niederägypten trockenlegen (S. 325)[61]. Ganz besonders aber ist seine Vorsorge für die Hungerjahre unter diesem Gesichtspunkt zu sehen[62]. Joseph fördert auch Kunst und Wissenschaft und gründet sogar in Heliopel eine Hochschule. Er vereinigt in sich vorbildlich den $\beta\iota o\varsigma$ $\vartheta\varepsilon\omega\rho\eta\tau\iota\varkappa\acute{o}\varsigma$ — so bei seinen »natur-

---

[58] Jeremias Drexel, *IOSEPH AEGYPTI PROREX DESCRIPTVS.* — Zit. nach Bd. 3 seiner Schriften in der Ausgabe von 1647: R. P. P. HIEREMIAE DREXEL II, SOCIETATIS IESV PRESBYTERI, TOMVS TERTIVS, ... LVGDVNI ... M. DC. XLVII, S. 496.

[59] W. V. Meid, *Zesens Romankunst*, S. 67.

[60] Vgl. Erasmus von Rotterdam, *Institutio Principis Christiani*, hrsg. v. Werner Welzig Darmstadt 1968 (Ausgew. Schriften, Ausg. in 8 Bdn., Bd. V) S. 250: »illud in primis docendus Princeps, ut ditionem suam norit: Id quod tribus rebus potissimum consequetur, Geographia, Historia, et crebra regionum et urbium lustratione. Studeat igitur in primis, regionum ac civitatum situm, originem, ingenium, instituta, consuetudines, leges, annales ac privilegia cognoscere«.

[61] Vgl. Erasmus, a.a.O., S. 332 (in dem Abschnitt De Principum occupationibus in pace): „Sunt his minutiora quaedam, sed non indigna quamvis magno Principe, ... ut ... loca pestilentiae obnoxia purget, vel mutatis aedificiis, vel desiccatis paludibus.“

[62] Vgl. Erasmus, a.a.O., S. 334: »Neglectos agros colendos curet, quo magis suppetat annonae vis ...«

wissenschaftlichen«, astronomischen und theologischen Studien — und — hier darf man wohl nicht sagen den βίος φιλότιμος — als vielmehr die vita activa des Staatsmannes und Hofbeamten.

Die leitenden Gesichtspunkte seines Handelns äußern sich am treffendsten in dem Satz : »Josef wendet seinen müglichsten fleis an alles aufs beste zu bestellen; damit sein Herr lust und nutzen / er aber lob und ehre darvon hette« (S. 112).

Zum abgerundeten Bild des vorbildlichen christlichen Staatsmannes gehören auch die hohen Tugenden der liberalitas und der magnanimitas den Feinden gegenüber und der Nachweis unerschütterlicher constantia in den Anschlägen der Fortuna. Diese erweist sich aber in Zesens *Assenat* nicht als höfisches Geschick wie im heroisch-galanten Roman, als ein unberechenbares, oft sinnlos und Glück und Sturz des Höflings undurchschaubar herbeiführendes fatum, sondern als providentia Gottes[63].

Diesen constantia-Nachweis im Bild des tugendhaften Joseph zu erbringen, ist unter anderem der Sinn der Sephira-Geschichte, die zwar nach Herbert Singers Meinung für den Staatsmann Joseph von keiner Bedeutung sei[64], aber gerade in der von uns aufgezeigten Funktion unentbehrlich ist: »Virtutes non triumphant nisi oppugnatae«, so lautet einer der Aspekte, unter dem nach Drexels Meinung die Sephira-Geschichte zu sehen ist[65]. Aber darin erschöpft sich ihr Sinn nicht. 1650 erschien in deutscher Übersetzung eine Schrift des französischen Jesuiten Nicolaus Caussinus: *Heilige Hoffhaltung / Das ist Christliche Vnderweysung Hocher Standts Personen / Sampt deren Exempel / so bey Hoff Gottseeliglich gelebet haben*. Dort nennt der Verfasser im zweiten Buch — betitelt: *Von den Verhindernussen / welche die Weltmenschen auff dem Weg deß Heyls vnd der Vollkommenheit haben* — unter anderem die »Fleischliche Liebe«, gemeint ist die Unkeuschheit, als eine dieser »Verhindernussen«[66]. Indem in Zesens *Assenat* Joseph der heftigen Verführung Sephiras widersteht, qualifiziert er sich geradezu zum Staatsmann.

V

Durch einen ganz besonderen ‚Trick' gelingt es nun Zesen, die nachahmenswerte Vorbildlichkeit Josephs und damit die Vorbildlichkeit der durch ihn propagierten politischen Idee vor Augen zu führen. Zesen charakterisiert seinen Joseph bewußt als Präfiguration Christi. Diese Charakterisierung der Josephsgestalt ist in Wirklichkeit kein ‚Trick'; denn dies würde besagen, daß eine solche Gestaltungsweise eine besondere Leistung des Dichters sei. Vielmehr muß man davon ausge-

[63] Vgl. H. Singer, a.a.O., S. 260.
[64] H. Singer, a.a.O., S. 259.
[65] J. Drexel, a.a.O., S. 501.
[66] *Heilige Hoffhaltung / Das ist Christliche Vnderweysung, Hocher Standts Personen / Sampt deren Exempel / so bey Hoff Gottseeliglich gelebet haben. Erstlich von R. P. NICOLAO CAVSSINO der SOCIETET IESV Priestern in Frantzösischer Sprach beschriben / Anjetzo durch R. D. FRANCISCVM BRANDENBERG. S. Pelagij Stiffts zu Bischoffszell Canonicum, in das Teutsche übersetzt. Erster Theil. ... Getruckt zu Constantz am Bodensee! ... Anno M.DC.L.,* S. 228—238.

hen, daß es sich um eine allgemeine Sichtweise handelt, unter der man gewohnt
war, die Person Josephs zu sehen. Das verdeutlicht eine Stelle aus dem bereits genannten Josephs-Kommentar des Jeremias Drexel, die sich unmittelbar an die
Ausführungen über die politische Bedeutung der Josephs-Geschichte anschließt:
die *historia* ist.

»Vtilissima sanctis moribus simul & pulcherrima. In libris diuinis nulla, historia
est, quae ad mores sanctè componendos magis faciat. Si quis pictorum primae iri-
dis colores non satis exprimere, secundae forsan poterit aut reflexae, vel certè
tertiae, quae non tam colores quàm eorum vmbram refert. Ita si Christi sanctissimos
mores, cuius vita nihil fuit vnquam in terris sanctius, quae virtutum omnium ab-
solutissimum fuit exemplar, ad imitationem proponam, arduum videbitur subli-
missimam hanc perfectionem imitari. Ergo Apographum ostendo, Iosephum Christi Domini typum. Hîc suum quisque penicillum expediat, & pingat, quod facere
poterit, imitatione multò faciliori ... Sic horter & ego, imitatores estote Iosephi,
sicut ille in plurimis imago fuerat Christi.«[67]

Herbert Singer hatte auf die Figuraldeutung des Romans schon hingewiesen,
daraus aber die Konsequenz gezogen, daß in Zesens Werk die Kennzeichen der
Legende die des Romans überwiegen, daß Joseph ein Heiliger sei, dem Heilsgeschichte begegne, der nicht agiere, sondern dem etwas zustoße, der ein statuari-
scher Typus, eine Personifikation tätiger Tugend sei[68]. Abgesehen davon, daß sta-
tuarische Typenhaftigkeit und Personifikation tätiger Tugend keinen Beweis für
die Legendenhaftigkeit des Zesenschen Werkes erbringen und nicht einen Gegensatz zu politischer Aktivität darstellen — solche Züge zeichnen ja die Helden
vieler Werke der Barockpoesie aus —, dürfte Werner Volker Meid die These Singers von dem Überwiegen der Kennzeichen der Legende gegenüber denen des
Romans stichhaltig widerlegt haben. »Zesens Assenat ist«, wie Meid richtig betont, »ein höfischer Roman, wenngleich nicht schematisch nach dem Formtyp des
heroisch-galanten Romans konstruiert, ein Barockroman, der auch legenden-
hafte Züge aufweist.«[69] Dem widerspricht auch nicht das Walten der Providenz.
Wenn Meid aber im Zusammenhang mit der Widerlegung der Singerschen
Thesen die Möglichkeit der Figuraldeutung negiert, so muß ihm hier wider-
sprochen werden. Weshalb sollte Zesen sich diese Möglichkeit haben entgehen lassen, da sie schon seit patristischer Zeit und besonders im Mittelalter — etwa in
der *Biblia pauperum* oder im *Speculum humanae salvationis* — gerade an der
Josephsgestalt mit Vorliebe in der Theologie praktiziert wurde. Meids Urteil ist
insofern merkwürdig, als er für den zweiten Bibelroman Zesens, *Simson / eine
Helden- und Liebesgeschicht / mit dreissig schönen Kupferstükken gezieret*
(Nürnberg 1679), gerade die Figuraldeutung — und darin liegt ein besonderer
Verdienst der Arbeit — als wirklich adäquate Interpretationsmethode aufzeigt.
Es würde zu weit führen, näher auf alle Belege für unsere Feststellung einzuge-
hen. Ohne systematisch vorzugehen, läßt sich eine Fülle von Fällen im Roman

[67] J. Drexel, a.a.O., S. 496.
[68] H. Singer, a.a.O., S. 260—262.
[69] W. V. Meid, *Zesens Romankunst*, S. 77f.

finden, die entweder verbal oder real eine Entsprechung zwischen Josephsgeschichte und Ereignissen aus dem Leben Jesu aufzuzeigen versuchen oder — um
im Sinne der Figuraldeutung zu sprechen — die versuchen, Joseph als Vorläufer
neutestamtentarischer Erfüllung hinzustellen: An vielen Stellen wird Joseph als
»Heiland« tituliert (S. 178; 198; 265 u. ö.), Assenat nennt ihn sogar bei der ersten
Begegnung »Gottes Sohn« (S. 205), von seinem Verstand heißt es wie beim zwölf-
jährigen Jesus im Tempel, er sei »in seiner ersten jugendblühte schon so reif« gewesen, »daß sich iederman darüber verwunderte« (S. 56), Joseph wird — entgegen dem Bericht der *Genesis* — wie Christus für 30 Silberlinge verkauft (statt für
20) (S. 75), wie Christus für seine Peiniger betet, so bittet Jospeh für seine Brüder
zu Gott, »daß du ihnen ihre missetaht vergebest / und ihre sünde nicht zurech-
nest« (S. 4), wie Christus vom Teufel so wird Joseph von der »Teufelin« Sephira
(S. 140 u. ö) mehrmals erfolglos versucht, wie Pilatus von der Unschuld Christi
überzeugt ist, so auch Potiphar, der Joseph ins Gefängnis werfen läßt, von dessen
Unschuld (S. 142 f.). Auch Josephs Erhöhung läßt sich verbal mit der Christi
vergleichen. Die Beispiele ließen sich noch weiter fortsetzen. Der Sinn der Figuraldeutung liegt auf der Hand: figura und neutestamentliche Erfüllung haben
historischen Charakter, entsprechen also dem geforderten Wahrheitskriterium. Da
die figura auf Christus hinweist, Christi Leben aber als vorbildlich gilt, so weist
die Figuraldeutung die figura oder die Präfiguration Christi als Heiligen aus.
Politische Ansichten und politisches Verhalten eines Heiligen aber sind imitabilis,
nachahmenswert für einen christlichen Herrscher: »Quoties venit in mentem te
Principem esse, pariter succurrat et illud, te Christianum esse Principem: ut intel-
ligas te a laudatis quoque Ethnicorum Principibus tantum oportere abesse, quan-
tum abest ab Ethnico Christianus ... Christianus est, non qui lotus est, non qui
unctus, non qui sacris adest, sed qui Christum intimis complectitur affectibus, ac
piis factis exprimit.«[70]

[70] Erasmus, a.a.O., S. 140.

Renate Weber

DIE LAUTANALOGIE IN DEN LIEDERN PHILIPP VON ZESENS[1]

Die Lautanalogie ist bei Zesen quantitativ und qualitativ so bedeutsam, daß sie u. E. den Schlüssel zum Verständnis seines Liedschaffens liefert.

Wo immer sie auftritt, verändert sie grundlegend den Stellenwert der sprachlichen Mittel. So trägt sie zur Aufweichung des petrarkistischen Aussagegehaltes bei:

> „die zung und lunge zittert ihm . . . "[2]

> „Ach! meine glieder müssen zittern/
> als espenlaub/ und leichte flittern . . . "[3]

> „schaue/ wie er zittrend zaget . . . "[4]

Zesen benutzt hier die hyperbolische Klagemotivik des Petrarkismus nur noch als Handwerkszeug. Er bemüht sich nicht primär einen inneren Erregungszustand mit Hilfe der überlieferten Motivik zum adäquaten Ausdruck zu verhelfen, sondern es geht ihm um die Sprache an sich. In diesem Sinne bedient er sich auch der überlieferten Stilfiguren: der synonymen Reihung, der Antithese und der parallelen syntaktischen Ordnung.

In der folgenden Strophe wird die synonyme Reihung zum Mittel eines lautanalogistischen Beziehungsnetzes. Das führt zu fast wörtlichen Wiederholungen einzelner Motive, sie sind nur noch Bausteine für die Lautanalogie.

> „Die Augen können taugen/
> die meine kräft' alleine/
> die meine kranke beine/
> ja augen gantz außsaugen;
> die mit dem hertzen schertzen/
> ja schertzen mit dem hertzen/

---

[1] Aus: *Die LIEDER PHILIPP VON ZESENS*. Diss. Hamburg 1962.

[2] *Dichterisches Rosen- und Liljen-tahl*. Hamburg 1670. S. 67, XI. Im Folgenden abgekürzt mit: R. L. — Die Sammlungen: *Frühlingslust*. Hamburg 1642 — wurden im Folgenden mit Fr. abgekürzt und *Gekreutzigter Liebsflammen Vorschmak*. Hamburg 1653 — mit G. L.

[3] R. L. 112, III.

[4] *Dichterische Liebesflammen* oder *Dichterische Jugend-Flammen*. Hamburg 1651. S. 135, II. — Im Folgenden abgekürzt mit: L.Fl.

als jene Tausendschöne/
mit ihrem tirelieren/
mit ihrem mundgetöhne/
mit ihrem hertzerühren/
mit ihrem hohen schalle/
mit ihrem frohen halle"[5].

Zunächst wird in den ersten vier Versen der durch die Geliebte verursachte Liebesschmerz in einer Reihe von Bildern dargestellt. Dabei steht schon hier die Lautanalogie gegenüber allen anderen sprachlichen Ausdruckswerten bedeutungsmäßig im Vordergrund. In den Versen 5 und 6, die in motivischer Hinsicht miteinander identisch sind, wird die Lautanalogie dann scheinbar zum Selbstzweck, während in den folgenden Versen, die vor allem der Huldigung der Stimme der Geliebten gelten, noch eine weitere Ausdrucksschicht der Sprache anklingt: die Lautmalerei.

Selbst die Antithese, die Zesen meistens in der abgeschwächten Form der Negation verwendet, wird häufig zum Ausdrucksträger eines lautlichen Sinnzusammenhanges[6], z.B. in den folgenden Versen, die uns die Negation nicht so sehr im logisch-begrifflichen Sinne nachvollziehen lassen, sondern davon weg, vor allem zur Wahrnehmung der Assonanzen führen.

„ . . . *reis'* ich in *freuden/*
weis ich von *keinem einigen leiden.*
So wird auch dein *hertz* leben in *freuden;*
so wird es *meiden schmertzen* und *leiden*"[7].

In den folgenden beiden Beispielen liegt keine analogistische motivische Ordnung vor, sondern sogar eine echte Antithese im Sinne eines inneren Spannungsverhältnisses von Liebesleid und -lust; aber auch hier ist diese nur scheinbarer Art; denn es ist unverkennbar, daß im ersten Beispiel die antithetischen Verben auf Grund ihrer Stellung als wiederholter Endreim nur Mittel der Lautanalogie sind.

„Es hat zwar Utrecht manchen *bestrükket/*
ja Frankreich/Engeland
hat auch die härtesten hertzen *verzükket*
durch jäher liebe brand:
doch hat kein Frauenbild können verwunden/
können *verzükken/*

[5] R. L. 87, I.
[6] Diese Funktion ist besonders bedeutsam für die Beurteilung der Antithese bei Zesen; denn sie steht hier in erster Linie im Dienste der Lautanalogie und nicht mehr so sehr der begrifflichen Aussage und wird damit als logisch-rationaler Ausdrucksträger bedeutungslos; d. h. sie wird ganz sinnentfremdet gebraucht und darf daher nicht im herkömmlichen Sinne interpretiert werden.
[7] R. L. 163, III/IV.

können *verstrükken*
so eilend/ als Du"[8].

In gleicher Weise erscheint die Antithese auch in den letzten Versen der folgenden Strophe nicht so sehr um ihrer selbst willen, sondern die Antithese von „kühlung" und „gluht" wird überspielt von der Lautanalogie von ‚muht-bluht-gluht'.
Auch hier steht die Antithese ganz sinnentfremdet im Dienst der Lautanalogie.

„Die Tausendkünstlerin/
die/ selbst in ihrer höhle/
bedränget meine Seele/
raft geist und ahtem hin;
ja ängstet meinen muht:
und wil doch meinem leben
gantz keine kühlung geben/
so daß erstükt mein bluht.
O gluht! o gluht"[9].

Für die analogistische[10] syntaktische Ordnung im Dienste der Lautanalogie lie
ßen sich zahlreiche Beispiele beibringen. Hier sei die erste Strophe eines Liedes
zitiert, das ganz von der Lautanalogie beherrscht wird, die sich die syntaktische
Gleichordnung nutzbar macht.

„Blitzet ihr himmel/
schwitzet uns regen/
machet getümmel/
lachet mit seegen
unsere wälder und felder doch an.
Glimmert ihr sterne/
tauet ihr lüfte/
schimmert von ferne/
schauet durch klüfte/
schauet auf diesen verdunkelten plan"[11].

Die Reihung der kurzen Imperativ-Sätze, die sich durch alle fünf Strophen des
Liedes mit kurzen Unterbrechungen fortsetzt, befördert hier die Folge der Anfangsreime. Auf diese Weise nimmt die Lautanalogie einen wesentlichen Einfluß

---

[8] L. Fl. 99, V.
[9] R. L. 272, II.
[10] Die Erscheinungsform der Satzfolge, die man gemeinhin mit dem Begriff ‚Parallelismus' zu fassen versucht, bezeichnen wir mit analogistischer Ordnung; denn ‚Parallelismus' ist ein rein formaler Begriff, der seiner eigentlichen Bedeutung nach unterstellt,
daß zwei Dinge im Endlichen in keiner Beziehung zu einander stehen, was für die ‚parallel' gebauten Sätze in Zesens Liedern nicht zutrifft. Der ‚Parallelismus' ist bei Zesen
Erscheinungsform der analogistischen Ordnung; denn eine Folge gleichgebauter Sätze
oder Satzteile steht hier entweder im Dienste der analogistischen motivischen oder
lautlichen Ordnung.
[11] L. Fl. 61, I.

auf die sprachliche Gestaltung, so daß schließlich die Struktur ganzer Lieder von ihr bestimmt wird:

I.

Glimmert ihr sterne/
schimmert von ferne/
blinkert nicht trübe/
flinkert zu liebe
dieser erfreulichen lieblichen zeit.
Lachet ihr himmel/
machet getümmel/
regnet uns segen/
segnet den regen/
der uns in freude verwandelt das leid.

II.

Schwitzet und tauet/
blitzet und schauet
höhen und felder/
seen und wälder
alle mit gnaden an: krönet das jahr.
Erde/ sei frölich/
werde nun ehlich.
Singet im schatten/
springet zum gatten/

III.

Gehet ihr winde/
wehet gelinde.
Springet ihr änger.
Singet ihr Sänger/
singet der Keiserin einen gesang:
zieret die zeiten/
rühret die seiten/
zwinget sie eher/
bringet sie höher/
daß sich erhöbe der lieblichste klang.

IV.

Schallet/ ihr tähler;
hallet/ ihr säler.
Schwenket die lichter;
denket/ ihr Dichter/

wie ihr der irdischen Göttin gefallt:
spitzet die kielen/
sitzet zu spielen;
treibet die geister/
schreibet/ ihr Meister/
daß es der Nachwelt zum wunder erschallt.

V.

Unsere Sonne/
unsere wonne
unsere Göttin/
unsere Göttin/
unsere gnädigst-gebietende Frau
sollen wir letzen/
wollen wir setzen/
eben von ferne/
neben die sterne/
wo sich befindet der himlische bau.

VI.

Da sol Sie schimmern/
da sol Sie glimmern/
ewiglich blühen/
ewiglich sprühen
blitzende strahlen/ durch Tugend entzündt;
welche Sie höret
welche Sie ehret/
ja Sie so liebet/
ja Sie so übet/
daß Sie das hertze des Keisers gewinnt.

VII.

Jugend vergehet;
Tugend bestehet:
nimmermehr stirbet/
nimmer verdirbet
unserer Keiserin götlicher glantz.
Schwindet die höhle/
bleibet die seele;
schwindet das kennen/
bleibet das nennen/
welches erlanget den ewigen krantz[12].

---

[12] R. L. 15. — Das Fehlen des letzten Verses der II. Strophe ist auf ein Versehen des Druckers zurückzuführen.

Im vorliegenden Lied vollzieht sich die Abfolge der Strophen nach dem Prinzip der Beliebigkeit. Alle Strophen sind ohne Sinnentstellung versetzbar, bis auf die letzte, welche nach dem Postulat der vorangehenden Strophen in das Lob der Kaiserin eintritt. Ebenso sind abgesehen von den Langversen fast alle Verse innerhalb der Strophen ad libitum umstellbar.

Diese eigenartige Struktur des Liedes muß einerseits von der Musik und andererseits von Zesens Sprachauffassung her verstanden werden. Das Wort als Lautträger läßt hier einen eigengesetzlichen Sinnzusammenhang entstehen, so daß das Aufbauprinzip dieses Liedes nicht auf der Beziehung der Worte als Begriffs-, sondern als Lautträger beruht.

Dabei bedient sich Zesen nicht nur der Wirkungs- und Ausdrucksmöglichkeiten der Musik, sondern setzt sie voraus. Er kalkuliert sie gleichsam mit ein, und daher können Lieder dieses Typus nur verstanden und gewürdigt werden, wenn man bemüht ist, sich die Wirkung der begleitenden Musik so deutlich wie möglich zu vergegenwärtigen.

Die Weise ist ganz reimbetont: Der ungerade Zweier bringt sowohl eine Betonung des Anfangs- als auch hier besonders des Endreims mit sich, auf den mit Hilfe der halben Note ein besonderes Gewicht gelegt wird. Der Rhythmus der Taktfolge entspricht also der Reimfolge und der strophischen Gliederung: aa =

1+1 Takte, bb = 1+1 Takte, c = 2 Takte usw. Dabei bleibt der 5. und 10. schweifreimende, viertaktige Vers durch die fehlende halbe Note ohne Binnenzäsur fließend.

Das Lied wurde offenbar von einer einfachen, bläserhaften Freiluftmusik begleitet. Wenn man sich nun vorzustellen versucht, wie die Weise, im Rahmen eines Aufzuges gesungen, die Worte als Lautträger und ihre Beziehungen erklingen läßt, wird deutlich, daß das Lied auf Grund der gegenseitigen Durchdringung von Wort und Weise eine geradezu entwirklichende, metaphysische Wirkung gehabt haben muß. Für das Lob der Kaiserin, das „nennen", ist die Sprache in ihren profan-logischen Beziehungen nicht mehr adäquater Ausdrucksträger.

Wolfgang Kayser unterscheidet in seiner Untersuchung über *Die Klangmalerei bei Harsdörffer*[13]: Klangmalerei — Klangpflege — Klangsymbolik. Diese Kategorien führen uns bei Zesen nicht weiter, sie verstellen uns eher den Weg zu seinem Verständnis.

Die Klangmalerei, welche mit Hilfe des Wortes akustische Eindrücke wiederzugeben scheint, begegnet in Zesens Lieddichtung sehr selten, und zwar nur in den folgenden Beispielen:

> „...
> doch können sie den windsturm stillen/
> der durch die Rosen pflag zu *brüllen*."   (R. L. 95, V)

> „*Seuftzet*/ ihr winde/ bejammert ihr sterben!
> *heulet*/ ihr klüfte ..."   (R. L. 284, I)

> „Und ihr Vogel *tiereliert* ..."   (Fr. civ, X)

> „Die Lerche *trieriret* ihr *tiretielier*/
> Es *bincken* die Fincken dem Buhlen auch hier."   (Fr. i, V)

> „...
> als jene Tausendschöne/
> mit ihrem *tirelieren*/
> ...
> ...
> mit ihrem hohen *schalle*/
> mit ihrem frohen *halle*."   (R. L. 87, I)

> „Es *klukkert* verzukkert dem schlukker fein lukker/
> fein munter hinunter der Reinische wein."   (R. L. 297, III)

> „*Schallet*/ ihr tähler;
> *hallet* / ihr säler ... (R. L. 15, IV)

---

[13] Palaestra 179. Leipzig 1932. — Auf Kaysers Untersuchung sei grundsätzlich auch für das Folgende verwiesen.

„. . .
da die Serafinen singen/
und die stimmen hell und klahr
lassen *kling-* und wieder *klingen?*" *(R. L. 414, III)*

In allen Beispielen erscheint die Lautmalerei in einem einzelnen lautmalenden
Wort: ‚brüllen', ‚seuftzet', ‚heulen', ‚tirelieren', ‚bincken', ‚schall', ‚hall', ‚kluk-
kern', ‚klingen'. Die genannten Verben und Substantive erfüllen hier scheinbar
eine lautmalende Funktion im Sinne einer akustischen Imitation, die primär auf
einen musikalischen Impuls bei Zesen zurückzuführen ist, wie überhaupt alle Erscheinungsformen des lautlichen Aufbaus zunächst eine besondere Affinität des
Dichters zur Musik voraussetzen.

Wenn wir aber Zesens theoretische Äußerungen zum Wort als Klangträger berücksichtigen, müssen wir annehmen, daß der Lautmalerei noch eine tiefere Bedeutung beizumessen ist: „Sonderlich hat man harte dinge/ nach ihrer härte/
oder klange/ oder anderer eigenschaft/ mit harten knallenden/ weiche aber mit
weichlichen/ liebliche mit lieblich klingenden worten/ und solche worte mit
sotahnigen buchstaben/ die dergleichen klang sichtbarlich entwürfen/ ausgebildet.
und hierinnen scheinet unsere sprache auch für allen andern was sonderliches
zu haben/ und am nächsten der natur zu folgen. Dergleichen worte seind/ knal-
len/ prallen/ prasseln/ donnern/ blitzen/ rollen/flitz-boge/ krach/ angst/ zittern: leben/ loben/ buse/ ja das liebliche lieben und 1000 andere/ derer klang
ihre bedeutung schohn verräht. Besihe hiervon unsern Helikon/ und H. Schottels
Sprach-kunst . . ."[14]
Sicherlich wäre es voreilig, hierin ein Bekenntnis Zesens zur mystisch fundier-
ten Natursprachenlehre Böhmes sehen zu wollen, zumal er sich hier auf Schottel
beruft. Immerhin bleibt die Tatsache, daß Zesen die Lautmalerei mit einer tieferen Bedeutung begründet, bestehen und ist umso bemerkenswerter, als das Haupt-
anliegen des *Rosen-mând* die Suche nach der Bedeutung, dem Urwesen der deutschen Sprache ist. Es ist daher u. E. ebenso voreilig, wenn W. Kayser obige Begründung Zesens einfach im Sinne einer schablonenhaften Übernahme von Wissensstoff von „Goropius, Scrieckius, Schottel"[15] interpretiert.
Kayser lehnt für Harsdörffer eine Begründung der Lautmalerei von Böhmes
Natursprachenlehre her ab und begibt sich damit in offenen Widerspruch zu
Hankamer[16]. Vielmehr führt er sie zurück auf Harsdörffers patriotische Bemühungen um die deutsche Sprache: „Und nun ist das Problem gelöst, warum
Harsd. in seinen Werken so auffällig die Klangmalereien verwendet. Seine ganze
Dichtung war ja Arbeit an der deutschen Sprache. Unsere Muttersprache kann
alle poetischen Feinheiten, alle Zierden der anderen Sprachen und Literaturen
nachahmen. Und sie besitzt das alles noch viel reicher. Denn sie sie ist älter, sie
ist reiner, sie ist prächtiger, sie ist natürlicher. Der Beweis für ihre Natürlichkeit

---

[14] *Rosen-mând,* Hamburg 1651. — Anm. S. 180f.
[15] vgl. W. Kayser; Anm. S. 175f.
[16] vgl. W Kayser; S. 143ff.

11*

liegt in dem Vermögen, die Naturlaute nachzuahmen: das muß in der Dichtung offenbart werden"[17].

Da Zesen selbst in seiner theoretischen Äußerung oben keine Trennung von Lautmalerei und Lautanalogie vornimmt — denn Worte wie „angst/ zittern: leben/ loben" usw. geben ja keine akustischen Erfahrungen mehr wieder —, sollte sie im Wesentlichen bei Zesen auch als Erscheinungsform der Lautanalogie betrachtet und erklärt werden, zumal sie sich in den Liedern, wie Kayser auch bei Harsdörffer feststellt, überall mit der Lautanalogie vermischt.

Allein tritt die Lautmalerei nur im dritten Beispiel oben auf: „Und ihr vogel tiereliert ..." (Fr. civ, X). Hier könnte daher am ehesten auf eine schablonenhafte Übernahme der Lautmalerei geschlossen werden; denn das ‚tiereliern' der Lerche oder der Vögel überhaupt finden wir auch bei Harsdörffer[18] und anderen.

Bei allen übrigen Beispielen handelt es sich aber schon um eine Mischung von Lautmalerei und Lautanalogie. So beschränkt sich die Lautmalerei in den drei Versen:

> „...
> da die Serafinen *singen/*
> und die st*i*mmen he*ll* und k*l*ahr
> *lassen kling-* und *wieder klingen?*" (R. L. 414, IV)

nicht nur auf ein einziges Wort wie oben, sondern bedient sich gleichzeitig zur akustischen Imitation des ‚Gesanges' der Häufung vor allem von hellen i- und fließenden l-Lauten innerhalb dieser Verse.

Durch die mehrfache Wiederholung desselben Lautes werden darüberhinaus die einzelnen Worte miteinander in Beziehung gesetzt im Sinne der Analogie, indem die Gleichlautung innerhalb verschiedener Worte, die mit dem ‚Gesang' in Beziehung stehen, das gleiche Urprinzip in demselben Urlaut der einzelnen Worte aufzeigt, was gleichzeitig als Beweis für die Unverdorbenheit der deutschen Sprache, ihre Übereinstimmung mit der Natursprache aufgefaßt werden kann.

Damit befinden wir uns aber schon inmitten des Bereiches der Lautanalogie.

Bei Harsdörffer nimmt die Lautmalerei vergleichsweise einen breiteren Raum ein; zunächst einmal einfach darum, weil Naturbeschreibungen bei ihm häufiger als bei Zesen sind. Vor allem aber, weil er u. a. Wert darauf legt, die akustisch nachvollziehbare Klangidentität von ‚res' und ‚verba' herauszustellen, während es Zesen vor allem um die Klanganalogie der Worte untereinander geht. Wir möchten daraus schließen, daß Harsdörffer gleichsam noch eines Kronzeugen bedarf, indem er zunächst mit Hilfe der mit Mitteln der Erfahrung nachvollziehbaren lautmalenden Worte die Gleichsetzung von Klang und Bedeutung der Worte rechtfertigt. Zesen kann auf diese Grundlegung verzichten, weil er sich der Analogie von Bedeutung und Klang der Worte durchaus gewiß ist.

Mit ‚Klangpflege' bezeichnet Kayser alle Erscheinungen der Gleichlautung, bei denen keine Beziehung von Bedeutung und Klang der Worte mehr vorliegt, die

---

[17] vgl. W. Kayser; S.183
[18] vgl. W. Kayser; S. 43

„den beziehungslosen Wort- und Lautklang als Schmuck sinnfällig ... machen"[19].
Kayser erklärt die Klangpflege bei Harsdörffer aus der rhetorischen Überlieferung: „Wir haben es bei Harsd., soweit es sich um die besprochene Klangpflege
handelt, nicht mit einem personellen Sprachstil zu tun, im Sinne einer selbster-
oberten und ausgebildeten Sprachgebung, sondern wir haben es mit einem typischen Sprachstil zu tun, dessen Impulse in einer allgemein anerkannten Stiltheorie
liegen. Dessen Impulse letzten Endes von der mit den Augen des 17. Jhs. gesehe-
nen antiken Rhetorik ausgehen"[20].

Zweifellos kommt der Überlieferung eine entscheidende Rolle zu, aber eher im
Sinne einer rhetorischen Rechtfertigung. Der Impetus, der den Dichter aus der
Fülle der rhetorischen Mittel zur ‚Klangpflege' greifen läßt, hat aber an anderer
Stelle seine Wurzel. Warum finden wir sonst etwa bei Opitz oder Gryphius keine
so auffällige ‚Klangpflege' wie bei Harsdörffer oder Zesen? Der Begriff ‚Klangpflege' bringt schon die nur ästhetische Bewertung des Phänomens der Gleichlautung zum Ausdruck. Da wir diese einseitige Beurteilung für Zesen ablehnen müssen, erwies sich auch die Bezeichnung ‚Klangpflege' für uns als unbrauchbar.

Wir möchten aber auch in Frage stellen, ob dieser Terminus zur Bezeichnung
der allgemeinen Gleichlautung bei Harsdörffer nicht mindestens irreführend ist.
Das hängt mit der Fragwürdigkeit der Begriffsbildung in Kaysers Untersuchung
überhaupt zusammen. Kayser stellt selbst fest: „Zum Schluß dieses Abschnittes
müssen wir noch einmal kurz die Frage behandeln, wieweit Harsd. selbst Unterschiede in der Art der Klangmalerei machte. Die Antwort muß nach allem lauten: er kennt und macht keine Unterschiede, wie wir sie einleitend gemacht
haben. Ihm ist bekannt der Begriff der Onomatopöie, den er in allen Rhetorikern
fand. Aber wenn er das in das Deutsche überträgt, so wird nichts von allen Dif-
ferenzierungen bewußt"[21]. Das gleiche konnten wir oben bei Zesen feststellen.
Trotzdem bedient sich Kayser zur Kennzeichnung der Gleichlautung bei Harsdörffer differenzierender Begriffe wie ‚Klangpflege' und ‚Klangsymbolik', Unter-
scheidungen, welche aus der nachbarocken ‚Erlebnis'-Dichtung gewonnen sind.
Daher läßt sich Kayser auch immer wieder verleiten, Vergleiche mit der nachbarocken Dichtung zu ziehen: „Die Klangpflege bestimmt oft in unerträglichem
Maße die Wortwahl ... Noch nicht aber verbindet sich der Klang mit dem Gehalt zu jener Einheit, die wir in unserer Einleitung an einigen Proben der neueren
Lyrik aufweisen konnten. Der Klang hat bei Harsd. noch keine Gestaltungsfunktionen, er ist kein unersetzbarer Ausdrucksträger. Indem der Nürnberger aber auf
Klangwirkungen überhaupt aufmerksam macht, schafft er die Grundlagen, auf
denen es zu einem gereiften Klangempfinden kommen konnte"[22].

Zunächst ist es ein Widerspruch in sich, wenn Kayser feststellt, daß die
„Klangpflege oft in unerträglichem Maße die Wortwahl bestimmt" und „der
Klang bei Harsd. noch keine Gestaltungsfunktionen" hat, „kein unersetzbarer Aus-
drucksträger" ist. Dieser Widerspruch erklärt sich daher, daß für Kayser die

[19] vgl. W. Kayser; S. 59
[20] vgl. W. Kayser; S. 133
[21] vgl. W. Kayser; S. 86
[22] vgl. W. Kayser; S. 76f.

„neuere Lyrik" der Maßstab bleibt und er einen „unersetzbaren Ausdrucksträger" nur dann vor sich zu haben glaubt, wenn Stilphänomen, hier der „Klang", und individueller „Gehalt" zusammenstimmen. Da Kayser diese Stufe der Klangpflege „noch nicht" erreicht findet, bleibt für ihn nur die Alternative der sinnentleerten, schmückenden Klangpflege, die aus rhetorischer Überlieferung gespeist wird und eine Vorstufe in der Entwicklung zum „gereiften Klangempfinden" hin darstellt. Wenn aber bei Harsdörffer und einigen anderen Barockdichtern ‚die Klangpflege oft in unerträglichem Maße die Wortwahl bestimmt', scheint uns der Verweis auf die rhetorische Überlieferung nicht ausreichend zu sein und es sich dabei durchaus um einen „unersetzbaren Ausdrucksträger" zu handeln im Sinne eines bedeutungsvollen und deutbaren Stilphänomens, dem aber mit Kategorien der ‚Erlebnis'-Dichtung nicht beizukommen ist, weil es sich hier nicht um verschiedene Entwicklungsstufen[23], sondern um zwei grundverschiedene Erscheinungs- und Ausdrucksformen eines Stilphänomens handelt. Daher fassen wir das, was Kayser mit ‚Klangpflege', und auch das, was er mit ‚Klangsymbolik' bezeichnet, besser mit dem Begriff ‚Analogie', denn die Wurzel und Funktion dieser beiden Erscheinungen sind die gleichen.

Kayser versteht unter ‚Klangsymbolik' die Darstellung eines „Draußen"[24] oder einer Stimmung, die nicht mehr mit Hilfe nur eines einzelnen Wortes erfolgt, sondern auf der Gleichlautung verschiedener Laute oder Buchstaben beruht. Dabei braucht es sich nicht mehr unbedingt um die Wiedergabe einer akustischen Erfahrung zu handeln, sondern es kann beispielsweise auch eine Bewegung oder eine ‚Stimmung' imitiert werden. Diese Wesensbestimmung wird der Intention Zesens nicht gerecht, indem sie dem Barockdichter irrationale Ausdrucksformen unterstellt, die gleichermaßen z. B. für Bürger[25] und Goethe[26] in Anspruch genommen werden.

Die fragwürdige Voraussetzung der Kayserschen Begriffsbildung beruht hier darauf, daß sie einen aus der ‚Erlebnis'-Dichtung gewonnenen Symbolbegriff auf die Barockdichtung überträgt, der dann mit Rücksicht auf die Ergebnisse der Barockforschung, daß es sich hier um keine Ausdrucksform einer ‚Erlebnis'-Dichtung handeln kann, eine Begründung erfährt in der rationalen Übernahme überlieferter Formen und einer rationalen Intention: „Nun hatte die Analyse ergeben, daß Harsd. bei Schilderung von Unwettern und Kriegsgetümmel, gelegentlich auch von Bewegungen des Wassers und der Luft sowie bei den Tierstimmen *Lautsymbolik, Klangentsprechung* verwendet. *Die Impulse dazu liegen in der von Scaliger, Ronsard, Opitz u. a. erörterten Forderung nach Klangentsprechung, die auch der Nürnberger verkündet*"[27]. Diese Begründung der Gleichlautung ist für Zesen nicht maßgeblich, und wir sind sicher, daß sie sich bei Überprüfung der

---

[23] Zu Kaysers Feststellungen oben sei noch kritisch angemerkt, daß Harsdörffer durchaus nicht der Erste ist, der auf Klangwirkungen überhaupt in seiner Dichtung aufmerksam macht; es sei nur an die Klangkultur eines Weckherlin erinnert.

[24] vgl. W. Kayser; S. 53 u. S. 57

[25] Vgl. W. Kayser; S. 13

[26] Wolfgang Kayser: *Das sprachliche Kunstwerk*. 3. Aufl. Bern 1954, S. 103

[27] vgl. W. Kayser; S. 135

Klangmalerei bei Harsdörffer auch für ihn nicht als ausreichend erweisen würde. Tatsächlich handelt es sich hier bei der Gleichlautung, die mit ,Klangpflege' und ,Klangsymbolik' nicht zu fassen ist, weder um eine Ausdrucksform einer ,Erlebnis'-Dichtung noch um ein schablonenhaftes Bildungsgut, sondern um eine zentrale Ausdrucksform der Barocklyrik, wenn man berücksichtigt, mit welcher Passion und Vollendung sie etwa in Zesens Lyrik verwirklicht wird.

Da die Gleichlautung analogistische Beziehungen zwischen zwei oder mehreren Worten herstellt, nennen wir diese Erscheinung bei Zesen: *Lautanalogie*. Eine analogistische Beziehung liegt deshalb vor, weil, wie wir im folgenden darlegen werden, die Worte in ihrem Verhältnis von ,Bedeutung' und Lautung in Beziehung zueinander gesetzt werden. Die ,Bedeutung' ist dabei eine mehrschichtige Kategorie bei Zesen. Zunächst konnten wir oben im Zusammenhang der ,Lautmalerei' feststellen, daß Zesen eine Anzahl Wörter zitiert, „deren klang ihre bedeutung schohn verräht." Hier ist „bedeutung" nicht etwa mit ,begrifflicher Aussage' gleichzusetzen, was folgende Äußerung deutlich bestätigt, die Zesen im Zusammenhang der Frage nach der adamischen Namensgebung macht: „Doch ich sage es rund aus/ und habe es auch schon gesagt/ daß kein wort so von ohngefähr kan gemacht werden/ es mus etwas bezeuchnen und bedeuten/ und solche bedeutung aus der natur haben/ wan es auch nur vom knalle/ geräusche oder halle des klanges und getöhnes/ den es giebet/ entsprösse"[28].

,Bedeutung' meint hier folglich bei Zesen „bedeutung aus der natur", also eine seit der babylonischen Sprachverwirrung verborgene Bedeutung, das Wesen der Worte, welches nur in der Natursprache unverfälscht zum Ausdruck kommt.

Die lautmalenden Wörter waren nun besonders geeignet, diese Übereinstimmung von Sprache und Natur, von Wortgestalt und Wortbedeutung unter Beweis zu stellen, weil hier das Gehör eine Übereinstimmung von natürlichem und Sprach-Klang glaubte erkennen zu können. Hier schien die onomatopoietisch zwangsläufige Richtigkeit der Sprachgebung auf Grund der Übereinstimmung mit der Natur durchaus evident zu sein. Und solange, wie in folgender Strophe ein Wort auf ein lautmalendes Stammwort zurückgeführt werden konnte, stand seine Richtigkeit und ,tiefere Bedeutung' nicht in Frage:

> „mein hals kömt seinem nahmen nach/
> und giebt dem Schöpfer zu gefallen/
> ein wunder-frohes helles hallen ..."   (G. L. 57, IV)

Das Substantiv ,hals' wird hier auf das lautmalende Verb ,hallen' zurückgeführt, und damit wird offenbar, daß es nicht ,thesei' oder zufällig diesen „nahmen" hat, sondern daß der Name seiner natürlichen Bedeutung entspricht und daß folglich das Wort ,hals' aus der Natursprache unverfälscht auf die deutsche Sprache überkommen ist.

Die Lage wird sehr viel komplizierter, wenn Zesen sich nicht mehr auf einen ,Knall', ein ,Geräusch' usf. berufen kann wie bei den doch immerhin verschwindend seltenen lautmalenden Wörtern, sondern die ,Bedeutung' der Worte mit

---

[28] *Rosen-månd;* S. 23

Hilfe anderer Indizien erkennen und ihre Übereinstimmung mit der Natursprache wahrscheinlich machen muß. Daß Zesen auch davor nicht zurückschreckt, zeigt seine einschränkende und fast etwas abfällig klingende Bemerkung über die lautmalenden Wörter, deren 'Bedeutung', d. h. mit der Natur übereinstimmendes Wesen „nur (!) vom knalle/ geräusche" usf. herrührt. Außerdem weisen darauf auch die mit den lautmalenden Ausdrücken zusammen zitierten, aber gar nicht mehr dazugehörigen Worte hin: „angst/ zittern: leben/ loben/ buse/ ja das liebliche lieben und 1000 andere/ derer klang ihre bedeutung schohn verräht."

Hier setzt Zesen in naiver Weise unbewußt das Wort als Begriffsträger mit dem Wort als Lautträger gleich und schließt von dieser auf emotionalen Kategorien und auf Überlieferung — vgl. seinen Verweis auf Schottel — beruhenden Voraussetzung auf eine 'bedeutungsträchtige', der Natur entsprechende Qualität dieser Worte. Im Grunde genommen setzt Zesen hier eine tiefere Bedeutung der Worte voraus. Er glaubt, sie in ihrer Lautstruktur erkennen zu können und die Zwangsläufigkeit des Soseins der einzelnen Worte in der *Lautanalogie* verschiedener Worte bestätigt zu finden. Hiermit meint er, den Beweis zu haben für die Zugehörigkeit jedes dieser Worte zur Natursprache und für seine richtige Wortwahl. Dabei liegt — ihm unbewußt — eine Identifizierung des Wortes als Begriffs- und als Lautträger zugrunde; denn tatsächlich schließt Zesen von der sinnbedingten Zusammengehörigkeit der Worte, verbunden mit ihrer Gleichlautung, auf ihre gemeinsame 'tiefere Bedeutung'.

Diese Erscheinungsform und Funktion der Lautanalogie möge folgendes Beispiel verdeutlichen:

> „Die liebe/ die von Frauen rührt/
> entzündt sich bald/ und hitzt wie feuer-flammen;
> doch wird sie nicht so hoch geführt/
> und hat die augen nuhr zu Ammen:
> die aber/ die aus *träu:*
> aus *freundschaft/* zwischen *freunden*
> entspringt/ ist alzeit *neu/*
> und steht bei *freund* und *feinden".*   (L. Fl. 12, II)

Es handelt sich hier um die II. Strophe eines Abschiedsliedes. Durch die wechselnde Taktfüllung der Verse wird der Begriff 'träu' besonders akzentuiert: auf die 8- und 9-silbigen ersten vier Verse folgt der nur 6-silbige stumpfe. Abweichend von den üblichen musikalischen Verhältnissen in den Gelegenheitsgedichten Zesens tritt diese Akzentuierung auch in der Melodie hervor, indem auf die Hebungen dieses Verses 3/8 Notenwerte fallen, auf die Senkungen nur 1/8, auf die Kadenz aber, also hier auf 'träu', sogar ein ganzer Notenwert. Darüberhinaus fällt auf „träu" aber ein besonderes Licht durch die mit Mitteln der Lautanalogie aufgezeigte Verbindung mit dem Wort „neu" und vor allem dem Wort „freund", welches in Form der Paronomasie mehrfach erscheint. „Träu" ist hier zunächst im Zusammenhang des Liedes ein wichtiges Wort, außerdem ist es als begrifflicher Aussageträger an sich immerhin von außerordentlicher Gewichtigkeit; daher unterstellt Zesen, daß „träu" zu den Worten gehört, die ihre „bedeutung aus der natur haben", deren tiefere Bedeutung sich in der Lautstruktur widerspiegelt.

Den endgültigen Beweis für diese Unterstellung liefert ihm und dem Leser die Lautanalogie insbesondere mit dem Wort „freund". Das Verhältnis von Lautung und tieferer Bedeutung ist analog in „freund" und „träu". Daß Zesen dabei tatsächlich von dem begrifflichen Sinnzusammenhang dieser Worte, etwa in dem Sinne, daß zur Freundschaft Treue gehört, zu diesem Schluß kommt, wird ihm nicht bewußt. Ebenso, wenn er in einem anderen Abschiedslied[29] die Lautanalogie von „deutsch" und „träu" herausstellt und dabei eine beiden Worten gemeinsame immanente Bedeutung unterstellt. Er glaubt, auf Grund der Lautanalogie zwei der Natursprache angehörige Worte in ihrer „bedeutung" erkannt zu haben und dabei die onomatopoietische Zwangsläufigkeit ihrer Verwendung eben hier zu beweisen. Die Lautanalogie hat hier also die Funktion, die Beziehung eines Wortes zur Natursprache zu erhärten und damit die nicht zufällige, sondern richtige Wortwahl des Dichters auszuweisen. Das mögen noch einmal folgende Verse zeigen:

> „*Juliane*/ Zier der *Jugend*/
> schönstes Bild der schönen t*u*gend/
> kl*u*ge Fürstin/ nim doch hin . . ."   (L. Fl. 5, I)

Hier wird mit Hilfe der Lautanalogie vor allem die ‚Bedeutsamkeit' des Namens erwiesen. ‚Jugend, Tugend und Klugheit' sind ihrer tieferen Bedeutung nach mit ‚Juliane' verwandt; denn sie gehen auf ein gemeinsames Stammwort zurück. In diesem Sinne schreibt Zesen einmal ‚An den Willigen': „Durch dieses mittel und durch fleissiges nachgrübeln können wier sähen/wie immer ein wort aus dem andern herflüßet/ und bisweilen etliche hundert aus einem haubt-stamme (welcher wiederüm seine unter- und ober äste/ daraus die kleinen zweigelein sprüßen/ üm sich herüm hat) herleiten"[30].

Während bisher die Lautanalogie im Dienste einzelner Worte stand, deren ‚Bedeutsamkeit' und ‚Richtigkeit' sie erhärten sollte, werden wir sie im folgenden als Ausdrucks- und Funktionsträger eines ‚Sprachkosmos' beobachten können. Diese Erscheinungsform der Lautanalogie ist vorherrschend in Zesens Liedern. Bisher sollte mit Hilfe der Lautanalogie bewiesen werden, daß „die große zeuge-mutter sonderlich spielet/ und die wörter nach dem eigentlichen wäsen der dinge zu bilden weis . . ."[31]; das Wort in seiner unverfälschten Gestalt sollte also erkannt werden.

Im folgenden geht es um den Laut als „uhrbuchstaben", der einem kosmischen „uhrwesen" entspricht. Zesen macht diese Unterscheidung selbst im *Rosen-mând:* „Hierbei märk/ daß die stamwörter auf zweierlei art müssen betrachtet werden. erst nach der bedeutung/ und dan nach der gestalt. und so seind sie auch

---

[29] vgl.: L. Fl. 31, II/IV.
[30] vgl. Johan Bellin: *Etlicher der hoch-löblichen Deutsch-gesinneten Genossenschaft Mitglieder/ ... Sendeschreiben.* Hamburg 1647. — o. Seitenzahl: 8. Antwort an den Willigen.
[31] ebd.: o. Seitenzahl: 5. Dem Bemüheten.

selbst zweierlei: die ersten weisen uns den stam und uhrsprung der bedeutung/ und erklären/ warüm ein wort so und so heisset: die andern aber zeugen uns den stam der worte und ihren ursprung aus der gestalt d. i. den uhrbuchstaben selbst. Diese nuhn mus man nicht vermischen"[32].

Mit dem „uhrbuchstaben", der in der „gestalt", d. h. in der Lautung in Erscheinung tritt, ist der dominante „uhr-selbst-laut" oder „uhr-mit-laut" gemeint. Davon gibt es nach Zesen je vier, entsprechend den vier „uhrwesen". ‚a' und ‚b' entsprechen dabei dem Wasser, ‚e' und ‚d' der Erde, ‚u' und ‚l' der Luft und ‚o' und ‚s' dem Feuer. Über die „uhr-selbst-lauter" schreibt er in diesem Sinne: „. . . Gleich wie in dem gantzen wesen der dinge nicht mehr als vier uhrwesen seind/ wasser/ erde/ feuer/ luft: daraus alles/ was einen leib hat/ in der gantzen welt entstehet: so findet man auch in der menschlichen sprache nur viererlei uhr-klang/ oder uhr-laut/ daraus alle das andere geläute/ durch vermischung des uhr-geläutes/ wie auch die vernehmliche stimme oder sprache selbst entstehet. Dieser vierfältige uhrklang nuhn wird durch a e und o[33] abgebildet und geschrieben. Dan es ist ie gewiß/ daß man in dem a eine durchdringende kraft des wassers/ in dem e das sinken der erden/ in dem u / wan es recht natürlich als ü und nicht als ein zwee-lauter/ ausgesprochen wird/ das sanfte steigen und schweben der luft/ in dem o aber die hohe und steigende kraft des feuers/ gleichsam als in einem halle vernimmet"[34]. Die vier „uhr-selbst-lauter" und die vier „uhr-mit-lauter" können nun unter sich zweiundzwanzig verschiedene Verbindungen eingehen: „Diese zwo und zwantzig arten des lebendigen lautes beleben und beseelen die 118 ahrten des toden und stummen lautes . . ."[35]

Die „gestalt" des einzelnen Wortes wird zunächst durch die in ihm enthaltenen „uhr-laute" beseelt, indem diese zu kosmischen „urwesen" in Analogie gesetzt werden. Die Lautanalogie verschiedener Worte ermöglicht nun aber erst die Gestaltung eines onomatopoietisch zwangsläufigen Sprachkosmos, indem das wiederholte Erscheinen desselben „uhr-lautes" auf eine zwangsläufige, ‚naturgemäße' Ordnung der Sprache verweist, die ihre Begründung in dem gemeinsamen kosmischen Ursprung findet. Hier geht es nicht mehr um die der ‚Natur' adäquate Wortwahl, sondern um die Schaffung einer der ‚Natur' adäquaten Ordnung des Sprachraums. Zesen drückt das im Rosen-månd so aus: „Wohlan dan/ so laßet uns auch zum wenigsten der ordnung/ welche die natur in allen ihren dingen hält/ nachgehen/ und sie durch unkunst nicht verwürren/ sondern durch kunst in solche schicht und ordnung bringen/ damit ihr die kunst zum wenigsten gleich gehen/ wo sie selbige nicht übertreffen kan"[36].

Die Lautanalogie wird hier Mittel und Ausdruck eines Ordnungsprinzips der Sprache, das dem der Natur zu entsprechen scheint. Hierfür liefert uns folgendes Lied ein deutliches Beispiel. Es wurde ungekürzt hier aufgenommen, um noch ein-

---

[32] Rosen-månd; S. 188.
[33] Das Fehlen des ‚u' ist ein Druckfehler.
[34] Rosen-månd; S. 92f.
[35] Rosen-månd; S. 141.
[36] Rosen-månd; S. 111.

mal einen ganzheitlichen Eindruck von einem nur von der Lautanalogie be-
herrschten Lied entstehen zu lassen.

I.

Blitzet ihr himmel/
schwitzet uns regen/
machet getümmel/
lachet mit seegen
unsere wälder und felder doch an.
Glimmert ihr sterne/
tauet ihr lüfte/
schimmert von ferne/
schauet durch klüfte/
schauet auf diesen verdunkelten plan.

II.

Grühnet ihr zweige/
kleidet die linden/
dienet zum zeuge/
schneidet den winden
zügel und flügel was zeitiger ab;
rieselt ihr wällen/
schleichet durch büsche/
grüselt mit kwellen/
reichet uns fische;
sehet der winter sucht schone sein grab.

III.

Adelmund schauet/
kommet von morgen/
bradelt betauet/
frommet den sorgen/
die euch/ ihr Schönen der Amstel/ geplagt.
grüsset die Süße/
küsset die füße/
hertzet die finger/
schertzet ihr singer/
daß ihr der Schönsten der Schönen behagt.

IV.

Singet ihr Dichter/
flammet ihr lichter;

bringet zur freude
sammet und seide/
kleidet den boden/ da Adelmund steht.
stimmet die seiten
immer bei zeiten;
krümmet die finger/
Stimmer und singer/
weil sich das frohe trompetten anfäht.

V.

Schöne wilkommen/
kröhne die Sonne/
mache den Frommen
lachen und wonne:
Adelmund/ Adelmund/ ruffet die schaar/
Adelmund nahet/
gehet entfahet
Adelmund alle;
stehet mit schalle;
Glük zu der Schönen Hochdeutschen aldar[37].

Wir konnten schon oben (vgl. S. 159 f.) ein ganz ähnlich strukturiertes Lied vor-stellen. Wie dort findet hier eine Integration von Text und Weise statt, und es handelt sich auch hier offenbar um ein Lied, das ein Aufzug begleitete, welcher der „hochädelgebohne(n)/ liebfältige(n) Adelmund/" galt, „als sie auf der seelig-verstorbenen Rosemund Herrn-hause/ dessen zeichen die Sonne war/ bei abend ihren einzug hielt." Das Lied wurde sicher von einer einfachen Freiluftmusik be-gleitet, worauf die Notation und auch der Vers „weil sich das frohe trompetten anfäht" hindeutet, denn die Freiluftmusik bestritten vor allem Bläser. Die Weise ist wie oben ganz reimbetont: Der ungerade Zweier hebt auch hier den Anfangs- und Endreim hervor, und damit stellt die Musik die Lautanalogie besonders her-aus, umsomehr als es sich dabei offenbar um Blasmusik gehandelt hat.

Dieses Lied steht nicht so sehr in der Ordnung eines begrifflichen, logischen Sinnzusammenhanges, als in der Ordnung der Sprache als Lautträger. Wie weit die Auflösung des logisch-begrifflichen Sinnzusammenhanges geht, wird darin deutlich, daß die meisten Verse innerhalb der Strophen ad libitum austauschbar sind und auch die Strophen, abgesehen vielleicht von der letzten Strophe, umge-stellt werden können, ohne daß es zu einer Sinnentstellung kommt. Schließlich steht auch die analogistische syntaktische Ordnung ganz im Dienste der Lautana-logie.

Es würde zu weit führen, alle Lautanalogien im vorliegenden Lied analysieren zu wollen. Wir werden uns daher im Wesentlichen auf die Betrachtung der II. Strophe beschränken, in der verschiedene Erscheinungsformen der Lautanalogie

---

[37] L. Fl. 61

begegnen. Die Lautanalogie erscheint hier und im ganzen Lied vor allem in Form von Anfangs- und Endreimen. Zunächst wird in der II. Strophe das ‚i‘ herausgestellt, das nach Zesen[38] kein „uhr-selbst-lauter" ist, sondern aus dem ‚u‘ oder ‚e‘ hergeleitet werden muß. Das ‚i‘ finden wir hier in „grühnet", „dienet", „zügel", „flügel", „rieselt" und „grüselt". Der Umlaut ‚ü‘ muß bei Zesen meistens wie ‚i‘ gelesen und vor allem gehört werden; denn Zesen war Sachse und stellte seine Meißner Mundart über alles. Die Lautanalogie zwischen diesen Worten gründet hier nicht mehr in der Verhältnisähnlichkeit einer ‚tieferen Bedeutung‘ und der Lautung; denn Zesen kommt, wie wir oben beobachten konnten, letzten Endes von dem begrifflichen Sinnzusammenhang der Worte her, und ein solcher ist hier nicht mehr festzustellen, abgesehen von „rieselt" und „grüselt". Das ‚i‘ stellt hier unabhängig von allem begrifflichen Sinnzusammenhang einen Beziehungszusammenhang her, der auf dem analogen Verhältnis von „gestalt" und „urwesen" der Worte „grühnet", „dienet", „zügel", „flügel", „rieselt" und „grüselt" beruht.

Ebenso verhält es sich mit dem Diphtong ‚ei‘ in „zweigen", „kleidet", „schneidet", „zeuge", „zeitiger", „schleichet" und „reichet". Er stellt einen kosmisch begründeten, onomatopoietisch zwangsläufigen Sinn- und Ordnungszusammenhang der Sprache her. Das gleiche gilt für das ‚z‘ in „zweige", „zeuge", „zügel", „zeitiger"; das ‚w‘ in „zweige", „winden", „wällen", „kwellen", „winter"; das ‚l‘ insbesondere in „rieselt", „wällen", „schleichet", „grüselt", „kwellen" und das allitterierende ‚s‘ in „sehet der winter sucht schone sein grab." Die Lautanalogie von „linden" und „winden" und besonders von „wällen" und „kwellen" mag indessen noch auf ein gemeinsames „Stammwort", eine gemeinsame tiefere Bedeutung hindeuten; denn die reimenden Worte gehören jeweils einem gemeinsamen Sinnzusammenhang an: Der Flora und dem Wasser.

Wir müssen hier noch einmal auf W. Kayser zurückkommen. Wenn wir seine Terminologie und Methodik auf die Verhältnisse bei Zesen anwenden wollten, würde „rieselt" und „grüselt" hier mit ‚Lautmalerei‘ erklärt werden müssen, die ein „Draußen", einen natürlichen Klang, imitieren will. Die Verse: „rieselt ihr wällen/ schleichet durch büsche/ grüselt mit kwellen/" müßten von der ‚Klangsymbolik‘ her verstanden werden; denn vor allem die Wiederholung des ‚l‘ ließe ein „Draußen" erkennen. Da, wie man auf den ersten Blick feststellen kann, in vorliegendem Lied überall Gleichlautung herrscht, die Kayser mit ‚Klangpflege‘ bezeichnet wissen will und die nicht auf ein „Draußen" verweist, sondern im Gegenteil davon ablenkt, ist es nicht einzusehen, daß Zesen sich an einer Stelle plötzlich um ein „Draußen" bemühen sollte. Das ganze Lied brüskiert eher jede natürliche, begriffliche Bedeutung der Sachen und Dinge. Verse wie: „schneidet den winden zügel und flügel was zeitiger ab ..." haben doch mit den ‚natürlichen‘ Verhältnissen nichts mehr gemeinsam; sie sind nur sinnvoll von der Lautanalogie her. Daher möchten wir mit aller Entschiedenheit sagen, daß es Zesen hier nicht um die Imitation eines „Draußen" geht; denn es ist für ihn ganz ohne Interesse. Ihm geht es nur um die Rechtfertigung der Worte und der Sprache, indem er sie beide einer Ordnung unterstellt.

---

[38] *Rosen-mând*; S. 136f.

Abgesehen davon, daß „rieselt" und „grüselt" mit den oben zitierten Worten sich im selben „uhr-selbst-laut" und damit im selben „urwesen" teilen und folglich die sprachliche Ordnung in der kosmischen Entsprechung eine Rechtfertigung findet — abgesehen davon, findet die richtige ‚naturgemäße' Wortwahl hier eine Bestätigung in der vermeintlichen klangimitatorischen Qualität dieser Worte, die in ihrem Stamm der Natursprache anzugehören scheinen. Ebensowenig hat die Wiederholung des ‚l' in den Versen: „rieselt ihr wällen/ schleichet durch büsche/ grüselt mit kwellen . . ." ein „Draußen" im Sinne einer Klangsymbolik zu imitieren oder auch nur eine Beziehung zur Natur im Sinne eines „Draußen" aufzudekken; vielmehr geht es nur darum, mit Hilfe der Lautanalogie Beziehungen innerhalb des Sprachbereichs herzustellen, die, da sie auf kosmischen Entsprechungen beruhen, eine ‚naturgemäße' Ordnung der Sprache offenbaren.

Wie wenig Zesen an die Darstellung der Natur im Sinne eines „Draußen" denkt, möge zunächst noch folgende Äußerung im *Rosen-mând* zeigen: „Ja wie ferner die erbfeindschaft zwischen dem wasser und dem feuer so groß ist/ daß das feuer nicht vertragen kan wan seine liebste/ die luft/ etwan mit dem wasser bulet/ . . . so entstehet auch gleichfalls/ wan das a dem o zu nahe kömmt/ und es das u nach sich zühet/ im aussprächen das rauhe/ grausame/ gräuliche au/ das ist ein gräuliches grausen/ ein schaurender graus/ ja wohl das häulende gar-aus: dan sausen die winde/ dan brausen die wällen"[39]. Die lautmalenden Worte „sausen" und „brausen" werden hier gar nicht als solche erkannt und gewürdigt, ihr Vermögen, einen natürlichen Klang zu imitieren, bleibt ganz unberücksichtigt; vielmehr kommt es Zesen darauf an, zu beweisen, daß das „urwesen", die kosmische Entsprechung, in der Lautung der Worte zum Ausdruck kommt. „Sausen" und „brausen" haben ihre „gestalt" nicht einem Zufall zu verdanken, sondern einer natürlichen Ordnung. Ebensowenig handelt es sich in folgenden Versen um Lautmalerei, die Klangbeziehungen zur Natur aufzeigen will:

„Die ächzenden lüfte/ die seufzenden winde/
die lächzende zunge/ der augen gewürr'/
das böben der glieder macht/ daß ich verschwinde/
daß ich mich in meinen gedanken verirr'."   (L. Fl. 7, II)

Der erste Vers ist im Grunde genommen ganz unverständlich und steht in keinem sinnvollen Zusammenhang mit den folgenden Versen. Er wird nur von seiner lautanalogistischen Funktion her verständlich. Zesen brauchte das ‚ächzen' und ‚seufzen', um die tiefere Bedeutsamkeit und Richtigkeit des Wortes ‚lächzen' zu erweisen. Keineswegs ist daran gedacht, hier mit Hilfe der Sprache das Geräusch von ‚ächzenden lüften' und ‚seufzenden winden' nachzuahmen oder die Möglichkeit einer solchen Nachahmung unter Beweis zu stellen. Das finden wir bestätigt, wenn Zesen an anderer Stelle dieselben Worte zusammenstellt: „Ich ächze/ lächze/ seufz'/ und tuh nach Dir auf aug' und mund". (R. L. 67, VIII). Hier kommt es ganz eindeutig nur auf die Lautanalogie an.

---

[39] *Rosen-mând;* S. 148.

Es hat sich gezeigt, daß es Zesen nicht um ‚Lautmalerei' oder um ‚Lautsymbolik' geht im Sinne der Herstellung von Beziehungen zu einem „Draußen", sondern immer um Lautanalogie. Wie verhält es sich nun mit der ‚Klangpflege'? Die ‚Klangpflege' ist, wie wir oben feststellten, eine ästhetische Kategorie und setzt daher eine andere als die der Lautanalogie zugrunde liegende Sprachauffassung voraus. Es stellt sich hier also zunächst die Frage nach Zesens Sprachauffassung.

Hankamer hat in seinem Buch über *Die Sprache*[40] eine Deutung der Sprachauffassung Zesens gegeben, wie sie sich vor allem im *Rosen-mând* darstellt. Er kommt auf Grund der theoretischen Ausführungen Zesens zu dem Ergebnis, daß Zesen im *Rosen-mând* wenig verarbeitetes Bildungsgut ausbreitet: „Die Einzelheiten der wenig klaren Ausführungen sind alle übernommen"[41]. Hankamer denkt dabei vor allem an die Vermittlung Böhmeschen Gedankenguts durch A. v. Frankenberg, den Zesen im *Rosen-mând*[42] — und übrigens noch einmal in der Einleitung zum *Coelum astronomico-poeticum*[43] — zitiert. Daher kommt Hankamer zu dem Schluß: „Die mystisch-naturphilosophische Bildungsströmung tritt offen zu Tage und kontrastiert bezeichnend für die wurzellose Übernahme sehr oft gegen die galante Gesellschaftswelt, die als Rahmen der Gespräche sich darstellt"[44]. Zesens Verhältnis zur Natursprachenlehre ist Hankamer zufolge ganz rationaler Art; es handelt sich bei ihm und bei Harsdörffer um die „völlige Veräußerlichung eines großen Gedankens, einer tiefen Sprachdeutung"[45].

Es läßt sich durchaus nicht leugnen, daß sich Zesens Sprachauffassung gerade im wesentlichen von der Böhmes zu unterscheiden scheint. Böhme glaubt, daß die ‚Signatur', d. h. das unverfälschte äußere Erscheinungsbild der Dinge, das ihr Wesen offenbart, im Klang der Worte gestaltet werden kann und daß der einzelne Buchstabe oder Klang, weil er dem Logos als principium mundi angehört, kosmische und metaphysische Ursprünge der Dinge aufdecken kann — aber immer vorausgesetzt, daß der Mensch und Dichter im Einvernehmen mit dem Logos aus der unio mystica heraus spricht: „Im menschlichen Gemüte lieget die Signatur ganz künstlich zugerichtet, nach dem Wesen aller Wesen; und fehlet dem Menschen nichts mehr, als der künstliche Meister, der sein Instrument schlagen kann, *das ist der rechte Geist der hohen Macht der Ewigkeit;* so aber derselbe im Menschen erwecket wird, daß er im Centro des Gemütes rege wird, so schläget er das Instrument der menschlichen Gestaltnis: alsdann so gehet die Gestaltnis mit dem Hall im Worte vom Mund aus"[46].

Zweifellos läßt sich weder aus Zesens theoretischen Schriften noch aus seinen Liedern ein solches mystisches Grunderlebnis herausinterpretieren. Nirgends kann

---

[40] Paul Hankamer: *Die Sprache. Ihr Begriff und ihre Deutung im XVI. und XVII. Jahrhundert.* Bonn 1927, S. 117 ff.

[41] ebd., S.119

[42] *Rosen-mând;* S. 13 Anm.

[43] *Coelum astronomico-poeticum.* Amsterdam 1662. — o. Seitenangabe: Drittletzte Seite der Einleitung.

[44] P. Hankamer: *Die Sprache.* S. 118

[45] ebd., S. 122

[46] P. Hankamer: *Das Böhme-Lesebuch,* Berlin 1925, S. 195

davon die Rede sein. Auch in den ‚Geistlichen Liedern' konnten wir feststellen, daß sich Zesen wohl pietistischer Motivik bedient, aber gerade diejenige Motivik — Offenbarung und Durchdringung[47] —, die auf das grundlegende Erlebnis der unio hindeutet, bei ihm fehlt. Zesen war kein Mystiker in der Nachfolge Böhmes. So hat er nur die ihm angemessenen Teile der Böhmeschen Natursprachenlehre übernommen, womit er sie zwar grundlegend veränderte und sachlich auch mißverstand, aber doch nicht zwangsläufig im abschätzigen Sinne ‚veräußerlichte'. Man wird Zesen und seinen Intentionen nicht gerecht, wenn man seine umfänglichen theoretischen Auseinandersetzungen mit der Natursprachenlehre im *Rosen-månd* und vor allem ihre praktische Anwendung und Auswirkung in seinen Liedern nur mit einer rationalen Übernahme einer „Bildungsströmung" erklärt. Zesen geht hier doch deutlich über den humanistischen Sprachbegriff eines Opitz hinaus. Warum? Warum greift er auf die „mystisch-naturphilosophische Bildungsströmung" zurück? Selbst eine rationale und nur teilweise Übernahme der Natursprachenlehre setzt doch eine Affinität des Dichters zu dieser Sprachauffassung voraus. Eine Erklärung dafür bleibt uns Hankamer schuldig. Wir würden sie in Zesens theoretischen Ausführungen vergeblich suchen, aber wir glauben, sie in seinen Liedern gefunden zu haben, insbesondere in dem Stilphänomen der Lautanalogie.

Die Lautanalogie ist das wesentlichste Gestaltungsmittel in Zesens Liedern, und es trifft für Zesen keinesfalls zu, was W. Kayser für Harsdörffer feststellt: „Der Klang hat bei Harsd. noch keine Gestaltungsfunktionen, er ist kein unersetzbarer Ausdrucksträger"[48]. Wir konnten auf die Fragwürdigkeit dieser Feststellung schon oben verweisen, die im Widerspruch zu Kaysers kurz davor gemachter Beobachtung steht: „Die Klangpflege bestimmt oft in unerträglichem Maße die Wortwahl"[49]. Wenn ganze Lieder, Stilfiguren, motivischer und syntaktischer Aufbau bei Zesen im Dienste der Lautanalogie stehen, handelt es sich hierbei entschieden um einen „unersetzbaren Ausdrucksträger". In der Lautanalogie findet die analogistische Sprachordnung, die den motivischen und syntaktischen Aufbau von Zesens Liedern bestimmt, den wirksamsten Aussageträger. So wie dort das Gestaltungsprinzip der Analogie sich des Motivs und des Satzes bzw. des Satzteiles bedient, so bedient es sich hier des Lautes.

Da der Laut in der Natursprachenlehre ‚bedeutungsvoll' wurde, d. h. in ihm Natur „gestalt" annahm, war die Konsequenz, daß der Beziehungszusammenhang der Laute dem ‚natürlichen' Beziehungszusammenhang, der ‚natürlichen' Ordnung, entsprach. Daß mit Hilfe der Lautanalogie nicht beliebige, sondern ‚naturgemäße' Beziehungen hergestellt wurden und damit die analogistische Sprachordnung überhaupt sich als nicht zufällig, sondern als zwangsläufig erwies, fand Zesen in der Natursprachenlehre bestätigt. Hier fand Zesen die metaphysische Grundlegung seiner analogistischen Sprachordnung, seines Sprachkosmos.

[47] vgl. August Langen: *Der Wortschatz des deutschen Pietismus.* Tübingen 1954.
[48] vgl. W. Kayser; S. 77
[49] vgl. W. Kayser; S. 76

Comenius hat einmal geschrieben: „Ordo rerum anima"[50]. Und da das ganze
Barockzeitalter, wie jedes christlich bestimmte Zeitalter, von einem Ordnungsglauben durchwaltet wird, ist es nur folgerichtig, wenn auch die Sprache in einer
Ordnung erkannt und gestaltet wird. Für Zesen war dies die analogistische Ordnung. In ihrer Gestaltung fand die Dichtung bei Zesen ihre ontologische Aufgabe
und Rechtfertigung. Es hieße daher u. E., das Phänomen der Gleichlautung bei
Zesen gründlich mißverstehen, wenn wir es wie W. Kayser bei Harsdörffer mit
‚Klangpflege' bezeichnen oder als solche im Sinne von „Schmuck"[51], „Lustge-
winn, Lieblichkeit"[52] auffassen wollten. Es handelt sich hier nicht um einen ästhetischen Sprachbegriff, vielmehr ist die Gleichlautung bei Zesen ein Ausdruck des
analogistischen Gestaltungsprinzips, das die Schaffung eines metaphysisch begründeten Sprachordo zum Ziele hat. Das gleiche läßt sich im Bereich der Metaphorik bei Zesen beobachten: das Bild wird völlig entwirklicht, es repräsentiert
eine Idee, meistens die Analogie von Mikro- und Makrokosmos. Gleichermaßen
gehorcht der Dichter im Bereich der Sprache diesem Ordnungsprinzip, er imitiert
es: Seine Gestaltung ist Aufgabe und Legitimation der Dichtung zugleich. Daher
ist das Bild oder Gleichnis primär als Funktionsträger eines analogistischen motivischen Gestaltungsprinzips zu verstehen, welches nicht einer rational-ästheti-
schen Sprachauffassung entspringt, wie sie Gerhard Fricke[53] dem Barock unter-
legt, sondern einer metaphysisch begründeten Sprachauffassung. Denn es scheint
uns unvereinbar, daß einerseits die ‚Wirklichkeit' völlig entwirklicht wird und
andererseits der Sprache eine selbstherrliche, ästhetisch-rational begründete Stelle
im Ordo zuerkannt wird. Im Barock gelten die Phänomene an sich nichts, nur
ihre Bedeutung; ebenso ist es mit der Sprache und der Dichtung, sie ist nur als
Teil des Ordo, als Ausdruck und Funktion eines Metaphysischen existent. Wir
können Fricke daher nicht folgen, wenn er vom „fiktiven Raum der Sprache"
spricht und vom Gleichnis sagt: „... denn das Gleichnis selber verfällt alsbald
demselben Atomismus und gleitet in das Spielerisch-Rationale ab; es wird zur
nichtverpflichtenden Belustigung des Verstandes und Witzes"[54]; vielmehr scheint
uns die abgelöste, „nichtverpflichtende" Sprachbehandlung gar nicht im Bereich
der barocken Möglichkeiten zu liegen.

Daher geht auch Hankamers Charakterisierung der Sprache Zesens von einer
falschen Voraussetzung aus: „Das Übergleiten des dichterisch gestaltenden Wortes
in den malenden Klang, in das Musikalische oder Onomatopoietische ist eine
Folge der leeren Selbstherrlichkeit des Wortes. Frei gegenüber dem Leben, in seiner Eigengesetzlichkeit als literarisches Gebilde, steht nun das Wort da. Die Dichtung wird zur Wortkunst wie die Rede zum Wortgepränge. Die Literatur soll

[50] Comenius: *Historia fratrum Bohemorum (ratio disciplinae etc.)*, ed. Halle 1702 (mit
Vorrede von Buddaeus) S. 61. — Dieses Zitat entnahmen wir: Ernst Benz: *Zur Sprachalchemie der deutschen Barockmystik.* Dichtung und Volkstum 37, 1936. — S. 490
[51] vgl. W. Kayser; S. 59
[52] vgl. W. Kayser; S. 84
[53] Gerhard Fricke: *Die Bildlichkeit in der Dichtung des Andreas Gryphius.* Neue Forschung 17. Berlin 1933.
[54] ebd., S. 22f.

endlich ein unverpflichtendes Spiel mit Wörtern sein, ein Spiel über dem Leben in einer ästhetischen Ebene, die völlig für sich sich da ist: ein barockes l'art pour l'art"[55].

Die Gleichlautung ist nicht „eine Folge der leeren Selbstherrlichkeit des Wortes", nicht ein „Spiel über dem Leben in einer ästhetischen Ebene, die völlig für sich da ist: ein barockes l'art por l'art". Diese Sprachauffassung widerspricht allem barocken Autoritäts- und Ordnungsglauben. Der barocke, im Zeichen der Gegenreformation stehende Universalismus ließ kein Für-sich-sein, keine „Selbstherrlichkeit" zu: Alle Bereiche des Seins, auch die Sprache, waren Erscheinungsformen desselben göttlichen Ordnungsprinzips, desselben Urgesetzes. Dieses galt es überall zu erkennen und in der Dichtung Gestalt werden zu lassen. Ebensowenig wie man heute bereit wäre, die Formenwelt der barocken Musik — beispielsweise die musikalische Imitation — im Sinne eines „l'art pour l'art" zu interpretieren, kann barocke Dichtung aus der ästhetischen Grundhaltung eines Virtuosentums erklärt werden. Die Sprache und Gestaltung der Lieder Zesens wird von einer metaphysisch begründeten Ordnung bestimmt.

Über die Legitimation der Lautanalogie und der analogistischen Sprachordnung hinaus war ein tiefer liegender Impetus, der Zesen zur Auseinandersetzung mit der Natursprachenlehre führte, der Denkprozeß und die Erkenntnisform, in denen er sich mit Böhme und seinen Nachfolgern traf. Zesen kommt zu einer Ordnung der Sprache, indem er analogistische Beziehungen aufdeckt und herstellt. Er denkt in Analogien. Diese Erkenntnisweise liegt auch Böhmes Lehre von der Natursprache zugrunde. Böhme kommt zu einer Ordnung der Sprache (Sprachkosmos), indem er analogistische Beziehungen zwischen der Natur — sei es nun der „Signatur" oder dem „urwesen" — und der Sprache aufdeckt. Zesen kommt von der Gestaltung der Sprache, der Dichtung her zu dieser Ordnung, Böhme von der Reflexion über die Sprache. Beiden ist aber der Erkenntnisprozeß gemeinsam, der mit Hilfe von Beziehungen analogistischer Art eine Ordnung erkennt und erstellt.

Dieses ist eine grundlegende Erkenntnisform des Barockzeitalters, sie führt zu einem entsprechenden Weltverständnis, d. h. zu einer analogistischen Ordnung der Wirklichkeit, einer ‚analogia entis'. Diese Denkform liegt verschiedenen Bereichen der geistigen Auseinandersetzung im Barock zugrunde. Sie hat eine lange Tradition und muß letztlich auf den Logos-Begriff des Neuplatonismus zurückgeführt werden, der alle Erscheinungsformen der Wirklichkeit an der Weltseele, dem göttlichen Urprinzip, wenngleich in verschiedener Intensität teilhaben läßt. Einen Höhepunkt erlebt diese Erkenntnisform mit Böhmes Mystik und Leibniz' Monadentheorie. Dazwischen beherrscht sie das weite Feld der Pansophie. Naturphilosophen und Alchemisten stellen Verhältnisähnlichkeiten zwischen divergierenden Bereichen der Wirklichkeit (Himmel und Erde, Mikro- und Makrokosmos) fest und glauben, mit Hilfe dieser Analogien zur Erkenntnis der ‚quinta essentia' vorzudringen.

[55] Paul Hankamer: *Deutsche Gegenreformation und deutsches Barock*. 2. Aufl. Stuttgart 1947. — S. 149

Wenn wir daher in Zesens Liebesliedern neuplatonisches und vor allem im Motivkreis der ‚Pansympathie' Gedankengut pansophischer Herkunft beobachten können[56], findet das nicht etwa seine Begründung darin, daß Zesen Pansoph war, sondern in einer Affinität, die sich daraus erklärt, daß Zesens Erkenntnis- und Vorstellungsweise wie die der Pansophie auf der Analogie beruhte. Das gleiche gilt für das pansophische Vorstellungsgut in den ‚Geistlichen Liedern'[57]. Zesen war ebensowenig Pansoph, wie er Mystiker war, er war überhaupt kein spekulativer Geist. Sein Weltverständnis beruhte nur auf dem gleichen Denkprozeß wie das der Pansophie und Mystik.

Daher behandelt Zesen auch nur scheinbar die Gleichlautung im Sinne der von Ernst Benz sog. mystischen ‚Sprachalchemie': „Das Geheimnis dieser Lautreihen ist im Grunde wieder ein ‚alchemistisches': sowohl ihr Sinn wie ihr Klang wie ihre Buchstabenelemente führen auf dieselbe Wurzel, dasselbe Urelement, dieselbe Quintessenz, die die Vielheit der Formen und der Ausdrücke in sich zusammenhält. Das Urwort ist der Stein der Weisen, mit dem man aus allen Elementen das edle Urelement herausfindet und die unedlen Elemente in dieses Urelement zurückverwandeln kann"[58]. Zesen war aber kein ‚Sprachmystiker', es ging ihm nicht so sehr um den „Stein der Weisen", das „Urwort", als um analogistische Beziehungen an sich, welche die Schaffung eines Sprachkosmos ermöglichen. Gemeinsam ist aber beiden das Denken in Analogien.

Zesen bediente sich nicht allein sprachlicher Mittel, um dieses analogistische Beziehungsnetz zu knüpfen, sondern machte sich dafür außerdem die Musik und den Tanz nutzbar. Die Musik vermochte insbesondere die lautanalogistischen Beziehungen lebendig werden zu lassen und beispielsweise in den Echo-Liedern das Prinzip der Entsprechung sinnlich faßbar zu machen. Der Tanz mit seinen Figuren und Gesten fügte dem eine weitere Schicht der sinnlich nachvollziehbaren Entsprechung hinzu. Von daher ist u. E. ganz wesentlich die Entwicklung zur Oper hin im Barock zu verstehen.

So wie für Kepler die Erkenntnis der ‚Harmonice mundi' voraussetzt: „... Idoneam invenire in sensilibus proportionem, est detegere et agnoscere et in lucem proferre similitudinem illius proportionis in sensilibus, cum certo aliquo verissimae Harmoniae Archetypo, qui intus est in Animâ"[59], ebenso muß Zesen, indem er Ähnlichkeiten der Proportionen, d. h. Analogien herstellte, von einem „verissimae Harmoniae Archetypo, qui intus est in Animâ", geleitet gewesen sein. Das soll heißen, daß Zesens mit Hilfe von Analogien sich vollziehende Erkenntnisweise in einem eher ‚harmonischen' Weltgefühl wurzelt; keinesfalls aber in einem

[56] In Zesens Liebesliedern tritt überall das Gesetz der Liebe im ursprünglichen, pansophischen Sinne einer Alles umfassenden und durchdringenden, wechselseitigen Sympathie in Erscheinung.

[57] Die Häufigkeit und Intensität der Lichtmetaphorik bei Zesen läßt vermuten, daß ihm die Vorstellung von der Emanation Gottes — wenngleich nicht mit all ihren intellektuellen Konsequenzen — vergleichsweise lebendig war.

[58] Ernst Benz: *Zur Sprachalchemie der deutschen Barockmystik*. Dichtung und Volkstum 37, 1936. — S. 498

[59] *Johannes Kepler. Gesammelte Werke*, Band VI: *Harmonice Mundi*. Hrsg. v. Max Caspar. München 1940. — S. 215

dualistisch bestimmten. Die Erkenntnisform der Analogie schließt eine dualistische Wirklichkeitserfahrung, wie sie seit Strich[60] und Hübscher[61] weitverbreitet in
der Literaturwissenschaft für das Barock im allgemeinen oder für einzelne Dichter im besonderen, z. B. für Angelus Silesius[62], angenommen wird, für Zesen aus.
Das bestätigen auch unsere an Zesens Liebesliedern gemachten Beobachtungen,
daß die ‚antithetische Grundmotivik‘[63] eine entschiedene Aufweichung erfährt:
Die antithetische Vorstellung von Liebesleid und -lust erscheint hier nicht in der
polaren Spannung des Miteinander, sondern im Sinne des zeitlichen Nacheinander. Wie überhaupt der Antithese in Zesens Liedern nur Funktion und Bedeutung
einer sinnentfremdeten Stilfigur zukommen; denn sie wird entweder in Form der
Negation zum Mittel der analogistischen motivischen Sprachordnung oder sie
steht im Dienste der Lautanalogie.

> „Nun fühl ich weder Angst noch Schmertzen:
>   E. in dem Hertzen.
> Der Schmertz ist itzo gantz verschwunden:
>   E. mit den Stunden.
> Nun kan ich meine Liebste hertzen:
>   E. mit Ihr schertzen“[64].

In den ersten vier Versen wird das Motiv des ‚Liebespreises‘ zunächst mit Hilfe
der Stilfigur der synonoymen Reihung, in den letzten beiden Versen mit Hilfe der
Antithese zu den vorhergehenden variiert. Genau wie in den ersten vier Versen
dasselbe Motiv fast wörtlich in Form einer negativen und einer positiven Formulierung wiederholt wird, handelt es sich bei dem antithetischen Verhältnis dieser
und der letzten beiden Verse zueinander um die negative und die positive Aussage desselben Motivs, desselben Sachverhalts. Dabei ist die Antithese nur noch
aufgesetzte Stilfigur; denn sie ist einmal durch das zeitliche Nacheinander aufgelöst, der negative Zustand ist überwunden, zum anderen schließt die Form der
Negation geradezu ein antithetisches Spannungsverhältnis aus, denn der Anti
These wird ja deutlich abgeschworen. Hier ist folglich die Stilfigur der Antithese
Mittel einer analogistischen motivischen Ordnung, wobei noch die Bezugsebene
der Lautanalogie zu berücksichtigen bleibt.

Das Denken in Analogien bestimmt in letzter Konsequenz auch das Verständnis
des Verhältnisses von Gott und Welt, von Diesseits und Jenseits. Daher kommt
Zesen in seinen ‚Geistlichen Liedern‘ zu einem Welt-Gott-Verständnis im Sinne
einer graduellen Analogie. Diese Vorstellungsweise nun liegt, vermittelt durch
neuplatonisches Gedankengut, den pansophischen Bestrebungen des Barock zu

---

[60] Fritz Strich: *Der lyrische Stil des 17. Jahrhunderts*. Muncker-Festschrift. München
1916. — S. 21/53.
[61] Arthur Hübscher: *Barock als Gestaltung antithetischen Lebensgefühls*. Euphorion
24, 1922. — S. 517 ff. und S. 759 ff.
[62] Benno v. Wiese: *Die Antithetik in den Alexandrinern des Angelus Silesius*. Euphorion 29, 1928. — S. 503ff.
[63] vgl. Hans Pyritz: *Flemings deutsche Liebeslyrik*. Palaestra 180. Leipzig 1932.
[64] *Frühlingslust*. Hamburg 1642. — III. Dutzend Nr. II, Str. VIII.

grunde, die, wie Peuckert schreibt, in dem Bewußtsein gründen, „daß Gott und Welt und daß der Mensch in dieser Welt durch tausend Bande verbunden sind"[65]. Es liegt uns durchaus fern, Zesen mit der Pansophie identifizieren zu wollen; worauf es uns ankommt ist, deutlich zu machen, daß Zesens Verständnis von Gott und Welt im Sinne einer graduellen Analogie aus einer Bewußtseinshaltung und Vorstellungsweise herrührt, die in verschiedenen Bereichen der geistigen Auseinandersetzung im Barock erscheint. Bezeichnend in diesem Zusammenhang ist im Bereich der katholischen Schulmetaphysik[66] die wieder zunehmende Bedeutung der thomistischen Lehre, welche die graduelle Analogie von Gott und Schöpfung unter Beweis stellt[67]. Hierbei handelt es sich im Grunde um eine gegenreformatorische Erscheinung, die im Protestantismus in mystischen oder später pietistischen Tendenzen ihre Parallele hat: denn abgesehen von der Spätscholastik fand kaum je eine schärfere Trennung — sie wurde nur noch durch den Gnadenakt Gottes überwindbar — von Gott und Schöpfung statt als durch die Reformation.

Der analogistische Erkenntnisprozeß war ein movens der Zeit. In Zesens Liedern tritt er uns im analogistischen motivischen, syntaktischen und vor allem lautlichen Gestaltungsprinzip entgegen.

---

[65] Will-Erich Peuckert: *Pansophie*. 2. Aufl. Berlin 1956. — S. 24.

[66] vgl. Max Wundt: *Die deutsche Schulmetaphysik des 17. Jahrhunderts*. Heidelberger Abhandlungen zur Philosophie und ihrer Geschichte 29. Tübingen 1939.

[67] vgl. Hampus Lyttkens: *The Analogy between God and the world*. diss. theol. Uppsala 1952.

Herbert Blume

EINE UNBEKANNT GEBLIEBENE ÜBERSETZUNGSARBEIT ZESENS

1.

Auf S. 488 der „Kurtzbündigen Anmärkungen" zu seinem Roman *Assenat* erklärt Zesen, was es mit den „Musenbeumen" auf sich habe, die im Baumgarten von Assenats Wohnsitz wachsen. Es heißt dort:

> „Die Musenbeume/ die man/ mit der frucht/ sonsten schlecht hin Musa oder Maus nennet/ wachsen in Egipten/ sonderlich aber in Mohrenland/ und Guinee/ als auch in Sine; in dessen Landbeschreibung dieser Baum ausführlich beschrieben wird."

Was sich hinter der vagen Titelangabe einer „Landbeschreibung" von „Sine" verbirgt, ist bisher nicht bekannt gewesen[1]. Da Zesen ja verschiedentlich Reisebeschreibungen aus dem Niederländischen ins Deutsche übertragen hat, liegt die Vermutung nahe, daß er sich hier auf ein Produkt der eigenen Feder bezieht, zumal er den Namen des Verfassers oder Übersetzers gar nicht erst angibt.

Indessen findet sich weder in Philipp von Bährenstäts *Verzeichnis der so wohl übergesetzten/ als selbst verfasseten Zesischen Schriften*[2] noch in Johann Heinrich Gablers gleichnamiger Erweiterung dieser Bibliographie[3] ein Hinweis auf eine „Landbeschreibung von Sine". Auch der sonst so gründliche Mollerus gibt in seiner *Cimbria Literata*[4] keine Hinweise auf ein entsprechendes Werk. Die bei Bährenstät, Gabler und Mollerus aufgeführte *Beschreibung des Weltteils Asien* kann nicht in Frage kommen, da sie (seit 1672) „zwar begonnen/ aber noch nicht volzogen" ist und Zesen sich 1670 in der *Assenat* allem Anschein nach auf ein bereits erschienenes Buch beruft.

Während hier also kein Weg weiterzuführen scheint, bietet sich eine andere Möglichkeit an: der Autor der *Naukeurige Beschrijvinge der Afrikaenschen Gewesten* von 1668, Olfert Dapper, dessen Buch auf deutsch 1670 in Zesens Übersetzung als *Umbständliche und Eigentliche Beschreibung von Africa* erschienen ist, hat auch eine *Beschryving des Keizerryks van Taising of Sina* verfaßt. Sie bildet den vierten und letzten Teil des *Gedenkwaerdig Bedryf Der Nederland-*

---

[1] Vgl. V. Meid: Nachwort zu: Ph. v. Zesen: *Assenat* 1670. Tübingen 1967 (*Deutsche Neudrucke, Reihe Barock*, Bd. 9), S. 48*.

[2] O. O. u. J. (1672).

[3] Speyer 1687.

[4] *Johannis Molleri Flensburgensis Cimbria Literata.* Tomus Secundus. O. O. u. J. (Bd. 1: Havniæ MDCCXLIV), S. 1023—1034.

sche Oost-Indische Maetschappye, op de Kuste en in het Keizerrijk van Taising of Sina: Behelzende Het Tweede Gezandschap Aen den Onder-Koning Singla-mong (. . .) En Het Derde Gezandschap Aen Konchy, Tartarsche Keizer van Sina en Oost-Tartarye (. . .). Alle vier Teile sind 1670 in einem Bande bei Jacob Meurs in Amsterdam erschienen. In den Jahren 1675/1676 kam, wie bei solchen Büchern üblich, beim selben Verleger auch eine deutsche Übersetzung des Werkes heraus[5], deren letzter Teil zwar den Titel *Beschreibung des Keyserthums Sina oder Taising* trägt, aber zugleich auch mit dem Zusatz „ins Hochdeutsche übersetzet durch J. D." versehen ist, so daß Zesen als Übersetzer nicht in Frage kommt. Zudem ist von „Musenbäumen" in diesem Buche auch gar nicht die Rede; es kann sich dabei also nicht um die gesuchte „Landbeschreibung von Sine" handeln.

Im Titel dieses Buches ist jedoch ein Hinweis für die weitere Suche nach Zesens Quelle vorhanden: wenn es eine zweite und dritte Gesandtschaft der Ostindischen Kompanie an chinesische Monarchen gegeben hat, muß es ja auch eine erste gegeben haben, und es ist zu vermuten, daß auch dasjenige zu Papier gebracht worden ist, was diese ersten Emissäre der niederländischen Handelsgesellschaft erlebt haben. Nicht zuletzt im Interesse eines geschäftstüchtigen Verlegers dürfte das geschehen sein. Es ist auch wirklich der Fall, der Verleger heißt wiederum Jacob van Meurs, nur zeichnet diesmal Joan Nieuhof als Verfasser. Der Titel des Buches lautet:

„HET GEZANTSCHAP Der Neêrlandtsche Oost-Indische Compagnie, AAN DEN GROOTEN TARTARISCHEN CHAM, Den tegenwoordigen KEIZER VAN CHINA: (. . .) BENEFFENS Een Naukeurige Beschryving der Sineesche Steden, Dorpen (. . .) &c. (. . .) DOOR JOAN NIEUHOF. (. . .) t'AMSTERDAM, (. . .) ANNO 1665."

Die deutsche Übersetzung hiervon trägt den Titel

„Die GESANTSCHAFT der Ost-Indischen Geselschaft in den Vereinigten Niederländern/ an den Tartarischen Cham/ und nunmehr auch Sinischen Keiser/ (. . .) Wie auch Eine wahrhaftige Beschreibung der fürnehmsten Städte/ Flecken/ Dörfer (. . .) und dergleichen (. . .) durch den Herrn Johan Neuhof/ (. . .) In Amsterdam/ Gedrukt und verlegt durch Jacob Mörs/ (. . .) Anno 1666."[5a]

Schon 1669 wurde eine zweite Auflage dieser Übersetzung notwendig, die unter demselben Titel, aber „hier und dar verbessert/ und üm ein guhtes theil vermehret" im selben Verlage erschien. Dieses Buch ist, um es vorwegzunehmen, offensichtlich jene „Landbeschreibung" von China, auf die Zesen sich bezieht, denn auf S. 346 der zweiten Auflage (es handelt sich um einen Zusatz gegenüber der ersten) finden wir folgende Sätze:

„Endlich/ lässet sich in der Provintz Quantung noch eine frucht sehen/ Musa, wie auch die Indianische Feige/ genant. Der Baum/ daran sie wächst/ ist sonderlich

[5] *Gedenkwürdige Verrichtung Der Niederländischen Ost-Indischen Gesellschaft in dem Käiserreich Taising oder Sina,* durch ihre Zweyte Gesandtschaft An den Vnterkönig Singlamong (. . .) Als auch die Dritte Gesandtschaft An Konchi, Sinischen und Ost-Tartarischen Käiser (. . .) Amsterdam/ Bey Jacob von Meurs (. . .) 1675. Das Erscheinungsjahr ist beim Exemplar der Herzog-August-Bibliothek Wolfenbüttel handschriftlich in 1676 umgeändert.

[5a] In diesem Aufsatz ist nur in den zwei letztgenannten Buchtiteln Versalienschreibung wiedergegeben worden.

schön/ und wird bey 18. oder 20. Hand hoch: dessen Stam bestehet aus etlichen/ fest
an einander sitzenden Rinden/ und ist so dick wie ein Menschen Bein. Die Wurzel
ist rund/ dick/ und gibt den Elephanten ein wolschmäckendes futter. (...)
Oben aus dem Gipffel des Baumes entspreust ein Pusch Blumen/ welche eben wie die
Schuppen der Fichten-Aepffel zusammen sitzen. Darnach wächset aus dem Baum ein
einiger Zweig/ der so dick ist wie ein Arm/ und in viele Knopfen zertheilet ist: an
jedem Knopfen hangen zehen oder vierzehn Feigen/ welches oft an dem einigen
zweige über 200. Feigen machen."

Aus der weiteren Beschreibung der Früchte des „Musenbaumes" wird vollends
deutlich, daß nach Zesens Wunsch im Baumgarten der Assenat Bananenstauden
wuchsen, denn um nichts anderes handelt es sich hier. (Noch heute ist „Musa" der
botanische Name dieser Pflanze).

Hiermit dürfte die „Landbeschreibung von Sine" mit allergrößter Wahrscheinlichkeit aus der Reihe der Anonyma erlöst sein, in der sie sich in V. Meids „Auto-
renregister zu den Anmerkungen Zesens"[6] noch befindet. Ihr Verfasser heißt
Jo(h)an Nieuhof.

2.

Wie steht es aber nun mit der Übersetzerschaft Zesens? Im oben gegebenen
Zitat finden sich viele Indizien, die geradezu dagegen sprechen, daß Zesen hier
am Werke war: das oberdeutsche „p" in *Pusch*, das Fremdwort *Provintz*, die
Doppel-f in *Griffel, Aepffel*, das „tz" in *Provintz*, das anlautende „th" in *zertheilet*, das „ph" in *Elephanten*.

Eine nähere Betrachtung zeigt, daß Zesen nicht der alleinige Übersetzer des
Werkes ist. Von ihm stammt, wie nachzuweisen sein wird, lediglich die Übersetzung der Seiten 1 bis 40 der ersten Auflage (das sind die Seiten 1 bis 37 der zweiten). Wenden wir uns diesen einleitenden Seiten der Erstausgabe zu.

Deutliche Hinweise auf den Übersetzer geben uns die dort zahlreich vorhandenen Eigennamen in typisch Zesenscher Orthographie. Da kommen u. a. vor: die
Züten (2a)[7], womit die Skythen gemeint sind, die *Lakonier* (1a), die *Kaldeischen
Stern-deuter* (3a), *der Weisgierige Demokritus* (3a) (de Filosoof Demokrites, 2b),
Likurg (1a), *Mitridat* (2a), *Marzian* (6a), *der Jesuiet Martien Martiensohn (7b)*
(de Jesuit Martinus Martini, 6a) *Amerikus Vesputzius* (4b), *Kristof Kolumbus*
(4b), schließlich: *Pilee* (1b) (Pylea, 1b). Zum Auslaut-e von *Pilee* ist anzumerken,
daß Zesen auch in deutschen Ortsnamen bisweilen auslautendes „a" in „e" umän-
dert: Jena erscheint als *Jehne*, Gotha als *Gohte*. Im übrigen handelt es sich bei
den orthographischen Besonderheiten dieser Namen durchweg um eine Verwirklichung dessen, was Zesen 1643 in seiner Rechtschreibungstheorie, der „Hooch-
Deutschen Spraach-übung" hinsichtlich der Schreibung fremdsprachiger Eigennamen gefordert hatte. Für „t" vor „i" und für „c" soll man nach seinem Willen
„das z oder tz gebrauchen"[8] (hier verwirklicht in *Marzian, Vesputzius*), „fremde
Nahmen/ die sich auff us und is enden",[9] sollen im Deutschen diese Endungen
verlieren können (hier: *Likurg, Mitridat, Marzian, Martien*). Weiterhin ist für
Zesen das „c. so es alleine stehet und ohne das h. geschrieben wird/ (...) kein

---

[6] *Assenat*-Ausgabe, S. 48*.

[7] Seiten- und Spaltenangabe. In einer weiteren Klammer evtl. die entsprechende
Form des ndl. Originals.

[8] A. a. O., lxxx.

[9] S. lxxxij.

deutscher buuchstabe"[10], „C gilt so viel als k und z"[11], daher steht hier denn auch *Kolumbus* und deshalb werden hier die lateinischen „Scythae" zu *Züten*. Wie wenig Zesen vom „y" in einem deutschen Text hielt, entnehmen wir seinen Äußerungen auf S. xlix — l der „Spraachübung" (die sich allerdings auf die graphische Opposition y — i beziehen):

> „Dann wier habens nicht nötig/ daß wier das y. einflikken oder vor das i gebrauchen/ wo es nicht seyn soll."

Das betrifft in unserem Text die Namen *Likurg* und *Pilee*. In Schreibungen wie *Kaldeisch* und *Kristof* geht der Text sogar über die Forderungen der „Spraachübung" hinaus, denn dort spricht Zesen sich noch für die Formen *Christus* und *Christall* aus[12]. Nur zwei orthographische Inkonsequenzen sind zu verzeichnen, bei denen jedesmal gegen die c-k-z-Regel verstoßen wird: *Socrates* (3a) und *Emmanuel de Lucifierro* (24a).

Ein anderes orthographisches Indiz ist die Abwesenheit von „b" nach „m" in Wörtern wie *üm* (um), denn nach Zesens Anschauung entspricht ein „b" an dieser Stelle nicht „der Deutschen Spraache art/ sondern es ist nur eine böse angenommene weise der Schreiber"[13]. Anhand dieses Merkmals läßt sich genau ablesen, wie weit der Übersetzer, in dem wir Zesen vermuten dürfen, gelangt ist: im zweiten Absatz von S. 40 b erscheint zum letzten Male *üm*, während auf S. 41 a bereits jemand *umbs Leben gebracht worden* ist. Unter diesem Gesichtspunkt betrachtet, zeigt der Text der ersten Auflage eine völlig homogene Beschaffenheit: von Seite 1 (*wiederüm, ümgang*, 1a; *darüm, herüm*, 1b) bis Seite 40 kommt keine einzige b-Form vor. Lediglich das allererste *wiederüm* (S. 1, Überschrift) ist in der zweiten Auflage, auf die Zesen keinen Einfluß mehr hatte, wie noch zu zeigen sein wird[14], mit einem „b" versehen worden. Von Seite 41 an zeigt der Text mit ebenso großer Regelmäßigkeit die Schreibformen *wiederumb* (41a), *umbs Jahr 1428* (41b), *umb* (42b), *umbfleust* (43a), *darumb* (43b).

Auffällig und auf Zesen hindeutend ist schließlich der Umlaut anstelle eines zu erwartenden e- oder i-Lautes in Wörtern wie *die mänge der eingesässenen* (11a), *bewägungen* (30b), *trähten* (31a), *abfärtigen* (29a); *erhöben* (3a), *höbet* (19b), *abschrökken* (32a); *flüßend* (4b), *beschmützet* (statt „beschmitzet") (1b), *verdrüßligkeiten* (3b), *gebürge* (10a), *spitzfündig* (10a), *bezüchtiget* (34b), *indem sie sich (...) mit der hofnung kützelten* (35b).

Auch hierzu liefert Zesen selbst die theoretische Begründung, diesmal steht sie auf der ersten und zweiten Seite des 8. Sendeschreibens aus Bellins Sammlung[15]. Zesen schreibt dort an den Willigen (d. i. Bellin selbst) u. a.:

> „Damit ihm aber der knoten/ warüm ich nähmlich fohr das bisher-übliche i und e in vielen wörtern das ü/ ö und ä gebrauchen wolle/ däszu bässer gelöset wärde/ so gäb' ich ihm diesen durch-gehend-richtigen haubt- und grund-saz/ ohne dessen beobachtung unsere ganze sprache nuhr verdorben ist.

[10] S. liv.
[11] S. *xciv.
[12] S. liv f.
[13] S. lx.
[14] Siehe unten, S. 188 f.
[15] *Etlicher der hoch-löblichen Deutsch-gesinneten Genossenschaft Mitglieder (...) Sendeschreiben (...) zusammen geläsen (...) durch Johan Bellinen.* Hamburg 1647. (Das Buch ist nicht paginiert.)

Gleich wie alle wörter/ welche mit einem von den drei Als-zwelautern ä ö ü/ oder mit dem zwelauter eu geschrieben wärden/allezeit aus andern/ darinnen die einfachen a o oder u stehen/ her stammen müssen; also müssen auch ebner gestalt alle wörter sich nach ihren grundstämmen richten/und wann darinnen das a/ o/ oder u zu fünden ist/ in den davon aus-sprüssenden nicht das e oder i/ sondern allezeit das ä/ ö oder ü haben."

Ohne Zweifel treibt Zesen hier das Prinzip einer etymologischen Orthographie auf die Spitze: seine Schreibung der Stammvokale spiegelt mehr die Wortverwandtschaften als die Lautqualität wider. So wenig sinnvoll uns dies erscheinen mag, so dürfen wir doch nicht verkennen, daß Zesen damit einen wesentlichen Schritt über die alte Stammworttheorie des Niederländers Goropius Becanus, die noch bei Schottel ihren Niederschlag gefunden hat[16], hinaus tut. Mit Goropius, der lediglich die einsilbigen Wörter als „der deutschen sprache rechte wurzeln/ und grund-stämme" hatte gelten lassen wollen, setzt Zesen sich auf den nächsten Seiten des 8. Sendschreibens auseinander.

An die Stelle einer einseitigen Bindung der Wörter an einsilbige Etyma tritt bei Zesen ein gegenseitiges Verbundensein der Wörter durch den Ablaut des Stammvokals (natürlich verwendet er diese Termini nicht), wobei ihm allerdings die Fixierung eines Ausgangspunktes, d. h. die Festlegung einer „Normalstufe", Schwierigkeiten macht. Daher rührt denn auch die Unsicherheit und Künstlichkeit in der Schreibung der Stammvokale[16a]

Zuallererst sucht Zesen seine „Normalstufe" im Präteritalstamm der starken Verben: *er galt* führt zu *gälten*, *er schalt* zu *schälten*, *er barg* zum Substantiv *bärg*. Danach im Stammvokal des Partizips Perfekt: als Beispiel führt Zesen hier an, daß *gold* mit *gegolten* zusammenhänge. Ist kein Verbalstamm zu finden, so ist das „eingliedrige nen-wort" zu befragen, z. B. gehören zu *man* sowohl *mänlich* als auch *mänsch*. Auch zweisilbige Substantive können bei Zesen „wurzeln/ und grund-stämme" sein, so z. B. gehört *lieblich* zu *liebe*. Als letzte Möglichkeit der orthographisch-etymologischen Orientierung empfiehlt Zesen, falls es im Hochdeutschen keinen Anknüpfungspunkt gibt, eine sprachvergleichende Methode: man soll sich dann „nach den deutschen neben-sprachen[17] zu-wänden/ alß zur Nider-ländischen (...) Schwedischen/ Dähnischen/ Ießländischen/ Englischen/ fohr allen aber zu den (sic) Nidersächsischen."

Diese Äußerungen Zesens verdienen deswegen Beachtung, weil er sich an dieser Stelle, wo er empirisch vorgeht, einmal völlig vor der zu seiner Zeit geltenden Hauptsprachentheorie freimacht und, ohne das Hebräische auch nur zu erwähnen, versucht, Laut- und Wortformen einer germanischen Sprache entweder aus dieser selbst heraus oder unter Berücksichtigung anderer germanischer Sprachen zu erklären. Daß sich in Zesens Werken auch viele Stellen finden lassen, die ihn als einen Anhänger jener Hauptsprachenlehre erweisen, braucht hier nicht im einzelnen gezeigt zu werden[18].

---

[16] Vgl. z. B. seine *Teutsche Sprachkunst*. Braunschweig 1641. S. 88.

[16a] Dazu neuerdings auch: K. Kaczerowsky: *Bürgerliche Romankunst im Zeitalter des Barock*. München 1969. S. 134 ff.

[17] Zesen verwendet also rund 300 Jahre vor H. Kloss (*Nebensprachen*. Wien und Leipzig 1929) diesen Terminus im gleichen Sinne.

[18] Vgl. H. Blume: *Die Morphologie von Zesens Wortneubildungen*. Diss. Gießen 1967. S. 190 f.

Im Hinblick auf die „Landbeschreibung" von „Sine" ist noch darauf hinzuweisen, daß die in unserem Text erscheinenden Wörter *erhöben* (3a) und *abschrökken* (32a) in (fast) derselben Form auch bei Bellin als *erhöben* und *erschrökken* vorkommen[19]; zu *spitzfündig* (10a) findet sich bei Bellin das Wortpaar *fünden* und *fund*[20].

Nach diesen Untersuchungen der Orthographie, die eine Übersetzerschaft Zesens äußerst wahrscheinlich gemacht haben, wenden wir uns nun dem Wortschatz zu. Wenn auf Seite 10a *die Große Zeugemutter aller dinge* (d. i. die Natur) erwähnt wird, auf Seite 32 a *die Zeugemutter aller dinge,* dann gibt es wohl kaum noch einen Zweifel darüber, wer hier am Werke ist. Die Vokabel kann geradezu als Leitfossil zur Identifizierung Zesenscher Texte dienen[21]. Noch dazu handelt es sich in beiden Fällen um einen eigenmächtigen Zusatz des Übersetzers.

Das ndl. „de nature der uitheemsche volken" (Ndl. Vorlage, S. 2 a) erscheint in der Übersetzung als *fremder Völker leben/ und angebohrenheit* (2b). Auch hier ein Wort, wie es nicht zesenscher sein kann; *angebohrenheit* für „Natur, Naturell" tritt bereits 1651 in der Vorrede zum *Rosen-mând* auf, dann wiederum 1667 in der Übersetzung von Fourniers *Traité des Fortifications,* wo es für „le Naturel" (S. 10) und „la nature" (S. 48) steht.

Auf Seite 30 a stoßen wir auf das Wort *gemühtsbewägungen,* eine der bekannteren Neubildungen Zesens. Dieses Wort benutzt er auch späterhin noch in der Übersetzung von Beverwycks „Schat der Ongesontheyt" (1671), wo es auf S. 303 das ndl. „Passien ofte Bewegingen des Gemoedts" wiedergibt. Um aus der Fülle möglicher Beispiele noch ein besonders treffendes anzuführen: im ndl. Text lautet eine Zeitangabe „in den Jare veertien-hondert twee-en-tnegentig" (3b); in der Übersetzung steht dafür *im 1492 heiljahre* (4b). Gerade das Wort *Heil-jahr* ist kennzeichnend für Zesen. Von 1656 an (Moralia Horatiana) lauten die Angaben auf den Titelblättern seiner Schriften in mindestens 14 Fällen „im x. Heil-jahre", hinzu kommen Umschreibungen wie „im 1676 jahre nach der Heilgebuhrt", „im 1665 jahre nach der gebuhrt unsers Freimachers" u. ä.

Wie vorsichtig man bei Zesen mit der Transposition der deutschen Monatsnamen sein muß, hat Hendrika Hasper[22] gezeigt. Jedenfalls aber ist das durchgängige Auftreten dieser deutschsprachigen Monatsnamen ein Kennzeichen von Zesens Stil. An den Beispielen der folgenden Tabelle wird sichtbar, wie stark sich auch in diesem Punkte die ersten vierzig Seiten des untersuchten Textes von den darauf folgenden abheben.

Seite 1 — 40

Übersetzung	Ndl. Vorlage
auf den 14 heu- und sommermohndes	den veertienden van Zomer-maandt, des
im 1655 jahre 33 b	Jaars zestien hondert vijf-en-vijftigh
	27 b

[19] 10. Sendschreiben, zehnte Seite.
[20] 8. Sendschreiben, achte Seite.
[21] H. Blume: a. a. O., S. 110.
[22] Das Gründungsjahr der Deutschgesinnten Genossenschaft. In: *Neophilologus* 10 (1925), S. 249 — 260.

im ersten beginne des schlacht-mohndes 38 b		den eersten van Slacht-maandt	30 b
Auf den ersten des Augst- oder ernst-mohndes 40 b		Den eersten van Oogst-maant	32 a

Seite 41 ff.

den 2. September	46 b	op den tweeden van Herfsmaant	37 a
am 24. October	54 a	den vier-en-twintighsten van Slacht-maand	44 a
den 26. September	55 a	26. Sept.	44 b
den 15. Augusti	55 b	den vijftienden van Wijn-maand	45 a

Die Trennungslinie zwischen beiden Übersetzungsstilen verläuft deutlich nach Spalte 40 b. Zwar liefern uns die Monatsnamen keinen Hinweis auf die sprachlich andere Beschaffenheit des ersten Absatzes von 41 a, doch konnten wir oben[23] bereits auf die Opposition von *üm* und *umb* aufmerksam machen, beweiskräftig ist außerdem der Fremdwortgebrauch beiderseits dieser Trennungslinie. Während vorher Fremdworte des ndl. Textes bei der Übersetzung eingedeutscht werden, werden nachher ohne sachliche Notwendigkeit neue Fremdworte in den Übersetzungstext hineingebracht, wie die folgenden Beispiele zeigen.

Übersetzung	Ndl. Vorlage
20 *Staffeln/* und 6 *kleinteile* nordlicher breite (Sp. 40 b, letzter Abs.)	twintigh *graden* en zes *minuten* Noorder-breete (Sp. 32 a)
unter der *Regierung* des Stam̄s China (Sp. 41 a, erster Abs.)	ten *tijde* des Stams Cina (Sp. 32 a)

Die bislang vorgetragenen Argumente haben es zwar in höchstem Maße wahrscheinlich gemacht, daß der Übersetzer der ersten vierzig Seiten von Nieuhofs *Gezantschap* Philipp von Zesen heißt, aber sicher ist dieser Indizienbeweis noch nicht. Zumindest theoretisch käme ja auch einer der treuen Anhänger der Zesenschen Orthographie, wie z. B. Bellin oder Habichthorst, in Betracht.

Doch auch dieser Einwand ist zu widerlegen, und zwar durch Zesens eigenes Zeugnis. Zesen war der Ansicht, daß der Name „Keiser oder Caesar niemand/ als allein den Röhmischen oder Röhmisch-Deutschen Weltherren (. . .) als ein algemeiner erbnahme und als ein erbeigentuhm" zukomme. So schreibt er auf S. 400 der „Anmärkungen" zur *Assenat*. Für alle anderen Potentaten, z. B. die „Sinischen", gebraucht er infolgedessen Bezeichnungen wie „Großkönig", „Ertzkönig" u. ä., und beklagt sich an derselben Stelle[24] darüber, daß man „mir selbst in meiner verhochdeutschung etlicher in niederdeutscher sprache von gemelten fremden

[23] S. 185.
[24] A. a. O., S. 401.

Völkern geschriebener Geschichte/ mit einer übel gewaschenen hand/ die wörter Großkönig oder Großherr in das wort Keiser/ ohne meine bewilligung/ verändert." Man braucht nun lediglich die erste und zweite Auflage der Übersetzung nebeneinander zu legen, um festzustellen, daß Zesen hier Nieuhofs *Gezantschap* meint. Die folgende Tabelle zeigt, wie der Korrektor der zweiten Auflage Zesens puristische Ausdrücke wieder getilgt hat.

Erste Auflage		Zweite Auflage	
an den Tartarischen/ und nunmehr auch Sinischen Großherrn	3 b	an den Tartarischen/ und nunmehr auch Sinischen Käiser	3 b
Dan weil dieser Großherr	4 a	Dan weil dieser Käiser	3 b
2 tagreisen von der Großköniglichen stadt Peking	9 a	2 tagreisen von der Keiserlichen stadt Peking	8 a
an den Tarterschen/ und Sinischen Großkönig	23 b	an den Tarterschen/ und Sinischen Keiser	22 a
an den Großköniglichen Hof nach Peking	28 a	an den Keiserlichen Hof nach Peking	26 a
aus der Großköniglichen Hauptstadt Peking	28 b	aus der Keiserlichen Hauptstadt Peking	26 b

Die Inkonsequenz, daß schon in der ersten Auflage auf Seite 12 b zweimal vom *Sinischen Keiser* die Rede ist und außerdem auf Seite 32 a vom *(so genenten) Sinischen Keiser*, schlägt hier nicht zu Buch. Fest steht vielmehr nach alledem: Philipp von Zesen ist der Übersetzer der Seiten 1 bis 40 von Jo(h)an Nieuhofs *Gezantschap aan den Tartarischen Cham.* In der zweiten Auflage ist Zesens Übersetzung von einem uns unbekannten Korrektor in einigen für Zesen wichtigen Details verändert worden.

3.

Warum Zesen lediglich die ersten vierzig Seiten dieser Reisebeschreibung übertragen und dann einem anderen Übersetzer Platz gemacht hat, ist heute zwar nicht mehr mit Sicherheit auszumachen, aber man darf noch einige Vermutungen dazu äußern. Unwahrscheinlich ist es, daß Zesens konsequent puristische Ausdrucksweise dem Verleger absatzhemmend erschienen sein könnte und er ihm deswegen den Übersetzungsauftrag wieder entzogen hätte. Dagegen spricht schon die Tatsache, daß Zesen in den folgenden Jahren für Jacob van Meurs drei weitere Reisebeschreibungen (A. Montanus' *Japan* 1669/70, O. Dappers *Africa* 1670 und A. Montanus' *America* 1673) sowie die *Travaux de Mars,* ein fortifikationstechnisches Werk des Franzosen Allain Manesson Mallet (1672), ins Deutsche übertragen hat. Ob Meurs überhaupt in der Lage war, selber zu solchen stilistischen Fragen, die das Hochdeutsche betreffen, Stellung zu nehmen, bleibt zweifelhaft, wenn man seinen eigenen deutschen Briefstil betrachtet[25].

[25] Vgl. dazu: Emma Dronckers: Uit de tijd, toen het boek nog vogelvrij was. In: *Het Boek XXIX* (1948), S. 154. Die Verfasserin gibt dort ein Schreiben wieder, in welchem Meurs den damaligen Kaiser Leopold I um Gewährung eines Druckerprivilegs für zwei bei ihm erschienene Bücher bittet.

An Vertrauen zu Zesen kann es Meurs also nicht gefehlt haben. Es spricht hingegen alles dafür, daß Meurs sich ganze Übersetzerteams hielt, welche die nach den Berichten der Kaufleute der Ostindischen Kompanie von Dapper, Montanus und Nieuhof in niederländischer Sprache abgefaßten Reisebeschreibungen so schnell wie möglich ins Deutsche (aber auch Englische und Französische) übertragen mußten, und daß Zesen einer solchen Übersetzergruppe angehörte. Auch bei der deutschen Ausgabe von Montanus' *Japan* sind „die ersten 4. bogen zwar nach eines andern/ das übrige aber alles nach der Zesischen übersetzung/ und verbesserung zugleich (...) gedrükt worden"[26]. Ähnliches war schon früher bei der Übersetzung von Dögens *Architectura Militaris Moderna* (1648, Verleger Ludwig Elzevier) geschehen, dort hatte Zesen eine von Gottfried Hegenitz begonnene Arbeit zu Ende geführt[27].

Möglicherweise können diese Erkenntnisse auch ein wenig Licht in Zesens Lebensumstände in den sechziger und siebziger Jahren bringen. Schon zu seinen Lebzeiten mußten ihn seine Freunde gegen das hartnäckige Gerücht verteidigen, er verdiene sich seinen Unterhalt als Korrektor in einer Druckerei, was offenbar als nicht standesgemäß empfunden wurde. Dieser „Vorwurf", ob zu Recht oder Unrecht erhoben, geht in dieselbe Richtung wie der einer Liaison Zesens mit einem Leipziger Wäschermädchen, wovon viele sprachen. Jedenfalls weiß noch 1716 J. C. Zeltner über Zesen zu berichten[28]:

„(...) ut plurimum vixit Lipsiæ, Hamburgi & Amstelodami, & posterioribus duobus locis Typographos quosdam frequentissime juvabat: non semper enim habebat, unde sibi victum, amictumque & itinerum sumtus necessarios pararet. In primis vero Johanni Blavio Typographo & erudito & celebri Batavo, & Joach. Noschio Hamburgensi suam operam locasse accepimus. Emendavit igitur nos suos tantum fœtus plane sigulares, sed & aliorum, unde merito inter præcipuos nominandus erat"

Bereits der junge Zesen scheint sich mitunter sein Geld auf diese Weise verdient zu haben, wie aus einem Schreiben von Georg Conrad Osthof (im Pegnesischen Blumenorden Amyntas) an Harsdörffer, den 31. 1. 1648 datiert, hervorgeht. Es heißt dort[29]:

„H. Zesen soll, wie mich ein Buchführer von Amsterdamb Berichtet, Jansen, Schriftverbeßrer, Corrector, seyn, ist gar ein statlich Ambt vor einen der lieber Konig der Poeten alß diener derselben hieße, Mann sieht hieraus seine Faulheit."

Gegen solche ehrenrührigen Vorwürfe versucht Philipp von Bährenstät den „Ertzschreinhalter" der „Deutschgesinneten Genossenschaft" in Schutz zu nehmen, wenn er sich im Vorwort zu seiner Bibliographie[30] scharf gegen „Momos istos" wendet,

---

[26] Ph. v. Bährenstät: *Verzeichnis der Zesischen Schriften*. Nr. 3.
[27] Ph. v. Bährenstät: a. a. O. Nr. 6.
[28] C. D. Correctorum in Typographiis Eruditorum Centuria Speciminis loco collecta a Johanne Conrado Zeltnero. Norimbergæ MDCCXVI. S. 570.
[29] Abgedruckt bei: Blake Lee Spahr: *The Archives of the Pegnesischer Blumenorden*. Berkeley and Los Angeles 1960. S. 31. Neuerdings auch (mit orthographischen Abweichungen gegenüber Spahrs Wiedergabe) bei K. Kaczerowsky, a. a. O., S. 187.
[30] *Verzeichnis der Zesischen Schriften*. 1672.

„(...) qui tantum Virum ex mera invidia, instinctu mendaciorum Parentis, non nisi Correctorem Typographæoli cujusdam appellare audent. Hîc enim mendacium detectum: dum omnes, qui CATALOGUM hunc videbunt, fatebuntur, impossibile esse Correctorem quendam, cujus munus est ab hora septima matutina usque ad septimam verspertinam emendandis libris continuo labore invigilare, tam multa scripsisse, tam multa legisse, tam multa ex hominum conversatione hausisse."

Die Wahrheit dürfte auch hier in der Mitte liegen. Zesen war sowohl das, was wir heute einen „freien Schriftsteller" nennen (wovon seine überaus zahlreichen eigenen Werke zeugen), als auch Übersetzer (aus literarischer Neigung und zum Zwecke des Broterwerbs) als auch Korrektor (und das sicherlich nur, um den Lebensunterhalt zu verdienen). Jede Möglichkeit, ein wenig Geld zu verdienen, mußte ihm recht sein, seien es die vielen Dichterkrönungen, bei denen ihm selber nicht immer wohl gewesen sein kann, sei es das Verfassen von Gelegenheitsgedichten, sei es der Leinenhandel seiner Frau, der allerdings gar nicht erst recht in Gang gekommen zu sein scheint[31]. Von seiner gelegentlichen Tätigkeit als Korrektor, die ihm seine Feinde so übel vermerkten, lassen sich, wie mir scheint, zumindest Spuren nachweisen, so daß die leidenschaftliche Abrede dieser Tatsache durch Bährenstät gegenstandslos wird.

Solche Spuren finden sich im zweiten Abschnitt des eingangs erwähnten Dapperschen Werks *Gedenkwürdige Verrichtung der Niederländischen Ost-Indischen Gesellschaft in dem Käiserreich Taising oder Sina* von 1675, das ebenfalls bei Meurs erschienen ist. Dieser zweite Abschnitt trägt die Überschrift „Folgende Verrichtung auf die Zweyte Gesantschaft" und umfaßt die Seiten 101 bis *208. Es fällt dort ins Auge, daß innerhalb einer Orthographie, die nicht im strengen Sinne zesisch ist, in der z. B. „y", „tz" und „ck" reichlich vorkommen, plötzlich typische Zesenwörter auftreten, wie z. B. *Tahlmetscher* (113a und 121a) für ndl. tolk (129a und 130a)[32]. Das Wort *Tahlmetscher* für „Dolmetsch(er)" gebraucht Zesen bereits in der *Assenat* (S. 269); er lehnt es offensichtlich (wenn auch falsch) an ndl. vertalen „übersetzen" an.

Weiterhin finden wir ndl. vloot (123b, 124a) im deutschen Text mit *Kriegsfluht* (101a) und *Schifsfluht* (101b) übersetzt.

Der zweite Teil dieser Reisebeschreibung zeichnet sich auch dadurch aus, daß die Monatsnamen konsequent deutsch gegeben werden, während sie im ersten Teil mit den lateinischen Namen übersetzt sind. (Das ndl. Original hat die volkssprachlichen Formen).

Diese Auffälligkeiten reichen nicht aus, um etwa auch hier Zesen als den Übersetzer „dingfest machen" zu können. Zesen wird vielmehr das Manuskript eines anderen für den Druck überarbeitet haben. Die Diktion des Übersetzers bringt an vielen Stellen durch, z. B. steht *nit* an Stelle von *nicht* (106b) u. ä. m. Zwar könnte hier rein theoretisch auch der umgekehrte Sachverhalt vorliegen (Zesen als Übersetzer, ein Unbekannter als Korrektor), doch macht die Textgestalt diese Erklärung weniger wahrscheinlich.

---

[31] Siehe Zesens Brief vom 4. 10. 1679 an den Wolfenbütteler Bibliothekar Hanisius. (Herzog-August-Bibliothek W., Cod. Guelph. 11. 29 b Aug. 2°, Bl. 459). Jetzt auch abgedruckt bei K. Kaczerowsky, a. a. O., S. 185 f.

[32] Recte 137a und 146a. Die Seitenzählung des ndl. Originals ist heillos verwirrt.

4.

Eine genauere Analyse der im Umkreis von Meurs und seinen Autoren erschienenen Übersetzungen kann möglicherweise noch mehr über Zesens Lebensumstände zutage fördern. Was in diesem Aufsatz gezeigt werden konnte, ist zweierlei. Erstens: Zesen war darauf angewiesen, sich seinen Lebensunterhalt bei holländischen Verlegern als Übersetzer und (sehr wahrscheinlich) auch als Korrektor zu verdienen. Zweitens: Eine dieser ganz offensichtlich als Lohnarbeit entstandenen Übersetzungen sind die Seiten 1 bis 40 der *Gesantschaft der Ost-Indischen Geselschaft an den Tartarischen Cham* nach der niederländischen Vorlage des Jo(h)an Nieuhof. Um diesen Titel sind die Verzeichnisse von Zesens Schriften zukünftig zu erweitern.

Ulrich Maché

ZESENS BEDEUTUNG FÜR DIE ENTWICKLUNGSGESCHICHTE DER POETIK IM 17. JAHRHUNDERT*

Bis zum Jahre 1640, als Zesens *Deutscher Helicon* in der ersten Auflage erschien, war Opitz' *Buch von der deutschen Poeterey* die einzige deutschsprachige Poetik gewesen und hatte in etwa anderthalb Jahrzehnten durch sieben verschiedene Drucke[1] eine starke Wirkung erzielt; es war in der Tat zum Regelbuch der neuen deutschen Kunstdichtung geworden. Als Zesen sodann mit einer eigenen Poetik an die Öffentlichkeit trat, beabsichtigte er zunächst keine grundsätzliche Erneuerung der Opitzianischen Kunstdichtung; und dennoch stellt das Erscheinen des *Helicon* — ein Jahr nach Opitz' Tode — den Neubeginn einer poetologischen Entwicklung in Deutschland dar. Die Ansätze dazu lassen sich bereits einige Jahre früher in Wittenberg erkennen, wo August Buchner auf eine Reihe von jungen Dichter-Studenten — unter ihnen Klaj, Schottel, Schirmer, Finckelthaus und Zesen — maßgeblichen Einfluß ausübte. Es bestand für Buchner und seine Schüler kein Zweifel mehr, daß gewisse Begriffe und Gattungsbestimmungen in Opitz' *Buch von der deutschen Poeterey* einer genaueren Definition bedurften und daß eine Reihe ästhetischer Probleme in dem schmalen Büchlein nur allzu flüchtig behandelt oder gar nicht beachtet worden waren. Aber noch war man gewillt, sich über die von Opitz nicht behandelten Themen mit Hilfe der lateinischen Poetiken von Horaz, Vida und Scaliger zu informieren; noch war das literarische Selbstbewußtsein nicht so weit gestiegen, daß man das Fehlen einer umfassenden deutschen Poetik, wie Scaliger sie für die neulateinische Dichtung geschaffen hatte, als beschämend empfunden hätte. Freilich hatte Scaliger die Antwort auf spezifisch deutsche Probleme schuldig bleiben müssen. Zu diesen Problemen gehörte nicht zuletzt die Frage nach der Verwendung des Daktylus als einer dritten metrischen Grundform neben Jambus und Trochäus. Opitz hatte den Daktylus zwar in Ausnahmefällen gelten lassen, aber an seiner grundsätzlichen Unbrauchbarkeit für die deutsche Dichtung wenig Zweifel gelassen. Unglücklicherweise war er in dieser Auffassung von der Fruchtbringenden Gesellschaft unterstützt worden, so daß der Einführung dieses Versmaßes bedeutende Hindernisse im Wege standen. Noch 1640 veröffentlichte Fürst Ludwig — zwar an-

---

* Der folgende Beitrag stellt eine Neufassung des Aufsatzes *Zesen als Poetiker* dar, der 1967 im 3. Heft der *Deutschen Vierteljahrsschrift für Literaturwissenschaft und Geistesgeschichte* erschienen ist.

[1] Martin Opitz, *Buch von der Deutschen Poetery* (1624). Nach der Edition von Wilhelm Braune neu herausgegeben von Richard Alewyn. ²Tübingen 1966, S. VII.

onym, doch unter dem Signum der Fruchtbringenden Gesellschaft — eine kleine
Poetik, in deren Vorwort es heißt, daß daktylische Verse (die man freilich für
mehrstimmige Gesänge verwenden könne) in dieser Anleitung »mit fleiß übergan-
gen« worden seien, zumal sie »noch so üblich nicht / auch sonsten dem Deutschen
Masse und der Sprache hohen ansehen nach im lesen nicht allzu wol lauten ...«[2].
Nichtsdestoweniger hatte man damals im Kreise um Buchner bereits erkannt, daß
eine solche Ausschaltung des Daktylus und des Anapäst nur auf Grund eines
Fehlurteils des vielbewunderten Opitz erfolgt war und daß ein allzu strenges
Festhalten an den Opitzianischen Regeln der Entwicklung neuer lyrischer Ausdrucksformen im Wege stand. Buchner hatte den damals im Deutschen unge-
bräuchlichen Daktylus nicht nur entwickelt und im Kreise seiner Schüler gelehrt,
sondern auch die Verbreitung des neuen Versmaßes durch den Druck vorbereitet.
Eine entsprechende Prosodie, welche als Manuskript seit 1638 vorlag, sollte im
Rahmen des Publikationsprogramms der Fruchtbringenden Gesellschaft veröffentlicht werden. Als jedoch Fürst Ludwig und andere Mitglieder der Fruchtbringenden Gesellschaft Einwände gegen Buchners Werk erhoben, sah Buchner davon ab,
den Druck seiner Poetik gegen den Willen des Palmenordens durchzusetzen[3]. Das
Werk wurde als Manuskript herumgereicht, gelangte aber erst nach mehr als zwei
Jahrzehnten 1663 und 1665 posthum zum Druck[4].

Die für die Weiterentwicklung der deutschen Metrik so bedeutende Legitimierung des Daktylus erfolgte somit nicht durch Buchner, sondern durch seinen
Schüler Zesen. Daß Buchner über die Drucklegung des *Helicon* (1640) im Bilde
war, beweist das Widmungsgedicht, das er für die erste Auflage des Werkes
schrieb[5]; auch machte Zesen keineswegs den Versuch, Buchners Verdienste um den
Daktylus zu schmälern. Vielmehr führt er das neue Versmaß als »Buchner-art«

---

[2] *Kurtze Anleitung Zur Deutschen Poesie oder Reim-Kunst.* Köthen 1640. — Siehe
ferner den Brief Ludwigs an Buchner vom 28. Oktober 1639 in *Der Fruchtbringenden
Gesellschaft ältester Ertzschrein.* Hrsg. G. Krause. Leipzig 1855, S. 218 f.
[3] Vgl. Hans Heinrich Borcherdt, *August Buchner und seine Bedeutung für die deutsche Literatur des siebzehnten Jahrhunderts.* München 1919, S. 50.
[4] Die Annahme, daß Buchners Poetik erstmalig 1642 erschienen sei, ist von
H. H. Borcherdt erstmals auf Grund der unterschiedlichen Angaben, mit denen die
Zeitgenossen das Werk bezeichneten, bezweifelt worden. Die Existenz eines Erstdruckes
aus dem Jahre 1642 kann nunmehr überzeugend durch zwei bei Borcherdt nicht erwähnte Belege aus den Jahren 1647 und 1661 widerlegt werden: so bezeichnen die von
Johann Bellin 1647 edierten *Sende-Schreiben* der Deutschgesinnten Genossenschaft
Buchners »Ticht-kunst« als »noch nicht heraus-gegäben« (S. B6ᵛ), und vierzehn Jahre
später spricht G. W. Sacer noch immer von »Hn. Buchners Collegium so er über die
deutsche Prosodie gehalten«, nicht aber von einem allgemein zugänglichen Werk.
(*Nützliche Erinnerungen Wegen der Deutschen Poeterey.* Alten Stettin 1661, S. 47.)
Näheres über die beiden Ausgaben der Buchnerschen Poetik von 1663 und 1665 bei
H. H. Borcherdt, a. a. O., S. 45—54; siehe ferner den von Marian Szyrocki besorgten
Neudruck mit den »Auszügen von Abschnitten aus der Ausgabe A, die in die Ausgabe
B nicht eingegangen sind«. Augustus Buchner, *Anleitung zur deutschen Poeterey.* Tübingen
1966, S. 10* ff.
[5] S. A3ʳ. Ein weiteres Widmungsgedicht lieferte er für den Erstdruck des in dakty-
lische und anapästische Verse umgegossenen Hohen Liedes. *Helicon* (1641), II, S. 107.

ein und feiert seinen Lehrer in einem Loblied als göttlichen Sänger, dessen Kunst Phöbus in Erstaunen setze (S. A2ᵛ).

Die Tatsache, daß Zesen als erster Dichter eine Poetik neben das *Buch von der deutschen Poeterey* stellte, ist also vorwiegend durch seine Nähe zu Buchner bedingt. Als Buchners Schüler lernte er früh die neuen Ausdrucksmöglichkeiten kennen, die sich durch die Verwendung des Daktylus und des Anapäst ergaben. Gleichzeitig aber erkannte er, daß durch Buchners Rücksicht auf die Fruchtbringende Gesellschaft die so wichtige Entdeckung der neuen Metren auf einen Kreis von Freunden und Schülern beschränkt bleiben würde, sofern nicht ein anderer als Buchner dessen wichtige Erkenntnisse der literarisch interessierten Öffentlichkeit vermittelte. Beflügelt wurden Zesens Publikationspläne ferner durch das dem Zeitgeist inhärente Bemühen, mit den Literaturen der west- und südeuropäischen Völker in Wettstreit zu treten und diese an dichterischer Leistung zu übertreffen. Ausdrücklich betont Zesen denn auch, daß er bei der Abfassung seiner Poetik »sonderlich darauf gesehen«, wie er seinem »Vaterlande zu ehren die Deütsche Poesie wieder erneüern vnd weiter fortpflanzen möchte« (*Helicon* [1640], S. A7ʳ). Verständlicherweise wehrt er sich gegen den möglichen Vorwurf ungebührlicher Anmaßung und verweist auf Opitz' unschätzbare Verdienste um die deutsche Poetik. Dagegen wolle er mit seinem *Helicon* »nicht etwan... eine gantze Prosodie« herausgeben, »sondern nur etliche stücke derselben« (S. A6ʳ). In der Tat ist denn auch der *Helicon* mit der nachdrücklichen Betonung der über Opitz hinausgehenden Echo-Gedichte und der daktylischen und trochäischen Sonette alles andere als eine vollständige Poetik. Auch die auf mehrfache Weise ergänzte und durch viele Musterbeispiele bereicherte zweite Auflage (1641) bleibt weitgehend unvollständig. Erst mit der dritten Auflage, in welcher der ursprünglich nur 64 Seiten umfassende Text auf mehr als das Vierfache angewachsen und in der das Gesamtwerk mit Musterbeispielen und Reimregistern zu einem Wälzer von fast neunhundert Seiten angeschwollen ist, zeichnet sich das Streben nach Vollständigkeit deutlicher ab. In der vierten Auflage (1656) wird dieses Bemühen durch die dem *Helikon* angehängte *Deutsch-lateinische Leiter zum hoch-deutschen Helikon*[6] noch weiter betont. Dennoch gibt auch dieses Werk kein umfassendes Bild von Zesens kunsttheoretischen Anschauungen. Unerläßlich für das Gesamtbild seiner poetologischen Bemühungen und damit seiner Wirkung als Kunsttheoretiker sind vor allem jene Schriften, die ihr Entstehen teilweise oder ganz Zesens Wirken als Haupt der Deutschgesinnten Genossenschaft verdanken. Eine genauere Untersuchung dieser Schriften läßt deutlich die sich verändernden sprachwissenschaftlichen und literaturkritischen Interessen Zesens und seiner Sprachgesellschaft erkennen. Während die Publikationen der vierziger Jahre[7] ganz im Zeichen

---

[6] Es handelt sich im wesentlichen um die 1643 in Amsterdam erschienene *Scala Heliconis Tevtonici* mit einer wohl schon 1648/49 entstandenen deutschen Übersetzung. Vgl. Zesens Brief an den Fürsten Ludwig vom 25. Mai 1649 in *Der Fruchtbringenden Gesellschaft ältester Ertzschrein*, S. 423.

[7] 1643 erschien in Hamburg erstmalig Zesens *Hooch-Deutsche Spraach-übung... auff begehren und guhtbefinden der Hochlöblichen Deutsch-Zunfft herfür-gegeben*. Zesen will dieses Werk als einen »Vorschmak« zu einer umfassenden Rechtschreibungs-

linguistischer, grammatischer und orthographischer Probleme stehen, rücken im
Rosenmând (1651) teilweise schon Fragen der dichterischen Gestaltung in den
Mittelpunkt. Im *Sendeschreiben an den Kreutztragenden* (1664) und in den
Dialogen der *Helikonischen Hechel* (1668)[8] herrschen schließlich metrische und
wortkünstlerische Analysen von Gedichten in einem Maße vor, wie es sie bis
dahin in der deutschen Literatur nicht gegeben hatte.

Durch den raschen Aufschwung, den die deutsche Literatur durch Opitz und
die Tätigkeit der Fruchtbringenden Gesellschaft genommen hatte, wurde Zesens
Nationalstolz in solchem Maße beflügelt, daß für ihn die Überlegenheit der jungen deutschen Dichtung über die Literaturen der Antike außer Frage stand. Begünstigt wurde diese *Abkehr von der Antike* (und auch das gelegentlich spürbare Gefühl der Überlegenheit über die Literaturen der west- und südeuropäischen Völker) noch durch den in der deutschen Sprachforschung der Zeit weitverbreiteten
Glauben an die enge Verwandtschaft des Deutschen mit dem Hebräischen und
durch die sich daraus ergebende Einstufung des Deutschen als »uralte Hauptsprache« sowie der ranglichen Unterordnung der romanischen Sprachen und des Englischen als »Neben- oder Bastardsprachen«. Die alte, tief eingewurzelte Vorstellung der Ausländer, daß die deutsche Sprache von Natur aus barbarisch und zur
Schmeidigung und Verfeinerung ungeeignet sei, war bereits von Opitz im *Aristarchus*, von Meyfart in seiner *Rede-Kunst* überzeugend widerlegt worden, so
daß Zesen (und nach ihm Harsdörffer und Klaj) nunmehr zu erweisen suchten,
daß die neue deutsche Dichtung sogar der griechischen und römischen überlegen
sei. Als Beweisgrund diente vor allem das größere poetologische Wissen und Können der deutschen Poeten: schon das Fehlen des Reims bei den Griechen und
Römern wurde von Zesen als erheblicher Mangel hingestellt; bedenklicher noch
erschien ihm der Umstand, daß, wie er glaubte, die antike Dichtung von »wider
die natur lauffenden gesetzen« beherrscht wurde. Demgegenüber erschien ihm die
deutsche Dichtung mit ihrem Zusammenfall von Wort- und Versakzent »vil fol-
komner« und »lieblicher« als die antike (*Helikon* [1649], I, S. D2r ff.). Mit Zesen
zeigt sich hier, erstmalig in der deutschen Poetik, eine völlig gewandelte Haltung
gegenüber den sonst tief verehrten Werken der griechischen und römischen Literatur. Zwar leugnete er nicht den allgemeinen Bildungswert der antiken Schriften,
doch entfiel bei ihm für den angehenden Dichter die bis dahin unabdingbare For-

reform aufgefaßt wissen (S. a4v). Nach einer kurzen in Gesprächsform dargebotenen
Entwicklungsgeschichte der deutschen Sprache wird — ähnlich wie in Rists *Rettung
der Edlen Teütschen Hauptsprache* (Hamburg 1642) — ein Brief systematisch von orthographischen und grammatischen Fehlern gesäubert und von Fremdwörtern befreit.
— Die Gefahr der Fremdwörterei, Probleme sprachlicher Erneuerung und Neuschöpfung sowie etymologische und orthographische Fragen herrschen im Vorwort zu *Ibrahims Oder Des Deuchleuchtigen Bassa und Der Beständigen Isabellen Wunder-Geschichte*
(Amsterdam 1645) und in der von Johann Bellin herausgegebenen Briefsammlung vor:
*Etlicher der hoch-löblichen Deutsch-gesinneten Genossenschaft Mitglieder ... Sende-Schrei-
ben* (Hamburg 1647) vor.
    [8] Dem Vorwort zufolge geht das Manuskript auf das Jahr 1651 zurück.

derung nach dem Studium der Alten[9]. Symptomatisch für diese neue Haltung ist, daß Zesen (so selbstverständlich ihm auch die Kenntnis der alten Sprachen erscheint) die für Opitz, Buchner, Titz, Tscherning u. a. so unentbehrlichen Dichter des klassischen Altertums an entscheidenden Stellen gar nicht erwähnt. Um so emphatischer empfiehlt er die modernen Franzosen und Spanier als nachahmenswürdig, lobt Luther, Opitz, Johann Arndt und Buchner und rät zum Studium der im Rahmen der Fruchtbringenden Gesellschaft erschienenen Schriften (*Hechel*, S. 6; *Rosenmând*, S. 200). Schon in der ersten Ausgabe des *Helicon* schlägt Zesen einen aus Kulturpatriotismus und Selbstüberschätzung genährten Ton an, der bei Opitz und Buchner noch undenkbar gewesen wäre:

> Nun möcht jhr klugen Griechen
> Vnd jhr aus Latien euch ingesambt verkriechen
> Es geht euch allen vor die deütsche Nachtigall /
> Die nun so lieblich singt / daß auch ihr süßer schall
> Die andern übertrift[10].

Auch wenn Zesen diese Verse in den späteren Ausgaben seines *Helikon* nicht gestrichen hat, so hat er sich doch bereits vor der Veröffentlichung der dritten Ausgabe innerlich von dieser Art nationalen Eigenlobes distanziert: »Wier können«, schreibt er am 13. Dezember 1648 an Fürst Ludwig, »unsere sprache selbst nicht so hoch über alle erhöben, es müssens fremde Völker tuhn; uns wird es von verständigen übel gedeutet, weil eignes Lob stüncket, wie das gemeine sprichwort lautet. Was ich in dergleichen ehmahls verstoßen habe, ist meiner jugend schuld . . .« (*Ertzschrein*, S. 415).

Freilich wurde die frühe Abkehr von der antiken Dichtung durch eine weitere, seit langem in der europäischen Geistesgeschichte wirksame Kraft begünstigt:

[9] Unter dem Einfluß von Opitz' *Poeterey* (S. 16 f.) wird diese Forderung im 17. Jahrhundert immer wieder gestellt: Vgl. Johann Peter Titz, *Zwey Bücher Von der Kunst Hochdeutsche Verse und Lieder zu machen*. Danzig 1642, S. B1ᵛ ff; Andreas Tschernings »Schatzkammer« in *Unvorgreifliches Bedencken über etliche mißbräuche in der deutschen Schreib- und Sprach-Kunst*. Lübeck 1658, S. 158—345; Sigmund von Birken, *Teutsche Rede-bind- und Dicht-Kunst*. Nürnberg 1679, S.) : ( ) : (11 f; auch Daniel Morhof nimmt im Grunde noch ganz den Opitzianischen Standpunkt ein: »Erstlich ehe einer erfinden kan / muß er zuvor gelesen und gesamlet haben / sonsten wird er leeres Stroh dreschen. Er muß nicht allein die vornehmsten Teutschen Poeten / sondern auch die Lateinischen und Griechischen / von welchen doch alles herfliesset / woll durchkrochen / und ihre Künste ihnen abgelernet haben.« *Unterricht Von Der Teutschen Sprache und Poesie*. Kiel 1682, S. 650 f.

[10] Bestärkt wurde das Überlegenheitsgefühl über die klassische Antike auch durch die technischen Fortschritte, die man in der Buchproduktion gemacht hatte. Vgl. hierzu Zesens selbständig erschienene *Gebundene Lob-Rede Von der Hochnütz- und Löblichen zweyhundert-Jährigen Buchdrückerey-Kunst* (Hamburg 1642):

> . . . Ging deine Schreiberey
> Athen und Room so fort? da du in Wachs und Bley
> Annoch die Zeit verderbt? . . .
> . . . O nein! ihr stoltzen Griechen /
> Wie weis' ihr immer seyd / nun möcht ihr euch verkriechen:
> Seht / seht der Deutsche schreibt so viel auff einen Tag /
> Als einer unter euch im Jahre schreiben mag (S. 6).

durch die Anfeindung antiken Schrifttums von seiten stark religiös eingestellter Dichter und Schriftsteller. Der Streit um die Verwendung griechischer Götternamen in der Dichtung, der bereits bei den Neulateinern seit dem 15. Jahrhundert zu erheblichen Kontroversen geführt hatte[11], wurde in den Vorworten und Poetiken des 17. Jahrhunderts mit Heftigkeit fortgesetzt. Zwar zeigt Opitz in dieser Auseinandersetzung zunächst eine für ihn nicht untypische Ambivalenz[12], tritt aber dann an entscheidender Stelle doch für die Verwendung des heidnischen Symbol- und Metaphernschatzes ein *(Poeterey, S. 57)*. Demgegenüber wendet sich Dietrich von dem Werder im Vorwort zu seiner Tasso-Übersetzung aufs heftigste gegen die konventionelle Anrufung der Musen[13] und für Rist sind — nach seiner Abkehr von der weltlichen Dichtung — die Schriften der heidnischen Antike nur noch »stinkende Kohtlachen«[14]. Beispielgebend für Zesen war anscheinend die Haltung des Dogmatikers und Erbauungsschriftstellers Johann Gerhard, der sich nach einer Periode des unbedenklichen Gebrauchs antiker Mythologie die Verwendung heidnischer Symbole ganz versagt hatte *(Helikon* [1649] I, S. Q4^v). Nachdem auch Zesen zunächst den heidnischen Motiv- und Metaphernschatz ganz ohne religiöse Bedenken verwendet hatte, trat in den Jahren 1644/45 eine Wendung ein[15]. Allerdings entsprang diese Änderung weniger einem religiösen Konflikt, als vielmehr dem Wunsch, den christlich-moralischen Strömungen der Zeit so wenig Widerstand wie möglich entgegenzusetzen und sich dem Vorwurf der Ketzerei zu entziehen[16]. Im Gegensatz zu Gerhard, Rist und Dietrich von dem Werder, die bemüht sind, die heidnische Symbol- und Bildersprache gänzlich aus der Dichtung auszuschließen, ist Zesen nicht bereit, auf die poetische Suggestionskraft der alten Mythen zu verzichten. Kulturpatriotischer Ehrgeiz und das Bemühen, Opitz zu übertreffen, veranlassen ihn daher, ein vom christlichen Standpunkt aus annehmbares Äquivalent für die antiken Götternamen zu schaffen: »Wir können ja die Liebe / den Frühling und dergleichen / in eben solcher

---

[11] Vgl. Karl Otto Conrady, *Lateinische Dichtungstradition und die deutsche Lyrik des 17. Jahrhunderts.* Bonn 1962, S. 296 f.

[12] Während er in der *Poeterey* die Anrufung des christlichen Gottes für selbstverständlich hält (S. 17 f.), beschwört er im ‚Vesuvius' — ganz im Sinne der antiken Dichtung — Apollo und die Musen. *Weltliche Poemata.* Frankfurt am Main 1644, S. 43. — Vgl. dazu die religiöse Unbekümmertheit, mit welcher der in kirchlichen Diensten stehende Vida (1490—1566) am Anfang des zweiten Buches seiner Poetik die Beschwörung der Musen vollzieht. *Vida's Art of Poetry.* Übers. J. Pitt. London, 1812, S. 264.

[13] *Gottfried von Bulljon / Oder Das Erlösete Jerusalem.* Frankfurt am Main 1626, S. 19.

[14] *Himmlische Lieder... Das Vierdte Zehn.* Lüneburg, 1649, S. A8^r (Erstdruck 1643). Siehe ferner das Vorwort zu *Neuer Teütscher Parnass.* Lüneburg 1652.

[15] Mit direktem Bezug auf Opitz' Ablehnung einer Eindeutschung der heidnischen Götternamen hatte er schon im *Helicon* (1641) die Frage »Ob man die Eignen Nahmen der Götter ... könne deutsch geben?« wenigstens theoretisch bejaht (S. T2^r ff.).

[16] »Die nahmen der Götter hab' ich lieber deutsch/ als lateinisch / welche nach dem Heidentume noch alzusehr stinken/ gebrauchen wollen/ damit ich also die Geistlichen/ welche unsere ahrt zu schreiben einer Heidnischen Götsen-schaft beschuldigen/ aus ihrem falsch-gefaßten argwohne des zu eher bringen möchte«. *Etlicher der hochlöblichen Deutsch-gesinneten Genossenschaft Mitglieder ... Sende-Schreiben,* 20. Brief.

gestalt als die Heiden / doch etwas kristlicher fohrstellen / und solchen fohrge-
stellten bildern deutsche nahmen gäben[17].« Einen ernsthaften Vorstoß in dieser
Richtung hat er bekanntlich in seiner *Adriatischen Rosemund* und in der dem
Roman beigefügten *Lustinne* versucht[18]. Es zeigte sich jedoch an dem Spott und
dem Unverständnis der Zeitgenossen und selbst späterer Generationen, mit welchem Recht Opitz die Assoziationskraft der griechischen und lateinischen Götternamen als unersetzlich verteidigt hatte[19].

Durch einen so offensichtlichen Mißerfolg war Zesen jedoch nicht in seinen allgemeinen Reformbestrebungen zu entmutigen. Die Fähigkeit, aus seinen Fehlgrif-
fen zu lernen und extreme Forderungen zu modifizieren oder ganz aufzugeben,
gehört zu den einnehmendsten Zügen seiner Persönlichkeit. Trotz vielfacher Anfeindungen und Schmähungen stärkte sich sein Selbstbewußtsein und sein Wille
zu organisierter literarischer Tat immer wieder durch das Wachsen der Deutschgesinnten Genossenschaft, als deren Haupt er eine Instanz darstellte, bei der die
Mitglieder in kunsttheoretischen und sprachreformatorischen Fragen Rat suchten.

Obgleich Zesen im Laufe der Jahre zu durchaus eigenen und oft genug eigen-
willigen Kunstanschauungen gelangte, zeichnet sich die erste Auflage des *Helicon* (1640), abgesehen von einigen neuen Sonettformen, durch keinen originellen
Gedanken aus. Das, was dem Werk zu seinem durchschlagenden Erfolg verhalf,
was im folgenden Jahre eine zweite Ausgabe notwendig machte und bald darauf
die Publikation einer lateinischen Fassung ermöglichte, war die von Buchner vorbereitete *Legitimierung daktylischer Metren*. Die Aufnahme dieses neuen Versmaßes vollzog sich, unterstützt durch die Poetiken von Titz (1642), Schottel (1645)
und Harsdörffer (1647), innerhalb weniger Jahre und wurde von Anfang an ganz
allgemein als die wesentlichste Neuerung in der deutschen Dichtung nach Opitz'
Reform gepriesen. Selbst Enoch Hanmann rechtfertigte den Daktylus in seiner
mit Anmerkungen versehenen Ausgabe von Opitz' *Poeterey* (1645). Während
Zesen sich in den ersten beiden Auflagen des *Helicon* damit begnügte, den Daktylus lediglich auf seine metrische Struktur hin zu analysieren, ist er in den letzten beiden Ausgaben seiner Poetik bemüht, das so späte Erscheinen dieses
Metrums in der deutschen Dichtung entwicklungsgeschichtlich zu erklären: So
wie ein Mensch zunächst das Gehen und sodann das Laufen lernen müsse, ehe er
in der Tanzkunst unterwiesen werden könne, so hätten die deutschen Dichter zunächst die Beherrschung des Jambus und Trochäus lernen müssen, ehe sie im Gebrauch des Daktylus hätten unterwiesen werden können *(Helikon* [1649], I, S.
F5r f.). Diese Interpretation weist schon auf die Tatsache hin, daß Zesen dem

---

[17] a.a.O.

[18] Siehe auch das Nachwort zu *Adriatische Rosemund*. Amsterdam 1645. Ausgabe von
Jellinek. Hale 1899, S. 269.

[19] *Poeterey*, S. 57. — Für Gottsched, der Zesens Forderung nach deutschen Namen
für die Gestalten der antiken Götter erwähnt, ist dieses Problem zwar überholt, doch
wendet er sich in Übereinstimmung mit Zesen gegen Poeten, die ihre Verse »mit nichts,
als mit Vulkanen, Phöbussen, Amoren, Cythereen, Junonen und Minerven ausstaffiren«.
Filips von Zesen hochdeutsche helikonische Hechel in: *Beyträge Zur Critischen Historie
Der Deutschen Sprache*. Leipzig 1741, Bd. 7, S. 459.

Daktylus die höchste Rangstufe unter den Versmaßen einräumt. In engem Zusammenhang mit dieser Hochschätzung des neuen Metrums steht nun Zesens Bemühen, dem Daktylus einen möglichst großen Anwendungsbereich zuzuschreiben. Neben Tanzliedern, für die auch andere Poetiker den Dreitakt des Daktylus als höchst passend empfanden, sind es vor allem Gesänge bei so feierlich-freudigen Anlässen wie die Heimkehr »deutscher Sieges-helden«, ja selbst kirchliche Hymnen, für die Zesen den Daktylus empfiehlt. Darüber hinaus legitimiert er das neue Versmaß in der geistlichen Dichtung schlechthin, indem er das Hohe Lied, an dem sich vor 1640 außer Opitz noch vier andere Dichter des 17. Jahrhunderts versucht hatten[20], höchst erfolgreich in daktylische und anapästische[21] Verse übertrug, eine Tat, deren er sich auch später noch rühmte[22]. Den Einwand, daß der Daktylus wegen seiner „hüpfenden" und „flüchtigen" Art die Würde religiöser Andacht störe, weist Zesen mit dem Argument zurück, daß der Ausdruck freudiger Dankbarkeit gegen Gott oder ein frohlockendes Lob des Schöpfers durchaus mit echt christlicher Frömmigkeit vereinbar seien (*Helikon* [1649], III, S. B6^r). — Auch wenn sich das neue Versmaß in der religiösen und panegyrischen Lyrik nicht in dem von Zesen erhofften Maße durchsetzte, so brach es doch in fast allen Bereichen gebundener Rede die Monotonie jambischer und trochäischer Verse. Durchaus typisch für die poetologischen Bestrebungen, die mit dem Auftreten des Daktylus in Deutschland einhergehen, ist das Bemühen der einzelnen Poetiker, die von Buchner ursprünglich vorgeschlagenen sechs daktylischen Paradigmata zu vermehren. Zwar hält sich Zesen in den ersten beiden Ausgaben des *Helicon* noch an Buchners sechs Muster, erhöht diese aber einige Jahre später in der *Scala Heliconis* auf acht und fügt in den letzten beiden Ausgaben des *Helikon* weitere vier Muster hinzu. Von Harsdörffer wird diese Zahl schließlich noch mit vier weiteren Möglichkeiten überboten.

Durch die Aufnahme des Daktylus in die deutsche Verslehre ergaben sich von selbst Ansätze zur Weiterentwicklung der deutschen Metrik; denn Zeilen wie

> Blitzet ihr himmel /
> schwitzet uns regen ...

ließen sich einerseits als katalektische daktylische Dipodien auffassen (Buchner, *Weg-weiser*, S. 146 f.), konnten andererseits aber auch als *Mischverse* aus je einem

---

[20] Eiring (1605 u. 1608); Sudermann (1622 u. 1623); Opitz (1627; 1629; 1637; 1638 u. 1640); Dilherr (1640). Siehe Martin Goebel, *Die Bearbeitung des Hohen Liedes im 17. Jahrhundert*. Halle 1914, S. 51.

[21] Den Anapäst sieht Zesen, wie sein Lehrer Buchner (vgl. *Weg-Weiser*, S. 147), nur als eine Abart des Daktylus, die immer dann entsteht, wenn man einer daktylischen Zeile wie »liebliche lust ...« ein einsilbiges Wort voranstellt: »die liebliche lust ...« (*Helikon* [1656], I, S. 182). Allerdings argumentiert Zesen an anderer Stelle (a.a.O., S. 58—59), daß die zusätzliche Silbe am Anfang der Zeile als eine Art Auftakt betrachtet werden könne, und daß die Verszeile somit doch daktylisch bleibe. (Vgl. Christian Weise, *Der Grünen Jugend Nothwendige Gedancken*. Leipzig 1675, S. 322).

[22] *Helikon* (1656), III, S. 11. Zesens *Hohes Lied*, das im ganzen viermal gedruckt wurde, erschien erstmalig im Gefolge der Musterbeispiele des *Helicon* (1641), S. 97—139. Über die weiteren Ausgaben (Amsterdam 1657; Bern 1674; Schaffhausen 1707) siehe Goebel, a.a.O.

Daktylus und einem Trochäus betrachtet werden und entsprachen also dem Adonischen Versmaß (*Helikon* [1649], I, S. O6ʳ) oder der Schlußzeile der Sapphischen Strophe. Damit wurde im fünften Jahrzehnt des 17. Jahrhunderts der Weg frei für die Einführung der »gemischten« Versarten, für die Aneignung der einzigen metrischen Errungenschaft, welche die griechische und römische Literatur der deutschen noch vorauszuhaben schien. Da Opitz die Sapphische Strophe nicht ohne Vorbehalt gebilligt und somit die Verwendung einzelner daktylischer Wörter und die Mischung von Trochäen und Jamben nur im Ausnahmefall zugelassen hatte (*Poeterey*, S. 38, 45), war durch ihn diese Entwicklung eher gehemmt als gefördert worden. Erst Buchners ästhetische und poetologische Rechtfertigung der vereinzelten Opitzschen Mischformen (*Weg-weiser*, S. 137—144) brachte für die »gemischten Versarten« ganz allgemeine Anerkennung. Wie bei der Einführung des Daktylus vermittelte Zesen auch hier die Erkenntnisse Buchners, indem er sie durch den *Helicon* zuerst allgemein zugänglich machte.

Die zunehmende Bedeutung, die man den neuen Mischversen beilegte, läßt sich anhand der Poetiken, die im ersten Jahrzehnt nach Opitz' Tode erschienen, deutlich verfolgen. Zesens *Helicon* von 1640 bringt zunächst nur drei Varianten der Sapphischen Ode und damit noch keine Beseitigung der von Opitz gesetzten Schranken. Erst in der zweiten Auflage stellt Zesen die Forderung nach Versen, »in welchen bald Jambische / bald Trochäische / bald Dactylische pedes mit untergemischet werden« (S. 35). — Das Fehlen der »gemischten Versarten« in der Erstausgabe des *Helicon* läßt also die Vermutung zu, daß auch Buchner erst in den Jahren 1640/41 die neuen Versformen als Ergänzung seiner Prosodie anfügte und daß Zesen sie daraufhin in die zweite Ausgabe des *Helicon* übernahm[23]. Wie stark das Bedürfnis nach Eindeutschung der antiken Metren war, zeigt die Tatsache, daß Johann Peter Titz schon im folgenden Jahr in seiner Poetik die »vngleichfüßigen« Verse einer eingehenden Behandlung würdigt[24]. Auch Schottel befaßt sich in seiner *Reim- oder Verskunst* ausführlich mit daktylischen Mischformen und widmet ein ganzes Kapitel seiner Poetik den »anderen gantz neuen / in Teutscher Sprache aufgebrachten / und noch ferner aufzubringenden Reimarten« (II, Kap. 9). Mit gleichem Nachdruck behandelt auch Harsdörffer in der V. Stunde seines *Trichters* (1647) die Neuerung. Zwei Jahre später beklagt schließlich Zesen den Umstand, daß die vollständige Erfassung aller deutscher Versarten der hohen Druckkosten wegen unterbleiben müsse, »nachdem es für den augen der gantzen welt kund und offenbahr bleibet / daß unsere hoch-deutsche Dicht- und reim-kunst nunmehr so hoch gestiegen sei / daß man in derselben über die tausend Lieder und gedichte auf allerhand ahrt fürstellen kan . . .« (*Helikon* [1649], II, S. A3ʳ). In der Tat scheint Zesen die Mühe nicht gescheut zu haben,

[23] Musterbeispiele folgen erstmalig in dieser Ausgabe, II, S. 143—170. Vergleiche ferner *FrühlingsLust* (1642), S. 44, 107, 110, 114.

[24] *Zwey Bücher*, Kap. 10. — Zesens Anhänger sahen in Titz' Poetik allerdings wenig mehr als eine Nachahmung des *Helicon*: »Sein (Zesens) Helikon ist Titzens weg Vorbahn und steg . . .«. Widmungsgedicht in Zesens *Scala Heliconis* (1643), S. 93. Die »gemischten Verse« behandelt Zesen auch in diesem Werk mit bemerkenswerter Sorgfalt (S. 66 ff.).

alle vermischten und unvermischten Versformen in einem besonderen Werk zusammenzustellen. Dem Verzeichnis seiner unveröffentlichten Schriften zufolge
enthielt *Des Hoch-deutschen Helicons Schauburg* 1273 verschiedene Versarten
auf 73 Tafeln[25]. Wie befremdend das Bedürfnis nach dieser rein statistischen Erfassung aller Versvariationen auch anmuten mag, so kennzeichnend ist es für eine
Zeit, in der man glaubte, die vermeintliche metrische Überlegenheit der deutschen
Dichtung auch quantitativ beweisen zu müssen. In ihrer teils überschwenglichen
Freude über die neuen metrischen »Entdeckungen« waren die Poetiker um die
Mitte des 17. Jahrhunderts fest überzeugt von der Superiorität der deutschen
Verslehre über die der alten Griechen und Römer und selbst über die der west-
und südeuropäischen Nachbarn. Wie Zesen die »gesetze« der antiken Metrik angreift, so spricht Harsdörffer den französischen, italienischen und spanischen
Dichtern echtes metrisches Verständnis ab und kommt zu dem Schluß, »daß unsere Poesis viel weiter gerahten ... als vorerwehnter Sprachen beflissene[26].« Auffällig ist, daß die Einführung »vermischter Versarten« in die deutsche Literatur
zeitlich mit einer verstärkten Tendenz zur Vertonung von Gedichten zusammenfällt. Man darf diese Erscheinung jedoch nicht ausschließlich mit der barocken
Tendenz zum Gesamtkunstwerk erklären. Entscheidend für das Zunehmen der
Liedvertonungen nach 1640 war gewiß auch die fest eingewurzelte Vorstellung,
daß die als rhythmisch uneben empfundenen vermischten Versarten der Singstimme bedürften. Von entscheidender Wirkung scheint hier Opitz' Beurteilung
der »Sapphischen gesänge« gewesen zu sein, von denen er, gestützt auf Ronsard,
behauptete, »das sie ... nimmermehr können angeneme sein / wann sie nicht mit
lebendigen stimmen vnd in musicalische instrumente eingesungen werden ...[27]«

Diese Gebundenheit der vermischten Versarten an die Musik, die auch Zesen
noch als fast unlöslich empfand, wird bei Daniel Morhof bereits theoretisch überwunden[28]. Die Proben aus der Horazübersetzung des Heinrich Schaevius, die
Morhof als Musterbeispiele in seine Poetik aufnimmt, sind ein früher, wenn auch
bescheidener und noch wenig gelungener Versuch der Emanzipierung vermischter
Versformen von der Musik. Erst die glückliche Verbindung von Formbewußtsein
und Sprachgewalt, die dem gesprochenen Wort in der Dichtung Klopstocks eine
bis dahin unerreichte Dynamik verlieh, ließ eine Melodie als entbehrlich erscheinen und legitimierte damit endgültig die antiken Versformen in der deutschen
Lyrik.

Im Kampf um die Vorrangstellung der deutschen Dichtung versuchte Zesen
neben den metrischen Gesetzen auch dem *Reim* eine geradezu zentrale Bedeutung

[25] Zedler, *Universallexikon*, Bd. 62, Sp. 1768.
[26] Zuschrift vom 20. Oktober 1644 für Schottels *Teutsche Vers- oder ReimKunst* (1645
und 1656). Abdruck in: *Ausführliche Arbeit Von der Teutschen HaubtSprache*. Braunschweig 1663, S. 794—798.
[27] Diese Worte und das Bild der »mit vneingeflochtenen fliegenden haaren« zur Zitter singenden Sappho (*Poeterey*, S. 45 f.) finden sich immer wieder in den Barockpoetiken.
[28] *Unterricht* (1682), S. 623—626. Vgl. ,Exempel Der verschiedenen Reimgebände/
vorgestellet in übersetzung einiger Oden des Horatii', a.a.O., S 781—807.

beizulegen, allerdings ohne bei anderen Barockpoetikern auf volles Verständnis zu stoßen. Während Kindermann den Reim mit einem guten Paar Schuhe vergleicht, das man zum Tanzen benötigt, und Schottel ihn als »Hinterstücke des Teutschen Verses« bezeichnet, erscheint er Zesen geradezu als »Seele« des Verses[29]. So erklärt sich sein ungewöhnlich starkes Eintreten für eine poetologische und ästhetische Würdigung des Reims. Der Reichtum an Reimwörtern war ihm schon allein Beweis genug für die Sonderstellung, die seiner Muttersprache, der »vornehmsten und ersten unter den andern Spraachen«[30] zuteil geworden ist. Wohl unter dem Einfluß der Lehre von der Natursprache gelangt Zesen zu der Auffassung, die Natur »spiele« im Reim auf geheimnisvolle Weise mit Klang und Bedeutung der Reimworte. So wird für ihn durch den Gebrauch des Reims das dichterische Kunstwerk anmutiger, lieblicher und »poetischer« und erhält überdies eine kunstvolle Verknüpfung von Inhalt und Form[31]. Nicht ohne Genugtuung weist Zesen daher auch auf den Mangel an männlichen Reimen im Italienischen hin; und das Fehlen des Reims in den Literaturen des klassischen Altertums mußte ihm verständlicherweise als Zeichen der Unvollkommenheit erscheinen. Um nun den Reichtum an deutschen Reimen handgreiflich zu machen, stellte er ein umfassendes Reimlexikon zusammen. Dieses Werk — das erste deutsche seiner Art im 17. Jahrhundert — ist den lateinischen Reimverzeichnissen, die in den Schulen seit dem 15. Jahrhundert gebräuchlich waren, nachgebildet und entsprach, wie die Poetiken und Schatzkammern des Barock, dem Bemühen der Zeit um eine systematische Erfassung aller handwerklichen Mittel für den Dichter. Die wohl schwierigste Aufgabe, der Zesens Reimlexikon dienen konnte und sollte, war die Normalisierung des deutschen Reimgebrauchs. Opitz und Buchner hatten in dieser Richtung wenigstens so weit vorgearbeitet, daß sie eine Ausrichtung der deutschen Dichtung nach dem Meißnischen Lautstand befürwortet hatten. Zwar konnte Zesen nunmehr — gestützt auf Luthers Bibeldeutsch und die Fürsprache Buchners und Opitz' — mit größerem Recht als die Vertreter anderer deutscher Stämme Anspruch auf Allgemeingültigkeit seiner Mundart stellen; dennoch glaubte selbst er angesichts der ernsten Widerstände, die sich bemerkbar machten, nicht fest an einen durchschlagenden Erfolg seines Plans. Eine endgültige Lösung versprach er sich erst von einer systematischen etymologischen Erforschung des gesamten deutschen Wortschatzes mit dem Endziel einer einheitlich geregelten Literatursprache (*Helikon* [1649], I, S. I4r f.). So wünschenswert die Verwirklichung dieser Idee, die bekanntlich später von Schottel und Leibniz noch ausdrücklicher gefordert wurde, den meisten Dichtern auch erscheinen mochte, so zeigten sie sich doch gerade im Gebrauch der Reimwörter ihrem Dialekt stark verhaftet. Wie Tscherning in seiner Poetik überzeugend darlegt, handelte es sich dabei weniger um eine gefühlsmäßige Bindung an die jeweilige Mundart, als um

[29] Kindermann, *Poet,* S. 17; Schottel, *Teutsche Vers- oder ReimKunst* (1656), S. 2; *HaubtSprache,* S. 800; Vgl. ferner Tscherning, *Unvorgreiffliches Bedencken* (1659), S. 158; Zesen, *Helikon* (1649), I., S. R 2r.

[30] *Hooch-Deutsche Spraach-übung,* S. 5.

[31] *Helikon* (1649), I. H 6r; *Helikon* (1656), S. 64.

die Rücksicht auf den heimatlichen Leser- und Hörerkreis[32]. Erstaunlich ist, daß selbst Männer wie Schottel, Birken und Harsdörffer sich zu dieser Zeit nicht über die Schranken des Dialekts hinwegsetzen konnten und offen einer Normalisierung des Reimgebrauchs widersprachen[33]. Trotz dieser Lage der Verhältnisse dürfte Zesens Reimregister, das seit 1640 als Bestandteil seiner Poetik erschien, das Ohr der deutschen Dichter für die Reinheit der Reime geschärft haben. Darüber hinaus hat zweifellos seine Forderung nach einer systematischen Erfassung des gesamten deutschen Wortschatzes — mit dem Endziel, eine einheitliche Literatursprache zu schaffen — einen günstigen Einfluß auf Schottels und Leibniz' spätere sprachreformatorische Pläne gehabt.

Trotz der offensichtlichen Überschätzung des Reims zeigt Zesen dem daktylischen Reim gegenüber zunächst eine unerwartete Zurückhaltung. Zwar erwähnt er dreisilbige Reime in den ersten beiden Auflagen seiner Poetik, schließt sie aber noch als ungebräuchlich aus seiner Prosodie aus. Erst Titz ist es, der 1642 den daktylischen Reim in die deutsche Verslehre einführt (*Zwey Bücher*, Kap. 13), während Zesen ihn noch in der 1643 erschienenen *Scala Heliconis* ablehnt[34]. Erst in der dritten Auflage des *Helikon* (1649) bemüht er sich um so eifriger — allerdings ohne Titz zu erwähnen —, den neu entdeckten Schatz daktylischer Reime zu ordnen, und legt nunmehr ein weit vollständigeres Reimregister als Titz vor (S. F1r—L6v). Das bedeutete freilich weder die sofortige Anerkennung noch eine rasche Ausbreitung der daktylischen Reime. Schottel ignoriert sie bei aller Wertschätzung des daktylischen Versmaßes in der Neuauflage seiner Poetik (1656), und auch Kindermann (1664) erwähnt nur weibliche und männliche Reime »wie sie H. Schottel / in seiner Reim- oder Verßkunst nennet« (*Poet*, S. 735). Die Nürnberger berücksichtigen und billigen zwar den dreisilbigen Reim, gelangen aber in der Praxis nicht über wenige Versuche hinaus[35]. Seine endgültige Legitimierung erfolgte erst durch Goethe, der in den letzten Szenen seines ‚Faust' neben dem gemeinen dreisilbigen Reim auch den von Zesen verständlicherweise noch als »Bastard-Reim« verschmähten dreisilbigen, gespaltenen Reim höchst wirkungsvoll verwendete.

[32] »Wann ... einer in Schlesien entwan auf solche weise wie ein Meißner / Oberländer oder Nieder-Sachs etc. reimen wolte/ so würde er warlich mit einem gelächter ausgerauscht werden. Es wird ein ieder bey seiner mundart wol bleiben.« Andreas Tscherning, *Unvorgreiffliches Bedencken*, S. 78—79. Jedoch empfiehlt Tscherning einen Kompromiß, der sich in seinem eigenen Erfahrungsbereich bewährt habe. Wennimmer er ein Gedicht »nach Meissen ... übersendet«, habe er versucht, sich soweit wie möglich »des Meißnischen Reimlautes« zu bedienen, doch »dergestalt / daß er ... den Schlesischen ohren auch recht zu wieder« (a.a.O.).

[33] Schottel, *Vers- oder ReimKunst* (1656), S. 90f. — Harsdörffer, *Trichter* (1650), I. S. 37. Mit fast wörtlicher Anlehnung an Harsdörffer heißt es bei Birken: »... es soll ein jeder Vogel singen / nachdem ihme der Schnabel gewachsen: er soll reden und reimen / wie es die Mund-art des Landes / wo er reden gelernet / mit sich bringet.« *Dicht-Kunst*, S. 48.

[34] »Genus Dactylicum purum nunquam desinit in dactylum ...« (S. 51). Daß Zesen das Erscheinen von Titz' Poetik nicht entgangen sein kann, beweist das schon erwähnte Widmungsgedicht. Vgl. Anm. 24.

[35] Harsdörffer, *Trichter* (1650), I, S. 33. Birken, *Dicht-Kunst*, S. 42—44.

Besondere Erwähnung verdient hier noch Zesens Eintreten für den daktylischen Binnenreim. Auch wenn er ihn erst in der dritten Auflage seiner Poetik bespricht (S. M2ᵛ), ist er ihm lange vor dieser Zeit ein wichtiges Kunstmittel; findet sich doch das Musterbeispiel, das im *Helikon* von 1649 und 1656 den Gebrauch des Binnenreims am eindrucksvollsten veranschaulicht (I, S. M2ᵛ ff.; I, 142 ff.), bereits in der 1642 erschienenen *FrühlingsLust* (S. 118 ff.). Durch Schottel, der u. a. auch dieses Musterbeispiel von Zesen übernimmt, fand der Binnenreim vermutlich Eingang in die Poetiken von Harsdörffer, Birken, Sacer und Weise[36] und bewirkte so in der Lyrik des 17. Jahrhunderts eine Steigerung klanglicher und rhythmischer Intensität. In der Vorstellung Zesens, seiner »deutschgesinnten Genossen« und der Nürnberger Dichter war damit ein wichtiger Schritt zur Vervollkommnung der deutschen Dichtung und zu ihrer internationalen Anerkennung getan; namentlich in daktylischen Verszeilen schienen ihnen Reimhäufungen die »Lieblichkeit und Zierlichkeit« poetischen Sprechens zu erhöhen[37]. Allerdings erfolgte nach 1670 durch die im Ausland einsetzenden reimfeindlichen Strömungen[38] eine Abschwächung dieser Tendenz, doch bewirkten Zesens Bemühungen zweifellos eine erhöhte Empfänglichkeit für lautliche Reinheit und eine bewußtere Pflege poetischer Klangfiguren.

Gegenüber der Entwicklung, welche die deutsche Metrik im 17. Jahrhundert aufweist, fehlt es auf dem Gebiet der *Gattungsbestimmung* an entsprechenden Fortschritten[39]. Die Ursache dieses Sachverhalts ist wohl vor allem darin zu sehen, daß kein drängender Anlaß zu einer schärferen Grenzziehung zwischen den einzelnen Gattungsformen bestand; denn noch wurde die Zuordnungsmethode, derer sich die neulateinische Dichtung bedient hatte, auch für die deutsche Kunstpoesie als durchaus befriedigend empfunden. So verweist Buchner seine Leser auf das dritte Buch der Scaligerschen Poetik (*Weg-Weiser*, S. 39), und Morhof beginnt sein Kapitel über Gattungsbestimmungen mit der Feststellung, daß dieses Thema im Grunde so erschöpfend behandelt worden sei, daß er nur wenig hinzuzufügen habe (*Unterricht*, S. 619). Dieser mangelnde Wille zu einer Auseinandersetzung mit den Gattungsproblemen darf jedoch nicht

---

[36] Schottel, *Vers- oder ReimKunst* (1656) S. 78. Vgl. Harsdörffer, *Trichter* (1650), I, S. 41—42; Birken, *Dicht-Kunst*, S. 44—45; Sacer, *Nützliche Erinnerungen*, S. 24; Weise, *Der Grünen Jugend Nothwendige Gedancken*, S. 319.

[37] Es muß dahingestellt bleiben, ob die Nürnberger Dichter, die eine ähnliche Experimentierfreude mit gehäuften Reimen, mit Binnenreimen und Pausen zeigen, die Anregungen von Zesen übernommen oder unabhängig von ihm entwickelt haben. Auch eine gegenseitige Befruchtung ist möglich.

[38] Einen entschiedenen Angriff gegen die Reimhäufungen führt Daniel Morhof 1682 in seinem *Unterricht* (S. 616). Morhof unternimmt übrigens als erster den Versuch, die Urteile europäischer Dichter für und gegen den Reimgebrauch zusammenzustellen, tritt aber selbst als Verteidiger des Reims auf (S. 561—588). Bemerkenswert ist sein besonderer Hinweis auf Miltons Verteidigung des reimlosen Verses im Vorwort zum *Paradise Lost* (S. 568 f.).

[39] Darüber Bruno Markwardt, *Geschichte der deutschen Poetik* ³Berlin 1964. Bd. I, S. 18, 22, 62f., 65, 84, 116, 112, 157.

überraschen. Hätte man die Differenzierung der lyrischen Gattungsformen im Rahmen der kulturpatriotischen Bemühungen nutzen können, hätte man mit ihnen einen zusätzlichen Beweis für die Ebenbürtigkeit oder Überlegenheit der deutschen Dichtung erbringen können, dann wäre man zweifellos ernstlich um eine Grenzziehung bemüht gewesen. So erklärt es sich, daß auch ein so neuerungswilliger Poetiker wie Zesen nicht über Ansätze zu einer genaueren Abgrenzung einiger weniger Gattungsformen hinauskommt.

Wie Scaliger im dritten Buch seiner Poetik, so bietet auch Zesen als Kategorien Hochzeitskarmen, Leichenklagen und Glückwunschgedichte, die er häufig genug durch umständliche Angaben von Zeilenlängen und Reimschemata zu differenzieren sucht[40]. Zwar findet bei ihm die Gebrauchslyrik noch nicht so weitgehende Berücksichtigung und so systematische Kategorisierung wie später bei Kindermann, doch ist auch bei Zesen nichts mehr von dem — wenn auch nur in der Poetik vorgebrachten — Protest Opitz' gegen die Auftragskunst[41] zu spüren. Vermutlich ist Zesen hier ganz durch Scaliger und Buchner beeinflußt, die im Sinne der neulateinischen Renaissance keinerlei Bedenken gegen die gesellschaftliche Gebrauchskunst zeigten[42]. Die aus der Antike übernommenen Formen werden bei Zesen, wie in der Barockpoetik überhaupt, häufig genug ohne thematische Bindung erfaßt. Zwar bemüht man sich, dem jambischen Alexandriner, der bekanntlich die Stelle des antiken Hexameters vertritt, auch durch die Wahl des Themas Würde und Hoheit zu geben, doch wird beispielsweise die Pindarsche Ode, die großartige Form antiker Kampf- und Siegesgesänge, zum biederen Ausdrucksmittel höfischer und bürgerlicher Gebrauchskunst. Sowohl Opitz wie auch Zesen stellen Hochzeits- und Begräbnislieder als Musterbeispiele für die Gattung auf und wirken damit richtunggebend für das ganze 17. Jahrhundert[43].

Beim Anakreontischen Liede führte die Übernahme des griechischen Versmaßes sogar zu einer neuen inhaltlichen Gebundenheit, die dem ursprünglichen Themenkreis des griechischen Dichters entgegengesetzt war. Nachdem es Opitz nicht ge-

---

[40] Als Beispiele mögen genügen: »Eine gattung der Helden-ahrt / welche man sonst / aber falsch / die Alexandrinische nennet/ darinnen ieder reim-satz mit zween weiblichen dreizehn-gliedrigen anfähet / und mit zween mänlichen zwölf-gliedrigen Heldenreimen schließet an ... Adelmunde / als sie ... ihr gebuhrts-feier beging.« *Helikon* (1656), II, S. 16. — »Pindarisches Hochzeits-lied / von ebenselbigen reimen [darinnen das zwei-bändige überfolkomne und folkomne reim-band miteinander geschränket werden]«.

[41] *Poeterey*, S. 11.

[42] Scaliger, a.a.O. Buch III; *Weg-Weiser*, S. 17—21. — Vgl. Karl Vossler, *Poetische Theorien in der italienischen Frührenaissance*. Berlin 1900, S. 81.

[43] *Poeterey*, S. 47—53; *Helikon* (1656), II, S. 42; 82. Kennzeichnend für die völlig veräußerlichte Auffassung der antiken Gattungen ist Titz' einleitende Erklärung zur Pindarschen Ode, in der er sogleich von der Struktur, der »Abmessung«, spricht und erklärend hinzufügt: »denn von derselben handeln wir hier nur« (*Zwey Bücher*, S. N 5ᵛ). Einen kurzen Einblick in die Wiederbelebung der Gattung im 16. und 17. Jahrhundert gibt Gramsch, *Zesens Lyrik*, S. 7. Siehe ferner Andreas Heusler, *Deutsche Versgeschichte*, Bd. II, S. 202f., und Emil Richard Keppeler, *Die Pindarsche Ode in der Poesie des 17.—19. Jahrhunderts*. Tübingen 1911, S. 8.

lungen war, eine formgetreue Wiedergabe der Lieder des Anakreon zu erreichen[44], machte Zesen sich daran, die siebensilbige jambische Verszeile in die deutsche Literatur einzuführen, forderte aber gleichzeitig als wesentliches Attribut dieser (im Griechischen reimlosen) Versart den Kreuzreim. Da der Kreuzreim jedoch — in Zesens Kunsttheorie — wegen des Ausbleibens des Reimworts über drei Zeilen hin eine elegische Grundstimmung erzeugt (*Helikon* [1649], I. S. O2ᵛ), so wurde das »anakreontische« Lied, wie es von Zesen über Schottel, Harsdörffer und Birken in die Poetiken des 17. Jahrhunderts Eingang fand[45], für die genußfreudige Verherrlichung von Liebe und Wein als durchaus ungeeignet empfunden. Dennoch glaubte Zesen, sich mit der Einführung dieser Form ein besonderes Verdienst erworben zu haben (*Helikon* [1649], II, S. D4ᵛ), ein erneuter Beweis dafür, daß er die antike Form auch hier nur als leeres Formgerüst übernahm[46].

Im Grunde genommen trifft das auch auf die Elegie zu, selbst wenn man Zesen das Verdienst nicht absprechen kann, im Verein mit Schottel die noch heute zum Teil gültige thematische Begrenzung der Gattung auf die Klage bewirkt zu haben. So wünschenswert diese thematische Einengung auch war — Opitz schloß in Anlehnung an Horaz noch »buhlergeschäffte ... brieffe« und autobiographische Erzählungen mit ein[47] —, so entsprang sie doch nicht irgendwelchen tieferen Einsichten in das Wesen der Elegie. Rein formale Kriterien führten auch hier zu einer schärferen thematischen Einengung. Für die Form des Distichon hatte schon Opitz als deutsche Entsprechung den Alexandriner mit gekreuzten Reimen und alternierend männlichem und weiblichem Zeilenausgang verwendet. Zesen übernimmt dieses Schema, begrenzt aber des Kreuzreims wegen das Thema dieser Gattung auf die Klage. Damit löst er sich nicht nur von Opitz, sondern auch von dem im ganzen 17. Jahrhundert höchst einflußreichen Scaliger, der zwar auf die ursprüngliche Gebundenheit der Elegie an die Klage hinweist, eine so enge Auffassung jedoch mißbilligt[48].

Einen bewußten, wenn auch geringen Ansatz zur Grenzziehung zwischen den lyrischen Gattungsformen gibt Zesen beim Lied, dem geselligen Gesangtext, der

---

[44] In seiner Poetik gesteht er seine mißglückten Versuche offen ein und begnügt sich mit der Übertragung der siebensilbigen griechischen Verszeile in deutsche Distichen (S. 35).

[45] Schottel, *Vers- oder ReimKunst*, S. 136—137; Birken, *Dicht-Kunst*, S. 21. Harsdörffer sucht der Gattung durch die Wiederholung des Reimwortes am Anfang der jeweils folgenden Zeile einen besonderen Reiz zu geben (*Trichter* [1650], I, S. 60), ist aber mit diesem Experiment ohne unmittelbare Nachfolge geblieben.

[46] Im *Florilegium Variorum Epigrammatum* (Frankfurt 1644) versucht Opitz noch die anakreontische Form durch siebensilbige Verszeilen und Paarreime wiederzugeben, und zwar unter Beibehaltung des »anakreontischen« Gehalts (S. 12 f.). Ein ähnlicher Versuch findet sich in Treuers poetischem Lexikon *Deutscher Dädalus.* Berlin 1675, unter dem Stichwort »Anakreon«. Siehe ferner Helmut Lischner, *Die Anakreontik in der deutschen weltlichen Lyrik des 17. Jahrhunderts.* Sprottau 1931, S. 66—77.

[47] *Poeterey*, S. 21. — Vgl. dazu Horaz, *De Arte Poetica ad Pisones*, Vers 75 ff.

[48] *Poetices libri septem.* Lyon 1561. Faksimile-Neudruck Stuttgart-Bad Cannstatt 1964, (Hrsg. A. Buck), S. 169.

zu dieser Zeit auch häufig genug als »Ode« bezeichnet wird[49]. Im Gegensatz zu Opitz und Buchner will Zesen das Lied auf drei, fünf, im Höchstfalle aber auf neun Strophen beschränkt wissen und es so von längeren Gedichtformen abheben[50]. Durchaus typisch für die Zeit ist, daß auch diese Forderung nicht aus dem Bedürfnis nach der Klärung ästhetischer Kategorien erfolgt, sondern aus dem Wunsche heraus, die enger werdende Beziehung zwischen Wort- und Tonkunst dadurch zu fördern, daß man die Dichtung den Bedingungen des musikalischen Vortrags anzupassen sucht.

Im Gegensatz zu diesen kaum spürbaren Versuchen einer Differenzierung der lyrischen Gattungsformen zeigt Zesen dort, wo es nicht um thematische und metrische Grenzziehung geht, sondern wo eine scheinbar starre Gattungsform wie das Sonett Möglichkeiten zu formaler Auflockerung bietet, einen Neuerungsdrang, der die überlieferte Form zu sprengen droht. Gerade am Sonett konnte er seine Neigung zum literarischen Experiment mit seinen kulturpatriotischen Ambitionen vereinen. So stellt er — als Neuerwerb für die deutsche Dichtung — bereits im Erstdruck des *Helicon* (1640) den traditionellen jambischen Sonetten seine eigenen in trochäischer und daktylischer Form entgegen (S. A6ᵛ). Ein Jahr später unternimmt er es dann, das Enjambement zwischen Oktett und Sextett in einer Abhandlung zu rechtfertigen[51]; indem er — gestützt auf das gelegentliche Vorkommen dieses Stilzuges bei Petrarca — die charakteristische Zweiteilung der Gattung für nicht unbedingt bindend erklärt, »bereichert« er die deutsche Dichtung um eine neue Sonettform. Bald darauf werden Reimschema und Metren auf verschiedenste Weise variiert und die Zeilen in Strophen von unterschiedlicher Länge gruppiert. Was schließlich von der ursprünglichen Form des Sonetts erhalten bleibt, ist die vierzehnzeilige Struktur, und selbst diese erscheint bisweilen bedroht. So erklärt er auch das Rondeau für »eine gattung« des Sonetts, weil es aus dreizehn ganzen und zwei halben Verszeilen, insgesamt also aus vierzehn Zeilen bestehe (*Helikon* [1656], I, S. 242). Viele der »fast unzeligen« Sonettformen, mit denen offensichtlich Petrarca übertroffen werden sollte, befanden sich nach Zesens Aussage in dem bereits erwähnten, nie veröffentlichten Buch der Rosemundsonette[52].

Man wird Zesen freilich nicht gerecht, solange man diese mathematisch erklügelten Variationen und Permutationen der Sonettform nicht als typisches poetolo-

---

[49] Zur Identität der Termini »Lied« und »Ode« bei Opitz und Buchner siehe *Poeterey*, S. 22—23, 44; *Weg-Weiser*, S. 38, 147. Vgl. Karl Viëtor, *Geschichte der deutschen Ode*. Darmstadt 1961, S. 64.

[50] *Helikon* (1656), I, S. 247. — Die Lieder der Zeit gingen zum Teil beachtlich über das von Zesen gesetzte Maximum von neun Strophen hinaus. Rists berühmtes »O Ewigkeit du Donner Wort« das 1642 erstmalig erschien, besteht beispielsweise aus sechzehn sechszeiligen Strophen. Auch Zesen selbst hielt sich nicht immer an diese Forderung.

[51] ‚Erörterung Der bißher streitigen Frage / Ob in den Sonneten die meinung sich je und allwege mit dem achten Verse enden / oder ob sie sich in folgende sechs letzten Verse erstrecken solle?‘ *Helicon* (1641), II. S. S4r—T1v.

[52] *Helikon* (1656), II. S. 15. Auch Zedlers *Universallexikon* führt dieses Buch unter Zesens »annoch ungedruckten Schrifften« auf. Bd. 62, Sp. 1768 (Nr. 27).

gisches Phänomen der Mitte des 17. Jahrhunderts erkennt, als Ausdruckswillen einer nach internationaler Geltung strebenden Dichtergeneration. Es hieße das Kunstwollen der Zeit weitgehend ignorieren, wollte man Zesen vorwerfen, daß er »die Unarten in Regeln faßte, sie kodifizierte und rubrizierte«[53]. Freilich fehlte es Zesen an dichterischer Tiefe und Sprachgewalt, um den von ihm entwickelten trochäischen und daktylischen Sonetten einen angemessenen Gehalt zu geben. Das sollte im Grunde erst dem späten Rilke gelingen. So sind beispielsweise seine Orpheus-Sonette ohne die Aufhebung des dialektischen Gehalts und ohne die Verwendung trochäischer und daktylischer Metren undenkbar. Bemerkenswert ist ferner, daß Rilke gerade in jenen Sonetten zu stärkster dichterischer Aussage gelangt, in welchen er »vermischte« und daktylische Versarten verwendet[54].

Neben dem Bemühen, das Ansehen der deutschen Literatur im Ausland zu heben, sah Zesen sich im eigenen Lande zu einer gesellschaftlichen Rehabilitierung des *Dichters* veranlaßt; denn weder der Einfluß der Fruchtbringenden Gesellschaft noch die beredte Verteidigung des Dichters im *Buch von der deutschen Poeterey* (S. 9—14) hatten die moralische Anrüchigkeit des Poeten in Deutschland beseitigen können. Es ist verständlich, daß gerade Zesen, der den unzeitgemäßen Versuch machte, ausschließlich von der Literatur zu leben, sich mit besonderem Eifer um die Beseitigung eingewurzelter Vorurteile bemühte, von denen teilweise auch seine in gesicherten Amtsverhältnissen lebenden Dichter-Kollegen nicht frei waren[55]. Um die Ausnahmestellung des berufenen Dichters eindrucksvoll zu veranschaulichen, nimmt er, anläßlich der Definition des Poeten, eine fünffache rangliche Abstufung vor, die vom »Pritschmeister oder Reimschmied« über den „Reimer«, den »Reimendichter«, den »gemeinen Dichter« bis zum göttlich begnadeten »Dichtmeister« emporreicht; aber nur dieser verdient als einziger »den ewigen preis« (*Hechel*, S. 9). Die Unterscheidung zwischen pritschmeisterlichem Reimschmied und gelehrten Dichter begegnet häufig in der Poetik des 17. Jahrhunderts, die fünfrangige Differenzierung, die jedoch in der weiteren Entwicklung der Poetik ohne Bedeutung blieb, entsprang offenbar Zesens Anschauungen. Gottsched, der noch einmal auf diese Abstufung zurückkommt, sieht in ihr nur noch wenig mehr als ein Kuriosum des vergangenen Jahrhunderts[56]. Mit der Forderung nach einem ethisch makellosen Lebenswandel und ent-

---

[53] Walter Mönch, *Das Sonett, Gestalt und Geschichte*. Heidelberg 1955, S. 149. — Durchaus richtig ist Mönchs Vermutung, daß Zesen mit der europäischen Sonettmusik nicht vertraut war. Zwar spricht auch er von Sonettvertonungen, doch denkt er sie sich — ohne dabei Anspruch auf Originalität zu erheben — analog zur Pindarschen Ode: danach wird das zweite Quartett (gewissermaßen als »Gegen-Satz«) nach der Melodie des ersten gesungen, während der sechszeilige »Abgesang« seine eigene Weise hat. *Helikon* (1656), I, S. 240f.

[54] Verwiesen sei hier nur auf: »Rühmen, das ist's ...« (I, 7): »Wandelt sich rasch auch die Welt...« (I, 19); »Wolle die Wandlung...« (II, 12); »Sei allem Abschied voran...« (II, 13).

[55] Nur daß Zesen in ihren Augen ein »anstellungsloser Lump war, hat ihre maßlosen Angriffe möglich gemacht. Was haben sich Männer wie Schupp, ja Rist selbst, im Bewußtsein ihrer Amtswürde erlauben dürfen.« Borinski, *Poetik der Renaissance*, S. 264.

[56] *Beyträge Zur Critischen Historie*, Bd. 7, S. 450 ff.

sprechendem sittlichen Niveau des dichterischen Werks bewegt sich Zesen in gleicher Bahn mit Opitz und Buchner. Durch ihren festen Glauben an die erzieheri-
sche Aufgabe der Kunst hatten diese das *vita casta* — *penna obscena* des Catull,
des Martial und einiger Dichter der italienischen Renaissance[57] von vornherein
aus der neuen deutschen Kunstdichtung ausgeschlossen[58]. Was Zesen hier von
Opitz und Buchner unterscheidet, ist lediglich eine stärkere patriotische Gesinnung, die durch den literarischen Wettbewerb mit dem Ausland verständlich
wird. So werden bei ihm »die hoheit und ehre« der deutschen Dichtkunst zur einzig bestimmenden Richtlinie für Leben und Werk des Dichters[59]. Zesen versucht
damit, dem deutschen Poeten ein Ansehen zu geben, wie es — in seiner Vorstellung — die Renaissancedichter und ihre nationalsprachigen Nachfolger in Italien
und Frankreich besessen hatten und besaßen. Der Erfolg seiner Bemühungen tritt
jedoch nicht sichtbar zutage; denn auch Kindermann benötigt in seinem 1664 erschienenen *Poeten* noch ein ganzes Kapitel, um die angebliche Lasterhaftigkeit,
»welche allen rechtschaffenen Poeten / von den Unverständigen / heutiger Zeit /
ohne allen unterscheid ... fürgeworffen werden«, zu widerlegen (S. 16—32).
Dennoch scheint von dieser Zeit an bis zum Auftreten Gottscheds das Ansehen
des Dichters — wohl nicht zuletzt durch das aufkommende Hofdichtertum —
langsam gestiegen zu sein, so daß schließlich in Gottscheds ausführlicher Erörterung *Vom Charactere eines Poeten* der apologetische Ton des 17. Jahrhunderts
ganz fehlt[60].

Das intensive Bemühen um höchstes gesellschaftliches Ansehen für den Dichter
wirkt sich bei Zesen bis in die Bewertung des dichterischen Talents aus. So wird
die aus der Antike stammende Idee von der angeborenen Begabung, die Opitz nur
formelhaft übernimmt, bei Zesen ein bewußt verarbeiteter Bestandteil der Kunsttheorie. Freilich behauptet auch Zesen, daß neben »angebohrenheit zur Dichtkunst« die theoretische Schulung des Dichters von eminenter Wichtigkeit sei, doch
betont er die Vorrangstellung der Begabung in einer Weise, die schon von Ferne
an die Kunsttheorie Herders gemahnt. Hier in der Blütezeit der Anweisungspoe-
tik vertritt er die Auffassung, daß ein echter Dichter ohne poetologische Unter-
weisung zum Teil seinen eigenen Weg finden könne. Zwar werde auch ein ge-
schicktes Talent nicht von sich aus die schwierigen daktylischen Verse meistern,
doch könne es »aus eingebung der natur und natürlichen einflüßen / ohne zutu-
hung der kunst des lehr-meisters« zur Erkenntnis der metrischen Gesetze von
Jamben und Trochäen kommen (*Helikon* [1649], I. S. F6[v]; *Helikon* [1656], I,
S. 54). Die Kühnheit solcher Behauptung wird in vollem Umfang jedoch erst

---

[57] Siehe Karl Vossler, *Poetische Theorien in der italienischen Frührenaissance*, S. 78.
[58] Erst in der Neukirchschen Sammlung wird diese Haltung ganz überwunden. Buchner wendet sich u. a. gegen Catulls »Nam castum esse decet pium Poetam, Ipsum versi-
culos nihil necesse est« und Martials »Der Verß ist geil und voller Zoterey / das Leben
rein/ und aller Mackel frey« und kommentiert: »Ich glaube schwerlich daß der wie
Cato leben könne / der wie Catullus zu schreiben pflegt...« (*Weg-Weiser*, S. 30 f.). —
Vgl. ferner Tschernings *Unvorgreiffliches Bedencken*, S. 53.
[59] *Helikon* (1649), S. P 7[r]; *Helikon* (1656), I, S. 199.
[60] *Versuch einer Critischen Dichtkunst*. Leipzig 1751, I. Teil, 2. Hauptstück. Siehe
auch ‚Vom Ursprunge und Wachsthume der Poesie überhaupt'. I. Teil, I. Hauptstück.

klar, wenn man bedenkt, daß die vielbewunderten Dichtungen Opitz' fast ausschließlich aus Trochäen und Jamben bestanden. Demgegenüber vertreten Titz, Harsdörffer, Klaj u. a. m. weiterhin die Unerläßlichkeit kunsttheoretischer Instruktion[61].

Der Nachdruck, mit dem die Poetiker des 17. Jahrhunderts die Lehrbarkeit der Poesie betonen, läßt die Erlebnisbezogenheit der von ihnen geforderten Dichtung, wie auch bei den Neulateinern, von vornherein als unwesentlich erscheinen. Der weitgehende Verzicht auf die befruchtende Wirkung des Lebens kam dem Kunstwollen der Zeit geradezu entgegen; denn die Schmeidigung der Sprache durch neue, frappierende Wendungen sowie der Drang zu erhöhtem Schmuckwillen ließen sich im Bereich dichterischer Phantasie am ehesten verwirklichen. Dabei ergab sich insbesondere bei der Behandlung von Liebesthemen der Vorteil, daß der Dichter seinen ohnehin gefährdeten Ruf durch eine Absage an die Erlebnisbezogenheit seines Werkes wahren konnte. Daß die Verleugnung der Erlebniswerte, wie sie sich im 17. Jahrhundert vielfach in den Vorreden zu Gedichtbänden findet, gelegentlich nur zur Beschwichtigung des Lesers erfolgte, soll damit nicht bestritten werden. — Opitz selbst nahm zur Frage der Gestaltung des Liebeserlebnisses keinen festen Stand ein und legte vermutlich den Grund zu einer gewissen Widersprüchlichkeit, die sogar einen so selbstsicheren Dichter wie Zesen kennzeichnet. Während Opitz nämlich im *Buch von der deutschen Poeterey*, gestützt auf Ronsard, zunächst die leistungsfördernde Wirkung der Liebe auf den Dichter bejaht (S. 13), bestreitet er in der Breslauer Ausgabe seiner Gedichte (1628) den Erlebnisgehalt seiner Lyrik, indem er ausdrücklich betont, daß »Asterie / Flavia / Vandala vnnd dergleichen Namen in diesen meinen Büchern nichts als Namen sind[62] / vnd so wenig für war sollen auffgenommen werden / so wenig als glaublich ist / daß der Göttliche Julius Scaliger so viel Lesbien / Crispillen / Adamantien / Telesillen / Pasicompsen / vnd wie sie alle heissen / geliebet als gepriesen habe.« Das Echo dieser Worte findet sich in fast allen Poetiken des Barock und bestimmt die Grundhaltung der meisten Dichter. Typisch dafür ist die Einstellung des Rist-Schülers Kindermann, der Opitz fast wörtlich zitiert und die fortwährende Gültigkeit dieser Maxime mit einem Vierzeiler von Birken belegt, dem zufolge die Liebe in der Dichtung nur als intellektuelles Spiel verstanden wird:

> Das Hertz ist weit von dem / was eine Feder schreibet /
> Wir dichten ein Gedicht / daß man die Zeit vertreibet.
> In uns flammt keine Brunst / ob schon die Blätter brennen /
> Von liebender Begier. Es ist ein blosses nennen.   (*Poet*, S. 31)

---

[61] Titz, *Zwey Bücher*, S. V 1ᵛ; Harsdörffer, Vorrede zum III. Teil des *Trichters;* Kinderman besteht sogar darauf, daß der begabteste Dichter die handwerkliche Schulung am dringendsten brauche: »Das Erdreich / je besser es von Natur ist / iemehr wird es verderbet/ wann man sein nicht pfleget: Also ist es auch mit dem Verstande des Poeten beschaffen.« (*Der Poet*, S. 6).

[62] Wohl nicht zufällig wird diese kategorische Verneinung in *Weltliche Poemata* (Frankfurt a. M. 1644) durch ein eingeschobenes »fast« gemildert: »... wie dann Asterie / Flavia / Vandala vnd dergleichen Namen in diesen meinen Büchern fast nichts als Namen sind ...« S.) ( ) (5ᵣ.

Wenn Zesen also im Vorwort zu den Musterbeispielen des *Helicon* (1641) und in der Vorrede zur *FrühlingsLust* (1642) die Erlebnisbezogenheit seiner Gedichte leugnet, so entspricht diese Aussage — wie nahe sie auch der Wahrheit kommen mag — in erster Linie poetologischen Gepflogenheiten und Forderungen. Eine Wandlung zeigt sich bei ihm jedoch mit dem Erscheinen der *Adriatischen Rose-mund* (1645), in deren Vorwort er selbst deutlich genug auf die Erlebnisbezogen-heit seines Romans anspielt. Bestätigt wird dieser Hinweis dann im Vorwort zum *Ibrahim*, im zwanzigsten Brief der Bellinschen Sammlung und durch zahlreiche Fingerzeige in *Dichterische Liebes-Flammen*.

Zesens veränderte Haltung darf jedoch nicht allein auf den Einfluß seines Lie-beserlebnisses zurückgeführt werden. Dazu weist seine Rosemunddichtung eine allzu bewußte Stilisierung und eine offenkundige Ausrichtung auf das Vorbild Petrarcas auf. Seine Vertrautheit mit den Lebensumständen Petrarcas, die er wohl der Lektüre einer 1643 erschienenen kurzen Biographie verdankte[63], weckte in ihm offenbar den Wunsch, durch die Gestaltung seiner Liebe zu Rosemund — in ähn-licher Weise wie Petrarca — »dem unvergänglichen buche der ewigkeit« einver-leibt zu werden[64]. So wird Rosemund außerdem zur Zentralgestalt des *Rosen-mânds* und der *Helikonischen Hechel* sowie zur Heldin einer Reihe von Lie-dern. Außerdem soll sie die Heroine eines nie veröffentlichten Trauerspiels und jenes wohl auch verlorenen Sonettenzyklus' gewesen sein, der eine Anzahl »neu-erfundener / und noch nie-gewiesener« Formen enthalten haben soll[65]. Der Tatbe-stand, daß sich Petrarcas Ruhm auf Dichtungen gründete, deren Gegenstand ein Mädchen von Fleisch und Blut war, Laura, »des Herrn von Kabriere Tochter«, deren Gebeine später selbst Franz I. von Frankreich zu sehen begehrte und in Versen besang (*Hechel*, S. 4 f.), war für Zesen gewiß Grund genug, die konven-tionelle Leugnung des Liebeserlebnisses aufzugeben und damit zu der in Opitz' *Poeterey* vertretenen Auffassung überzugehen[66].

---

[63] Ein ausführlicher Bericht der Krönung Petrarcas zum römischen Dichter und ein gesonderter Lebensabriß erschienen als Beigabe zu Fürst Ludwigs Übersetzung der *Sechs Triumphi* (Cöthen 1643). Zesens Vertrautheit mit diesem Buch ist durch das Ein-gangsgespräch zur *Heliconischen Hechel* verbürgt.

[64] *Hechel*, S. 5. Hier preist Rosemund übrigens Petrarcas Laura glücklich, weil diese »noch vor ihrem tode so einen geschikten Dichtmeister« gefunden habe (S. 4).

[65] *Helikon* (1656) II, S. 15. Wenn Zesen im Hinblick auf die unveröffentlichten Rose-mundsonette bemerkt, er wolle sie vorläufig nicht herausgeben um zu sehen, ob viel-leicht auch andere Dichter diese Neuformen »erfinden« würden, so ist in dieser Bemer-kung weniger eine kauzische Grille zu sehen, als die aus der italienischen Renaissance übernommene Auffassung, daß der Dichter »alle seine erfindungen gar geheim bey sich behalten solle«, damit andere Dichter sich nicht durch seine neuen Ideen bereichern könnten. (Fürst Ludwig, *Triumphi*, S. 4f). Daneben galt — wenn auch im Widerspruch zu der eben erwähnten Idee — die Anschauung, daß der Dichter »allezeit neüe erfin-dungen in bereitschaft haben solle / derselben sich/ so wol in gemeinem gespräche und reden/ als auch in schriften zu gebrauchen« (a.a.O., S. 5).

[66] Borinski, *Poetik der Renaissance* (S. 274) sah bereits in Zesens Forderung nach deutschen Mädchennamen eine Tendenz zur Bekenntnisdichtung. Bei genauerer Unter-suchung des Textes (*Helicon* [1641], II, S. T 2ᵛ ff.) erweist sich die Ablehnung ausländi-scher Vornamen jedoch nur als eine kulturpatriotische Geste, die zum Teil dem glei-

Da Zesen sich eindeutig mit der männlichen Hauptgestalt des Rosemundromans identifiziert, überrascht es nicht weiter, daß sich in diesem Werk Ansätze zu einer immanenten Poetik finden, vor allem Zeugnisse der befruchtenden Wirkung des Liebeserlebnisses auf den Dichter, und damit Einsichten in den künstlerischen Schaffensprozeß. So wird Markholds Arbeit an einem Gedicht für Rosemund folgendermaßen dargestellt:

> Der tausend-künstlerische Lihb-reiz blihs ihm solche wort ein, und machte solche sühsse verzukkerungen, daß er nahch verfassung dehrselben kaum selbst gläuben konte, daß er ein solches härz-brächendes lihdlein so geschwünd und in solcher verwürrung seiner sünnen verfasset hätte. Er überlas' es hinten und forne, und fand im geringsten nichts, das änderns nöhtig wäre; dehr-gestalt, daß ihm dises Lihdlein vihl glüklicher zu-geflossen wahr, als der gestrige brihf[67].

Man mag in dieser Schilderung eine bewußte Selbstverherrlichung des Autors sehen; dennoch bleibt diese rasche Niederschrift des Gedichtes, dessen künstlerische Vollkommenheit durch die kritische Überprüfung verbürgt ist, ein für seine Zeit bemerkenswertes Bekenntnis zum *furor poeticus*. Diese in der Antike verbreitete Idee der Gottbeseeltheit des Dichters[68] findet teils direkt durch Buchner[69], teils über die lateinische Humanistenpoetik ihren Weg in die deutsche Kunsttheorie des 17. Jahrhunderts, ohne daß man darin einen Widerspruch zur Lehrbarkeit der Dichtung gesehen hätte; denn die bei Opitz nicht ohne Skepsis wiedergegebene Auffassung, daß den Dichter »die regung des Geistes« treibe (*Poeterey*, S. 11), wird meist kritiklos in die Poetiken übernommen; erst im letzten Drittel des 17. Jahrhunderts, als Sacer und Wernicke bereits den *furor poeticus* verspotten[70], findet sich noch bei Daniel Morhof, dessen Dichtung im Grunde nichts von göttlicher Eingebung verrät, ein bemerkenswertes Bekenntnis zum Inspirationsrausch: »Dieser ἐνθουσιασμός ist etwas / das von einer sonderlichen Glückseeligkeit der Natur komt / und durch die Kunst und Nachsinnen bißweilen nur gehindert wird. Es ist zu mercken daß insgemein die ersten Einfälle . . . die besten sein / welches ich offt an mir selbst war genommen. Dann ich pflege . . . alles . . . so fort zu Papier [zu] bringen / ohne Ordnung / ohne Connexion, halbe / gantze Verß / damit mir die ersten Gedancken nicht aus dem Sinn fallen.« Im Gegensatz zu Zesen, der in seiner Neigung zur Idealisierung ein Kunstwerk aus Markholds rauschhaftem Schöpfungsprozeß hervorgehen läßt, bedarf Morhofs erster Entwurf gründlichster

chen Gedanken entsprang wie die Eindeutschung der griechischen und lateinischen Götternamen.

[67] *Adriatische Rosemund* (Hrsg. Max Hermann Jellinek), S. 100.

[68] So bei Plato, Horaz, Ovid, Cicero und Plinius. Genaue Zitatangaben und ein kurzer Abriß des teilweisen Fortlebens dieser Idee in Spätantike und Mittelalter in Ernst Roberts Curtius' *Europäische Literatur und lateinisches Mittelalter*. Bern 1964 (4. Aufl.), S. 467 f. — Den Terminus »furor poeticus« kennt die Antike nicht. Er erscheint 1482 als Untertitel von Platos *Ion* und wird in der Folgezeit im Lateinischen geläufig. Daneben wirken Ovids »est deus in nobis« und sinnverwandte Äußerungen Ciceros und Horaz'. (*Encyclopedia of Poetry and Poetics*. Princeton 1965, S. 303 und 635).

[69] Der unmittelbar auf Platos *Ion* verweist. (*Weg-Weiser*, S. 12).

[70] Gottfried Wilhelm Sacer, *Reime dich / oder ich fresse dich*. Northausen 1673, S. 60 f. Christian Wernicke, *Epigramme*. (Hrsg. Rudolf Pechel). Berlin 1909, S. 327 f.

Überarbeitung. Allerdings »findet sich die Außarbeitung leicht. Worin man endlich nicht zu eilen hat / sondern je mehr man drüber nachsinnet / je besser wird
die Arbeit sein«[71].

Zwar bestätigen die meisten Barockpoetiker die Abhängigkeit des Künstlers
von seiner Gemütsverfassung, doch gilt bei ihnen fast ausnahmslos gründliches
Durchdenken des Stoffes und sorgfältiges Feilen des sprachlichen Ausdrucks für
die sicherste Grundlage künstlerischen Erfolges. Zu dieser nüchternen, dem Ge-
lehrtenstandpunkt der Zeit angemessenen Auffassung, geht schließlich auch Zesen
über, wenn er in der *Helikonischen Hechel* jeden ungezügelten Gefühlserguß als
unkünstlerisch ablehnt. Daß den Dichter ein starkes Erlebnis beflügeln könne,
wird, wenn auch unausgesprochen, durch das Beispiel Petrarcas aufrecht erhalten,
doch bleibt der echte Dichter Herr seiner Kunstfertigkeit, während Talente mit
einer »alzu heftigen angebohrenheit zur Dichtkunst« nie Großes erreichen werden, weil es ihnen an Geduld fehle, ihre »erfindungen ... mit weislichem nachdenken aus der feder zu laßen«, so daß »ihre Dichtereien ... bloß allein nach
dem brande der alzu hitzigen Natur« schmecken (S. 11). Damit distanziert er sich
von der im Rosemundroman zum Ausdruck gebrachten Auffassung, widerspricht
sich aber nicht völlig; denn auch Markhold gelingt im ersten Gefühlsrausch —
nach vielen vergeblichen Versuchen — zunächst nur ein recht unvollkommener
Antwortbrief an Rosemund. In seiner Erregung kann er »keine so zihrliche, so
durchdrüngende ... worte fünden, die ... seine glüksäligkeit ... nahch gnügen
austrükken mochten« (S. 99 f.). Erst am nächsten Morgen sieht er sich unerwarte-
terweise befähigt, seiner Leidenschaft in einem Liebeslied dichterische Form zu
geben. Daß Zesen den Passus, der die Erlebnisbezogenheit seiner Liebesgedichte
leugnet, auch in den Ausgaben des *Helikon* von 1649 und 1656 übernimmt, darf
nicht weiter befremden. Immerhin gewährte das Leugnen des Erlebnisgehaltes der
Dichtung einen gewissen Schutz gegen eifernde Moralisten. Außerdem galt ihm,
auch wenn er wie Fleming zum Teil echtes Erleben dichterisch gestaltete, das Besingen einer fiktiven Schönheit keineswegs als überlebte poetologische Konvention, sondern als unbestrittene Aufgabe des Dichters.

Während die Idee des *furor poeticus*, wie erwähnt, meist ohne kritische Stellungnahme in die Kunsttheorie des 17. Jahrhunderts übernommen wird, setzen
sich die meisten Poetiker zumindest mit dem verwandten und konkreten Problem
des Weingenusses zur Erhöhung der Produktionsstimmung auseinander. Ganz allgemein wird diese in der Antike umstrittene Frage im 17. Jahrhundert bejaht.
Opitz bereitet hier vor allem durch die Heinsius-Übersetzung des *Loblieds Bac-
chii* den Weg, auf welchem Tscherning mit seinem hymnischen *Lob Des Weingottes* folgt[72]. Auf beide sowie auf Horaz, Fleming und Harsdörffer beruft sich

---

[71] *Unterricht*, S. 725 f. Vgl. das Vorwort zu Morhofs *Teutschen Gedichten* (Kiel 1682).
[72] Wenn Tscherning sein 1636 in Rostock erschienenes Gedicht mit gelehrten Anmerkungen versieht, die z. T. Aufschluß über die in der Antike herrschenden Meinungen zur Frage des Weingenusses geben, so ist darin — neben dem offensichtlichen Zur-
schaustellen seiner Belesenheit — auch das Bemühen erkennbar, etwaigen Angriffen auf
die in seinem Gedicht vertretene Anschauung vorzubeugen.

dann Kindermann in seiner Bejahung des Weingenusses *(Poet,* S. 27 f.), während namentlich Zesen und Birken sich veranlaßt sehen, vor dem Mißbrauch des Weins zu warnen. Zesen billigt zwar den »ziemlichen« Gebrauch des Weines, doch hebt seine weitgehende Einschränkung, daß »man dabei nüchtern bleiben« müsse, die förderliche Wirkung des Getränks auf den schöpferischen Geist nahezu wieder auf. Im Zuge seiner Beweisführung, »daß nüchterne gedanken heiliger / volkommener / weiser / und unsträflicher sein / als trunkene« stellt er die Leistungen Pindars, der den Weingenuß abgelehnt hatte, weit über die des Äschylus, welcher als »Saufdichter« verschrien gewesen sei *(Hechel,* S. 13—15). Man darf hinter dieser ängstlichen Abwehr des reichlichen Weingenusses weder religiösen Fanatismus noch überspanntes Asketentum suchen. Vielmehr geht es auch hier wiederum um das gesellschaftliche Ansehen des Dichters:

> Ja diese seufferei bringet ihrer viel auch darzu / daß sie / saufgeld
> zusammen zu kratzen / unehrliche gewerbe treiben / ja sich wohl
> gar / zum höchsten nachteile der hochedlen Dichtkunst / des betlens
> befleissigen / und stähts
>   mit Reimen betlen lauffen /
> und große lügnerei üm kleines geld verkauffen:
> daher wir redlichs Volk so kommen in verdacht /
> und oftmahls mehr als arg auch werden ausgemacht;
> wan sie den schandenlohn in völlerei verschwänden /
> und also unser Reich und gantzen Orden schänden.
>   *(Hechel,* S. 13 f.).

Mit diesem eingeschobenen Zitat aus Flemings Werken versucht Zesen seinem Argument besonderen Nachdruck zu geben. Sein Ziel ist jedoch nicht die völlige Ausschaltung des Weins als Anregungsmittel zu dichterischem Schaffen; seine Absicht ist vielmehr darauf gerichtet, allen Exzessen vorzubeugen und jungen Talenten ein Gefühl der Verantwortung für das Ansehen und die Ehre ihres Berufes zu vermitteln.

Wie Zesen teils unter dem Einfluß der kulturpatriotischen Strömungen seiner Zeit, teils zur Rechtfertigung und Sicherung seiner eigenen Existenz den Dichter auf die höchste gesellschaftliche Stufe zu heben sucht, so ist er begreiflicherweise auch bemüht, der Dichtkunst den höchsten Platz unter allen Künsten zuzuweisen. Dieses Anliegen bringt ihn dazu, sich intensiver als seine Vorgänger mit der Bedeutung der *Musik und des Tanzes* für die Dichtung auseinanderzusetzen und das Verhältnis von Poesie und Malerei auf seine Art zu klären. — Der Mangel an Interesse, den Opitz und Buchner für das Zusammenwirken von Musik und Dichtung zeigten, geht vermutlich auf Scaliger zurück, der in der Musik keine wesentliche Bereicherung der Dichtung sah *(Poetices,* S. 3). Diese ablehnende Einstellung wirkt auf die Poetik des ganzen Jahrhunderts nach[73]. Opitz erwähnt zwar

---

[73] Schottel und Tscherning lassen in ihren Prosodien die Musik fast unbeachtet, und Kindermann erwähnt sie nur beiläufig bei der Behandlung der »Nachtmusiken« *(Poet,* S. 548). Mit fast wörtlicher Anlehnung an Opitz erwähnt Schottel die Notwendigkeit musikalischer Begleitung für die sapphischen Oden. *Teutsche Vers- oder ReimKunst* (1656), S. 178. — Vgl. *Deutsche HaubtSprache,* S. 66 f.

in seiner *Poeterey*, daß germanische Barden Verse mit »süßen melodien« vortrugen (S. 15), läßt sich aber durch diesen Umstand zu keiner Bewertung eines Zusammenspiels von Musik und Dichtung bewegen. Selbst die nach Ronsard zitierte Stelle, daß die Sapphischen Lieder »nimmermehr können angeneme sein / wann sie nicht mit lebendigen stimmen vnd in musicalische instrumente eingesungen werden« (S. 45 f.), bleibt bei ihm ohne eigene Stellungnahme. Es überrascht daher auch nicht weiter, daß Opitz seine Gedichte und Lieder ohne Zusatz von Noten erscheinen ließ; die Initiative zur Vertonung ging vielmehr von den Komponisten aus[74]. Dagegen bemühten sich Rist und Zesen — später auch Harsdörffer, Neumark und andere Dichter — um eine zielbewußte Vertonung ihrer Lyrik. Auch wenn von den Komponisten, die Zesen für die Vertonung seiner Gedichte gewann, nur Heinrich Albert als Tonkünstler von einiger Bedeutung in die Musikgeschichte eingegangen ist[75], so entsprachen die Kompositionen durchaus dem Geschmack der Zeit[76]. Zwar fehlen in Zesens erster Liedersammlung *FrühlingsLust* (1642), noch die meisten Vertonungen, doch verspricht er bereits hier, daß künftig ein jedes Lied seine eigene Melodie bekommen solle (S. G10ʳ). Diesen Plan hat er zwar nie verwirklicht, doch kamen seine späteren Gedichtsammlungen dem gesteckten Ziel sehr nahe[77].

Durch das Zusammenwirken von Wort- und Tonkunst wurde nunmehr das gebildete Publikum aus der gewohnten Haltung des Lesens oder bloßen Zuhörens herausgelöst und zu aktiver Teilnahme an der lebendigen Gestaltung des Kunstwerkes ermutigt. Die Tradition des Volksliedes sowie das Aufkommen der Arie und des Kunstliedes, haben hier zweifellos auf Zesen gewirkt. Es überrascht daher nicht, daß er auch in Anlehnung an die volkstümlichen Reihenlieder und die aus Frankreich und Italien um diese Zeit eindringenden Tänze[78] auch für getanzte und gleichzeitig gesungene Kunstlieder eintritt und bemüht ist, auf diese Weise die Poesie im Verein mit Musik und Tanz zur »Gesellschaftskunst« im eigentlichen Sinne zu machen[79]. Im Gegensatz zur Barockoper, mit der die Idee des gesungenen und getanzten Liedes der Kunstpoesie wenig mehr als die Tendenz zum

---

[74] Vgl. G. Müller, *Geschichte des deutschen Liedes vom Zeitalter des Barock bis zur Gegenwart.* München 1925, S. 58f.

[75] Eine vollständige Liste der Komponisten gibt Gramsch, a.a.O. S. 2: Dietrich Becker, Georg Wolfgang Drückemüller, Martin Ferntzdorf, Johann Lange, Peter Meier, Tobias Michael, Gottlieb Christian Nüsler, Johann Martin Rubert, Johann Schoop, Malachias Siebenhaar, Johann Weichmann und Mathias Wekmann.

[76] Vgl. die Zuschrift zu Zesens *Dichterischen Jugend-Flammen*, S. b 4ᵛ.

[77] Selbst das *Hohe Lied* erschien 1657 erweitert und mit Noten versehen in singspielartiger Form.

[78] Vgl. Franz Magnus Böhme, *Geschichte des Tanzes in Deutschland,* Leipzig 1886, S. 143.

[79] Besondere Erwähnung verdient in diesem Zusammenhang ein Lied, das — in bewußtem Gegensatz zum volkstümlichen Reigen — nicht nur ganz spezifische Tanzstellungen und Tanzschritte vorschreibt, sondern auch in Melodie und Rhythmus von Strophe zu Strophe dem dichterischen Text entsprechend wechselt: Dieser beginnt zunächst mit jambischen Versen, wechselt sodann in troäische über und endet schließlich in daktylischen Zeilen. Diese rhythmische Steigerung, die auch inhaltlich durch

Gesamtkunstwerk gemein hat, dominiert bei Zesen das dichterische Wort ausnahmslos über die »Schwesterkünste«.

Diese Vorrangstellung bewahrt sich die Dichtung — in Zesens Kunsttheorie — auch in ihrem Verhältnis zur *Malerei*. Die Idee der Gleichrangigkeit von Poesie und Bildkunst, die als Folge des mißverstandenen *ut pictura poesis* des Horaz ganz allgemein die Kunsttheorien vom Beginn des 16. bis zur Mitte des 18. Jahrhunderts beherrschte, weist Zesen eindeutig zurück. Er löst sich damit auch von Buchner, der die Ähnlichkeit, ja Gleichartigkeit von Malerei und Dichtung ganz im Sinne der Kunsttheoretiker der italienischen Renaissance übernahm[80] und das bei Plutarch zitierte (dem Simonides von Keon zugeschriebene) *poema est loquens pictura: pictura est tacitum poema* programmatisch an den Anfang seiner Poetik setzte. Für Buchner hatten Dichtung und Malerei noch das gleiche Ziel: naturgetreue Nachahmung des äußerlich Sichtbaren[81]. Das Aufdecken seelischer Regungen sollte dagegen eher der Philosophie vorbehalten bleiben[82]. So gelangt Buchner ganz im Sinne der Kunsttheorie der Renaissance zur Schlußfolgerung: »Keine Kunst ist der P o e s i e so nahe anverwandt / als die Mahlerey . . . und was der Mahler mit Farben thut / das thut der Poeten mit Worten . . .« (*Weg-Weiser*, S. 44 f.). Zesen teilt mit Buchner zwar noch die Anschauung, daß auch der Dichter »die dinge sotahnig beschreibet / wie sie dem scheine nach aussehen«[83], doch bleibt für ihn die Reproduktion der sichtbaren Welt nur eine Teilaufgabe des Dichters. Das, was die Dichtkunst über die Malerei erhebt und was Zesen als »wunder der Dichtung« preist, ist ihre Fähigkeit, Gemütsregungen und seelische Konflikte darzustellen. Mit der Gestaltung der seelischen Konflikte in seiner

den Text aufs engste bedingt ist, wird letztlich durch die tänzerische Ausführung sichtbar gemacht. — Daß Zesen diesem getanzten und gleichzeitig gesungenen Kunstlied einiges Gewicht beimaß, verrät die Tatsache, daß er es als Höhepunkt eines festlichen Abends im *Rosen-månd* schildert (S. 193 f.) und in seinen Werken wiederholt darauf hinweist. *Helikon* (1649), I, S. F7ʳf.; U2ʳ; *Dichterische Jugend-Flammen* (1651), S. 87; *Helikon* (1656), I, S. 55f.; 269).

[80] Eine ausgezeichnete Darstellung des Entstehens der ut pictura poesis-Theorie unter dem Einfluß der italienischen Renaissancemalerei und der Nachwirkung der theoretischen Äußerungendes Horaz (*Ars Poetica*, 361), Aristoteles (*Poetik*, 6, 19—21), Plutarch (*De gloria Athenensiarum*, III, 346f—347fc), Lucian und anderer gibt Rensellear W. Lee in seiner Arbeit *Ut Pictura Poesis: The Humanistic Theory of Painting*. In: *The Art Bulletin* (1940), S. 197—269.

[81] Der Dichter begnügt sich in Buchners Kunstauffassung »gleich einem Mahler / der seinem Ampt genug gethan / wann er etwas so abgebildet / daß mans erkennen kan / was es sey / Ob gleich die innerlichen Beschaffenheiten und sein gantzes Wesen nicht angedeutet ist«. (*Weg-Weiser*, S. 23).

[82] ». . . so ist doch nicht von nöthen / dz er [der Dichter] alles nach dialectischer Arth genau zerlegen / abtheilen / unterscheiden / und durch scharffsinnige Schlus-Reden / als Philosophus, erörtern wolle . . .« (a.a.O., S. 22).

[83] »oder wonach sie eine gleicheit führen«. *Hechel*, S. 33. Vgl. Opitz' vielzitierte Äußerung, daß »die gantze Poeterey im nachäffen der Natur bestehe / vnd die dinge nicht so sehr beschreibe wie sie sein / als wie sie etwan sein köndten oder sollten.« (*Poeterey*, S. 11).

Adriatischen Rosemund hatte Zesen — seiner Zeit weit voraus — diese kunst-theoretische Forderung bereits erfüllt. Auch in seiner Lyrik finden sich hier und da Zeilen, in denen die Sprache alle Gegenständlichkeit verloren hat, in denen die Worte kaum noch Träger von Gedanken und Vorstellungen sind, sondern viel-mehr rhythmisch tönende Medien, die in ihrer Bewegtheit und ihren Klangquali-täten nur darauf hinzielen, eine bestimmte Gefühlslage zu erhellen[84].

Merkwürdigerweise ist Zesens Verhältnis zur Malerei bisher teils übersehen[85], teils falsch gedeutet worden. So stuft Hans Will, der sich vor allem auf die Kunst der Beschreibung stützt, Zesen als »Jünger der *ut pictura poesis*-Lehre« ein[86]. Die Tatsache aber, daß sich bildhafte Ausdrucksweisen und eingehende Beschreibun-gen in Zesens Romanen finden, ist bei der Abhängigkeit Zesens von Madeleine de Scudéry und bei der klischeehaften Verwendung der Sprache im 17. Jahrhundert nicht weiter überraschend. Es kann jedenfalls nicht als Beweis für Zesens kunst-theoretische Anschauung gelten. Für ihn steht unzweifelhaft fest, daß, wie er im *Rosenmând* sagt, »schreiben viel mehr und viel unbegreiflicher als das mahlen« ist (S. 61). — Ferner kam Herbert Cysarz, der die Vorrede zu Zesens *Moralia Horatiana* (1656) ohne Bezugnahme auf ähnliche Äußerungen des Dichters be-trachtete, zu der Schlußfolgerung, daß Zesen sich »wie die ihm wohlvertrauten Nürnberger ... der Malerei aufs engste verbunden« fühle, und daß er »demge-mäß im Zeichen der *pictura-poesis*« stehe[87]. Ein flüchtiger Blick auf das Vorwort zur *Moralia Horatiana* scheint Cysarz' Urteil zu bestätigen: »Unmüglich ist es alle schöne dinge lieben / und nicht auch zugleich der Mahler-kunst mit liebe be-gegnen. Diese ist die allereuserste würkung der innerlichen bildungs-kraft / so wohl / als der Kunst selbsten. Sie ist die schwester der Dicht-kunst; und die zweite mitbuhlerin und nachahmerin der Natur ... sie ist die lieblichste und un-schuldigste verführerin der augen.« Bei einer Deutung dieser Textstelle darf zu-nächst nicht übersehen werden, daß sie als Einleitung zu einem Werk diente, in dem Bild- und Wortkunst einander ergänzen sollten, in dem Zitate aus den Wer-ken des Horaz durch über hundert Kupferstiche veranschaulicht wurden. Zesens Würdigung der Malerei zielt an dieser Stelle also nicht zuletzt darauf hin, dem Leser das vorliegende Buch zu empfehlen. Trotzdem ist sein Lob der Malerei nicht so stark, wie man zunächst annehmen möchte. Wenn er auch die Malerei als Schwester der Dichtkunst bezeichnet, so versteht er darunter doch nur »die zweite mitbuhlerin und nachahmerin der Natur«, keineswegs eine gleichberech-tigte Partnerin der Dichtkunst. Die Malerei erschöpft sich für ihn also auch hier in der »allereusersten würkung«, in der bloßen Darstellung des Sichtbaren und ist bestenfalls die »lieblichste und unschuldigste verführerin der augen«. Das Ohr und Herz aber bleiben weitgehend unbefriedigt.

---

[84] *Dichterische Jugend-Flammen*, S. 34f., 37f., 64f.

[85] Borinski und Markwardt übergehen seine Einstellung zur Malerei; dabei bemüht sich Markwardt sonst, auch kleinste Entwicklungsansätze im Verhältnis der beiden Künste aufzuzeigen.

[86] *Die ästhetischen Elemente in der Beschreibung bei Zesen.* Gießen 1922, S. 71.

[87] Übrigens stützt Cysarz sich hier auf die von ihm selbst als unzulänglich bezeich-nete Dissertation von Hans Will. *Deutsche Barockdichtung.* Leipzig 1924, S. 78.

Auch der Umstand, daß Zesen im Nachwort zur *Moralia Horatiana* den Kernsatz des *ut pictura poesis* zitiert, kann Cysarz' Behauptung nicht stützen; denn merkwürdigerweise benutzt Zesen das Zitat nicht, um die Verwandtschaft und Gleichrangigkeit von Bild- und Wortkunst aufzuzeigen, sondern deutet es — im Grunde völlig unlogisch — als Beweisgrund dafür, daß Bild- und Wortkunst einander ergänzen[88]. Zesen verharrt also auch dort, wo er dem *ut pictura poesis* am nächsten zu stehen scheint, bei der im *Rosenmând* vertretenen Auffassung, daß nur der Dichter »unsichtbare dinge sichtbar machen« könne und daß daher seine Kunst der Malerei weit überlegen sei (S. 57 f.). — Damit könnte man Zesen jener kleinen Gruppe von Barockpoetikern zuordnen (Titz und Birken), die trotz ihres weitgehenden Festhaltens am *ut pictura poesis* der Dichtung den Vorrang über die Malerei zusprechen und damit Probleme anschneiden, die erst im 18. Jahrhundert durch Bodmer und Breitinger in den Mittelpunkt des kunsttheoretischen Interesses gerückt werden sollten[89]. Aber weder Titz noch Birken behandeln die Rangfrage der Künste so eingehend wie Zesen; weder der eine noch der andere stehen der Idee des *ut pictura poesis* so fern wie er.

Die Bedeutung *literarischer Kritik* für jede Weiterentwicklung der Literatur hat Zesen sehr früh und klar erkannt. Sein Bestreben, die Deutschgesinnte Genossenschaft zur führenden Sprachgesellschaft in Deutschland zu machen und sein Ehrgeiz, an der Verwirklichung des deutschen Traumes nach internationaler literarischer Geltung maßgeblich mitzuwirken, sind getragen von einem Glauben an die leistungsfördernde Wirkung der Kritik. Daher zeigt er neben einer grundsätzlichen Empfänglichkeit für kritische Vorschläge einen für seine Zeit seltenen und höchst beachtenswerten Willen zu kritischem Werten. Während Logau, Lauremberg und Moscherosch zum Mittel der Satire greifen, um die Auswüchse im literarischen und gesellschaftlichen Leben jener Zeit zu geißeln, versucht Zesen, dem es durchaus an satirischer Begabung fehlte, nicht durch bloße Zurückweisung des Unzulänglichen die herrschenden literarischen Mißstände zu bessern, sondern bemüht sich, dem Leser durch konstruktive Vorschläge weiterzuhelfen, ihn zu selbständiger und kritischer Überprüfung des Kunstwerkes anzuregen und dadurch seinen analytischen und kunstkritischen Sinn zu schärfen. Zur Veranschaulichung von Zesens Methode sei hier ein Beispiel angeführt, das typisch ist für die Art, in der er den Leser oder den angehenden Dichter zum genaueren Beobachten der

[88] »Weil aber die Dichtkunst durch die Bild- und mahler-kunst / oder eine durch die andere ... belebet wird / wan man sie beide zusammen füget; darüm auch Simonides nach Plutarchens zeugnüs / jene ein redendes gemälde / diese aber eine stumme dichterei genennet: so hat der Verleger dieses Werkes ... die kosten angewendet/ und den sinn und verstand gedachter Sinnsprüche in kupfer gar zierlich ... vorstellen laßen.« — Gegen Ende des ersten Teils des *Helikon* (1656) bezeichnet Zesen Gesang und Tanz als Schwestern der Dichtkunst und erwähnt in diesem Zusammenhang die Malerei überhaupt nicht (S. 269). Vgl. ferner das Gedicht »An der Schönen Hamburgerin Kunstmahler«, in dem Zesen die Ansicht vertritt, daß die Tugend des besungenen Mädchens (der er als Dichter aufs anschaulichste Ausdruck geben kann) vom Maler nicht dargestellt werden könne. *Schöne Hamburgerin*. o.O. 1668, S. B7ᵛ.
[89] Vgl. Markwardt, a.a.O., S. 66, 126.

Wirklichkeit und zur kritischen Stellungnahme der Dichtung gegenüber zu erziehen versucht. In einem Geburtstagshymnus aus Rosemund, der in der *Helikonischen Hechel* Gegenstand einer eingehenden kritischen Erörterung ist, werden die
von der Morgensonne bestrahlten Wolken zunächst als »Schloß« bezeichnet, »das
perlentohre führt«. Stattdessen setzt Zesen in der Korrektur »eine burg / die gül-
dene mauren führt«, weil »burg« »durchdringender klinget / auch zu des mor-
gens beschreibung sich fast besser schikket«. Ferner entspreche ein Ausdruck wie
»perlentohre« in keiner Weise den Verhältnissen, weil »man an eben dem orte /
da der morgen anbricht / oder die Sonne durch der Morgenröte rosen bricht /
eigendlich keine perlenfarbe siehet. Es ist wider alle vernunft / und wider die
Dichtung selbst; die wahrscheinlich redet / und die dinge sotahnig beschreibet /
wie sie dem scheine nach aussehen / oder wonach sie eine gleicheit führen. Nun
gleichen die morgenwolken den perlen niemahls; aber wohl dem golde an etlichen
orten / an andern den rubinen / den granaten / den rosen / und andern licht-
und roht-färbigen dingen. (*Hechel*, S. 33).

Die Anregung zu dieser teilweise höchst feinspürigen Kritik erhielt Zesen vermutlich durch das 5. und 6. Buch der Scaligerschen Poetik. Wie Scaliger verlangt
auch er von der Darstellung Anschaulichkeit und Präzision des Ausdrucks, Wahr-
heitstreue oder zumindest Wahrscheinlichkeit. Poetische Bilder werden, sofern sie
unklar, unzutreffend oder widersprüchig sind, durch passendere ersetzt. Allerdings folgt Zesen in der Methode nicht streng seinem Vorbild. Während Scaliger
u. a. stofflich verwandte Stellen aus Homer und Virgil vergleicht, um die künstlerische Überlegenheit des römischen Dichters nachzuweisen, analysiert Zesen mit
peinlicher Akribie ein (nach den Gesetzen der Barockpoetik) mangelhaftes Gedicht, befreit es systematisch von seinen Fehlern und läßt vor den Augen des
Lesers ein neues Gebilde erstehen, das den Ansprüchen der damaligen Kunstpoesie
genügt[90]. Das Neue an dieser Methode besteht in der Umkehrung des bis dahin in
den Poetiken üblichen Lehrverfahrens. Der Leser wird hier nicht mehr mit nach-
ahmungswürdigen Mustern vertraut gemacht, sondern dazu angehalten, am negativen Beispiel sein kritisches Vermögen zu entwickeln oder zu schärfen. Den
Wunsch nach Ausbildung eines kritischen Urteils bei seinem Leserpublikum hatte
Zesen bereits im fünften Sendbrief der Bellinschen Sammlung (1647) und im Vorwort zum *Helikon* (1649) ausgesprochen, aber erst im *Sendeschreiben an den
Kreutztragenden* und in der *Helikonischen Hechel* wird dieser Plan verwirklicht. Die langsam anwachsende Tendenz zu literarischer Kritik im letzten Drittel
des Jahrhunderts bei Sacer, Parsch, Stieler, Leibniz und Wernicke erhält damit
durch Zesen wertvolle Anregungen. Zu zentraler Bedeutung im deutschen Geistes-
leben sollte die Literaturkritik freilich erst im Zeitalter Gottscheds gelangen.

---

[90] Ganz ähnlich zergliedert er im *Sendeschreiben an den Kreutztragenden* ein Gedicht
von Rist und stellt diesem die »Zesische Verbesserung« entgegen. In der *Helikonischen
Hechel* wird, wie erwähnt, der Geburtstagshymnus auf Rosemund zerlegt und im Ver-
laufe von sechs »Gesprächen« in annehmbare Form gebracht.

KARL F. OTTO JR.

ZESENS HISTORISCHE SCHRIFTEN:
EIN SONDIERUNGSVERSUCH

In der Dichtung des siebzehnten Jahrhunderts benutzte man sehr oft die Geschichte als Quelle, um an historischen Beispielen die Tugend zu verherrlichen und die Bestrafung des Lasters darzustellen. Mehrere Autoren des Zeitalters interessierten sich aber auch für die Geschichte an sich. Sigmund von Birken gehört zu denen, die auf diesem Gebiet äußerst produktiv waren, und wenigstens seine historischen Schriften haben eine eingehende Würdigung gefunden[1]. Er war aber nicht der einzige; viele andere Schriftsteller, die hauptsächlich wegen ihrer dichterischen Arbeiten bekannt sind, haben sich auch als Historiker betätigt. Man denke an Gryphius, Hallmann, Lohenstein, Klaj, Greflinger, Rist und Kuhlmann, um nur die bekanntesten zu nennen.

Einer der produktivsten dieser Geschichtsschreiber war Philipp von Zesen. Mehrere ausgezeichnete Arbeiten würdigen seine Romane, seine Lyrik und seine Poetik, aber die historischen Schriften dieses vielseitigen Schriftstellers sind bisher unberechtigterweise vernachlässigt worden. Dennoch bilden sie einen beträchtlichen Teil seines Schaffens.

Eine auf allen Schriften beruhende und daher überzeugende Gesamtinterpretation dieser historischen Schriften wäre für die Zesen-Forschung äußerst aufschlußreich. Eine solche Untersuchung würde aber den Rahmen dieses Aufsatzes sprengen. Unsere Arbeit macht vielmehr den bescheideneren Versuch, die Aufmerksamkeit auf diese Schriften zu lenken, in der Hoffnung, dadurch weitere Studien anzuregen. Nur dort, wo Zesens Verhältnis zu England dargestellt werden soll, gehen die Bemerkungen über Allgemeines hinaus.

Zesen hat verschiedene Arten von historischen Schriften verfaßt, darunter Landesgeschichten, Städtebeschreibungen und biographische Werke. Seine ausgedehnten Aufenthalte in Holland machten ihn mit diesem Land und mit dessen einzelnen Städten vertraut. Seine Kenntnisse zeigt er in einer gründlichen[2] Geschichte von Holland, *Leo Belgicus* (1660), die laut seinen eigenen Angaben schon vier oder fünf Jahre vor der Publikation entstanden war. Er hat das Werk siebzehn Jahre später in deutscher Übersetzung erscheinen lassen, und zwar unter dem

---

[1] Hausenstein: Der Nürnberger Poet Sigmund von Birken in seinen historischen Schriften. — In: *Mitteilungen des Vereins für Geschichte der Stadt Nürnberg,* 18 (1908) S. 197—235.

[2] Er selber nennt 193 Autoren, aus deren Werken er hier zitiert. Das Werk erschien in Amsterdam bei Ludwig und Daniel Elzevier.

Titel *Niederländischer Leue* (Nürnberg, 1677). Der einzige, der diese zwei Schriften untersucht hat, ist Gustav Schönle, dem es aber in erster Linie darum ging, deutsch-niederländische Beziehungen in der Literatur des 17. Jahrhunderts herauszuarbeiten.[3]

Am längsten und am häufigsten hielt sich Zesen in Amsterdam auf. Um dieser Stadt für die Verleihung des Ehrenbürgerrechtes zu danken[4], schrieb er innerhalb von etwa vier Monaten eine sehr umfangreiche (428 Quart-Seiten) *Beschreibung der Stadt Amsterdam* (1664)[5]. Wegen ihrer gewissenhaften Ausarbeitung dient diese Beschreibung auch heute noch als Nachschlagewerk, besonders für die Erforschung einzelner Details in der Anlage der damaligen Stadt. Schönle geht kurz auf dieses Werk ein, bringt vor allem Inhaltsangaben einiger Teile und lobt berechtigterweise die Lesbarkeit der Beschreibung[6]. Ein Jahr vorher (1663) wurde eine holländisch verfaßte Beschreibung dieser Stadt von Olfert Dapper herausgegeben, die Zesen sicherlich als Quelle gedient hat. Die Texte der beiden Ausgaben sind nämlich verwandt, obwohl die Beschreibungen bei Zesen in anderer Reihenfolge erscheinen und die dreiundsiebzig Kupferstiche, identisch mit denen in Dappers Werk, dementsprechend umgestellt sind[7]. Die Möglichkeit einer einfachen Übersetzung oder Bearbeitung von Dappers Werk wäre noch zu untersuchen.

Zesens einzige weitere Stadtbeschreibung, sein tausendzeiliges Gedicht auf seine eigentliche Vaterstadt Priorau (1680 unter dem Titel *Prirau/ oder Lob des Vaterlandes* erschienen), gehört einer alten Tradition von Lobgedichten auf einzelne Städte an. Dem Gedicht selber folgen über neunzig Seiten Anmerkungen, die nicht uninteressant sind wegen der vielen Auskünfte, die sie über Bäume, Pflanzen, Mineralien usw. bringen, die in der Umgebung von Priorau zu finden sind. Es ist auch eine Quelle biographischer Einzelheiten für die Zesen-Forschung.

Zu Zesens wichtigeren historischen Schriften gehören auch seine romanähnliche Behandlung der Biographie Karls II., Königs von England, die *Verschmähete, doch wieder erhöhete Majestäht* (1661 und eine zweite, um einen Anhang, die *Gekröhnte Majestäht*, vermehrte Auflage 1662), und seine Übersetzung der „Zwei-fachen Rede" Karls I. aus dem Lateinischen des Augustus Buchner, die beide weiter unten besprochen werden sollen.

Zesen hat sich wahrscheinlich auch an der Übersetzung bzw. Herausgabe einiger historisch-geographischer Werke beteiligt: die *Denckwürdigen Gesandtschafften [...] an unterschiedliche Keyser von Japan* (1669 und eine Titelauflage 1670), die *Umbständliche und eigentliche Beschreibung von Afrika* (1670), und die *Unbekante Neue Welt/ oder Beschreibung des Welt-teils Amerika* (1673), die

---

[3] Gustav Schönle: *Deutsch-niederländische Beziehungen in der Literatur des 17. Jahrhunderts*. Leiden, 1968. (= Leidse germanistische en anglistische reeks van de Rijksuniversiteit te Leiden, Deel VII). Hier S. 135—142. Im folgenden zitiert als Schönle.

[4] Ihm wurde dieses Ehrenrecht am 20. X. 1662 zuteil.

[5] Die Erstausgabe erschien bei Joachim Nosch; ein Nachdruck in Duodezformat erschien im selben Jahr bei M. W. Doornik. Der Nachdruck enthält auch einen Appendix, der von P. V. Aengelen verfaßt wurde.

[6] Schönle (s. Anm. 3), S. 142—146.

[7] Siehe Cornelia Bouman: *Philipp von Zesens Beziehungen zu Holland*. Diss. phil. Bonn, 1916. Hier S. 68—69.

sämtlich in Amsterdam bei J. Meurs erschienen. Diese drei Werke, die von Olfert Dapper und Arnoldus Montanus verfaßt wurden, erschienen in der deutschen Übersetzung anonym (sie sind Übersetzungen aus dem Holländischen). Daß Zesen sich an der Übersetzung beteiligte, ist nie bewiesen worden, obwohl sie ihm sehr oft zugeschrieben wird. Das Britische Museum vermutet andererseits, daß J. C. Beer der Übersetzer des „Afrika" und des „Amerika" ist, und R. Italiaander erklärt in seinem Nachwort zu der Neuausgabe von „Afrika", daß die deutsche Übersetzung dieses Werkes mutmaßlich von Dapper selber vorgenommen wurde.[8] Solche Unstimmigkeiten müssen aufgeklärt werden.

Im weiteren Sinne des Wortes müssen noch *Der Erdichteten Heidnischen Gottheiten [. . .] Herkunft und Begäbnüsse* (1688)[9] und die *Gebundene Lobrede von der [. . .] Buchdrückerey Kunst* (1642)[10] als zu seinen historischen Schriften gehörig betrachtet werden.

Versteht man Geschichte im allerweitesten Sinne des Wortes, so zählen Zesens zwei spätere Romane (*Assenat* [zuerst 1670] und *Simson* [1679]), zu seinen historischen Schriften, denn beide gehen auf biblische Quellen zurück, und auch die Bibel galt im siebzehnten Jahrhundert als Geschichte. Sein erster Roman, die *Adriatische Rosemund* (1645), ist in noch größerem Maße historisch, da er zwei längere geschichtliche Diskurse — einmal über Venedig, einmal über Deutschland — enthält. Es ist sogar nicht unmöglich, daß Zesen mit diesen zwei Passagen seinen Roman begonnen hat[11], wobei er die Handlung, wie dürftig sie auch ist, als Rahmen für diese historischen Traktätlein erfunden hätte. Zesen gibt in seinen historischen Schriften diesen Roman neben anderen geschichtlichen und geographischen Werken als Quelle an, wie z. B. im *Leo Belgicus*[12], wodurch klar wird, daß er den historischen Wert dieses Romans sehr hoch einschätzte. Auch die autobiographischen Elemente der *Rosemund* sind gewissermaßen als „Geschichte" zu betrachten[13].

[8] British Museum Catalogue of Printed Books, Bd. 48, Sp. 750 und Bd. 48, Sp. 752. Rolf Italiaander (Hrsg.): *Olfert Dapper. Umbständliche und Eigentliche Beschreibung von Africa, Anno 1668.* Stuttgart, 1964 (= Bibliothek klassischer Reiseberichte, Bd. 7). Hier S. [6]. Diese Ausgabe bringt nur eine Auswahl aus dem Text; das ganze ist aber auch in einem photomechanischen Nachdruck in der Reihe „Landmarks in Anthropology" (New York und London: Johnson Reprint Corp., 1967) leicht zugänglich.

[9] Dieser dicke Band erschien in Nürnberg bei Johann Hoffmann. Der Text selber umfaßt 790 Seiten, das Register 228. Hinzu kommt eine Einleitung von 24 Seiten, wovon 6 allein die Namen der Verfasser der Quellenschriften angeben.

[10] In Hamburg bei Jacob Rebenlein erschienen. Der Band enthält 12 Textseiten, 16 Anmerkungsseiten und 2 Seiten, die als Quellenverzeichnis dienen.

[11] Siehe die Diss. des Verfassers: *The Use of History in Zesen's Adriatische Rosemund.* Northwestern University, Evanston, Ill., 1967. [Maschinenschrift].

[12] S. 139: „Videatur hac de re Rosimunda nostra Adriatica, pag. 202, 203, 204, ut & Geographica Meriani pag. 487, item Casparus Contarenus de Venetorum Republica pag. 82, 83, & Veneti domini Chorographica descriptio pag. 10, 11, 12, denique Joh. Baptista Verus de Venetorum gentis p. 2, & F. Leander Albertus de incrementis Dominii Veneti statim ab initio."

[13] Fast alle Forschungsarbeiten, die sich mit diesem Roman beschäftigen, gehen auf diese autobiographischen Züge ein. Es ist hier nicht der Ort, das alles zu wiederholen. Für eine Aufzählung sämtlicher Forschungsliteratur vergleiche man die Zesen-Bibliographie des Verfassers (Bern und München, 1972).

Johann Heinrich Gabler zählt in seinem Verzeichnis von Zesens Werken (Speier, 1687)[14] einige von Zesen unvollendet hinterlassene historische Werke auf. Es seien hier die Titel dieser unvollendet gebliebenen bzw. nie erschienenen Werke angeführt: *AEgyptus, h. e., Regni AEgyptiaci Descriptio; das alzeit siegende Venedig/ eine reimlose Lobrede; Beschreibung aller Städte der 17 Niederlände/ so wohl des Königlichen oder Spanischen/ als Freien vereinigten Teiles; Beschreibung des Schwedischen Krieges/ auf dem Hochdeutschen Reichsbodem* [sic]; und *eine Beschreibung des Welt-teils Asien.*

Zesen hat sich am gründlichsten mit zwei Ländern beschäftigt, mit Holland und England, jeweils aber aus ganz verschiedenen Gründen. In Holland hat er fast dreißig Jahre, also beinahe die Hälfte seines Lebens, verbracht[15]. Dieses Land gilt sogar als seine zweite Heimat. Nach England ist er aber höchstwahrscheinlich nur einmal gereist, und zwar im Jahre 1643 nach London, wo er sich nur kurz aufhielt[16]. Sein Interesse für England beruht nicht auf persönlicher Kenntnis, sondern vielmehr auf einem besonderen historischen Ereignis, nämlich der öffentlichen Hinrichtung des englischen Königs Karls I. (1649). Diese Hinrichtung wurde auf dem ganzen Kontinent mit Erstaunen und Empörung beobachtet. Daß sich mehrere Autoren durch den Königsmord angesprochen fühlten, zeigt die große Anzahl der Schriften, die dieses Ereignis behandeln und die kurz darauf in allen Ländern Europas erschienen[17]. Eine davon war die kleine Schrift von Augustus Buchner, Zesens ehemaligem Lehrer in Wittenberg: *Quid Carolus I. Britanniarum Rex, Loqui potuerit lata in se ferali sententia, Oratio, seu declamatio Gemina.* Zesen übersetzte diese Schrift in den ersten Monaten des Jahres 1649 ins Deutsche. Seine Übersetzung, *Was Karl der erste/ König in Engelland/ bei dem über Ihn gefälltem todesuhrteil hette fürbringen können: Zwei-fache Rede,* erschien ohne Ort, Verleger und Jahr, wie auch das Original von Buchner. Es ist

---

[14] Diese Liste ist eine vermehrte Auflage der 15 Jahre früher erschienenen Liste, die von dem Dringenden (d. i. Philipp von Bährenstätt) herausgegeben wurde.

[15] Diese holländischen Aufenthalte teilt man in fünf Perioden ein: 1642—48, 1649—52, 1655—67, 1669—73 und 1679—83. Siehe J. H. Scholte: Datierungsprobleme in der Zesenforschung. — In: *Neophilologus,* 10 (1925) S. 260—265; ders., Philipp von Zesen in Frankrijk. — In: *Neophilologus,* 28 (1943) S. 197—203 und K. Kaczerowsky: *Bürgerliche Romankunst im Zeitalter des Barock.* München, 1969. Hier S. 167. [Im folgenden zitiert als Kaczerowsky]. Sie sind alle insofern zu berichtigen, als Zesen schon 1669 nach Holland zurückgekehrt war. Nicht nur sein Glückwunschgedicht an Heinrich Cordes (1669) wurde „aus Amsterdam übergeschickt", sondern auch die Widmungen in seiner Übersetzung von Goerees Werk zeigen, daß er 1669 in Holland war. Die „Reis- und Zeichen-Kunst" ist datiert: „des Grafen Hage/ am 1 tage des Ostermohndes/ im 1669 jahre", die „Erleuchterei- und Anfärbe-Kunst" „Amsterdam am 7 tage des Ostermohndes im 1669 heiljahre". Vgl. auch F. van Ingen, *Philipp von Zesen.* Stuttgart, 1970, S. 14.

[16] Ein Gedicht, das er aus London datiert, ist in Jellineks Ausgabe der *Adriatischen Rosemund* (1899), S. 247, zu finden. Ein Gedicht für Zesens *Scala Heliconis* (1643) wurde von einem sonst unbekannten „P. S. Londino-anglus" beigesteuert.

[17] Der British Museum Catalogue of Printed Books nennt z. B. allein unter dem Schlagwort: „Trial und Execution" [unter Charles I] acht Schriften in lateinischer, siebzehn in holländischer, zehn in deutscher, achtzehn in französischer, vier in italienischer und eine in polnischer Sprache, die in den Jahren 1649—55 erschienen.

erstaunlicherweise in der Zesenliteratur bis jetzt allen entgangen, daß auch eine zweite Übersetzung dieser Schrift gemacht wurde. Diese andere Übersetzung, mit dem Titel *Eine gedoppelte Rede/ Welche CAROLUS I. König in Engeland/ Schottland/ Franckreich vnd Irrland/ hette führen können/ als Er zum Tode verdammet worden: In Lateinischer Sprache/ Nach Art der alten Redner/ von dem Hochgelahrten Herrn A. Buchnern gestellet/ vnd auß demselben verteutscht* erschien ebenfalls ohne Ort, Verleger und Jahr. Es läßt sich aber beweisen, daß die erstgenannte Übersetzung von Zesen stammt, nicht etwa die zweite, obwohl beide im allgemeinen Zesen zugeschrieben werden. An eine einfache Um- oder Bearbeitung der Übersetzung entweder von Zesen selbst oder von einem anderen ist kaum zu glauben. Daß sie aber beide Übersetzungen desselben Werkes sind, darf ebensowenig bezweifelt werden. Es ist auch erwähnenswert, daß das lateinische Original in zwei Ausgaben erschienen ist[18]. Das Britische Museum vermutet, daß die eine in Leipzig erschien, die andere in Wittenberg. Die letztere wäre dann wohl die von Buchner selbst veröffentlichte, denn Buchner verbrachte fast sein ganzes Leben in Wittenberg. Man vermutet, daß Zesens Übersetzung auch in Wittenberg, und zwar im Jahre 1649, gedruckt wurde.

Allein schon die Tatsache, daß die erstgenannte Übersetzung eine Widmung an Dietrich von dem Werder enthält, die mit „Zesen" unterzeichnet ist, dürfte schon beweisen, daß wenigstens diese von Zesen stammt. Textkritische Untersuchungen bestätigen diese Vermutung; mit den gleichen Mitteln kann auch mit Sicherheit festgestellt werden, daß die andere Übersetzung Zesen nicht zuzuschreiben ist.

Zesens Reformbestrebungen auf dem Gebiet der deutschen Sprache und Orthographie haben mehrere wissenschaftliche Arbeiten veranlaßt[19]. Daß er die Fremdwörter aus der deutschen Sprache verdrängen wollte, ist bekannt. In dieser „Zwei-fachen Rede" findet man mehrere Beispiele für diese Neigung. Zesen schreibt z. B. nicht „Barberey" sondern „unmenschligkeit", nicht „Tragödi" sondern „schau-spiel", nicht „Tyrann" sondern „Wüherich", nicht „Exempel" sondern „Geschichte", nicht „Sclaven" sondern „Leibeigene", nicht „Scepter" sondern „Reichs-stab"[20], nicht „Scepter und Cron" sondern „Reichs-krantz[20] und die königliche Macht", nicht „regiert", sondern „beherrscht". Die ersten Wörter sind in jedem Falle die, die in der anderen Übersetzung, der „gedoppelten Rede", benutzt wurden.

Zwei Sätze zeigen deutlich, welche Übersetzung von Zesen stammt: „Wie gerecht nun euer Gericht über mich sey/ das sehet jhr" gegen „Ihr sehet die schein-

---

[18] Dem Wortlaut nach sind sie bis auf einige Einzelheiten, die in der Übersetzung keine Rolle spielten, identisch.

[19] Die wichtigsten sind, in chronologischer Ordnung: Karl Prahl: *Philipp von Zesen: Ein Beitrag zur Geschichte der Sprachreinigung im Deutschen*. Programm. Danzig, 1890; Hugo Harbrecht: *Philipp von Zesen als Sprachreiniger*. Diss. Phil. Freiburg i. B., Karlsruhe, 1912; ders., Verzeichnis der von Zesen verdeutschten Lehn- oder Fremdwörter. — In: *Zeitschrift für deutsche Wortforschung*, 14 (1912/13) S. 71—81; Herbert Blume: *Die Morphologie von Zesens Wortneubildungen*. Diss. Phil. Gießen, 1967. Im folgenden zitiert als Blume.

[20] „Reichs-stab" und „reichs-krantz" hatte Zesen schon im *Ibrahim* (1645) benutzt. S. Blume (s. Anm. 19), S. 161.

gerechtigkeit eures gerichts über uns" oder „Welche/ damit jhre boßhafftige An-
schläge verdunckelt/ vnd vnerkannt bleiben mögen/ schmücken sie selbige mit
schönen vnd gleissenden Namen" gegen „Ihre schelmische spitzfündigkeiten/
damit sie betrüglicher weise verborgen bleiben/ wissen der sache gahr schöne und
herrliche farben zum scheindekkel an zu streichen". Die typische Ausdrucksweise
von Zesen ist jeweils in dem zweiten Satz erkennbar. Ein bis in alle Einzelheiten
gehender Vergleich dieser zwei Übersetzungen bietet einen guten Ausgangspunkt
für eine gründliche Analyse von Zesens Stil.

In dem einzigen Teil, der Zesens eigene Gedanken bringt (da alles andere übersetzt ist), nämlich in der Widmung an von dem Werder, zeigt sich Zesen als ein
überzeugter Anhänger des Absolutismus: „Die welt erzittert/ der himmel selbst
böbet/ die Fürsten ergrimmen/ die Könige der erden flammen für zorne/ dan der
ruf dieser gantz-neuen/ erschröklichen geschicht/ ja der ruf des durch gotlose
verwegenheit und schein-gerechtigkeit vergossenen königlichen bluhtes durch-
dringet die gantze welt/ und seine rach-schreiende stimme zihet/ als ein magnet
oder liebes-stein[21]/ der Gewaltigen geschärft und zorn-dreuendes stahl nach sich
...Engel-land hat sich an der königlichen heiligkeit/ ja götlichkeit verbrochen
...".[22] Zesen betont, daß diese Hinrichtung „nicht kristlich/ auch nicht mensch-
lich"[23] sei.

Etwa zehn Jahre später drückt er in der *Verschmäheten Majestäht* (1661) dieselben Gedanken mit anderen Worten aus: „Könige seind so frei/ daß kein unter-
tahner ihm / die freiheit anmaßen darf / den König aus seinen in eines andern
hände zu lüfern / sonderlich wan er seine zuflucht zu ihm genommen / und es
wider des Königes willen/ wie alhier/ geschiehet. es ist sünde. es ist eine verlet-
zung der heiligen majestäht; ja ein verbrechen wider die natur"[24].

Diese Schrift behandelt in drei „Büchern" fast gleicher Länge die Biographie
von Karl II. bis zu dem Zeitpunkt, wo er den Thron besteigt; auch der Tod
Karls I. wird besprochen. Das erste Buch (S. 1—145) beschreibt Karls Jugend
von seiner Geburt (1630) bis zum Jahre 1654, enthält auch den Bericht über den
Tod Karls I.; das zweite (S. 145—280) erzählt von den Versuchen des jungen
Prinzen, den Thron wiederzugewinnen, und endet mit dem Tode Cromwells
(1658); das dritte erzählt von den darauf folgenden Unruhen in England, dem
triumphalen Einzug Karls II. in London (1660) und der Bestrafung der Mörder
Karls I.

Zwei Zeitgenossen Zesens besprachen diese Schrift mit überschwenglichem Lob.
Karl Kristof von Marschalk-Meerheim, Mitglied von Zesens Deutschgesinnter Genossenschaft unter dem Namen „der Wohlrüchende", schreibt in einem Brief, der
in Zesens *Hochdeutscher Helikonischer Hechel* (1668) abgedruckt wurde, folgendes:
„Was vor einen lieben dank mein Herr bei den frommen Sprachliebenden/ durch

---

[21] Dieser Ausdruck begegnet auch schon im *Ibrahim*, S. Blume (s. Anm. 19), S. 138.
[22] Zesens *Zwei-fache Rede*, Blatt Aa2rv.
[23] *Ibid.*, Blatt Aa2v.
[24] *Die Verschmähete doch wieder erhöhete Majestäht*... Amsterdam: Nosch, 1661,
Hier S. 77—78. Alle Zitate stammen aus der Erstausgabe, 1661. Im folgenden innerhalb
des Textes zitiert als Verschm. M.

ausfärtigung seiner *Verschmäheten doch wieder Erhöheten Majestäht/* verdienet/ ja was vor ein unsterbliches lob Er hierdurch erlanget/ kan ich nicht gnugsam aussprechen. Viel große Leute urteilen davon also: *daß/ wan Er auch schon nichts mehr geschrieben/ als dieses einige Buch/ Er dannoch/ zu erlangung eines unsterblichen preises/ mehr als genug getahn: daß in dem einigen Buche die zierde/ die kraft/ die majestät/ und volkommenheit der Deutschen Heldenspra- che sich erst recht und gantz untadelhaftig sehen laße: daß darinnen nicht ein einiges wort/ noch einige redensahrt zu finden/ die nicht so wohl gesetzt und an- gebracht were/ daß kein sterblicher sie zu verbessern fähig und mächtig gnug sei: dergestalt daß er den Nahmen* des Wohlsetzenden der Natur nach/ *in der Höchstlöbl. Fruchtbring. Gesellschaft mit allem rechte verdienet*"[25]. Mit „großen Leuten" meinte er eigentlich nur einen: Daniel Weimann. Dieser Weimann, für den Zesen später auch ein Leichengedicht schrieb[26], war sowohl Geheimrat und Kanzler im Herzogtum Kleve als auch Abgesandter an den englischen König. Er schrieb einen Brief „an den Verfasser Der Verschmäheten/ und Erhöheten Majestät" „aus London den 13 Mei-mohndes im 1661 Jahre", der in der zweiten Ausgabe der *Verschmäheten Majestäht* abgedruckt ist. Dieser Brief ist wohl als Dankbezeugung Weimanns für das von Zesen in der *Verschmäheten Majestäht* ausgesprochene Loburteil zu verstehen. Zesen hatte nämlich Folgendes geschrie- ben: „Der Herr Daniel Weimann aber/ [...] hatte alhier Seiner Majestät/ [...] aufzuwarten bisnochzu bedenken getragen: dergestalt daß er erst auf den 29 mai- mohndes/ nebst Fürst Moritzen von Nassau/ // Obersten Stathaltern des Hert- zogtuhms Kleve/ der itzund eben angelanget/ Seiner Majestät im nahmen des Kuhrfürsten/ öffentlich glük zu wündschen/ solche seine gebühr ablegte. Ihre an- sprache war so herlich/ und so ausbündich/ daß auch Seine Majestät/ nachdem Sie darauf geantwortet/ sonderlich belieben trug/ sich noch weiter in unter- schiedliche gespräche mit ihnen einzulaßen" (Verschm. M., S. 370—371).

Neben diesen zwei übertriebenen Lobreden, die als Werturteile nicht zuverläs- sig sind, gibt es noch ein anderes zeitgenössisches Zeugnis, dessen Urteil objektiver ist. Der Dramatiker Andreas Gryphius hat bei der Umarbeitung seines *Carolus Stuardus* die *Verschmähete Majestäht* als Quelle herangezogen. Er zitiert sie häufiger als irgendeine andere Quelle; andererseits nennt Gryphius unseren Dich- ter nicht mit Namen, was möglicherweise auf eine persönliche Abneigung gegen Zesen zurückzuführen ist[27].

In der Zesen-Forschung pflegt man im allgemeinen die *Verschmähete Majestäht* mit Stillschweigen zu übergehen. Nur Carl Lemcke ging näher auf sie ein und be-

[25] *Filips von Zesen Hochdeutsche Helikonische Hechel/ oder des Rosemohndes zweite Woche*... Hamburg: Gut, 1668. Der Brief ist auf den Blättern) (4^r-) (6^v abge- druckt.

[26] *Trost-Schrift über die seelige Sterbligkeit des [...] Herrn Daniel Weimanns*... Amsterdam: Webber, 1662. Insgesamt 24 Seiten.

[27] Über Gryphius' Benutzung dieser Quelle s. vor allem Gustav Schönle: *Das Trauer- spiel „Carolus Stuardus" des Andreas Gryphius*. Bonn, 1933; Andreas Gryphius: *Caro- lus Stuardus*, Hrsg. von Hugh Powell. Leicester, 1955; Albrecht Schöne: *Andreas Gry- phius: Figurale Gestaltung. —* In: A. S.: *Die Säkularisation als sprachbildende Kraft.* Göttingen, 1958. (= Palaestra, Bd. 226). S. 29—75.

hauptete 1871, darin stilistische Anhaltspunkte gefunden zu haben, die es ihm ermöglichten, sie mit Schillers historischen Werken zu vergleichen. Er pries vor
allem die „Lebendigkeit und den Fluß der Darstellung" sowie die „Kraft des
Stils"[28]. Die auffällige Romanähnlichkeit ist seitdem von vielen Forschern erwähnt worden, aber kaum einer begründet diese Aussage, und fast niemand geht
darüber hinaus. Eine Ausnahme bildet die 1966 erschienene Dissertation von Volker Meid, in der man eingehendere Bemerkungen findet. Meid sieht in dieser
Schrift vor allem eine Art Bindeglied zwischen Zesens Erstlingsroman, der *Adriatischen Rosemund* (1645), und dem zweiten, der erst fünfundzwanzig Jahre später erschienenen *Assenat* (1670)[29].

Außer der Biographie von Karl II. und dem Bericht über Karl I. bringt Zesen
in dieser Schrift kürzere Abschnitte über andere Gestalten (etwa Fairfax, Mon-
trose usw.), die in der englischen Revolution eine Rolle spielten, und erzählt
auch manches über verschiedene Schlachten. Wichtig sind drei Einschübe, die mit
Karl I. und der Revolution sowie mit den Unruhen nach dem Tode Cromwells
verbunden sind. Im ersten erzählt Zesen von seinem Bekannten, der auch ein Ver-
trauter Karls II. war, dem Ritter Richard Greenville[30], und er gedenkt seiner als
seines „ehmals auf etliche wochen hoch-währten tisch-freundes" seiner „fürtreflichen
geschiklichkeit / und freundseeligkeit wegen" (Verschm. M., S. 185). Von ihm dürfte
Zesen wohl manche Auskünfte über die Verhältnisse in England bekommen haben,
wenn nicht sogar die Anregung, diesen historischen Ereignissen dichterische Gestalt
zu geben. Der zweite berichtet von einem Aufenthalt Zesens bei einer Dame in
Holland, einer gewissen Frau „Katrine Feriens, Hauptmans von Bois hinterlaßene
Witwe" (Verschm. M., S. 382), die auf Zesens Bitte ein Mädchen zu sich einlud,
das den Quäkern angehörte. Der dritte ist der eigentliche Bericht von den Quäkern,
die Zesen als „Böberer oder Zitterer" bezeichnet. Er ist außerdem deshalb wichtig,
weil er noch einen Anhaltspunkt gibt für eine eventuelle und sehr wünschens-
werte Behandlung von Zesens Ansichten über die Toleranz. Er verlacht diese
Sekte (entgegen seinen theoretischen Äußerungen), er meint, ihr „Böben" sei vom
Teufel verursacht, und er lobt Karl II. dafür, daß er auf ihre Forderungen nicht
einging (s. vor allem S. 370—384).

Zesen berichtet auf dem Titelblatt, daß alles „aus den wahrhaftigsten eng-
lischen Verzeichnungs-schriften zusammengezogen" sei. Diese „Verzeichnungs-
schriften" werden wahrscheinlich nie identifiziert werden können, da Zesen im
Gegensatz zu seinem sonstigen Gebrauch nur wenige Anhaltspunkte dafür gibt.
Nur die folgenden Personen werden genannt: Platon (S. 174—175), Witlock
(S. 146—147), Selden (S. 34), Tauras (S. 175) und der Herr „von Salmase" (S.

---

[28] Carl Lemcke: *Geschichte der deutschen Dichtung neuerer Zeit. Bd. I: Von Opitz
bis Klopstock*. Leipzig, 1871. Hier S. 267. Diese Bemerkung kehrt in anderen Zeseniana
wieder, aber immer in Anlehnung an Lemcke.

[29] *Zesens Romankunst*. Frankfurt a. M. Hier S. 86 ff.

[30] Siehe über ihn W. Dunn Macray (Hrsg.), Edward, Earl of Clarendon: *The History
of the Rebellion and Civil Wars in England*. 6 Bde. Oxford, 1958 (Lithographischer
Nachdruck der Ausgabe 1888), vor allem Bd. 3.

185)[31]. Die einzige andere Quelle, die hier erwähnt wird, ist *Eikon Basilike,* die Zesen als Karls I. „Eben-bild" bezeichnet[32]. Im *Eikon Basilike* findet man den kurz vor seinem Tode an den Sohn geschriebenen Brief Karls I., der von Zesen übersetzt und mitgeteilt wird (Verschm. M., S. 97—114). Mit diesem Brief ist Zesen genauso verfahren wie in den geschichtlichen Teilen der *Rosemund:* Hier wie dort greift er wahllos einige Sätze heraus und läßt andere liegen[33]. Außer dem *Eikon Basilike* kämen als Quellen bei der Fertigstellung des Werkes wohl noch weitere Schriften, wie das *Engeländische Memorial* und einzelne Flugblätter aus der damaligen Zeit, in Betracht[34].

Zesen ist sich der Gefahren, die mit einer Biographie eines noch Lebenden zusammenhängen, sicher bewußt, denn der erste Satz dieses Werkes lautet: „Die Geschichts-verfassungen von Lebendigen seind sorglich" (Verschm. M., S. 1). Trotzdem aber schreibt er das Buch, da er „allen Königen/ und Herrschern auf erden/ ja allen tugend-liebenden augen einen recht königlichen Tugend-spiegel vorstellen [will]. darinnen sollen sie schauen eine verschmähete/ doch wieder erhöhete Majestäht; einen verhöhnten/ doch wieder gekröhnten König/ einen zwar verjagten/ doch wieder getagten Fürsten. und in Diesem wil ich ihnen zeigen eine gedrükte/ noch niemahls untergedrükte helden-mühtige Tugend/ eine verlachte/ doch endlich hochgeachte Frömmigkeit/ eine ins elend gesetzte/ doch endlich wieder ergetzte Großmühtigkeit" (Verschm. M., S. 3).

Auffällig in dieser Schrift sind die Ähnlichkeiten des Königs mit Christus; das gilt für Karl II. wie für Karl I. Bei Karl II. gibt es u. a. folgende Parallelen: Als er geboren wurde, „erschien ein neuer stern recht über der Stadt Londen/ gleichsam als wolte er vom himmel ab dem neugebohrnen Könige glükwündschen" (Verschm. M., S. 7). Als er vier Jahre alt war, unterhielt er sich mit einigen Gelehrten (wie Christus, als er zwölf Jahre alt war), und in diesem Zusammenhang berichtet Zesen: „Was vor gespräche dazumahl zwischen Ihrer Hoheit/ und etlichen gelehrten männern vorgefallen/ hat man nicht wollen gemein machen. doch ist bekand/ daß ein ieder über seiner rede in eine bestürtzte verwunderung gerahten" (Verschm. M., S. 22). Am Ende des Buches wird erzählt, wie sich der König der Kranken annahm und wie er sie heilte. Die Zusammenhänge mit dem

[31] Dieser ist besser als Saumaise oder Salmasius bekannt. 1649—50 erschienen wenigstens zehn lateinische Ausgaben seiner *Defensio Regia pro Carolo I* (s. den Katalog des Britischen Museums unter „Charles I").

[32] Im Jahre 1649 erschienen wenigstens zwei lateinische, eine deutsche, drei holländische und fünf französische Ausgaben dieses Werkes. S. den Katalog des Britischen Museums unter „Charles I".

[33] Die vor kurzem von Kaczerowsky (s. Anm. 15), S. 117 ff., aufgestellte These, daß Zesen in der *Rosemund* die mitzuteilenden Tatsachen nach bestimmten Absichten auswählte, wirkt nicht überzeugend. Siehe die Diss. des Verfassers (s. Anm. 11), vor allem S. 124—125. Kaczerowskys Beispiel ist wohl zutreffend, aber er wählte nur diese zwei Tatsachen aus den Hunderten, die man wählen könnte. Für den größten Teil dieser anderen läßt sich kein solcher Beweis erbringen.

[34] Man vergleiche auch die vielen Bücher, die im Katalog des Britischen Museums aufgeführt sind, vor allem unter „Charles I".

Evangelium (Markus 16, 13 ff.) werden ausdrücklich hervorgehoben (Verschm. M., S. 372—373).

Noch auffälliger sind solche Erwähnungen im Falle Karls I. Schöne hat solche Parallelen in Gryphius' Drama erläutert. Er zeigte, wie das Leiden Karls I. bis in Einzelheiten hinein mit der Leidensgeschichte Christi übereinstimmt[35]. Manche Anregung dazu hat Gryphius in Zesens *Verschmäheter Majestäht* gefunden. Zesen berichtet, daß man Karl I. den „verrähterischen Judas-Kus" gegeben hat, wodurch er „in feindliche hand geliefert" wurde (Verschm. M., S. 50); ein weiterer Vergleich kommt in den folgenden Worten zum Ausdruck: „Von gemeltem Schlosse schlepten sie den König ferner/ im auslauffe des 1648 jahres/ gewaltsamer weise nach Windsor/ und endlich gar nach London; da er in die Stadt/ zwischen den zween Feldherren/ eben wie unser Herr und Heiland zur Schädelstette/ zwischen zween mördern/ geführet ward/ doch gleichwohl mit dem vorzuge/ daß dieses zu pferde/ jenes aber zu fuße geschahe" (Verschm. M., S. 84). Später, nach der Hinrichtung, gab es immer noch Unruhen in England, und dies erklärt Zesen folgendermaßen: „diese/ die über den mord des Königes sich verglichen/ konten sich nunmehr unter einander selbst nicht vergleichen; eben wie Herodes/ und Pilatus/ allein über den tod unsers Seeligmachers/ freunde/ aber sonst/ so lange sie lebeten/ feinde waren" (Verschm. M., S. 155).

Daß diese Christus-Züge auf beide Könige übertragen wurden, zeigt noch einmal Zesens Glauben an den Absolutismus, der auch in solchen Äußerungen wie „Könige seind Götter" (Verschm. M., S. 128) oder die „heilige Majestäht" (Verschm. M., S. 4) klar zutage treten.

Wie aus diesem kurzen Referat erhellt, bleibt noch viel zu tun. Die historischen Schriften müssen sowohl im einzelnen als auch im Zusammenhang mit den übrigen Teilen von Zesens Schaffen untersucht werden. Diese Schriften bieten eine Fülle von Material, das nicht nur für den Historiker, sondern auch für den Literarhistoriker und den zukünftigen Biographen Zesens wichtig ist. Außerdem vermitteln die reichhaltigen Anmerkungen und Zitate in diesen Schriften einen Einblick in die Werkstatt eines polyhistorisch veranlagten barocken Schriftstellers. Wir sollten jetzt dieses immer noch zum größten Teil unerforschte Gebiet auf stilistische, historische, biographische und literaturgeschichtliche Weise untersuchen. Erst nach der Eroberung dieser *terrae incognitae* können wir zu einer gültigen Gesamtwürdigung dieses „vielseitigsten Kopfes des Zeitalters"[36] gelangen.

---

[35] Schöne (s. Anm. 27).
[36] Karl Vietor: Vom Stil und Geist der deutschen Barockdichtung. — In: *Germanisch-Romanische Monatsschrift*, 14 (1926) S. 156.

HERBERT ZEMAN

PHILIPP VON ZESENS LITERARISCHE WIRKUNGEN AUF KASPAR STIELERS „GEHARNSCHTE VENUS" (1660).*

Kein ungemach geacht/zur rechten zeit begonnen/
nur klug und frisch gewagt/ist gleich als halb gewonnen.
Nicht morgen/heute geh dein werk so weislich an/
daß keiner dich für faul und bäurisch halten kan.

Diesen epigrammatischen Versen aus dem Emblembuch *Moralia Horatiana Das ist die Horatzische Sitten-Lehre* (1656)[1] gemäß hat Philipp von Zesen sein rastloses, arbeitserfülltes Leben hingebracht, — als unermüdlich Schaffender an der deutschen Sprache und Literatur. Schon mit 24 Jahren gründete er im Jahr 1643 seine *Deutschgesinnete Genossenschaft* und wurde 1653 von Ferdinand III. auf dem Reichstag zu Regensburg in den Adelsstand erhoben. Der dreiunddreißigjährige Dichter stand auf dem Höhepunkt seiner Karriere, hatte sich allerhöchste Gewogenheit, aber auch schon den erbitterten Haß seiner Kollegen am deutschen Parnaß erworben, vorab die Feindschaft des Pastors in Wedel, Johann Rist. Rist und später sein kurz nach 1656 gegründeter *Elbischer Schwanenorden* machten dem *Färtigen*, wie sich Zesen in seiner eigenen Dichter- und Sprachgesellschaft nannte, das Leben nicht leicht[2]. Zesen hatte nach seinem Abgang von den Universitäten Wittenberg und Leiden bald Hamburg zu seiner Hauptwirkungsstätte in Deutschland ausersehen. Von dort pflegte er seine Kontakte nach dem Süden zu den Nürnberger Pegnitzschäfern, zu seiner eigentlichen Heimat, dem Dessauischen, zu den in der Studienzeit erworbenen Freunden und Bekannten, seinen verehrten Vorbildern und Lehrern Buchner und Gueintz, seinem Studienkollegen David Schirmer und zur Fruchtbringenden Gesellschaft. Im Jahr 1654 galt die Aufmerksamkeit des soeben vom Kaiser öffentlich Geehrten den Ostseeprovinzen, in denen sein alter Bekannter, Heinrich Graf von Thurn,

---

*) Der folgenden Abhandlung liegt die vom Verfasser vorbereitete Monographie über Kaspar Stieler zugrunde.

[1] Zesen, Philipp von: *Moralia Horatiana Das ist die Horatzische Sittenlehre/ ...Itzund aber mit neuen reim-bänden gezieret/und in reiner Hochdeutschen Sprache zu lichte gebracht durch Filip von Zesen.* Gedrukt zu Amsterdam... im 1656 Heiljahre. S. 12—13. Das Werk erschien reprographisch vorbildlich wiedergegeben, mit Nachwort und Kommentar von Walter Brauer versehen, in zwei Bänden 1963 im Guido Pressler Verlag, Wiesbaden.

[2] vgl. zu diesem Fragenkreis Dissel, Karl: *Philipp von Zesen und die Deutschgesinnte Genossenschaft.* Progr. des Wilhelm-Gymnasiums zu Hamburg. Hamburg 1890, S. 27ff., S. 41f.

eine einflußreiche Position erlangt hatte[3]. Thurn, den Zesen am 1. Mai 1645[4] mit dem Beinamen der *Siegende* in die *Deutschgesinnete Genossenschaft* aufgenommen hatte, war Statthalter in Estland geworden. Man ist über die Einzelheiten dieses Aufenthalts nicht informiert, doch sicher wird Zesen mit Freude aufgebrochen sein, um in der Nähe seines bedeutenden Freundes den Zank des Alltags zu vergessen. Vielleicht erhoffte er sich auch neue Anschlußmöglichkeiten an die Poeten des Königsberger Dichterkreises. Freilich, einen feierlichen Empfang, wie er Opitz von den Dichtern der Kürbshütte 1638 zuteil geworden war, und eine spontane Aufnahme seiner Lehren durfte Zesen nicht mehr erwarten, denn die lockere Vereinigung hatte längst den Höhepunkt ihrer Bedeutung überschritten: Johann Stobaeus, Valentin Thilo der Ältere, Robert Roberthin und Heinrich Albert waren schon gestorben, Simon Dach erkrankte 1654 schwer. Einzig Johann Peter Titz (1619—89), der den Königsbergern nahestand, und der bekannte Professor der Rhetorik an der Universität Königsberg, Valentin Thilo der Jüngere (1607—62), führten das Erbe der älteren Generation fort, der eine als getreuer Schüler von Opitz in Danzig, der andere als beliebter Lehrer und anerkannter Kirchenlieddichter in Königsberg. Eine Reihe dritt- und viertrangiger Poeten, die sich ebenfalls als Nachfolger der großen Königsberger Meister fühlten, darf in unserem Zusammenhang übergangen werden. Unter Thilos Hörerschaft befanden sich in diesen Jahren neben einheimischen Studenten besonders viele Sachsen bzw. Thüringer, ja überhaupt viel akademische Jugend aus dem deutschen Reich, denn nicht nur der Professor der Eloquenz, der gesamte Lehrkörper genoß einen ausgezeichneten Ruf. Es wäre denkbar, daß Zesen für seine poetologischen und sprachtheoretisch-grammatischen Reformbestrebungen nicht auf taube Ohren stieß.

Kaspar Stieler, der am 21. 4. 1653 an der preußischen Hochschule immatrikuliert worden war, könnte den *Wohlsetzenden* — wie Zesen als Mitglied der *Fruchtbringenden Gesellschaft* (seit 1648) genannt wurde — damals kennengelernt haben. Darüber ist zwar nichts bekannt, aber Stieler erinnerte sich in späteren Jahren gern seiner Erlebnisse aus den Königsberger Tagen und bestätigte unter anderem mit einer heiteren Anekdote, daß die Reinheit der deutschen Muttersprache auch in Ostpreußen, das damals noch unter polnischer Oberhoheit stand, keineswegs bagatellisiert wurde:

> Ich erinnere mich hierbey einer Begebnüß/so sich vor vielen Jahren zu Königsberg in Preussen mit dem alten berühmten Theologo, D. Böhmen/Churfürstl. Hofprediger aldar zugetragen: demselben wurde einstmals unter der Predigt in der Schloßkirchen daselbsten auf die Kanzel ein Zedel eingeschoben/worauf geschrieben stunde: auch wird begehret zu bitten vor einen Studiosum, welcher von hier naher Pommern verreiset/die hochteutsche Sprache zulernen: Als er nun übereilet/diesen Zedel abgelesen/Stieß er entrüstet heraus: Dem Teufel auf deinen Kopf wirstu in Pommern die hochteutsche Sprache lernen[5].

---

[3] ebda., S. 41.
[4] ebda., S. 59.
[5] Stieler, Kaspar: *Des Spatens Teutsche Sekretariat-kunstl . . . zum drittenmal auffgeleget.* Franckfurt und Leipzig . . . 1705, Bd. I, S. 673.

Dem alten Stieler, dem *Spaten,* sitzt noch der Schalk im Nacken, wenn er mit Freude am treffenden Spaß in diesem Fall von seiner Beschäftigung mit der deutschen Sprach- und Stilkunst witzig ablenkt. Tatsächlich ist der geschilderte Ulk mit den Sprachreformbestrebungen der Zeit in Einklang zu bringen, denn Stieler studierte damals unter Valentin Thilo und geriet so mitten in die Auseinandersetzungen.

Die Beschäftigung mit der Eloquenz und Stilkunst geht zwischen 1640 und 1665 Hand in Hand mit der Bemühung um eine deutsche Grammatik. Grundlage der z.T. mit leidenschaftlicher Polemik geführten Diskussionen wurde das 1641 zu Köthen erschienene Buch *Christian Gueintzen Deutscher Sprachlehre Entwurf.* Es war durch das Oberhaupt der Fruchtbringenden Gesellschaft, Fürst *Ludwig zu Anhalt-Köthen* (1579—1650), angeregt worden und folgte den Tendenzen der zu dieser Zeit noch im Aufstieg begriffenen Gesellschaft. Fürst Ludwig schickte, wie dies vor den Veröffentlichungen aus dem Kreis der Gesellschafter üblich war, das Manuskript zur Begutachtung an urteilsfähige Mitglieder bzw. an bewährte Fachleute. Opitz und Buchner behandelten den Entwurf des Gueintz zurückhaltend, während Schottel das Werk scharf verurteilte[6] und bessere und genauere Regeln für die Ableitung der Wörter und für die Flexionsformen forderte. Gueintz aber meinte in seiner Verteidigung, daß ein solches Reglement wider allen Sprachsinn sei:

> Alles nach einer Regell machen, ist alles eines haben wollen, das doch auch in der Seel der Menschen nicht ist; Alles so wollen, wie man es sich einbildet, ist eine Einbildung; Sprachen können wir auch nicht machen, sie sindt schon; Aber wie man andere so sie nicht können, lehren wolle, darümb sind Regeln erdacht[7].

Trotz aller Gegner blieb die Grammatik des Gueintz die von der Fruchtbringenden Gesellschaft autorisierte Sprachlehre; daran vermochte auch Schottels 1641 erschienene, den Zwist weitertragende *Teutsche Sprachkunst* nichts zu ändern. Weiteren Zündstoff für die heftigen Auseinandersetzungen, die sich bald über ganz Mittel- und Norddeutschland ausbreiteten, bot die ebenfalls auf Veranlassung der *Fruchtbringenden Gesellschaft* 1645 erschienene *Deutsche Rechtschreibung* von Gueintz. Mit ihrer sehr positiven Stellungnahme zur Eindeutschung von Fremdwörtern übte sie größten Einfluß auf den jungen Philipp von Zesen, den Schüler des Gueintz, aus. Zesen warb für die Ansichten seines Lehrers, indem er sie seinem eigenen sprach- und stiltheoretischen Lehrgebäude zugrunde legte und überdies ihr Studium empfahl. Auf die Frage „Aber wie sol man es dan angreifen/ wan man eine guhte flüßige rede von der hand hinschreiben wil/ die die beste ist/ und den wenigsten gebrechen unterworfen?" läßt er in seinem *Rosen-mând* (Hamburg 1651, ebda., S. 200) Mahrhold sehr eindeutig antworten:

> Erstlich mus man die besten hoch-deutschen bücher/als des Großen Luters schriften und sonderlich die übersetzung der H. Schrift/die Reichs-Abschiede/die übersetzung

---

[6] vgl. Schottels Gutachten in: *Der Fruchtbringenden Gesellschaft ältester Ertzschrein.* Hrsg. v. G. Krause, Leipzig 1855, S. 246—253.

[7] ebda., S. 253; vgl. auch Schultz, H.: *Die Bestrebungen der Sprachgesellschaften des 17. Jahrhunderts für die Reinigung der deutschen Sprache.* Göttingen 1888.

des Französischen Amadieses/ von den alten: von den neuen aber für allen Arnds
schriften/und dan Buchnern und Opitzen/darnach die zu Köthen ausgefärtigte
bücher/weil man sich darinnen sonderlich beflissen/rein und unvermischt deutsch zu
schreiben/mit fleis und reiffem uhrteil/ja so reif als es einem verliehen/durch und
durch betrachten.
(Diesen Hinweis verdanke ich Herrn Dr. Ferdinand van Ingen, Amsterdam.)

Die Parteien erkannte man schließlich auch an der Orthographie, so schrieben
z. B. die Anhänger des Gueintz gleich ihrem Meister *deutsch* — ein prominentes
Beispiel ist Zesens *Hoch-deutscher Helikon* (1640, ³1649); die Parteigänger Schottels schrieben *teutsch* in der Überzeugung, die nach ihrem Meister richtige Etymo-
logie des Wortes auch im Schriftbild sichtbar machen zu müssen[8]. Der *Färtige*
war aber mit seiner eigenen Erklärung schnell zur Stelle und wollte es sich nicht
versagen, sie in den 1645 zu Amsterdam bei Elzevihr erschienenen Roman *Adriatische Rosemund* (ebda., S. 251ff.) gleichsam als Bildungselement aufzunehmen;
dort bespricht er in dem „Kurzen entwurf der alten und izigen Deutschen" auch
diese Frage und läßt damit Markhold „seine Schöne", d. h. Rosemund, „ . . . ver-
gnügen":

. . . Es wärden aber, fohr das ehrste, di Deutschen Twiskonier, das ist, di-Askanier ge-
nännet, von dem Twiskon, oder Tuaskon, ihrem Vater und uhrhöber, . . .

Mit der Erkenntnis des Urwortes *di-Askanier* war für Zesen das Problem gelöst
und die Richtigkeit seiner Schreibung von *deutsch* erwiesen.

Die Sprach- und Dichtergesellschaften, die im Gefolge der Fruchtbringenden
um die Mitte des 17. Jahrhunderts besonders in Norddeutschland erblühten, trugen die Auseinandersetzungen weiter: in Hamburg Philipp von Zesens *Deutschgesinnete Genossenschaft,* in Lübeck Johann Rists *Elbschwanenorden.* Die Königsberger um Simon Dach werden sich nicht ausgeschlossen haben, vor allem nicht
Valentin Thilo, der ja schon von Berufs wegen Stellung zu beziehen hatte. Wenn
also Stieler am Schluß seiner in Hamburg verfaßten Vorrede zur *Geharnschten
Venus* dem Leser etwas „auff gut Deutsch hiermit zu verstehen geben"[9] wollte, so
kann man leicht erkennen, wes Geistes Kind und Schüler er in dieser Zeit gewesen
sein muß. Getreulich schließt er sich — übrigens wie seine Freunde (vgl. deren
„Zuschreiben" zur Liedersammlung) — auch weiteren orthographischen Neuerungen
an, die Zesen längst kultiviert hatte. So schreibt er für ein einfaches *k* oder *ck* — *kk*
(z. B. *Blikke, Unglükks-stand', Zukker-dokke* etc.) und für einfaches *z* oder *tz* —
zz (z. B. *Wizz, schüzzet, sizzest, Wezz-stein, schwazzt, trozzen* etc.). Daß dann
ausgerechnet im zweiten Lied des ersten Zehens, das voll ist von solchen Moder-
nitäten (vgl. schon den Titel „Liebe/der Poeten Wezz-stein"), im dritten Vers der

---

[8] vgl. Stieler, Kaspar: *Der Teutschen Sprache Stammbaum und Fortwachs . . Samt
einer Hochteutschen Letterkunst . . .* Nürnberg 1691, Sp. 308/309, und Schottel, Justus
Georg: *Ausführliche Arbeit Von der Teutschen HaubtSprache,* Braunschweig 1663, S.
36f.

[9] Stieler, Kaspar: *Die Geharnschte Venus oder Liebes-Lieder im Kriege gedichtet,*
krit. Ausgabe, hrsg. v. Herbert Zeman, mit Beiträgen von Kathi Meyer-Baer und Bern-
hard Billeter, Kösel-Verlag, München 1968; im folgenden zitiert als GV.; ebda., S. Aviᵛ.

sechsten Strophe die „unzesensche" Form „Teutschland" erhalten blieb, spricht dafür, daß sich Stieler den neuen orthographischen Gegebenheiten erst in Hamburg anzupassen lernte.

Nachdem J. G. Schottel 1660 in sprachlichen Fragen auch bei den Fruchtbringenden durch seine *Ausführliche Arbeit Von der Teutschen HaubtSprache* (Braunschweig 1663) Autorität wurde, verschwanden diese Neuerungen langsam. Und dann schreibt Stieler seinen *Teutschen Sprachschatz* (1691) ganz im Gefolge des Wolfenbütteler Gelehrten und wendet sich mit seiner Grammatik und seinen Briefstellern schroff von den „Jugendverirrungen" ab.

Für Stieler sollten die ruhige Zeit des Studierens an der Königsberger Universität und die allmählich sich zeigende dichterische Entwicklung jäh unterbrochen werden[10], denn er wurde bald, wie viele seiner Kollegen, in die seit 1654 schwelenden Konflikte zwischen Brandenburg, Schweden und Polen gezogen. 1656 nahm er als Soldat des Großen Kurfürsten an der blutigen Schlacht von Warschau im Verband des schwedisch-brandenburgischen Heeres teil und zeichnete sich in den furchtbaren Kämpfen derart aus, daß er vom einfachen Auditeur (Kriegsschultheiß) bis zum Capitän-Leutnant avancierte. Diese Kriegserfahrung, eine kurze, glückliche Liebe und der schmerzliche Abschied von der Geliebten fanden Eingang in Stielers erste und einzige weltliche Liedersammlung, der er in diesem Sinne mit vollem Recht den Titel *Die Geharnschte Venus oder Liebes-Lieder im Kriege gedichtet* gab:

> Ich heisse sie darumb die Geharnschte Venus / weil ich mitten unter denen Rüstungen im offenen Feld-Läger / so wol meine / als anderer guter Freunde / verliebte Gedanken / kurzweilige Begebnüsse / und Erfindungen darinnen erzehle nicht etwan ein Lob darmit zu erjagen / (sintemahl / alles / was du siehest / gleichsahm auff der Flucht gemacht worden / und daher seine Entschüldigung auch bey den Scharffsinnigsten verdienet) sondern dir zubeweisen / wie die Heer-Trompete nicht so gar alle Musen verjagen könne[11].

Wirklichkeitsgetreu scheint der Dichter die wichtigen, oben erwähnten zentralen Erlebnisse seines Aufenthaltes in Ostpreußen zu „erzählen". Die historisch folgerichtig „erzählten" bzw. lyrisch gestalteten Stellen der *Geharnschten Venus* ziehen sich als Verbindungselemente der sieben Zehen und der in ihnen gruppierten Lieder durch die ganze Sammlung. Der Erzählfaden wird durch die — Intermezzi gleichenden — Lieder des zweiten, fünften und siebten Zehens spielerisch unterbrochen. Auf diese für die Zeit künstlerisch ungewöhnlich hochstehende Formung kann hier nicht näher eingegangen werden[12]. Die letzte vollendende Arbeit des jugendlichen Dichters scheint nicht mehr in die Königsberger Zeit gefallen zu sein.

[10] Zu diesem Fragenkreis wird die vorbereitete Monographie viel neues Material bieten. Auch der Fund eines bisher unbekannten Jugendgedichtes von Stieler, auf das jüngst Martin Bircher aufmerksam machte, hat neue Hinweise gebracht; vgl. Bircher, Martin: Ein neu aufgefundenes Frühwerk von Kaspar Stieler, in: *Typologia Litterarum*, Festschrift für Max Wehrli, Zürich und Freiburg i. Br. 1969, S. 283—297.

[11] GV., Vorrede, Aiij^v — Aiiij^r.

[12] Wieder muß auf die zukünftige Monographie verwiesen werden. Vgl. hierzu die Ausführungen Albert Kösters in seinem berühmten Büchlein: *Der Dichter der Geharnschten Venus. Eine litterarhistorische Untersuchung von Albert Köster. Marburg 1897.*

Stieler ist wohl im späten Frühling 1657, nachdem er den Kriegswirren glücklich entronnen war, in seine Heimatstadt Erfurt zurückgekehrt. Vielleicht hat er in den wenigen Monaten seines Aufenthaltes im Vaterhaus noch manches Lied der *Geharnschten Venus* gedichtet, vielleicht hat sich erst dort die Gestaltung der bis dahin vollendeten Lieder zu einer geschlossenen, logisch entwickelten Sammlung in ersten Ansätzen ergeben. Man weiß es nicht. Stieler weilte — wie schon gesagt — nur kurze Zeit zu Hause, denn am 20. August bezeugt er den Abschluß der „Zuschrifft" zum siebten Zehen der Liedersammlung in Hamburg.

In der Hansestadt entfaltet Stieler, der sich in der *Geharnschten Venus* hinter dem Pseudonym *Filidor der Dorfferer* verbirgt, eine große Betriebsamkeit. Hintereinander verfaßt er die Widmungsgedichte an seine Freunde, datiert sie auf den Tag genau und stellt sie den Zehen voran: Lezteres Zehen (20. August 1657), Zweytes Zehen (21. August 1657), Drittes Zehen (21. August 1657), Viertes Zehen (30. August 1657), Sinnreden (30. August 1657), Fünfftes Zehen (1. September 1657), Sechstes Zehen (10. September 1657), Erstes Zehen (20. Oktober 1657), Zugabe (o. D.). Es fällt auf, daß Filidor anscheinend alle Gruppen in schnellster Weise vollendete; vom 20. August bis zum 10. September stellte er die Zehen zwei bis sieben und die Sinnreden zusammen. Dafür mußten die Lieder im Sommer 1657 nahezu druckfertig ausgearbeitet gewesen sein. Einzig das erste Zehen dürfte noch Schwierigkeiten bereitet haben: Filidor suchte nach einer poetischen Einführung in die Themen und in die Gestaltungsweise der Sammlung. Erst zuletzt — vermutlich in Hamburg — mag er die diesem Ziele dienenden ersten drei Lieder des ersten Zehens gedichtet haben. Die verspätete abschließende Datierung der Widmung mit dem 20. Oktober hat vielleicht darin ihren Grund. Albert Köster wies darauf hin, daß die drei Gedichte das Thema des bekannten ersten Anacreonteums in traditioneller Art variieren[13]. Darüber hinaus sind sie aber auch der römischen Literatur — das erste Gedicht Horaz, carmen 1,6 und carmen 2,12 sowie Properz 2,1 17—50, das zweite (besonders die Strophen 1—7) Properz 2,1 1—43 — und der eigenen deutschen Tradition verpflichtet[14]. Darauf soll noch genauer an anderer Stelle eingegangen werden. Es folgt das eigenschöpferische und wahrscheinlich mit autobiographischem Bezug gestaltete vierte Gedicht „Seiner Liebe Anfang". Daran schließen sich das fünfte Lied „Wer küßt die greisen Haare?" und als sechstes das oft zitierte, gern in Anthologien abgedruckte und von Herbert Cysarz bereits interpretierte Gedicht „Der Haß küsset ja nicht"[15]. Zeigt sich im ersten der beiden Gedichte über die römische Vorlage, nämlich

[13] Köster, s. Anm. 12, ebda., S. 31f.

[14] vgl. hierzu die im Anhang zur kritischen Ausgabe zusammengestellten lateinischen Vorbilder der Liedersammlung, GV., Anhang, S. 68—70. Trotzdem bleibt es ein Problem, ob Stieler in den meisten Fällen direkt aus den lateinischen Quellen schöpfte; oft werden deutsche, italienische und französische Traditionen als Zwischenträger gedient haben. So ist z. B. gerade das erste Lied auch nach dem Vorbild von Martin Opitz gedichtet. Max von Waldberg hat für diesen Fall — ohne auf die *Geharnschte Venus* einzugehen — die wichtigen Nachahmungen in seinem grundlegend gebliebenen Buch: *Die deutsche Renaissance-Lyrik*, Berlin 1888, auf den Seiten 120 ff. zusammengestellt.

[15] Cysarz, Herbert: Drei barocke Meister. In: *Gedicht und Gedanke*, Auslegung deutscher Gedichte. Hrsg. v. Heinz Otto Burger, Halle a. S. 1942, S. 78—84.

Catulls berühmtes carmen V „Vivamus mea Lesbia", hinaus in der Sprach- und Formgebung ein deutlicher Einfluß David Schirmers, des Freundes von Zesen, so tritt Filidor im zweiten Lied direkt in die Tradition des *Wohlsetzenden* ein. Im Thema knüpft „Der Haß küsset ja nicht" an das vorhergehende „Wer küßt die greisen Haare?" an. Die erste Strophe dieses sechsten Liedes der *Geharnschten Venus* fängt im poetischen Bild das Liebesglück ein:

1.

Die ernstliche Strenge steht endlich versüsset/
  die qweelende Seele wird einsten gesund.
Ich habe gewonnen/ich werde geküsset/
  es schallet und knallet ihr zärtlicher Mund.
  die Dornen entweichen/
  die Lippen verbleichen/
indehm sie die ihre den meinen auffdrükkt.
Ich werd' auß der Erde zun Göttern verschikkt[16].

Herbert Cysarz hat das vierstrophige, daktylische Lied mit dem ihm eigenen Schwung in Stil und Idee interpretiert. Vielleicht vermögen nunmehr einige neue Gesichtspunkte und vor allem die Einbeziehung der Abhängigkeit von Zesen manche Ergänzungen zu bringen. Cysarz bekräftigt den Eindruck, den man schon beim Kennenlernen der bisher erwähnten Gedichte gewann: mit dem schulmäßigen und versuchsartigen Dichten von Opitz hat auch dieses Lied wenig zu tun. Vor allem fällt das sonst in der Liedersammlung nicht vorkommende Metrum des Daktylus auf, das zwar Opitz schon theoretisch kurz behandelt hatte[17], aber erst von Zesens Lehrer Augustus Buchner durch die *Anleitung Zur Deutschen Poeterey* (1665)[18] mit durchschlagendem Erfolg in die deutsche Literatur eingeführt wurde. Philipp von Zesen setzte sich mit seiner Poetik, David Schirmer mit zahlreichen Gedichten für die Verbreitung des Versmaßes ein. Selbstverständlich hat auch Zesen für eigene poetische Beispiele gesorgt. Er war im übrigen der einzige Anhänger der Gueintzschen Grammatik und der Buchnerschen Poetik, der die darin ausgesprochenen Ideen und Ansichten bedingungslos übernahm und übersteigerte. Zudem hingen seine Jünger den von ihm verbreiteten Lehren mit einem derartigen Fanatismus an, daß er selbst über Gebühr angefeindet wurde. Nicht nur den Unwillen der Fruchtbringenden Gesellschaft bekam Zesen zu spüren, selbst Gueintz und Buchner zogen sich von ihm zurück[19].

---

[16] DV., S. 21 f.

[17] Opitz, Martin: *Buch von der Deutschen Poeterey,* hrsg. v. Wilhelm Braune und Richard Alewyn, in: Neudr. dt. Litw., N. F., Tübingen 1966, S. 38.

[18] Buchner, August: *Anleitung Zur Deutschen Poeterey.* [posthum] ed. Othone Praetorio, Wittenberg 1665, hrsg. v. Marian Szyrocki, Tübingen 1966, in: *Deutsche Neudr. Reihe Barock;* die Poetik war schon in den vierziger Jahren des 17. Jahrhunderts handschriftlich verbreitet.

[19] vgl. Borcherdt, Hans Heinrich: *Augustus Buchner und seine Bedeutung für die deutsche Literatur des 17. Jahrhunderts.* München 1919, S. 156ff. und 169ff.

Der ehrgeizige und kompromißlose *Färtige* mußte dem jungen Stieler imponiert haben. In Hamburg trat dieser dann vielleicht mit Zesen, sicherlich aber mit seinen Freunden in Verbindung und hat sich wahrscheinlich den sprachlichen und literarischen Neuerungen aufgeschlossener gezeigt, als ihm später als Mitglied der Fruchtbringenden Gesellschaft lieb gewesen sein mochte. Die orthographischen Besonderheiten hat er jedenfalls übernommen, darüber hinaus auch Zesens bekannte Verdeutschungen. Unter den Zuschreiben „Guter und lieber Freunde" sprach der nicht weiter identifizierbare „Nedte" in seinem Gedicht — das selbstverständlich mit den *kk* und *zz* versehen ist — von der Venus als „Liebinne", und Stieler nennt sie ebenfalls in Zesenscher Manier im neunten Lied des dritten Zehens („Wahrer Traum") — „Liebes-reizinn" (5. Strophe, v. 4). Wahrscheinlich stand zumindest einer der vier hinter Anagrammen und Pseudonymen bis heute verborgen gebliebenen Freunde der *Deutschgesinneten Genossenschaft* bzw. Zesen nahe[20]. Einzig der Drucker der Sammlung, Michael Pfeiffer, ist mit Zesen eindeutig in Verbindung zu bringen, denn ihm widmete er ein bekanntes Gedicht: *Gebundene Lob-Rede Von der Hochnütz- und Löblichen zweyhundert Jährigen Buchdrückerey-Kunst ... Bey Volckreicher Versamlung und Einführung eines neuen Drücker-Gesellens Michael Pfeiffers, öffentlich gehalten* (Hamburg 1642). Auf Pfeiffer mag manche orthographische Anregung zurückgegangen sein. Übrigens ist er als Hamburger Drucker keineswegs unbekannt, denn schon 1651 druckte er dort *Johann Kristoff Görings von wenigen Sömmern aus Tühringen Liebes-Meyen-Blühmlein oder Venus-Rosen-Kräntzlein*, ein beliebtes Liederbuch, das auch auf Filidors Sammlung beträchtlichen Einfluß ausgeübt hat.

Im vorliegenden Lied „Der Haß küsset ja nicht" wird der Daktylus in einer Art angewendet, die man zu dieser Zeit eigentlich nur von Zesen übernehmen konnte. Zesen hatte eine spezifische Verbindung jenes Versmaßes mit dem eigentümlichen lautmalerischen Effekt, wie er in der schon wiedergegebenen ersten Strophe des Stielerschen Gedichtes entgegentritt, zuerst kultiviert. So ist z. B. das zwanzigste Gedicht des *Hochdeutschen Helikons* ([3]1649), ein „Gegenhüpfendes Hochzeitlied", ganz ähnlich versifiziert (das Lied findet sich im dritten Buch):

I.

WAs seh' ich/ was hör' ich die lüfte durch-streichen?
ach! kommet / Her Bräutigam sehet üm euch.
ach! sehet die flammen / die zeichen ingleichen/
wie praalen die strahlen: ich werde fast bleich:

---

[20] Einzig das Anagramm Martin Posners („Mit Meiner Person") konnte durch Albert Köster gelöst werden. Daß der Gesellschaftsname „Nephelidor" dem kaiserlich gekrönten Poeten und Mitglied des Elbschwanenordens, Johannes Wolke, zukam, war eindeutig. Die vier weiteren Freunde, die ihre Gedichte ebenfalls mit Anagrammen und Pseudonymen zeichneten, blieben bis heute verborgen. Stieler-Filidor wollte es sich zweifellos weder mit der *Deutschgesinneten Genossenschaft* noch mit dem *Elbschwanenorden* verderben.

Es zittern die glieder
wie flittern / ein ieder
verwundert sich sehr;
es nahen die strahlen ie mehr- und mehr.

Allerdings gibt es, abgesehen von metrischen Äußerlichkeiten (z. B. „hinkt"
der letzte Vers), einen großen Unterschied: bei Filidor gewinnt jeder Binnenreim,
jede lautmalende Geste Bedeutung und tieferen inhaltlich-gehaltlich aufbauenden
Sinn. Es wird nicht nur sinngemäß vom vorhergehenden fünften Lied mit der von
Catull abgeschauten Kußaufforderung zur Liebeseligkeit dieses Liedes übergelei-
tet, sondern — entgegen den Zesenschen Versen — jedem einzelnen Bild der ersten Strophe eine ganz bestimmte Zielgerichtetheit gegeben. Zesens Lied hat von
vornherein eine andere Funktion zu erfüllen, und ein weiterer Vergleich der beiden Gedichte erscheint daher unangebracht. Immerhin zeigt sich nun deutlich,
daß Stieler unter Übernahme einer vorgegebenen *Form* zu einer neuen *Gestaltung*
durch eine neue Gehalts- und Funktionsvermittlung gelangt. Cysarz hat diese
Unmittelbarkeit des Ausdrucks ebenfalls hervorgehoben, ohne auf die Zusammenhänge mit Zesen einzugehen. Er glaubt einen „Urzustand der dichtenden,
singenden, gefühlsbeglückten und eingebungsmächtigen Seele" in dem vom Dichter in „schäferlicher Maske" vorgetragenen Liebeslied zu erkennen[21]. Man mag
dazu stehen, wie man will, aber die Art der Anwendung der Bilder und ihr
Inhalt sprechen für eine große Echtheit des Gefühls. Aus der beglückenden Verbindung der Liebenden werden — man vergleiche die erste Strophe — die ersten
nur aus dieser Beziehung gewonnenen Bilder entwickelt: „Die ernstliche Strenge
steht endlich versüsset . . .", „die Dornen entweichen . . ."; selbst in diesem zweiten Bild scheint Stieler die Gesamtkomposition und Aneinanderreihung der Lieder
nicht aus dem Auge verloren zu haben, denn „die Dornen entweichen . . ." erinnert an das Rosengleichnis des vorangegangenen Gedichtes. Der Eindringlichkeit
solcher sozusagen aus der Intimsphäre des Liebeserlebnisses geschöpften Anschaulichkeit dient das lautmalende „schallet und knallet" des vierten Verses; dem empfundenen Glück entsprechen die beiden Bilder der Kurzverse: „die Dornen entweichen", „die Lippen verbleichen", die selbst wieder zusammengenommen einen
— wie in den Langzeilen verwendeten — daktylischen Vers ergeben. Durch die
Aufteilung in zwei Kurzverse und die auf einem zentralen Vokal verharrenden
Binnenreime erreicht der Dichter jenes bildlich-sinngemäße Retardieren, das dem
ausgesprochenen Gefühl in der Stilgebung eine neue Nuance verleiht. Nach der Darstellung des Glücks in der ersten Strophe folgt die traditionelle Kontrastierung
mit dem Neid der Umwelt:

2.

Ihr klagende Plagen steht jetzo von fernen/
es fliehe der ächzende krächzende Neid!

[21] Cysarz, s. Anm. 15, ebda., S. 79.

Mein Gang ist gegründet auch über die Sternen
    ich fühle der Seeligen spielende Freud'.
        Es flammen die Lippen.
        Die rößlichte Klippen
    die blühen und ziehen mich lieblich an sich.
Was acht' ich dich Honig! was Nektar-wein dich!

                                    3.

Durch dieses erwieß es ihr süsses Gemühte/
    sie wolle / sie solle die Meinige sein.
Nu höhn' ich der Könige Zepter und Blüte/
    mich nimmet der Vorraht Eufrates nicht ein.
        Kan ich sie nur haben:
        was acht' ich der Gaben
    der siegenden Krieger im Kapitolin
    die durch die bekränzeten Pforten einziehn!

                                    4.

Ich habe die Schöne mit nichten gewonnen
    mit Solde von Golde / mit Perlenem Wehrt/
und scheinenden Steinen in Bergen geronnen/
    den Tyrischen Purpur hat sie nie begehrt.
        die Zeilen/die süssen
        aus Pegasus Flüssen
    die haben ihr härtliches Hertze gerührt:
    Nu stehet mein Lorber mit Myrten geziert.

Die Funktion der Zurückhaltung des Themas im Bild (vgl. Strophe 2 und Strophe 4) bzw. des Überleitens von der einleitenden ‚Situationsdarstellung' jeder
Strophe (vgl. die ersten vier Verse jeder Strophe) zum abschließenden Kommentar (jeweils die Verse 7 und 8) wird durch das ganze Lied bewahrt. Aus der persönlichen Sphäre der ersten Strophe steigt die Bildersprache auf zum literarisch
tradierten Bildbereich „es fliehe der ächzende krächzende Neid!", bleibt aber
noch ganz innerhalb der im Deutschen empfundenen Atmosphäre. Erst in der
dritten Strophe steht dann die beseligende Gegenwart des geliebten „Du" bereits
der antiken Mythologie und dem antikisierenden — expressis verbis — eingeführten Bild gegenüber (die Verse 1 und 2 kontrastieren mit den Versen 3 und 4, Vers
5 mit den folgenden), um schließlich die Mitte der vierten Strophe einzunehmen
und mit dem schon in der Überschrift zum dritten Gedicht „Ist es kein Lorber-
so sey es ein Myrten-Krantz" angeklungenen Bild „Nu stehet mein Lorber mit
Myrten geziert" zu schließen.
    Herbert Cysarz hat mit viel Intuition die dichterische Persönlichkeit Filidors,
wie sie in der Ode zum Ausdruck kommt, folgendermaßen charakterisiert: er sei

„ein Kavalier, der den Theokrit und den Vergil gelesen hat, den Anakreon und den Properz, vielleicht auch des Longos blau-goldenen Paradiesroman von Daphnis und Chloë"[22]. Man weiß nur — unabhängig von diesem Pauschalurteil —, daß Stieler gebildet war. Als er 1657 in Hamburg weilte, mußte er des Lateinischen und Griechischen bereits mächtig gewesen sein. Den Vergil zu lesen war stillschweigende Verpflichtung für ihn wie für jeden humanistisch Gebildeten, *Daphnis und Chloë* des Longos hat er vielleicht aus direkter, vielleicht aus indirekter Quelle gekannt. Viel wichtiger mußten ihm als Vorbilder die Dichtungen des Theokrit, Anakreon und Properz gewesen sein. Einflüsse von Properz, Catull, Horaz, Ovid, Martial und Tibull sind ohne Schwierigkeiten nachzuweisen[23], Theokrits und Anakreons Spuren lassen sich hinter dem Vordergrund der römischen Poeten nur schwer identifizieren. Am Beginn des zweiten Zehens schreibt Filidor in der Zuschrifft:

> Wo mich kan ein Beyspiel schüzzen/
>   zieh' ich die Poeten an/
>   die dergleichen auch gethan
>   mit Ergezzen und mit Nüzzen[24].

Zwar führt diese Stelle die „Poeten" im einzelnen nicht an und paraphrasiert im übrigen bloß das bekannte „prodesse aut delectare" des Horaz, aber Filidors Freund Chirander hatte schon in seinem Zuschreiben versichert, daß der Dichter keine Angst vor dem Neid zu haben brauche, denn Catull, Tibull, Properz, Vergil, Horaz und Ovid seien ebenfalls durch ihre Liebesgedichte berühmt geworden. Auch für „Der Haß küsset ja nicht" lassen sich lateinische Vorbilder nachweisen. Klingt schon in der ersten Strophe mit „Ich habe gewonnen/..." die Properzstelle I, 8b, 28 mit dem Kennwort „vicimus" an, so gipfelt die Treue der Vorlage gegenüber in der wörtlichen, jedoch durch die Bildhaftigkeit glänzend gelösten Übersetzung von Properz I, 8b, 29 „nunc mihi summa licet contingere sidera plantis" mit „Mein Gang ist gegründet auch über die Sternen". Stielers Kunst ist es, auch hier trotz aller Abgerundetheit des Bildes den lyrischen Atem durchzuhalten und sein Gefühl gleichsam am jenseitigen Empfinden der „Seeligen" zu messen. Die dritte Strophe bringt im dritten Vers einen Allgemeinplatz der römischen und aller davon abhängigen Literaturen und führt noch dazu zwei antikisierende Bilder ein. Erst die vierte Strophe paraphrasiert — wieder in engster Anlehnung — Properz I, 8b, 39—43, wobei die schönste Leistung die Übertragung und Anverwandlung des lateinischen Satzes „hanc ego non auro, non Indis flectere conchis, sed potui" ist. Der sprachlich kunstvoll gestaltete Zweizeiler mit Binnenreim und Enjambement:

> Ich habe die Schöne mit nichten gewonnen
>   mit Solde von Golde/ mit Perlenem Wehrt/

---

[22] ebda.
[23] s. GV., Anhang, S. 68—70.
[24] GV., Zuschrift zum zweiten Zehen, v. 17—20, S. Cxij[r].

zeigt einmal mehr die formale Beeinflussung Zesens. Den Rat, den der *Färtige*
in seinem *Hoch-deutschen Helikon* in der sechsten Stufe der „Helikonischen un-
ter-treppe" im Zusammenhang mit der Anwendung der „färtigen Dattel-ahrt"
ausgesprochen hatte, nahm sich Filidor zu Herzen. Zesen schrieb:

> Solche verzukkerung durch die mittel-reime kan in allen lieder-reimen / sonderlich
> in der Dattel- und Palmen-ahrt / über-al und zu allen zeiten stat finden / dan ie
> mehr reim-worte darinnen zu finden seind / ie lieblicher und anmuhtiger seind sie
> zu hören / zu lesen / und zu singen.

Man muß genau zusehen, um Filidors bis ins Letzte ausgewogenes sprachliches
Gestaltungsvermögen in den Griff zu bekommen, denn die eben besprochenen
Verse gehen weiter: trotz der Virgel am Ende des zweiten Verses setzt sich die
Bindung weiter fort zu dem Bild der „scheinenden Steine". Nun kommt der
Kunstgriff: die Verneinung des ersten Verses mit dem „ich" an der Spitze leitet
die Passage ein und schließt mit der einstimmenden Verneinung und dem „sie"
am Ende; damit stellt sich die vollendete Verbindung des „ich" mit dem „du" in
der Übereinstimmung der Seelen vor.

Man wird das Lied mit Berechtigung jenem virtuosen Gestalten im Anschluß
an Zesen zurechnen dürfen, von dem Günther Müller in seiner „Geschichte des
deutschen Liedes" spricht[25]. Nur muß man sich hüten, diese Art der Gestaltung
für das ganze Liederbuch als verbindlich anzunehmen. Es ist der Reiz der
Liedersammlung, daß sie viele literarische Traditionen und Einflüsse vollendet
anverwandelt, die durch eine starke Gestaltungskraft des Dichters zu selbständi-
gem Leben erweckt wurden. Die Bedeutung der *Geharnschten Venus* liegt unter
anderem darin, daß Eigenes und Überkommenes durch ein bewußt formendes
Dichtertalent gebändigt werden und weder manieristisches Wort- und Reimge-
klingel, noch vom Volksliedhaften abgleitende Plattheit und Farblosigkeit anzutreffen sind, — selbst dort nicht, wo Filidor hie und da Gedichte einfügt, um
offensichtliche Lücken abzudichten wie im zweiten oder fünften Zehen. Sicherlich
hat die Wechselwirkung zwischen Dichtung und Musik zu dieser bändigenden
Ordnung wesentlich beigetragen[26]. Dazu kommt aber noch die unbekümmerte
Natürlichkeit des jungen Studenten Stieler. Er gesteht selbst:

> hat Opiz/Flemming doch und Rist erst so geschrieben/
> Daß diese Männer sich im Dichten mehr gezwungen/
> gesteh' ich gern. Mir ist das Urtheil all zu schwach/
> so bald der Eyfer wird in meiner Feder wach/
> denn weiß ich keinen Halt. Katull hat so gesungen/
> sein Leben ward gelobt . . .[27].

Wahrscheinlich hat Stieler absichtlich den Namen Zesens unerwähnt gelassen.
Interessant ist, daß er diese „Zuschrifft" einem Hamburger widmet, „Dehm Be-

---

[25] Müller, Günther: *Geschichte des deutschen Liedes vom Zeitalter des Barock bis
zur Gegenwart.* München 1925, S. 92ff.
[26] Cysarz, s. Anm. 15, ebda., S. 8.
[27] GV., Zuschrift zum sechsten Zehen, Kxj^v v. 28—32.

forderndem Aegon/ an dem Weltberühmten Elbenstrohme gesessen/". Wer die Sammlung zur Hand nahm, wußte sofort um den Einfluß des *Färtigen* und seiner Getreuen.

Es hat sich gezeigt, daß der Einfluß Zesens und seiner Freunde auf die Gestaltung der *Geharnschten Venus* von den orthographischen Besonderheiten bis zur Übernahme metrischer und stilistischer Formungen reicht. Stielers frühe Dichtungen, die vor der Liedersammlung erschienen waren — nämlich das auf der Heimreise von Königsberg in Danzig entstandene geistliche Gedicht *Christus Victor* und das jüngst aufgefundene Gelegenheitsgedicht aus den Königsberger Tagen (s. Anm. 10), blieben von diesen „Neuerungen" unberührt. Das spricht dafür, daß Stieler sich aus spontaner Begeisterung den Einflüssen Zesenscher Art erst in Hamburg öffnete und seine schon sehr weit gediehene Sammlung diesen erst dort anpaßte. Wollte er nicht das ganze Werk von Grund auf ändern, mußte er sich wohl auf Verbesserungen beschränken, die noch leicht anzubringen waren. So kam es wahrscheinlich zu den orthographischen Korrekturen. Wenn die oben aufgestellte Hypothese, Filidor hätte nach einer poetischen Einführung in die Liedersammlung gesucht, stimmt, wäre im ersten Zehen die beste Möglichkeit gewesen, ein neues Lied einzufügen, denn hier mußte Filidor einige Leerstellen gelassen haben. Daraus mag die Position dieses einzigen daktylischen Liedes „Der Haß küsset ja nicht" innerhalb der siebzig Lieder zu erklären sein. Daß das Gedicht thematisch in der schon dargestellten mehrfachen Verbindung mit den vorausgehenden Liedern steht, bestätigt die These.

Verfolgt man das Leben und Schaffen Kaspar Stielers weiter, dann stößt man tatsächlich auf ein Zeugnis, das die Situation des jungen Dichters in Hamburg in dem rekonstruierten Sinn darstellt und auch die These von der Art der Übernahme Zesenscher Einflüsse zur Gewißheit macht. Darauf wird am Schluß dieser Abhandlung noch zurückzukommen sein.

Stieler weilte wahrscheinlich bis zum August 1658 in Hamburg. Weitere Beziehungen zwischen ihm und der *Deutschgesinneten Genossenschaft* bzw. Philipp von Zesen sind nicht zu ermitteln. Noch 1658 wird er die Hansestadt verlassen haben. Bezeichnenderweise wandte er sich als nächstem Reiseziel Holland zu.

Wann das Manuskript der *Geharnschten Venus* in Druck ging und warum das Liederbuch erst 1660 erschien, also zu einer Zeit, als der Dichter schon längst keine Kontakte mehr zu Hamburg hatte und in Südfrankreich und Italien weilte, ist nicht festzustellen. Die Sammlung wurde sehr beliebt. Bis ins 18. Jahrhundert beschäftigte die Wiederentdeckung des unter dem Pseudonym verborgen gebliebenen Filidor manchen Literaten. Aber erst Albert Köster brachte dann 1897 mit der Enträtselung des berühmt gewordenen Anagramms „Peilkarastres" — Kaspar Stieler die Lösung. Dabei hätte schon ein Vermerk in der vierten und letzten posthum erschienenen Ausgabe von Stielers *Sekretariatskunst* (1726) auf die rechte Spur führen können. Der Herausgeber des Werkes, Joachim Feller, gibt nämlich im Vorbericht einen kurzen Lebensabriß des Spaten und anschließend ein Verzeichnis seiner Schriften; dort nennt er an zweiter Stelle „Filidors, des Dörfeners, geharnischte Venus (so er in Brandenburgischen Kriegs-Diensten gemacht ...)".

16*

Und nun zum Schluß noch zu einem Wort Albert Kösters:

> Stieler hat nie wieder eine Liedersammlung herausgegeben. Übermut und Thatenlust, aufrüttelnde kriegerische Erlebnisse und eine kurze herzliche Liebe hatten den Lyriker in ihm erweckt. Als aber auf Jahre der Unrast die Ruhe folgte, mit Amt und Ehren, Hochzeit und Kindtaufe, da versiegte diese Ader. Mit keiner Silbe hat er in späterem Alter der „Geharnschten Venus" gedacht. Eine Erscheinung, die uns im 17. Jahrhundert so oft begegnet, wiederholt sich bei ihm: er schämte sich seiner poetischen Jugendsünden[28].

Greift man Karl Viëtors Warnung auf, daß man den persönlichen Gehalt „in den Gedichten Flemings, Schirmers, Stielers" usw. nicht überschätzen dürfe[29], so wird auch Kösters ohne Zweifel auf biographische Reflexionen in der Dichtung anspielende Äußerung mit Vorsicht überprüft werden müssen. Köster konnte 1897 noch nicht wissen, daß sich Stielers dichterisches Talent auch in späteren Jahren noch einige Male gezeigt hat, wenngleich höchst selten in der Produktion lyrischer Werke. Als Dramatiker, er verfaßte den größten Teil der sogenannten *Rudolstädter Festspiele* und die beiden Dramen *Bellemperie* und *Willmut*, und als Verfasser eines umfangreichen Lehrgedichtes in Alexandrinern, *Die Dichtkunst des Spaten 1685*, zeigte er immerhin respektable Leistungen und ein ausgesprochenes versifikatorisches Talent. Warum sollte er sich nun ausgerechnet seiner „poetischen Jugendsünden" schämen, in denen er zwar ausdrücklich bekannte, daß sie viel Autobiographisches enthielten, aber mit seinem Leben durchaus nicht zur Deckung zu bringen seien? Köster spricht es nämlich nicht aus, doch aus dem Zusammenhang geht hervor, daß er wohl auf den etwas losen und burschikosen *Inhalt* der *Geharnschten Venus* anspielt. Das wäre vielleicht der Grund für einen Dichter des 18. Jahrhunderts, z. B. für Götz oder Uz gewesen, nicht aber für Stieler, — man denke nur an die keineswegs mit viel auferlegter Zurückhaltung in erotischen Darstellungen geschriebenen zeitgenössischen Liedersammlungen oder an die späteren Gedichte Hofmannswaldaus oder Lohensteins. Was kann also Stieler zu seiner Geheimnistuerei bewogen haben? Der *Spate* beantwortete diese Frage selbst:

> Ich muß zwar gestehen / daß ich anfänglich und in meiner Jugend / nicht allein das kk / sondern auch zz und ander mehr Neulichkeiten in der Schrift angenommen gehabt / und in der blinden Meynung begriffen gewesen / man würde mehr auf mich sehen und von mir halten / wenn ich was sonderliches hervor brächte: nachdem aber solche neugierigkeit mit den jahren vergohren und ich mich mit dem cicerone erinnert / daß das Alterthum heylig zu halten / und darvon ohne höchstdringende Ursachen nit abzuweichen; so muß ich bekennen / daß / so oft ich meine vorige Schreiberey lese / darob einen ekel empfinde und mich meiner misbrauchten Ubereilung schäme[30].

Stieler kann dabei nur an die *Geharnschte Venus* und an seine Hamburger Zeit 1657/58 gedacht haben; denn nur in der Liedersammlung werden die ortho-

---

[28] Köster, s. Anm. 12, ebda., S. 113.
[29] Viëtor, Karl: Probleme der deutschen Barockliteratur. In: *Von deutscher Poeterey*, Bd. 3, Leipzig 1928, S. 13.
[30] Stieler, s. Anm. 5, ebda., Bd. I, S. 53.

graphischen Neuerungen des kk und zz gebraucht. Kösters Wort wird durch Stieler selbst aufs trefflichste bestätigt, nur in einer Weise, die man im ausgehenden 19. Jahrhundert wie in der Gegenwart nicht vermutet hätte: die Orthographie und die Wortbildungen waren es, derentwegen sich der alte Stieler als Mitglied der Fruchtbringenden Gesellschaft schämte.

Stieler hat auch in der 1685 geschriebenen und bereits erwähnten *Dichtkunst* Zesens gedacht. Darin brachte er seine Abneigung gegenüber den Zesenschen Reformen zum Ausdruck. Trotzdem findet er für den Dichter und Poetiker Zesen ein lobendes Wort. Er nennt ihn im Zusammenhang mit den anderen, ihm bedeutend erscheinenden Dichtern des 17. Jahrhunderts:

> Mein Flemming flammt, wie Blitz, in seinen Kunst Sonnetten:
> Der Rist stößt rüstig an des Sions Halltrompeten:
> Chasmindo Oden sind getränkt in Honigseim:
> der Zes' entmenschet sich in seinem Dattelreim,
> den Buchner wiederbracht: . . .[31]

Der Spate hat in diesen Versen sehr genau und treffend die dichterische Art der einzelnen Poeten charakterisiert. Die Verbreitung des Daktylus durch die unermüdliche Arbeit des *Färtigen* und die ursprüngliche Idee seines Lehrers Buchner hätte man nicht besser und bündiger wiederzugeben vermocht, als es Stieler tat. Er wußte ihm Anerkennung zu zollen für eine literarische Leistung, die auch heute neben den Romanen, die in die Barockpoetik üblicherweise nicht aufgenommen wurden, als bedeutendste Arbeit des Rastlosen gilt.

---

[31] Stieler, Kaspar: *Die Dichtkunst des Spaten 1685.* (handschriftlich), v. 93—97. Der Verfasser der vorliegenden Abhandlung bereitet eine Ausgabe dieser noch unveröffentlichten Poetik vor.

Ulrich Maché

JOHANN SEBASTIAN MITTERNACHTS
,BERICHT VON DER TEUTSCHEN REIME-KUNST':
AUSZÜGE AUS ZESENS ,HELICON'

Unter den Poetiken, die nach Opitz' Tode in erstaunlicher Vielzahl auf dem deutschen Büchermarkt erschienen, findet sich ein Büchlein, dessen Entstehung aufs engste mit Zesens *Deutschem Helicon* verknüpft ist. Merkwürdigerweise ist dieses Werk bisher nicht nur den Fachgelehrten so gut wie unbekannt geblieben, sondern auch dem Sammeleifer der meisten Bibliographen entgangen[1]. Wo Mitternachts Poetik in der Sekundärliteratur erwähnt wird, gelten die teils unvollständigen, teils irreführenden Hinweise nicht dem Erstdruck, sondern der zweiten Ausgabe des Werkes aus dem Jahre 1653[2]. Die Existenz einer fünf Jahre früher erschienenen Ausgabe ist jedoch in der Literatur des 17. Jahrhunderts zumindest zweifach belegt. Einmal durch eine von Mitternacht selbst zusammengestellte Bibliographie aus dem Jahre 1670[3], und zweitens durch einen sehr frühen Hinweis in Zesens 1649 erschienenem *Hoch-deutschen Helikon*. Zesen beschreibt dort das Buch als eine Kurzform seiner eigenen Prosodie und erklärt, Mitternacht habe darin seinen »ehrstmahls aus-gefärtigten Helikon in 44 ... Lehr-sätze ... eingeschlossen«[4].

Die in der Fachliteratur fehlenden Hinweise auf die Erstausgabe lassen sich teils auf die Seltenheit des Erstdruckes zurückführen, teils auf den Umstand, daß dieses Werk zunächst anonym erschienen sein mag. Mit Sicherheit läßt sich die Anonymität jedoch nicht nachweisen; denn während eine Umfrage bei allen grö-

---

[1] In keiner der bekannten Bibliographien wird das Werk aufgeführt.

[2] Das Verzeichnis der deutschen Barockpoetiken im *Deutschen Kulturatlas* nennt lediglich das Erscheinungsjahr und den Autor: »1653 Mitternacht« *Deutscher Kulturatlas*. Hrsg. G. Lüdtke und L. Mackensen. Berlin und Leipzig 1929—1936, Bd. III, S. 248. — Bruno Markwardt erwähnt das Werk im ersten Band seiner *Geschichte der deutschen Poetik* (²Berlin 1958, S. 160); allerdings erweckt seine Besprechung den Eindruck, daß er die Prosodie selbst gar nicht gekannt haben kann: schon das Titelblatt (»... aus dem Teutschen Helicon Herrn P. Caesii gezogen ...«) hätte ihn veranlassen müssen, das Werk in die Nachfolge Zesens einzuordnen. Merkwürdigerweise entspricht auch nur die erste Hälfte des von Markwardt angeführten Titels der Vorlage; beim Zitieren der zweiten Hälfte (»... oder Kunst hochdeutsche Verse zu machen«) ist offenbar eine nicht leicht erklärbare Verwechselung mit dem Titel der 1642 in Danzig erschienenen Poetik des Johann Peter Titz, *Zwey Bücher Von der Kunst Hochdeutsche Verse und Lieder zu machen,* vorgefallen.

[3] Im Anhang zu *Rechtschaffener Christen Helm / Schild / und Wapen (Zeist 1670).* Dort Nr. 7: Tractätlein von der Teutschen Reimkunst an. 48. zu Altenburg bey Otto Michaeln / ann. 53. zu Leipzig bey Christian Kirchnern 12«.

[4] *Hoch-deutscher Helikon.* Wittenberg 1649, I, S. D1ᵛ f.

ßeren europäischen und amerikanischen Bibliotheken drei Besitznachweise für die Ausgabe von 1653 erbrachte[5], konnte die Edition von 1648 nirgends nachgewiesen werden. Einen wichtigen Anhaltspunkt für die Beschaffenheit dieses Erstdrucks bietet jedoch eine alte Katalogkarte in der Staatsbibliothek Berlin, auf der diese Ausgabe unter der Signatur Yi 2271R folgendermaßen vermerkt ist: »*Kurtzer, iedoch verhoffentlich deutlicher Bericht … von der teutschen Reime-Kunst: aus dem teutschen Helicon Herrn P. Caesii [Philipp Zesen] gezogen u. in 44 Sätze eingeschlossen. Altenburg: O. Michael 1648. 29 S. 8⁰*«.

Bis auf den Ort und das Jahr des Erscheinens ist der Wortlaut dieser Eintragung fast identisch mit dem Titel der uns erhaltenen Ausgabe vom Jahre 1653: *M. I. S. Mitternachts. Kurzter / iedoch verhoffentlich deutlicher / und zum Anfange gnugsamer Bericht von der Teutschen Reime-Kunst: aus dem Teutschen Helicon Herrn P. Caesii gezogen und in XLIV. Sätze eingeschlossen. Leipzig bey Christian Kirchner / 1653.* — Während jedoch auf dem Titelblatt dieser zweiten Ausgabe Mitternachts Name erscheint, wird dieser auf der Berliner Katalogkarte nirgends erwähnt. Dieser Umstand läßt auf die Anonymität der Erstausgabe schließen; bestärkt wird eine solche Annahme noch dadurch, daß sich im Katalog der Berliner Staatsbibliothek, die ja im Besitz des Erstdruckes war, auch unter Mitternachts Schriften die Eintragung für dieses Werk fehlt. Die ursprüngliche Anonymität dieser Prosodie macht somit begreiflich, warum die Ausgabe von 1648 in der Sekundärliteratur nicht erwähnt wird[6].

Daß Zesen bereits im Jahre 1649 Mitternacht als Verfasser nennt, spricht nicht gegen die mögliche Anonymität der Erstausgabe. Durchaus denkbar wäre, daß Mitternacht Zesen frühzeitig über die Publikation der *Helicon*-Auszüge verständigte. Möglich wäre ferner, daß Zesen durch Freunde oder durch die Mitglieder seiner Sprachgesellschaft sehr bald auf dieses Buch und seinen anonymen Herausgeber aufmerksam gemacht wurde. Auf keinen Fall aber war Mitternacht damals schon näher mit Zesen bekannt oder gar Mitglied in dessen Sprachgesellschaft, wie man irrtümlicherweise aus den Angaben des *Ertzschreins* der Deutschgesinnten Genossenschaft schließen könnte[7].

[5] Je ein Exemplar befindet sich im Besitz der Württembergischen Landesbibliothek Stuttgart (Sign.: Phil. 8⁰ K 361), der Bayrischen Staatsbibliothek München (Sign.: 2/Jur. is 35) und der Universitätsbibliothek Breslau (Sign.: 8E 2710). Format 12°. Satzspiegel: ca. 5,8 x 11,5 cm; 4 unpag. u. 29 pag. Seiten. Bogenzählung A — B5. Zeilenzahl, schwankend zwischen 21 und 26 Zeilen.

[6] Der einzige mir bekannte Hinweis auf die Ausgabe von 1648 (Vgl. Anm. 3) findet sich in G. Ellingers Artikel „Johann Sebastian Mitternacht. Ein beitrag zur geschichte der schulkomödie im 17. jahrhundert", *Zeitschrift für deutsche Philologie* (1893) Bd. 25, S. 503. Ellinger führt dort gekürzte Auszüge aus Mitternachts eigener Bibliographie auf. Die Wiedergabe der Titel ist, abgesehen von zahlreichen Normalisierungen, nicht durchgehend zuverlässig.

[7] Durch ein Versehen wird dort das Jahr 1645 (statt 1654!) als Zeitpunkt von Mitternachts Aufnahme angegeben. *Das Hochdeutsche Helikonische Rosentahl / das ist / Der höchst-preiswürdigen Deutschgesinnten Genossenschaft Erster oder Neunstämmiger Rosen-Zunft Ertzschrein.* Amsterdam 1669, S. 102. — Den eindeutigen Beweis, daß Mitternachts Aufnahme in die Deutschgesinnte Genossenschaft erst 1654 erfolgte, gibt Zesens Brief an Mitternacht vom 15. März 1654. Das Manuskript dieses Briefes befindet

Die Frage, wie sich die beiden Ausgaben der Mitternachtschen Prosodie unterscheiden, läßt sich unter den gegebenen Bedingungen nicht mit Sicherheit beantworten. Alles deutet jedoch darauf hin, daß beide Editionen im wesentlichen übereinstimmen: So weist die zweite Ausgabe von 1653 die gleiche Einteilung in 44 Lehrsätze auf, von der Zesen hinsichtlich der Erstausgabe spricht (*Helikon* [1649] I, S. D1ʳ f.), und die Seitenzahl des Erstdrucks, über welche die Katalogkarte der Staatsbibliothek Auskunft gibt, stimmt genau mit der Seitenzahl der zweiten uns erhaltenen Ausgabe überein. Abweichend dürfte lediglich das Format gewesen sein, welches auf der Katalogkarte als Oktav angegeben wird, in der zweiten Ausgabe jedoch Duodez aufweist. Es ist also möglich, daß die Leipziger Ausgabe von 1653 kleinere Typen und ein entsprechend kleineres Format hat als die Altenburger Ausgabe vom Jahre 1648; abgesehen davon deutet alles darauf hin, daß der Text in der zweiten Ausgabe unverändert zum Abdruck kam.

Wie Mitternacht im Vorwort seines *Berichts* betont, wäre es rechtlich zulässig gewesen, das Büchlein ohne Nennung von Zesens Namen zu veröffentlichen[8]. Wenn er Zesens *Helicon* dennoch als Quelle identifiziert, so mag das teils auf ein um diese Zeit spürbar wachsendes Gefühl für das Urheberrecht zurückzuführen sein, vor allem aber wohl auf die Wachsamkeit Zesens und der Mitglieder seiner Deutschgesinnten Genossenschaft. Denn die erste offizielle Publikation dieser Sprachgesellschaft, die Johann Bellin 1647, also ein Jahr vor Mitternachts *Bericht von der Teutschen Reime-Kunst* herausgegeben hatte, polemisierte nicht nur gegen zwei Raubdrucke von Zesens *Spraach-übung*, sondern auch gegen ein Buch, dessen Genese dem Mitternachtschen *Bericht* auffallend ähnelte: Der Angriff galt einer von Samuel Butschky 1645 in Leipzig anonym herausgegebenen Bearbeitung von Zesens *Spraach-übung*. Die Entrüstung der Deutschgesinnten Genossenschaft, daß Butschky die *Spraach-übung* ohne Wissen und Zustimmung Zesens »in lehrsätze gebracht« und das Buch sodann ohne Erwähnung des »Zesischen Nahmens« hatte erscheinen lassen[9], dürfte Mitternacht von vornherein bewogen haben, Zesen als eigentlichen Urheber des *Berichts von der Teutschen Reime-Kunst* zu nennen.

Die Frage, welcher Ausgabe der Zesenschen Poetik Mitternacht seine Exzerpte entnommen hat, läßt sich durch die Kollation der beiden ersten Ausgaben des *Helicon* (1640 und 1641) mit dem Text des *Berichts von der Teutschen Reime-Kunst* eindeutig beantworten: Mitternacht muß als Arbeitsexemplar den *Helicon* von 1641 benutzt haben; denn an vier verschiedenen Stellen übernimmt er in seinen *Bericht* Textpartien, die erst im Zuge der Überarbeitung des *Helicon* von 1640 hinzugefügt worden sind[10]. Die Eingriffe in den Zesenschen Text be-

sich im Besitz der Landes- und Universitätsbibliothek Halle. Vgl. Ferdinand Joseph Schneider, „Ein Brief Philipp von Zesens" in *Zeitschrift für deutsche Philologie* (1928), Bd. 53, S. 153—155.

[8] »Licuisset equidem ... opellam isthanc suppresso CL[arissi]mi Caesii nomine emittere«. S. A2ʳ.

[9] *Etlicher der hoch-löblichen Deutsch-gesinnten Genossenschaft Mitglieder ... Sende-Schreiben.* Hamburg 1647, S. A7ᵛ.

[10] Im ersten Teil des *Helicon* (1641) finden sich die Zusätze an folgenden Stellen: S. 21,17 bis 22,13; 23,14 f; 40,8; 74,18 bis 75,15. Vergleiche dazu die Lehrsätze Nr. 10;

schränken sich neben Aussparungen von weniger Wichtigem und Wiederholungen auf eine sprachliche Straffung des zu schmuckreicher Formulierung und ausladender Sprachgestik neigenden Stils der Vorlage. In der Tat zeigt Mitternacht ein ausgesprochenes Talent, durch Streichungen oder knappere Formulierungen die wichtigsten prosodischen Regeln in klarer, nüchterner Form auf engem Raum zu vereinigen[11]. Dabei entsteht selbst bei größeren Auslassungen (wie zwischen Lehrsatz 12 und 13) nicht der Eindruck willkürlicher Auslese oder spürbarer Lückenhaftigkeit. Außerdem belegt Mitternacht die prosodischen Regeln meist durch eine geringere Zahl von Beispielen als Zesen. Auf entsprechende Weise kürzt er entweder poetische Musterbeispiele (Helicon, S. 22, 30) oder läßt sie fortfallen (Helicon, S. 66—71; 73—78). Nur im Ausnahmefall fügt er den einzelnen Paradigmen des Helicon eine weitere Zeile hinzu (Bericht, Lehrsatz Nr. 8—11).

Den damals neuesten prosodischen Experimenten stand Mitternacht anscheinend skeptisch gegenüber. Zwar gewährt er dem Daktylus völlige Gleichberechtigung neben Jambus und Trochäus, übergeht aber Zesens »echonische«, daktylische und trochäische Sonette, die dieser im Helicon als seine eigensten Erfindungen herausgestellt hatte. An einer Weiterführung oder Differenzierung der Zesenschen Kunstregeln war Mitternacht nicht gelegen. Einige scheinbar eigenständige Ergänzungen sind nicht Mitternachts Gedankengut, sondern gehen, wie die Anmerkungen jeweils zeigen, auf Schottel zurück[12].

Bis auf die eben erwähnten Einschränkungen enthält Mitternachts Bericht in komprimierter Form alle von Zesen aufgestellten kunsttheoretischen Forderungen. Selbst die Reihenfolge der fünf Themenkreise des Helicon ist streng gewahrt worden: so beginnt auch Mitternacht mit den Versgesetzen der von Opitz sanktionierten jambischen und trochäischen Metren, läßt darauf die von Buchner und Zesen geforderten daktylischen und anapästischen Maße sowie die Versgesetze der Sapphischen Strophe folgen. Wie im Helicon weist auch hier die sich anschließende Reimlehre die für Zesen bezeichnende Ausrichtung auf die Meißnische Mundart auf; auch die knappe Erörterung verschiedener, damals verbreiteter Verstöße gegen die Regeln der Grammatik und Diktion ist in deutlich erkennbarer Weise dem Helicon verpflichtet. Das gleiche trifft auch auf die Beschreibung der gebräuchlichsten Gedichtformen zu. Allerdings erscheint hier der Text der Vorlage besonders stark zusammengedrängt, da Mitternacht die Mustergedichte bis auf ein einziges Beispiel ausspart und auf weniger als vier Druckseiten die »gemeine« und »Pindarische« Ode, das Alexandrinergedicht, das Sonett, die Elegie und das Echogedicht behandelt.

Die drei letzten Abschnitte der Poetik (§ 42—44) sind Mitternachts eigene Zusätze. Sie bestehen aus handfesten Regeln, die sich als grundlegende Richtlinien

12; 20; 39 in Mitternachts Bericht und die entsprechenden Seiten in der Erstausgabe des Helicon (Wittenberg 1640).

[11] Verwiesen sei hier insbesondere auf die Lehrsätze Nr. 6; 8; 13; 16; 27; 29; 32; 35; 39 in Mitternachts Bericht und die entsprechenden Partien in Zesens Helicon (1641), I, S. 10; 12; 25; 31; 53; 59; 64; 68; 74; 75.

[12] Siehe Lehrsatz Nr. 7; 17; 24; 40.

im prosodischen Unterricht an den Gymnasien und Universitäten des 17. Jahrhunderts bewährt hatten und die auch häufig genug in den Barockpoetiken allen künftigen Dichtern empfohlen wurden: so soll der Anfänger sich zunächst in kleineren Gedichten versuchen und vor allem durch ausgedehnte Übersetzungsübungen aus den großen Dichtungen der griechischen und römischen Antike sowie aus den Literaturen der süd- und westeuropäischen Nachbarn den eigenen Stil entwickeln und die Muttersprache nach Vermögen schmeidigen; ferner gilt es, die wichtigsten Grundsätze der Rhetorik bei der Abfassung jeder Dichtung zu wahren und schließlich eine Florilegiensammlung anzulegen, d. h. »die zierlichen Red-Arten« und »artlichen Epitheta«, die »aus Herrn Opitzen / oder anderer Poeten Teutschen Getichten« zu exzerpieren, um sie zu einem nützlichen Werkzeug für jeden Dichter zu machen. Für wie wichtig die Zeitgenossen gerade dieses Hilfsmittel hielten, beweist das baldige Erscheinen derartiger Blütenlesen in Buchform: so Harsdörffers »Kunstzierliche Beschreibung fast aller Sachen« im dritten Teil des *Poetischen Trichters* (1653), Tschernings Schatzkammer im zweiten Teil von *Unvorgreiffliches Bedencken* (1658) und Treuers *Daedalus* (1660)[13].

Auf Zesens Reimregister verzichtet Mitternacht ganz, und an Stelle der im zweiten Teil des *Helicon* vereinigten Sammlung von Musterbeispielen setzt er einen fünf Seiten langen »Beschluß«, bestehend aus zwei Übersetzungsübungen aus dem Lateinischen. Die erste dieser Etüden, ein Epigramm des Alcinous, verdient insofern besondere Beachtung, als Mitternacht vier deutsche Fassungen dieses Gedichtes — je eine in jambischen, trochäischen, daktylischen und anapästischen Metren — nebeneinanderstellt. Hierdurch führt er nicht nur eine der vorher empfohlenen poetischen Übungen in den vier metrischen Grundformen beispielhaft durch, sondern erbringt zugleich den Beweis für die von den Dichtern und Poetikern des 17. Jahrhunderts so oft mit Stolz erhobene Behauptung, daß die deutsche Sprache eine kaum zu überbietende Schmiegsamkeit und Ausdrucksstärke besitze.

*

Für den Literarhistoriker ergibt sich die interessante Frage, welche Umstände Mitternacht eigentlich veranlaßt haben mochten, Auszüge aus Zesens *Helicon* zusammenzustellen und drucken zu lassen. Es ist allgemein bekannt, daß Mitternacht während der Jahre, in denen sein *Bericht von der Teutschen Reime-Kunst* erschien, Rektor des Gymnasiums zu Gera war. Man darf wohl mit Sicherheit annehmen, daß er dort, im Rahmen des an den Gymnasien und Uni-

---

[13] Georg Philipp Harsdörffer, *Prob und Lob der Teutschen Wolredenheit. Das ist: deß Poetischen Trichters Dritter Theil.* Nürnberg 1653, S. 114—504. — Andreas Tscherning, *Unvorgreiffliches Bedencken über etliche mißbräuche in der deutschen Schreib- und Sprach-Kunst / insonderheit der edlen Poeterey. Wie auch Kurtzer Entwurff oder Abrieß einer deutschen Schatzkammer / Von schönen und zierlichen Poetischen redens-arten.* Lübeck 1659, S. 159—P11ᵛ [352]; Erstausgabe 1658. — Gotthilff Treuer, *Deutscher Daedalus.* Frankfurt 1660.

versitäten üblichen Lehrplans, seine Schüler auch in der Poesie unterrichtete; und das bedeutete für ihn, der in Wittenberg bei August Buchner studiert hatte, zweifellos mehr als das Studium der lateinischen und griechischen Literatur. Dem Vorbild seines Lehrers folgend, dürfte Mitternacht die neue deutsche Kunstdichtung in das Lehrprogramm seiner Schule einbezogen haben. Für diese Annahme spricht auch eine Bemerkung im Vorwort, derzufolge sein *Bericht von der Teutschen Reime-Kunst* einigen seiner jungen Leute in dieser Art von Studium außerordentlich geholfen habe[14]. Mitternacht scheint also mit seinen Schülern die Auszüge aus dem Zesenschen *Helicon*, der in jenen Jahren zu den fortschrittlichsten deutschen Poetiken zählte, als Anleitung zu prosodischen Übungen verwendet zu haben. Auch die Umdichtung einiger Verse durch Mitternacht deutet darauf hin, daß er bei der Herausgabe der kleinen Prosodie seine Geraer Gymnasiasten als künftige Benutzer im Auge hatte. Daher änderte er auch einige Musterbeispiele, die ihm wohl eingedenk seiner jugendlichen Leser moralisch anfechtbar erschienen, zu religiösen Kontrafakturen um: So wurde aus Zesens »Singet und klinget und springet ihr Brüder« *(Helikon,* S. 30) im *Bericht von der Teutschen Reime-Kunst* »Singet und springet und klinget ihr Christen« (S. 10) und aus »Kom Adelheit Sophie / die Sonne kömt gegangen« *(Helicon,* S. 78) »Kom / Jesu / meine Burg / der Tag ist angebrochen« *(Bericht,* S. 22 f.).

Wichtiger jedoch als die willkommene Gelegenheit zu derartigen „Reinigungen" des Textes war für Mitternacht gewiß die Absicht, seinen Schülern ein leicht erschwingliches und dennoch — wie es im Titel heißt — »zum Anfange gnugsames« Lehrbüchlein in die Hand zu geben. Die auf äußerste Sparsamkeit zielende Ausstattung — das Fehlen eines Kupfertitels und die Verwendung raumsparender Typen sowie der knapp gehaltene Text auf ein und ein viertel Bogen Duodez — sind ein beredtes Zeugnis für das Bemühen, die Druckkosten so niedrig wie möglich zu halten. Weder der *Helicon* von 1641 mit seiner umfangreichen Sammlung von Musterbeispielen und den teils eingeschobenen, teils angehängten Reimverzeichnissen und weniger noch die stark erweiterte Fassung von 1649 erfüllten Mitternachts grundsätzliches Bedürfnis nach einem wohlfeilen Lehrbuch für seine Schüler. So mußte die kleine Prosodie 1653, vier Jahre nach dem Erscheinen der monumentalen *Helicon*-Ausgabe von 1649, nochmals aufgelegt werden.

Freilich dürfte es heute kaum mehr möglich sein, der Wirkungsgeschichte dieses Büchleins erfolgreich nachzugehen. Nichtsdestoweniger beweist seine zweifache Auflage, daß die Gesetze der neuen deutschen Kunstdichtung des 17. Jahrhunderts nicht nur von einem engen Kreis dichtender Gelehrter aufgenommen, diskutiert und verarbeitet wurden, sondern auch der heranreifenden Jugend zum Zwecke praktischer Übungen vorlagen. Daß Mitternacht gerade Zesens *Helicon* als Vorlage für seinen *Bericht von der Teutschen Reime-Kunst* wählte, spricht teils für die Fortschrittlichkeit jener Poetik, teils für das hohe literarische Ansehen,

---

[14] »... ut profiteamur potius publice, e juventute nostra nonnullos, quibus excerptae haec proposuimus, egregie fuisse in isthoc studiorum genere adjutos.« S. A2r.

in dem Zesen um die Zeit seiner Aufnahme in die Fruchtbringende Gesellschaft stand. Zwei Jahrzehnte später, als Zesen weitgehend zu einer Figur des Spottes geworden war und sein Name vielfach totgeschwiegen wurde, hielt auch Mitternacht es für angeraten, bei der Zusammenstellung seiner oben erwähnten Bibliographie Zesen als den eigentlichen Urheber der kleinen Poetik nicht mehr zu nennen.

Herbert Blume

ZUR BEURTEILUNG VON ZESENS WORTNEUBILDUNGEN[1]

1.

Zesen war ein Außenseiter in der literarischen Gesellschaft seiner Zeit: eine seiner Ausbildung, seinen Kenntnissen und Fähigkeiten entsprechende Existenz hat er nie besessen. Seine vielfältigen Bemühungen, in die diplomatischen Dienste von Fürsten zu treten, sind nicht von Erfolg gekrönt gewesen. Er war auch weder Syndikus der Landstände in Glogau noch Konsistorialrat in Wolfenbüttel noch wenigstens Pastor in Wedel, und seine zahlreichen Reisen waren nicht einfach die obligatorischen Bildungstouren seines Zeitalters, womöglich durch einen Mäzen gefördert, geschweige denn prunkvoll ausgerüstete Expeditionsfahrten ins Morgenland, vielmehr war Ursache und Anlaß dieser Reisen in den meisten Fällen die Suche nach finanzieller Sicherheit, nach einer festen Anstellung, nach einer Lebensgrundlage[2].

Dieser Sonderrolle im sozialen Leben entspricht auch eine Sonderrolle Zesens innerhalb der sprachreformerischen Bewegung seiner Zeit. Zwar ist er der Form nach Mitglied der „Fruchtbringenden Gesellschaft" gewesen, aber so, wie Zesen bei der „sprach-reinigung" zu Werke ging, hatten sich die Köthener die Dinge nicht vorgestellt: sie fühlten sich besonders durch Zesens Abkehr von der (mehr oder weniger) üblichen Orthographie vor den Kopf gestoßen. Das von Anfang an nur lauwarme Verhältnis kühlte sich bald gänzlich ab. Zesen war isoliert und wurde mit seinen Neologismen zur willkommenen Zielscheibe der zeitgenössischen literarischen Parodie.

[1] Mit diesem Aufsatz soll versucht werden, einige Ergebnisse der Dissertation des Verfassers über *„Die Morphologie von Zesens Wortneubildungen"* (Gießen 1967) — im folgenden als „Morphologie" angeführt — darzustellen. — Von der Niederschrift dieses Beitrages bis zu seinem Erscheinen im Druck sind mehrere Jahre vergangen. Die in der Zwischenzeit erschienenen Arbeiten zur Theorie der Wortbildung und zur Problematik des Fremdwort-/Lehnwort-Begriffs konnten daher nicht berücksichtigt werden. Da sich der hier vorliegende Aufsatz nicht ausschließlich mit Fragen der Wortbildungstypologie beschäftigt, sondern auch und gerade auf Zesens eigene Äußerungen zur Wortbildung und auf die Stellung seiner Neologismen innerhalb der Sprachtheorie des 17. Jahrhunderts und innerhalb der ndl.-dt. Wortschatzbeziehungen eingeht, erscheint dem Verfasser die Veröffentlichung dennoch berechtigt.

[2] Vgl. z. B. diesbezügliche Äußerungen Zesens in seinen Briefen an den Wolfenbütteler Bibliothekar Hanisius. Diese Briefe wurden veröffentlicht bei Klaus Kaczerowsky: *Bürgerliche Romankunst im Zeitalter des Barock. Philipp von Zesens „Adriatische Rosemund"*. München 1969.

Seit nunmehr drei Jahrhunderten sind die Anschauungen über Wert und Sinn von Zesens sprachpuristischer Tätigkeit geteilt. Für die eine Seite gilt — mehr oder weniger modifiziert — immer noch der Ausspruch des Fürsten Ludwig zu Anhalt und Köthen, der nichts als „übelschreibung, und andere überflüssige Klügeleyen"[3] in Zesens Arbeiten zu entdecken vermochte. Die vermeintliche Sicherheit dieses Urteils erklärt sich aus der festen Überzeugung des Urteilenden (und manches seiner Zeitgenossen), den guten Ton in allen Bereichen des Lebens, also auch im Bezirk von Sprechen und Schreiben, zu kennen, d. h. ein allgemein verbindliches Taktgefühl zu besitzen. Mangelnder „Takt" wird Zesen immer wieder vorgeworfen, so noch in P. Hankamers verdienstvollem Buch über *Die Sprache*[4].

Auf der anderen Seite stehen dann die Apologeten, die in Zesen den großen Reiniger der deutschen Sprache von welschem Tand sehen. An Zahl sind sie der Gegenpartei niemals gewachsen gewesen, und sie haben auch nie die gleiche Resonanz beim Publikum gefunden, so daß Zesen, nach einem Wort R. Newalds, bisweilen heute noch als ein „Don Quichote unter den Sprachreinigern"[5] durch die Literaturgeschichten geistert. Von seinen Zeitgenossen sind in diesem Zusammenhang Andreas Daniel Habichthorst und Johann Bellin zu nennen, beide Mitglieder in Zesens „Deutschgesinneter Genossenschaft". Habichthorst und Bellin haben Äußerungen Zesens und einiger ihm wohlgesonnener Literaten zu grammatischen und orthographischen Problemen in zwei kleinen Büchlein kompiliert, deren Wert für uns hauptsächlich im Dokumentarischen liegt[6]. Einen so ungebrochenen Enthusiasmus für alles, was aus Zesens Feder kam, wie ihn diese beiden Jünger beweisen, hat es zwar in späteren Zeiten nicht mehr gegeben, jedoch ist es in der Blütezeit des „Allgemeinen Deutschen Sprachvereins" noch einmal zu einer gewissen Wertschätzung des Zesenschen Purismus gekommen, was sich u. a. darin äußert, daß in den Jahren von 1885 bis 1912 nicht weniger als neun Arbeiten veröffentlicht worden sind, die dieses Thema berühren[7]. Die Bemühungen dieser Epoche gipfeln in H. Harbrechts Dissertation über *Philipp von Zesen als Sprachreiniger*[8]. Der Titel kündigt bereits an, daß es in der Untersuchung hauptsächlich um die Frage geht, in welchem Maße Zesen bei seinen Verdeutschungsbemühungen „radikal" verfahren sei, ob er vielleicht manche Fremd- oder Lehnwörter dulde und ob es in dieser Hinsicht verschiedene Perioden in Zesens Leben und Wirken zu unterscheiden gelte.

---

[3] Siehe G. Krause: *Der Fruchtbringenden Gesellschaft ältester Ertzschrein.* Leipzig 1855. S. 424 f.

[4] *Die Sprache. Ihr Begriff und ihre Deutung im 16. und 17. Jahrhundert.* Bonn 1927. (Reprogr. Nachdr. Hildesheim 1965) S. 117.

[5] H. de Boor und R. Newald: *Geschichte der deutschen Literatur,* Bd. 5. München 1964³. S. 227.

[6] A. D. Habichthorst: *Wohlgegründete Bedenkschrift über die Zesische Sonderbahre Ahrt Hochdeutsch zu Schreiben und zu Reden.* Hamburg 1678. — J. Bellin: *Etlicher der hochlöblichen Deutsch-gesinneten Genossenschaft Mitglieder ... Sende-schreiben.* Hamburg 1678.

[7] Vgl. *Morphologie,* S. 17—23.

[8] Freiburg i. Br. 1912.

Wie und anhand welcher Kriterien denn die Neubildungen Zesens zu beurteilen sind, ob die Wörter systemgerecht gebildet sind, d. h. ob sie sich in das Wortbildungssystem des Hochdeutschen des 17. Jahrhunderts einfügen, diese Fragen zu beantworten hatte sich Harbrecht in seiner Arbeit nicht vorgenommen. Indessen scheint es unerläßlich, solche Fragen zu stellen, wenn man zu einem unvoreingenommenen Urteil über Zesen kommen möchte. Es geht also nicht darum, den bereits vorhandenen Ehrenrettungen für Zesen eine weitere hinzuzufügen, sondern es gilt zu untersuchen, ob Zesens neue Wörter im oben angedeuteten Sinn „richtig" (also systemgerecht) gebildet sind.

Auf dem hier zur Verfügung stehenden Platz kann solch ein Nachweis nun nicht geführt werden, wohl aber kann man an Beispielen zeigen, wie es in Zesens wortbildnerischem Werk sowohl Neologismen gibt, die außerhalb des damals vorhandenen Systems stehen, als auch solche, die sich einfügen. Zwar ist das morphologische System einer Sprache nichts Festes oder gar Ewigwährendes, und es macht sich, auch wer mit seinen Wortbildungen dagegen verstößt, deswegen noch keines Verbrechens wider den Geist der Sprache schuldig, aber man darf doch der Überzeugung sein, daß nach vorhandenen Wortbildungsmustern geformte Neuwörter deswegen bessere Überlebenschancen haben, weil sie der Kommunikation zwischen den Sprechpartnern auf eine gefügigere Weise dienen als andere. Insofern dürfte diese Art der Erörterung dem Wortbildner Zesen gerechter werden als die bislang angewendeten Betrachtungsweisen, bei denen seine Tätigkeit bloß mit Hilfe der Kriterien von „Takt und gutem Ton" oder „rechter nationaler Haltung" beurteilt wurden.

Als Beispiele sollen zwei nominale Wortbildungstypen dienen: die sog. Akkusativkomposita vom Typus *„Jungfer-zwünger"* und die Ableitungen auf *-inne* (Typ *Lustinne).*

2.

Das Substantiv *Jungfer-zwünger,* mit welchem Zesen das nach seiner Auffassung fremde Wort *nonnen-kloster* „rächt deutsch ... gäben"[9] wollte, gehört zu den Neologismen, die ihn berühmt und berüchtigt gemacht haben. Ob es ein „taktvoller" Name ist, bleibt zu bezweifeln; vielleicht steckt aber sogar eine antikatholische Tendenz in dieser Neubildung, denn schließlich hat der protestantische Pfarrerssohn Zesen zwei Schriften „wider den Gewissenszwang in Glaubenssachen" herausgegeben. Morphologisch betrachtet, reiht sich das Wort jedoch mühelos in die Gruppe der zusammengesetzten Substantive vom Typ mhd. *steinhouwer* „Steinmetz", frühnhd. *Landzwinger „Tyrann"* (Hans Sachs) ein.

Man kann die Komposita dieses Bildungstyps als Akkusativkomposita[10] bezeichnen, womit gemeint ist, daß das zweite Kompositionsglied durch das erste unter akkusativischem Determinationaspekt näher bestimmt wird[11]. Wollte man stärker die Genese dieser Art von zusammengesetzten Substantiven berücksichtigen,

[9] *Adriatische Rosemund.* 1645. Hrsg. v. M. H. Jellinek. Halle a. S. 1899, S. 269 f.
[10] *Morphologie,* S. 90 ff.
[11] *Morphologie,* S. 75—88.

so müßte man sie größtenteils als „Zusammenbildungen" bezeichnen. Für die Untersuchung und Klassifizierung neuhochdeutscher Neologismen hat es sich indessen als sinnvoll erwiesen, auf die Unterscheidung von Zusammensetzung und Zusammenbildung zu verzichten und stattdessen von adnominalen und adverbalen Komposita zu sprechen, die jeweils unter bestimmten Determinationsaspekten determiniert sein können. Es gibt z. B. Subjekt-, Objekt-, Temporal-, Lokal-, Funktional-, Final-, Materialkomposita u.a.m.[12]. Dabei verhält es sich allerdings so, daß die Subjekt- und Objektkomposita in der Mehrzahl adverbal komponiert sind. Die Problematik der Einteilung der Nominalkomposita kann hier nicht weiter erörtert werden[13], es genügt die Feststellung, daß Zesen sich mit der Bildung von Komposita wie *Jungfer-zwünger* oder, um ein unbekannteres zu nennen, *Drukleser* (für „Korrektor"; Beschreibung Amsterdam 1664, S. 216) auf gesichertem Boden bewegt, daß diese seine Neubildungen also einem der deutschen Sprache seiner Zeit geläufigen Kompositionstyp entsprechen.

Um einen Eindruck von der Fülle der Zesenschen Neubildungen zu vermitteln, seien hier diejenigen Akkusativkomposita aufgeführt, welche ein Nomen agentis zum Grundwort haben. (Die Akkusativkomposita mit Nomen actionis als zweitem Glied — Typ *Gemühts-rägungen* — werden hier beiseite gelassen.) Von Zesen stammen folgende Bildungen[14]:

Amts-verpflegerin	Sof 47/484	:	frz. Prestresse II 129
Anmärkungs-schreiber	Leu 77/327	:	lat. Scholiast. (Thucyd.) 195.
			*Kommentator
Artznei-bereiter	Ams 64/326	:	*Apotheker
Bäkkereiverwalter	Ass 70/156		
Bücher Verwahrer	Afr 70/70	:	ndl. boekery-vooght 84
Buß-verkündiger	Rma 51/47	:	*Propheten
Drukleser	Ams 64/216	:	*Korrektoren
Truk-verbässerer	Ibr 45/II 666	:	*Korrektor
Gedichtkünstler	Sim 79/197		

„. . . ihr Mährlein üm so viel wunderlicher zu künsteln . . ." (ibid.)

Geschäftsverpfleger	DJF 51/67	:	*Gesandter
Gewissensverfolger	GG 65 T	:	*Inquisitor
Glaubenserforscher	WG 65/96	:	frz. Inquisiteur
Gottesleugner	GG 65/VR	:	*Atheist
Heilverkündiger	Gek 53/5	:	*Evangelist
Höhlengräber	Mal 72/III 93	:	frz. Mineurs III 93
Jungfer-zwünger	Rmu 45 V	:	nonnen-kloster

Wieland behauptet (laut DWb.), das Wort *Jungfernzwinger* als erster benutzt zu haben.

der Keulen-träger	Coe 62/154	:	Hercules
der kopf-träger	Coe 62/120	:	Perseus

---

[12] *Morphologie*, S. 4 und S. 75—88.
[13] Siehe u. a. A. Western: *Om nominalkomposita i germansk, særlig in norsk*. In: *Maal og Minne* 1929. S. 45—76. — Chr. T. Carr: *Nominal Compounds in Germanic*. London 1939. — H. Marchand: *The Analysis of Verbal Nexus Substantives*. In: Idg. Forschg. 70 (1965), S. 57—71. — Derselbe: *On the Analysis of substantive compounds* (...) Ebenda, S. 117—145. — R. B. Lees: *The Grammar of English Nominalizations*. The Hague 1966[4].
[14] Erklärung der Siglen und Abkürzungen am Schluß dieses Aufsatzes.

Kornverwalter	Ass 70/217	
kreis-endiger	Dög 48/320	: frz. Horizon 338
Kreis-züher	Ibr 45/I 147	: frz. Olomestres, Compas de proportion I 282

Holometer lt. Zedler ein mathematisches Gerät zum Weitenmessen, Grundlegen etc.

Kugel-teiler	Ibr 45/I 386	: frz. Hemisphere II 143
Lieder-dichter	Sca 56/90	: lat. Poeta Lyricus 89
Lieder-schreiber	HH 49/I Kv, v	
Mans-zwünger	Rmu 45/164	: *Mönchskloster
Mahß-Deuter	Dög 48 V	: lat. Tabula, frz. Table *Legende, Skala
Mahß-weiser	Dög 48 V	: lat. Tabula, frz. Table
Mahß-zeiger	Dög 48 V	: lat. Tabula, frz. Table
Rächts-verpfläger	Rmu 45/165	: *Senatoren
Rechtsverpfleger	Afr 70/150	: ndl. pleit-bezorgers 181

Ndl. *verplegen* bedeutet auch „pflegen": vgl. ndl. *verpleegster* „Krankenschwester". Zesens häufige Komposita mit *-verpfleger* sind insoweit ndl. beeinflußt.

Reimen-schmiede	HH 49/I Cvi, v	
ringzieher	Fou 67/56	: frz. compas 80
Sang-schreiber	Sca 56/40	: lat. Lyricus 39
Schaar-führer	Dög 48 V	: lat. Tribunus militum
Schau-dichter	Hor 56/I 72	: *Dramatiker

Klammerform aus *Schauspieldichter*. *Schauspielschreiber* ist Ass 70/447 belegt.

| schif-halter | Rma 51/145 | : *Anker |
| Schlag-spieler | Rma 51/1 | : *Spieler eines Instruments |

Haplologische Klammerform. Zesen gebraucht an derselben Stelle das Wort *Schlagspiel*.

| Schreinhalter | Rmu 45/182 | : *Sekretär |

Die „Fruchtbringende Gesellschaft" hatte einen *Erzschreinhalter*.

| Schrift-verfasser | Dög 48/11 | : lat. auctores 10 |
| Schuldheischer | Ams 64/374 | : *Schultheiß |

Zesen hat das Wort durch Anlehnung an ndl. *eisen*, dt. *heischen* „fordern" nicht ungeschickt, aber doch falsch etymologisiert.

Spiel-schreiber	Sca 56/118	: lat. Poeta Comicus 119
Sprachenkündiger	Rma 51/172	: *grammatici
Sprachen-Lehrer	BDK 42/xxiv	: *grammaticus
Sprachlehrenschreiber (Saxe der S.)	Leu 77/79	: Grammaticus (Saxo) 32
Tage-weiser	Ibr 45/I 385	: frz. Almanach II 140
Tohrbrächer	Mal 72/III V	: frz. Petard III V
Verständnüs-pfläger	Ibr 45/II 26	: frz. personnes interessées III 51
Verständnispfleger	Leu 77/145	: lat. administer 70 (ein geistl. Amt)

Vgl. mnl. *verstandenisse* (auch:) „Geestelijke aandacht" (Verwijs-Verdam: Middelnederlandsch Woordenboek)

Verständnüs-pflägerin	Ibr 45/II 603	: frz. confidente IV 515
Wasser-halter	Dög 48 V	: lat. Catarracta, frz. Ecluse
Weih-verpflägerin	Sof 47/484	: frz. Prestresse du Temple II 127
Klammerform: *Weihtums-, Weihstätten-verpflägerin		
weih-verwalterin	Sof 47/482	: frz. Prestresse II 124
Weltmesser	Jap 69/54	: lat. Mathematicus 59
Wesenkündiger	Rma 51/43	: *Philosophen

Vgl. dt. *wesenkündigung* (Ratichius 1619)

Wind-zeuger	Ibr 45/I 299	:	frz. boussole I 604
(zu *zeigen*)			
Wort-verstümpler	HH 49/I Cvi, v	:	*schlechte Dichter
Zeitverkündiger	Ibr 45/I 137	:	frz. Prophete 261

Bei einer Reihe von Neubildungen konnte Zesen sich an fremdsprachige Vorbilder anlehnen, ohne diese jedoch wörtlich zu übersetzen. Mit W. Betz[15] sprechen wir in solchen Fällen von „Lehnübertragung". Diese Lehnübertragungen sollen gleich hier aufgeführt werden, während von den Glied-für-Glied-Übersetzungen (Betz: Lehnübersetzungen) weiter unten die Rede sein wird.

Armen-verpfleger	Ams 64/353	:	*Aumonier
Vgl. ndl. *Armenverzorgher* (Hooft 1642)			
ekkenzeiger	Fou 67/74	:	frz. recipiangle 105 (geom. Instrument)
Königs-mörder	Jap. 69/72	:	ndl. Kaisar-moorders 78
Kreis-halter	Dög 48 V	:	lat. Circinus, frz. Compas
Kreis-mässer	Dög 48 V	:	dass.
Plazverträter	Ibr 45/II 334	:	frz. Lieutenant II 709
Porzelleinbrenner	Jap 69/394	:	ndl. porcelein-bakers 405
ring-mässer	Dög 48 V	:	lat. Circinus, frz. Compas
ring-zeichner	Dög 48 V	:	dass.
Rundbaumsfrüchte-Esser	HG 88/707	:	Lotofager (sic!)
Rundfruchtesser	Afr 70/296	:	ndl. Lotofagen, dat is Lotoseeters 291
sachen-zeiger	Dög 48 V	:	lat. Catalogus rerum
schrift-rüchter	Rmu 45/195	:	*Kritiker
Schrift-rigter	Dög 48 V	:	lat. Criticus

Die Schreibung von *-rigter* geht zu Lasten des niederländischen Druckers. Derartige Batavismen sind in Dög 48 häufiger anzutreffen.

Spragh-rigter	Dög 48 V	:	lat. Criticus
Stahts-führer	VM 61/243	:	(von Mazarin gesagt)
Stahts-kündiger	VM 61/136	:	*Politiker
Stahts-verwalter	VM 61/296	:	(von Mazarin gesagt)
Stahts-verpfleger	Ass 70/265	:	*Vizekönig
Stat-versäher	Ibr 45 VR/12	:	frz. Lieutenant
Stäl-verträter	Ibr 45 VR/12	:	frz. Lieutenant-Colonel
(des Obersten)			
Stäl-verwalter	Ibr 45 VR/12	:	frz. Lieutenant
Stern-deuter	VM 61/8	:	*Astrolog
stim-säzzer	Rmu 45/100	:	*frz. compositeur
Vogeldeuter	Pri 80/83	:	*Augur
Weisen-setzer	HH 49/I Kv, v	:	*frz. compositeurs
Wohrt-zeiger	Dög 48 V	:	lat. Catalogus verborum.

Die Beispiele zeigen, daß Zesen keineswegs ein Revolutionär war, wenn er den Wortvorrat des Deutschen um die oben aufgeführten Komposita zu erweitern suchte. Er hat lediglich längst bestehende Formen ausgefüllt. Nebenbei wird hier an dem für Zesens Arbeitsweise typischen Beispiel von frz. *Lieutenant* deutlich, wie er immer wieder neue Verdeutschungsvorschläge macht, von denen sich dann einer (nämlich *Stäl-verträter*) durchgesetzt hat.

---

[15]   *Deutsch und Lateinisch.* Bonn 1965². S. 27.

Opitz hatte außerdem die literarische Welt geradezu ermuntert, neue Nominalkomposita desjenigen Typs zu bilden, den man mit H. Hirt[16] als „Typus *Liebhaber*" bezeichnet und zu dem die Akkusativkomposita eine Untergruppe darstellen. Es heißt bei Opitz[17]:

„Newe wörter, welches gemeiniglich epitheta (. . .) vnd von andern wörtern zuesammen gesetzt sindt, zue erdencken, ist Poeten nicht allein erlaubet, sondern macht auch den getichten, wenn es mässig geschiehet, eine sonderliche anmutigkeit".

(. . .)

„Darbey aber vns Deutschen, diß zue mercken ist, das das nomen verbale, als treiber, stürmer, aufreitzer &c. allzeit, wie bey den Lateinern, muß hinten gesetzt werden; wieder der Frantzosen gebrauch, derer sprache es nicht anders mit sich bringt. So Heinsius in dem Lobgetichte des Weingottes, welches er auch zum theil von dem Ronsardt entlehnet:

Nacht-looper, Heupe-soon, Hooch-schreeuwer, Grote-springer,
Goet-geuer, Minnevrient, Hooft-breker, Leeuwen-dwinger,
Hert-vanger, Herßen-dief, Tong-binder, Schudde-bol,
Geest-roerder, Waggel-voet, Staet-kruijßer, Altijet-vol.

Vnd nach meiner verdolmetschung:

Nacht-leuffer, Hüffte-sohn, Hoch-schreyer, Lüfften-springer,
Guet-geber, Liebesfreundt, Haupt-brecher, Löwen-zwinger,
Hertz-fänger, Hertzen-dieb, Mund-binder, Sinnen-toll,
Geist-rhürer, Wackel-fuß, Stadt-kreischer, Allzeit-voll".

Die Geschichte dieser Bacchus-Epitheta hat L. Koch in einem Aufsatz[18] zurückverfolgt. Danach geht Heinsius' *Hymnus oft Lof-sanck van Bacchus* von 1614 auf einen *Hymne de Bacchus* von Ronsard zurück und dieser wiederum auf einen griechischen Hymnus, „eines der kläglichsten Produkte der späteren Zeit"[19], dessen Verfasser unbekannt ist. Der griechische Hymnus enthält insgesamt 96 solcher Epitheta.

Die literarischen Zusammenhänge sind an dieser Stelle von geringerem Belang, interessant ist aber die Tatsache, daß wir hier einen ganzen Wortbildungstypus auf seiner Wanderschaft durch Sprachen und Jahrhunderte beobachten können. Wie Opitz in Deutschland hatte auch die Pléiade in Frankreich die Bildung solcher Komposita gefördert: K. Nyrop[20] führt eine große Zahl von Beispielen aus Ronsard und Du Bartas an: Le sommeil: *chasse-souci*, le vent: *chasse-nue*, la guerre: *aime-pleurs, brusle-hostel, casse-loix* u. v. a. m.[21]

---

[16] *Handbuch des Urgermanischen.* Teil II. Heidelberg 1932. S. 120.

[17] Martin Opitz: *Buch von der deutschen Poeterei.* Abdruck der ersten Ausgabe (1624). 6. Druck. 4. Auflage. Tübingen 1954 (= Neudrucke deutscher Literaturwerke Nr. 1). S. 25 f.

[18] *Iets over den invloed van Daniel Heinsius op de Duitsche letterkunde.* In: *De Nieuwe Taalgids* 24 (1930), S. 292—296.

[19] Vgl. Max Rubensohn: *Griechische Epigramme und andere kleine Dichtungen in dt. Übersetzungen des XVI. u. XVII. Jhs.* Weimar 1897. S. 122. — Es besteht auch die Möglichkeit, daß Heinsius' Gedicht direkt auf den griechischen Hymnus zurückgeht.

[20] *Grammaire historique de la langue française.* Tome troisième. Copenhague 1908. S. 275.

[21] Auch im Frz. keine Urerfindung der Poeten: Appelativa *(perce-neige, pissenlit)* und Eigennamen *(Boileau,* afrz. *Martin Boi l'auwe)* dieses Typs gab es lange vorher. Vgl. Nyrop a.a.O., S. 273 f.

Ein Unterschied besteht allerdings zwischen den gr.-frz. und den ndl.-dt. Bildungen (und darauf weist Opitz auch hin): Die einen gehören Hirts Typus *Menelaos* an, die anderen dem Typus *Liebhaber*[22]. Dennoch entsprechen sie einander, und die literarisch-sprachlichen Abhängigkeiten sind nicht zu leugnen. Opitz hat den dt. Sprachgebrauch richtig beobachtet, wenn er den Typus *Löwen-zwinger* zur Nachahmung empfiehlt. Immerhin wird man nicht sämtliche Bildungen Zesens auf diese der Literatur entstammenden Vorbilder zurückführen dürfen; dafür war der Typ *Liebhaber* im Deutschen einfach zu gut vorbereitet. Zesens Neubildungen stammen zudem überwiegend aus Prosawerken, denn sein wortbildnerisches Arbeitsfeld war viel eher die „Gebrauchssprache" als die Sprache der Poesie.

3.

Während sich Zesen, was die „Akkusativkomposita" betrifft, in Einklang mit dem Sprachgebrauch und der grammatisch-poetologischen Theorie seiner Zeit sehen konnte, liegen die Dinge bei den Ableitungen mit dem Suffix *-inne* anders. Die Leistung des Suffixes *-in*, von dem *-inne* im 17. Jahrhundert nur eine Nebenform darstellt, ist es, maskuline Nomina zu „movieren", d. h. feminine Gegenstücke zu maskulinen Begriffen zu bilden. Es gehört mit den Diminutivsuffixen zu den Ableitungsmitteln, welche jedermann beim täglichen Sprechen am häufigsten gebraucht, und es hätte daher wenig Sinn, alle bei einem Schriftsteller vorkommenden movierten Feminina zu sammeln und eingehend zu erörtern. Es genügt, darauf hinzuweisen, daß normale Bildungen wie

Abgöttin	Ass 70/130		
Vgl. ndl. Afgodin (Kilian)			
Anleiterin	Rzk 69/1	:	ndl. aenleydster 1
volbringerin	Rzk 69/1	:	ndl. volbrenghster 1
Heilandin	Ass 70/303	:	Aerztin
Vgl. ndl. heilandin (Vondel)			
Heldin	Rmu 45/103	:	(Eigenname)
Verwantinnen	Ibr 45/II 263	:	frz. Tantes III 558

bei Zesen vorkommen. Auch die letztgenannte, von einem Adjektiv abgeleitete Bildung fällt nicht aus dem Rahmen: Luther kennt *Nächstin, Gläubigin, Blindin*[23].

Hierzu paßt auch notfalls noch der movierte „Familienname"

Westinne	Lus 45/12	:	Zefyritis; Flora 12.[24]

---

[22] Im Deutschen sind Satznamen *(Suchenwirt)* relativ selten. Vgl. Jacoba H. van Lessen: *Samengestelde Naamwoorden in het Nederlandsch.* Groningen-Den Haag 1928. S. 105: „De oudste ‚Satznamen', die men in het Germaansch gevonden heeft, zijn uit de 13de eeuw. Een zeer groot gebruik schijnt ervan gemaakt te zijn in de 15de eeuw, maar daarna is het weer afgenomen".

[24] Vgl. W. Henzen: *Deutsche Wortbildung.* Tübingen 1963³. S. 154

[24] Lustinne (1645), S. 12, s.v. Bluhminne: „Wier könten sie auch von ihrem Gemahl Westinne/ wie sie die Heidnischen Tichter vom Zefyrus/ Zefyritis nännen".

Als unüblich, jedoch prinzipiell nicht unmöglich könnte man schließlich die folgenden Adjektivmotionen bezeichnen:

Blauinne	Rmu 45 V	:	Pallas (caesia virgo)
Deutschinnen	Lys 44 VR		
Franzinne	Lus 45/9		
Vgl. *Fransen* „Franzosen" (Leu 77/233)[25]			
Grauinnen	HG 88/72	:	„Pefredo und Enio" (Figuren der gr. Mythologie, Vgl. u., s. v. Forzinnen.)
Holdinnen	Rmu 45/241	:	Grazien
Kluginne	Rmu 45 V	:	Pallas
Lindinnen	Lus 45/1	:	*Grazien
Schöninne	DJF 51/153	:	
(An eine Frantzösische Schöninne).			

Mit den Neubildungen

Buchnerinnen	HH 49/I VR	:	*Wittenbergerinnen
Luterinnen	HH 49/I VR	:	*Wittenbergerinnen

verläßt Zesen hingegen den sicheren Boden des Systemgerechten. Diese Wörter bezeichnen ja nicht (wie die bekannten, wenn auch späteren *Neuberin, Viehmannin*) Trägerinnen des Familiennamens des Ehemannes, sondern einfach Töchter der Bewohnerinnen einer Stadt. Als Wortstamm dient dabei der Name eines berühmten Bürgers dieser Stadt. Auf ähnliche Art und Weise sind von männlichen und weiblichen Personennamen gebildet:

Atlassinnen	HG 88/129	:	Töchter des Atlas
Bachinnen	HG 88/545	:	Priesterinnen des Bachus (sic!)
Dioninne	Lus 45/4	:	*Tochter der Dione

„Ist keine Mutter da? wie! ist Dione nicht/
die ich von Jupitern gebracht ans tage-licht?
O ja! sie ist es auch: Drüm heiss'tu Dioninne/" (Lus 45/4)

Erinnen	HG 88/233	:	*Erinyen
Eumeninnen	HG 88/225	:	Eumeniden
Forzinnen	HG 88/72	:	„Pefredo und Enio"
(Pemphredo und Enyo, Töchter des Phorcys)[26]			
Hesperinnen	HG 88/42	:	Plejaden
„nach dem Hesper, dieses Atlas Bruder" (HG 88/42)			
Laminnen	HG 88/72	:	Lamiae
(menschenfeindliche Gespenster) [27]			
Nereinnen	HG 88/91	:	Töchter des Nereus
Ozeaninnen	HG 88/88	:	*Okeaniden
Plejoninnen	HG 88/42	:	Plejaden
„Töchter des Atlas und der Plejone" (HG 88/42)			
Sileninnen	HG 88/545	:	*Priesterinnen des Bacchus
Tetissinnen	HG 88/88	:	*Töchter der Thetis.

[25] Vgl. noch Goethe *(Faust I,* Auerbachs Keller): „Ein rechter deutscher Mann mag keinen Franzen leiden, Doch ihre Weine trinkt er gern".
[26] Vgl. Pauly-Wissowa, 23. Halbband. Stuttgart 1924. Sp. 544 ff.
[27] Pauly-Wissowa, 37. Halbband. Stuttgart 1937. Sp. 416 f.

Hier wird das Suffix -inne in einer patronymischen Funktion gebraucht, die ihm ganz und gar fremd ist. Die Parallele *Luise Millerin* zu *Atlassinnen* etc. ist nur scheinbar, denn es handelt sich bei Schillers Dramenfigur zwar um die Tochter des Herrn Miller, jedoch trägt sie den Namen *Millerin* nicht in dieser Eigenschaft, sondern in der eines weiblichen Mitgliedes der Familie Miller. Der Familienname ist es, der moviert wird. In der griechischen Mythologie kann jedoch von Familiennamen keine Rede sein.

Eine besonders wichtige Rolle im Personal der antiken Mythenwelt, wie es uns in Barockgedichten auf Schritt und Tritt begegnet, spielen die Musen. Sie inspirieren den Dichter, sie bittet er um Hilfe, an sie richtet er seine Klagen.

Wenn in einem dichterischen Kunstwerk ein und dasselbe Wort (in diesem Falle das Wort *Musen)* oft vorkommt, leidet der Stil darunter. Um das zu vermeiden, greift der Poet zum Stilmittel der Variation. Da der Barockzeit die Vorstellung vom Dichter als einem „Originalgenie" noch unbekannt war, galt es nicht als unschicklich, sich nach existierenden Vorbildern zu richten, und so erweisen sich Zesens Musennamen zu einem guten Teil als übernommen. Zur Demonstration sei eine Stelle aus Balthasar Kindermanns *Deutschem Poeten* angeführt, wo es im Kapitel „Von dem nothwendigen Zubehör der Poesie" über die Musen folgendermaßen heißt[28]:

> „Ihnen sind unterschiedene Berge und Brunnen heilig/ als in Boeotien der Helicon/ und der Brunnen darauf/ so Hippocrene, oder das Pegasiner Quell genennet wird. Daher sie Pegasinnen oder Heliconinnen heißen. Im Lande Phocis der Parnassus/ und der Brunn unten dran/ so Castalis, oder Castalius, genennet wird. Daher sie Parnassinnen und Castalinnen heissen. In Attica Citheron/ daher sie Citherinnen; in Tracien/ Pimpla/ daher sie Pimpleinnen heissen. Und Pierinnen/ von der Landschaft Pierien in Macedonien".

Zesen hat denn auch alle bei Kindermann genannten Namen: *Heliconinnen, Kastalinnen, Parnassinnen, Pegasinnen, Pierinnen, Pimpleinnen, Ziterinnen.* Darüber hinaus bildet er noch neue:

Aoninnen	HG 88/410	:	*Musen
„von Aonien, einer Beotischen Landschafft" (HG 88/409)			
Hilissinnen	HG 88/410	:	Hilissiades
„vom Attischen Flusse Hilisse" (HG 88/410)			
Hippokreninnen	HG 88/74	:	*Musen
„nach dem Brun Hippokrene" (HG 88/74)			
Ziteroninnen	HG 88/410	:	Cithaerones
„Vom Beotischen Berge Ziteron" (HG 88/410).			

Dieser Bildungstyp ist also keine Erfindung Zesens, ebensowenig eine des hauptsächlich referierenden Kindermann. Dieser führt in seinem *Deutschen Poeten*, einer Kombination von Poetik und Chrestomathie, eine Reihe von Gedichten an, worin derartige Musennamen vorkommen. Neben einigen heute vergessenen Lyrikern sind es Paul Fleming (1609—1640) und Andreas Tscherning (1611—1659), die dort solche Bildungen verwenden, Dichter also, deren lyrische Produktion abgeschlossen war, als Zesen zu schreiben begann.

---

[28] (Balthasar Kindermann): *Der Deutsche Poët.* Wittenberg 1664. S. 100.

Ob diese Art, die Musen zu benennen, ihr Vorbild in den Niederlanden hat, ist nicht mit Sicherheit zu sagen, aber es ist zumindest wahrscheinlich: Schon für 1617 ist in Brederos *Spaansche Brabander* das Wort *Heliconinnekens* belegt[29].

Wenn Zesen also auch auf Vorbilder zurückgreifen konnte, so wird doch diese Bildungsweise dadurch nicht richtiger. Diese „nichtmovierten" Feminina auf *-inne* sind nie über den Bereich des gedruckten Gedichtes hinausgetreten, sie sind Gelegenheitsbildungen geblieben. Mit anderen Worten: sie sind nie von Elementen der „parole" zu solchen der „langue" geworden, und man kann sie daher nicht als „im Deutschen übliche Wortbildungstypen" bezeichnen. Für das Ndl. gilt dasselbe: Weijnen nennt das Wort *Heliconinnekens* „eigenaardig"[30].

Im Verfolg seiner Verdeutschungsbestrebungen bleibt Zesen nicht dabei stehen, griechische Grundwörter mit einem deutschen Suffix zu versehen, sondern er greift in vielen Fällen auch zu rein deutschen Bildungen. Das sind:

Bauminne	Rmu 45 V	:	Pomana (sic!)
Bluhminne	Rmu 45 V	:	Flora
Burginne	Bel 47/H 7	:	Pallas
Feldinne	Rma 51/67	:	Als-göttin der Felder
Gartinne	Rma 51/67	:	Als-göttin der Gärte (sic!)
Himmelinne	Rmu 45 V	:	Juno
Hügelinne	HG 88/633	:	Kolline
Jagtinne	Rmu 45 V	:	Diana
Libinne	Rmu 45 V	:	Venus
Lustinne	Lus 45 T	:	*Venus
Liebs-lustinne	Lus 45/8	:	*Venus
Schallinne	Rmu 45 V	:	Echo
Schauminne	Lus 45/3	:	*Venus
Tahlinne	HG 88/633	:	Vallonie
Weidinne	Rmu 45 V	:	Diana.

Keines der Wörter ist ein moviertes Femininum, sondern es sind Ableitungen von Appellativen der verschiedensten Bedeutung. Manche bezeichnen den Ort, wo die (Halb-)Göttin sich aufhält *(Bauminne, Himmelinne)*, andere den „religiösen Zuständigkeitsbereich" *(Feldinne, Gartinne, Libinne, Jagtinne), Schauminne* zielt auf die Geburt der Aphrodite, *Weidinne* auf die Tätigkeit der Göttin.

Eine weitere einheitliche Gruppe bilden die Bezeichnungen von weiblichen Personen nach Gewässer- und Ortsnamen. Darunter sind die Anrainerinnen eines Gewässers und die Töchter eines Landes oder einer Stadt zu verstehen. Zesen gebraucht diese Namen bisweilen in allegorischer Weise.

Adriatinnen	Rmu 45/12	:	*Venezianerinnen
Amstelinnen	Lus 45/1	:	*Amsterdamerinnen
Anhaltinne	DRL 70/34	:	*Bewohnerin Anhalts
Arninnen	DRL 70/22	:	*Anwohnerinnen des Arno, *Florentinerinnen
Boberinnen	Lus 45/5	:	(zum Flusse Bober gebildet)

[29] „Bewoonsters van de Helikon". Zitiert nach: A. Weijnen: *Zeventiende-eeuwse Taal.* Derde druk. Zutphen 1960. S. 54.

[30] A. a. O. S. 54.

Elbinnen	BDK 42/jv	:	(Elbe)
Eptinnen	Rmu 45/82	:	(Epte; Fluß im frz. Département Seine Maritime)
Etschinnen	Rmu 45/99	:	(Etsch)
Ihninnen	Rmu 45/99	:	(Inn)
Klevinnen	DRL 70/334	:	*Bewohnerinnen von Kleve
Lechchinnen	Rmu 45/99	:	(Lech)
Masinnen	Rmu 45/66	:	(Maas)
Muldinnen	Pri 80/2	:	(Mulde)
Muldinnen	Lus 45/5	:	(Mulde)
Parisinnen	Rmu 45/13	:	*Pariserinnen
Saalinnen	Hil 81	:	(Saale)
Sähninnen	Rmu 45/82	:	(Seine)
Soliminnen	SHL 57/5	:	*Töchter Zion Vgl. gr. Ἱεροσόλυμα
Weserinnen	DRL 70/38	:	(Weser).

Auch diese Bildungen stehen außerhalb des durch die Wortbildungstypen gebotenen Rahmens.

Viele der *inne*-Bildungen sind als Nachbildungen von patronymischen oder anderen Suffixableitungen zu erklären, z. B.

Nereinnen	:	Nereiden
Forzinnen	:	Phorkides
Hilissinnen	:	Hilissiades
Hügelinne	:	Kolline
Ozeaninnen	:	Okeaniden
Parisinnen	:	Parisiennes.

Als Lehnübersetzungen kann man, da die Suffixe einander nicht entsprechen, diese Wörter nicht bezeichnen, wohl aber als Lehnübertragungen.

Zesen hatte offenbar die Absicht, die deutsche Sprache um den hier besprochenen Wortbildungstyp zu bereichern. Auch formal setzt er diese Wörter von den wirklich movierten Feminina ab: während diese auf *-in* enden, geht Zesens neuer Typ fast immer auf *-inne* aus, in Widerspruch zum überwiegenden Sprachgebrauch[31].

Schließlich fällt auf, daß die *inne*-Komposita Zesenscher Observanz, wenn sie in Gedichten vorkommen, beinahe ohne Ausnahme suffixbetont sind. Beispiele dafür finden sich in der dritten Strophe des Gedichts „Di Lustinne rädet selbst" (Rmu 45/50), wo es heißt:

„Als Kluginn' und Himmelinne
dis mein bildnüs sahen hihr,
sprachen si; es kan Schauminne,
ja Schauminne kan mit rächte,
schahm-roht machen ihr geschlächte
durch die Zihr".

[31] Vgl. Justus Georg Schottelius: *Brevis manuductio ad Orthographiam*. Braunschweig 1676. S. 111: „Der Schreibung halber ist es zumerken/ daß diese terminatio müsse eigentlich geschrieben werden inn/ nicht inne/ auch nicht in: (...) auch ist die terminatio einsilbig inn/ und nicht inne".

Eine andere Stelle aus der *Rosemund* (S. 234):

„Mein! schaue Deutschland an, wi seine Boberinnen
so fräundlich lachchen zu den lihblichen Muldinnen".

Mögen Versbeispiele mit alternierendem Metrum noch die Erklärung zulassen,
daß in Wörtern wie *Himmelinne* stets ein Nebenton auf das Suffix fallen muß, so
räumen die dreisilbigen Feminina in daktylischen Versen diesen Einwand aus[32]:

„Wo such' ich den Lihbsten, wo sol ich ihn fünden?
ihr bleichen Masinnen, weus keine mein Lücht?
(...)
Di blanken Etschinnen verlahss' ich auch gärne,
(...)
die liben Ihninnen beseufz' ich von färne".

Beispiele dieser Art ließen sich noch in großer Zahl anführen. Der geschickte
Reimer Zesen, der einmal von sich sagt, daß ihm „in Gereimter oder Dichteri-
scher rede zu schreiben (...) niemahls so schwer gefallen"[33] sei wie das Verfas-
sen von Prosa, hätte diese Verse nicht stehen lassen, wenn er einen metrischen
Fehler darin gehört hätte. Den Schlüssel zu dieser offenbar nicht hochdeutschen
Betonungsweise liefert das Niederländische, welches ja heute noch die movierten
Feminina auf der Endsilbe betont. Im 17. Jahrhundert war das nicht anders, wie
einige Gedichtzeilen beweisen[34]:

„Vrou-voedster van mijn jeugd, Meesterse van mijn sinnen,
mijn hoop, mijn troost, mijn vreugd, mijn suyvere Godinne".

„Godinne, wiens minne, mijn sinnen altijd,
In kracht en gedachten, na trachten om strijd"!

„Ach Lely hoogh verheven,
verheven in mijn sin,
Mijn hoope van mijn leven,
Ghewenste schoon Vriendin".

Das Suffix *-inne* ist auch im Mnd. akzentuiert gewesen: darauf deutet heute
noch der Reflex im Schwedischen hin[35]. Für uneinheitliche Betonung im Mhd.
spricht die mhd. gedehnte Nebenform *-în*[36], im Hochdeutschen des 17. Jahrhunderts war jedoch die Stammbetonung durchgedrungen, und Zesens suffixbetonte
Neubildungen wirkten mehr und mehr als Fremdkörper.

Wir können also zusammenfassen: Sowohl in semantischer als auch in morpho-
logischer und phonetischer Hinsicht weichen Zesens nichtmovierte Femininablei-
tungen auf *-inne* von den Wortbildungsmöglichkeiten des 17. Jahrhunderts ab.

[32] *Adriatische Rosemund,* S. 99.
[33] In: A. D. Habichthorst: *Wohlgegründete Bedenkschrift.* Hamburg 1678. S. 28 f.
[34] Die ersten beiden Zitate aus dem *Friesche Lusthof* von Jan Janszoon Starter
(1621) das dritte aus einem „Liedeken" von Bredero. Zitiert nach: E. Trunz: *Dichtung
und Volkstum in den Niederlanden im 17. Jh.* München 1937. S. 18 und 22.
[35] Siehe A. Lasch: *Mittelniederdeutsche Grammatik.* Halle/S. 1914. S. 50 und 117. —
E. Wessén: *Svensk Språkhistoria.* II. Ordbildningslära. Andra upplagan. Stockholm
1948. S. 81.
[36] W. Henzen a.a.O., S. 153.

4.

Anläßlich der Derivata auf *-inne* konnte bereits in etlichen Fällen auf fremdsprachige, besonders ndl. Formmodelle hingewiesen werden. Noch augenfälliger
ist dieses Phänomen bei den Komposita, wo eine stattliche Zahl von Lehnübersetzungen festzustellen ist. Für das einmal gewählte Beispiel der Akkusativkomposita sind folgende Glied-für-Glied-Übersetzungen nachzuweisen:

a. Nach griechisch-lateinisch-romanischem Vorbild:

Erdmässer	WG 65/19	: *Geometer
Städte-bauer	Dög 48 V	: Polictistor (sic!)
Städte-zwinger	Dög 48 V	: Poliorcetes; Preneur de villes (eine Kriegsmaschine)
Stäl-halter	Ibr 45VR/12	: Lieutenant

b. Nach niederländischem Vorbild:

Armenversorger   Mal 72/III 93   : frz. Aumoniers III 93
   ndl. Armenverzorgher (Hooft 1642)
Bahrtschärer   Ung 71/263   : ndl.-frz. Barbiers II 28
   ndl. baertscheerder (M. Heyns 1647)
Bildmahler   Rzk 69/41   : ndl. Beeldt-schilder 38
Blattweiser   Rma 51   : *Register
   Ndl. *bladwijzer* ist im WNT erst für 1752 belegt. Das typisch ndl. *-wijzer* statt dt. *-zeiger* spricht
   jedoch für ndl. Priorität.
Gesichts-endiger   Ibr 45/I 386   : frz. Horison II 143
   ndl. *Ghesichtender* „dass." (Kilian)
Haar-kreuseler   Jap 69/409   : ndl. hair-krullers 420
Krankentröster   Jap 69/295   : ndl. zieken-trooster 305
Kraut-beschreiber   Ung 71/38   : ndl. Kruydt-beschrijvers 109
                                                            „Botaniker"
Landbauer   Zun 76/A 7   : *Bauer
   mnl. *lantbouver* „dass." (Verwijs-Verdam); vgl. mhd. *lantgebûre* „dass."
Reim-dichter   Ams 64/323   : *Rederijker
   ndl. *Rijmdichter* „poeta rhythmicus" (Kilian)
Schauspielschreiber   Ass 70/447   : (Plautus)
Schauspielschreiber   Ges 71/41   : ndl. Comedie-schrijver 134
Sonnenweiser   Jap 69/134   : ndl. streekwijser 141
   ndl. *sonnen wijser* „horologium solarium" (Kilian)
Strichweiser   Fou 67/66   : frz. regle 93 „Lineal"
   ndl. *streekwijzer* „Compas" (Meyer 1663)
Walfischfänger   Jap 69/436   : ndl. walvis-vangers 448.

Wie man sieht, überwiegt die Zahl der Lehnübersetzungen nach ndl. Vorbild
bei weitem. Das ist nicht nur bei den hier vorgeführten Komposita der Fall. Von
rund 1750 untersuchten Neologismen[37] haben sich insgesamt fast 20 % als Lehnübersetzungen erwiesen. (Außerdem waren noch über 15 % Lehnübertragungen
zu verzeichnen. Von diesen 20 % entfallen nur knapp ein Viertel (weniger als
5 % der Gesamtmenge) auf Lehnübersetzungen nach gr.-lat.-rom. Vorbildern,

---

[37] Die genaue Zahlenangabe siehe *Morphologie*, S. 175.

während über drei Viertel von ihnen (mehr als 15 %) der Gesamtmenge) nach ndl.
Vorbildern geformt sind.

Angesichts solcher Zahlenverhältnisse könnte man geneigt sein zu vermuten, es
dokumentiere sich hier eben der „Einfluß" des ndl. Wortschatzes, der ja viel früher als der deutsche mit puristischen Bildungen durchsetzt worden war, auf
Zesen, und Zesens Lehnbildungen nach ndl. Vorbildern seien somit das Produkt
eines Übermächtigwerdens niederländischer Sprachbesonderheiten über Zesens
Muttersprache. Indessen liegen die Dinge so einfach nicht. Zesen hat vielmehr
diese Nachbildungen ganz bewußt vorgenommen. Das zeigt sich nicht nur in der
„Schuz-räde An die unüberwündlichste Deutschinne", der Vorrede zum *Ibrahim*, wo Zesen sich auf S. 11 in Erörterung eines Einzelfalles (der Übersetzung
von lat. elementum) auf die Holländer, „die nuhn auch nichts fremdes mehr leiden wollen", bezieht, sondern Zesen hat in seinem *Hochdeutschen Helikonischen
Rosentahl* auch grundsätzlich auf die Bedeutung des ndl. Purismus hingewiesen.
Es heißt dort[38]:

> „Meines behalts/ seind/ unter den Europischen Völkern/ die Niederdeutschen die er-
> sten/ welche/ so wohl in Holland/ als Braband/ schon vor langer zeit dergleichen
> Kunstübende Geselschaften/ zu ihrer Muttersprache großem frommen/ gestiftet.
> Darinnen ist/ unter andern/ die fürnehmste Satzung gewesen; daß die fremden aus-
> ländischen wörter/ und redensahrten gantz solten vertilget/ und eine reine mit frem-
> dem geschmeusse unbefleckte rede/ so wohl im sprechen/ als schreiben/ es sei ge-
> reimt/ oder reimeloß/ geführet werden.
> (...)
> Ja mangeln ihnen (d. i. den Niederländern) etwan zu weilen etliche Kunst- und
> andere wörter/ die vorfallenden dinge damit recht deutsch zu nennen; so schöpfen
> sie solche nicht aus fremden sprachen luhmichten pfützen/ sondern aus ihrer eigenen
> klahrem Mutterbrunnen. Und diese wissen sie dan/ durch die fügekunst/ — so ahrtig zu
> bilden/ daß die angebohrenheit des gefügt- und gebildeten wortes mit der angebohren-
> heit dessen/ was es ausbilden und bezeichnen sol/ der bedeutung nach/ wunderwohl
> übereinkomt".

Genauso erwähnt Zesen dann zwei Seiten später[39] die Praxis der Wortkomposition als das lobenswerte und angemessene Verfahren der „Hochdeutschen" Sprachgesellschaften, wobei er wohl zu einem guten Teil an seine eigen „Deutsch-gesin-
nete Genossenschaft", d. h. an sich selbst denkt, aber auch sicherlich an Gueintz,
Schottel, Harsdörffer und andere.

Es leidet also keinen Zweifel, daß Zesen als „Hochdeutscher" den Bestrebungen
und Leistungen der „Niederdeutschen" ganz bewußt nachgeeifert hat.

Mit den „Kunstübenden Geselschaften" in Holland und Brabant meint er die
Rederijker-Kammern. Diese hatten sich zwar keineswegs von Anfang an die
Sprachreinigung zum Ziel gesetzt, sondern ihre Mitglieder übten sich im Verferti-
gen bestimmter Arten von lyrischer Dichtung und von dramatischen Stücken. Im
16. und 17. Jahrhundert gelangte jedoch die Amsterdamer Kammer „De Egelantier" (auch bekannt unter ihrer Devise „In liefd' bloeyende") zu hervorragender

---

[38] Amsterdam 1669, *Vorbericht*, S. 6 ff.
[39] Ebenda, S. 9.

Bedeutung für die Entwicklung des ndl. Wortschatzes dadurch, daß ihr so bekannte Puristen wie Coornhert, Spieghel, Bredero und Hooft angehörten[40].

Zesen kannte nicht nur das Wirken dieser Kammer, er hatte auch persönliche Beziehungen zu ihr. Nach Cornelia Boumans Ermittlungen[41] gehörte zu seinem Amsterdamer Bekanntenkreis auch das zeitweilige Haupt des „Egelantier", der Arzt Nicolas Fonteyn (Nicolaus Fontanus). Nach dem Vorbild dieser Rederijker-Kammer hat Zesen seine „Deutschgesinnete Genossenschaft" gegründet[42].

Zesens Lehnübersetzungen ndl. Wörter sind, auch soweit es sich um bare Lautumsetzungen handelt, als systemgerechte dt. Wortbildungen zu bewerten. Zesen vollzieht damit lediglich als historische Einzelperson dasselbe, was in mhd. Zeit unbekannte hd. Sprachteilnehmer an den außerhochdeutschen Wörtern *tîdinge* (> *zîdung* > *Zeitung* und *hôpen* (> *hoffen*) vollzogen haben[43].

5.

Wir sind damit zu der Frage zurückgekommen, die am Beginn dieses Aufsatzes gestellt worden ist: Inwieweit passen Zesens Wortneubildungen in das morphologische System des 17. Jahrhunderts? Es konnte gezeigt werden, wie Zesen neue Wörter sowohl im Einklang mit dem Formensystem (Akkusativkomposita) als auch im Widerspruch dazu *(inne*-Ableitungen) gebildet hat. Allerdings kann die hier gewählte Gegenüberstellung über die tatsächlichen Zahlenverhältnisse nichts aussagen. Berücksichtigt man die Gesamtzahl der untersuchten Fälle, so liegt der Anteil derjenigen Wörter, für die sich im 17. Jahrhundert kein hochdeutsches Formmodell finden läßt, unter fünf Prozent[44].

Zesen hat, von diesen Ausnahmen abgesehen, also nicht versucht, dem System der Sprache Gewalt anzutun, sondern er hat sich von dessen Beschaffenheit bei seinen Arbeiten leiten lassen. Das beweisen im übrigen auch seine mannigfachen theoretischen Äußerungen zu Fragen der Wortbildung[45].

Selbstverständlich kann man sich fragen, welchem Zweck denn Zesens ganzer Arbeitsaufwand eigentlich diene. In der Tat gleicht jeder Sprachpurismus einem zweischneidigen Schwert, denn der angestrebte Vorteil der größeren inneren

---

[40] Vgl. P. van Duyse: *De Rederijkkamers in Nederland*. 2. Bde. Gent 1900 u. 1902. (= Uitgaven der Koninklijke Vlaamsche Academie voor Taal- & Letterkunde. V^e reeks, 7). Und: J. J. Mak: *De Rederijkers*. Amsterdam 1944 (= Patria. Vaderlandsche Cultuurgeschiedenis in Monografieën. XXXIV).

[41] *Philipp von Zesens Beziehungen zu Holland*. Diss. Bonn 1916. S. 32 ff.

[42] So C. Bouman a.a.O., S. 33. Ebenso: J. E. Gillet: *De Nederlandsche letterkunde in Duitschland in de 17de eeuw*. In: Ts. voor Ndl. taal- en letterkunde 33 (1914), S. 1—31. Hier: S. 5.

[43] Vgl. A. Bach: *Geschichte der deutschen Sprache*. Heidelberg 1965[8]. S. 190. — Es handelt sich bei solcher Lautumsetzung gerade um das Gegenteil eines modischen „vlæmen mit der rede". Vgl. dazu: H. Eggers: *Deutsche Sprachgeschichte*. Bd. II. Reinbek 1965. (= rowohlts dt. enzyklopädie 191/192) S. 133 f.

[44] S. *Morphologie*, S. 198.

[45] Z. B. in der Vorrede zur dt. Ausgabe von Beverwycks *Schat der Gesontheyt*. 1671.

Homogenität der Sprache, welcher durch das Verdrängen von „Fremdwörtern"
erreicht wird, geht einher mit dem Nachteil der Isolierung nach außen hin. Bekannte Beispiele für solche sprachliche Isolation sind die Termini vieler wissenschaftlicher und technischer Begriffe im Niederländischen oder gar im Neu-
isländischen.

Das Neben- und Miteinander der europäischen Sprachen unter diesem Gesichtspunkt zu betrachten war dem 17. Jahrhundert allerdings fremd. In sprachlichen
Dingen dachte man durchaus national, und die oft grobianische Ausdrucksweise,
in der man sich über andere Sprachen äußert, mutet uns bisweilen sogar nationali-
stisch an. Daß es um „défense et illustration" der jeweils eigenen Sprache gehe,
darin war man sich einig. Rist formuliert in seinem Gedicht „Auff des hochgelahrten Herrn Philip Cäsiens Spraach-übung/ An alle redliche Teütschen"[46] die Absichten und Ansprüche des deutschen Purismus folgendermaßen:

„HErzu ihr Freund' / herzu / die ihr noch ungeübet
Das wehrte Vaterland und dessen Sprache liebet/
Herzu du Pallas Volck/ zu lernen das mit lust
was dier in teutscher Zung' annoch ist unbewust.
Es wird der Sprachen-Thron so trefflich itz erbauet
Daß man auch seinen Glantz durch gantz Europen schauet
Voraus was teütsch betrifft. (...)"

Das in der Nationalsprache auszudrücken und ausdrücken zu können, was in
ihr bislang noch „unbewust", d. h. nicht sagbar gewesen war, darin bestanden
Ziel und Stolz der Sprachreformer des 17. Jahrhunderts. Und diese Arbeit hatte
nicht nur ihren Wert in sich, sondern man hofft wie Rist (dieser in einer gramma-
tisch nicht ganz durchschaubaren Formulierung), daß man, „voraus was teütsch
betrifft", den Glanz des Sprachenthrons in ganz Europa schauen möge. Mit anderen Worten: durch die Arbeit an der eigenen Sprache sollte diese in den ersten
Rang unter den europäischen Sprachen versetzt werden. Daß der deutschen Sprache eine solche führende Stellung zukomme, daran gab es — insbesondere für
Zesen — keinen Zweifel.

Seit Hankamers Untersuchungen[47] ist es bekannt, daß in Zesens theoretischen
Äußerungen über die Sprache ältere Ideen zum Vorschein kommen, nämlich die
sogenannte „Natursprachenlehre" des Mystikers Jacob Böhme[48]. „Natursprache"
nennt Böhme die Sprache des Menschen vor der Babylonischen Verwir-
rung[49]. Das Nennen der Dinge ist in der „Natursprache" ein „Nachschaffen des
Wesens der Dinge im menschlichen Wort"[50]. Dieses menschliche Nachschaffen
durch das Wort ist ebenso Abbild der göttlichen Schöpfung durch das Wort, wie

---

[46] In: Zesen: *Spraach-übung*. 1643. Bl. a 6 v.

[47] *Die Sprache*. (S. o. Anm. 4).

[48] Vgl. dazu R. Weber-Stockmann: *Die Lieder Philipp von Zesens*. Diss. Hamburg
1962. S. 221 ff.

[49] Wir folgen hier der Darstellung von E. Benz: *Zur metaphysischen Begründung der
Sprache bei Jacob Böhme*. In: *Dichtung und Volkstum 37* (1936), S. 340—357.

[50] Benz, a.a.O., S. 343

der Mensch Abbild Gottes ist. Daher sind „Wesen und Wort eins"[51], d. h. jedes Ding hat in der „Natursprache" die ihm allein zukommende Benennung. Umgekehrt ist das Wesen der Dinge aus den Worten abzulesen. Jeder Laut hat notwendigerweise in diesem System seine eigene Funktion und Bedeutung. Beim Turmbau zu Babel wird die Menschheit in der Weise bestraft, daß ihr das unmittelbare Verständnis der Dinge entschwindet. An die Stelle der universal richtigen und an den Dingen direkt geformten Benennungen treten jetzt die einzelsprachlichen, in der Form erstarrten Bezeichnungen.

> „Die klangliche Einfangung der Qualitäten, der Weg der Sprachbildung selbst ist aber derselbe, wie beim Urmenschen, nur daß das Wesen des Dings nicht mehr, wie bei dem universalen Urmenschen, in die universale, sondern in die eigentümliche Form gefaßt ist, in welcher jetzt die universelle Form verhüllt ist"[52].

Auch in den Nationalsprachen ist es daher noch möglich, durch genaues Studium von Worten und Lauten das Wesen der Dinge zu ergründen[53].

In diesem Lichte will das folgende Zitat aus Zesens *Rosen-månd* gelesen sein. Auf S. 22, wo das physei-thesei-Problem in der Erscheinungsform des Gegensatzes Natursprache — Nationalsprachen diskutiert wird, heißt es:

> „Ich für mein teil laße beiderlei meinung/ doch auf gewissen fal/ zu. Daß Adam zuerst allein aus natürlichem antrieb und nach den eigenschaften der dinge (...) die geschöpfe benahmet/ ist allezeit war. Daß aber itzund einer oder der andere aus kurtzweile ein ding so und so nennet/ ist auch wahr; aber nichts deszu weniger flüßet solches nenn-wort nicht allein aus dem rechten grunde der alten Sprache/ sondern auch aus dem grunde der natur und eigenschaft des benenneten dinges selbst: welche dem benenner im sinne schwebet/ und ihn gleichsam unvermärkt antreibet/ daß er das ding so und so/ fast ohne sein wissen/ daß ers tuht/ benahmet"[54].

Zesen gibt nur scheinbar beiden Meinungen recht; am Ende bekennt er sich doch zur Theorie der Benennung „aus dem grunde der natur und eigenschaft des benenneten dinges", wie die letzten Worte zeigen, also zu Böhmes Natursprachenlehre. Zu dieser Lehre, die primär ganz unpragmatisch auf mystische Wesenserkenntnis gerichtet ist, gesellt sich bei Zesen nun die im 16. und 17. Jahrhundert geläufige Hauptsprachentheorie.

Zwar geht Zesen nicht so weit wie der unbekannte Verfasser einer Kolmarer Handschrift, der um 1510 behauptet, Adam habe im Paradies deutsch gesprochen[55], jedoch besteht für ihn kein Zweifel, daß die deutsche Sprache zu den hei-

---

[51] Benz, a.a.O., S. 346.

[52] Benz, a.a.O., S. 350.

[53] Zu den Quellen von Böhmes Natursprachenlehre (christliche Vorstellungen, die antike physei-Theorie, Gedanken der Naturphilosophie der Renaissance und kabbalistische Anschauungen) vgl. W. Kayser: *Böhmes Natursprachenlehre und ihre Grundlagen.* In: *Euphorion 31* (1930), S. 521—562.

[54] Zesen gebraucht hier die Form *deszu* statt eines zu erwartenden *desto*. Das Wort begegnet in dieser hyperkorrekten Form an vielen Stellen in seinen Werken. Offensichtlich hat Zesen sich dadurch verwirren lassen, daß im Ndl. der zweite Teil von *des te* „desto" mit der Präposition *te* „zu" lautlich identisch ist. Das echt hd. Wort *desto* (ahd. *des diu*, mhd. *deste*, Notker: *testo*) scheint ihm nicht hochdeutsch genug geklungen zu haben.

[55] Vgl. A. Bach: *Gesch. d. dt. Spr.*, S. 329.

ligen „Hauptsprachen"[56] gehöre, d. h. dem Hebräischen, Griechischen und Lateinischen ebenbürtig, wo nicht überlegen sei.

> „Dan die Deutsche Sprache ist eine solche/ die gantz und gar aus sich selbsten/ und
> aus ihren eigenen Wörtern bestehet: also daß sie/ ich wil sagen die Uhralte noch un-
> vermischte reine Deutsche Hauptsprache/ wie sie bei dem Babelschen Turnbaue/ zu-
> erst aus der Ebräischen/ als aller Weltsprachen Groß- und Ertz-mutter/ gleichsam ge-
> bohren/ und nach der zeit nur aus sich selbst immer reicher und reicher gemacht/ ja
> sotahnig bis auf unsere zeit erhalten worden/ von andern Sprachen nichts/ ja gantz
> nichts entlehnet/ auch ihres überschwänglichgroßen Wortreichtuhms/ ja ihrer zur
> Wortbildung so wundergeschikten Angebohrenheit wegen/ nicht nöhtig hat ein eini-
> ges fremdes Kunst- oder anderes Wort/ das man aus ihrem so volüfrigen Sprach-
> brunnen selbsten nicht bilden könte/ zu entlehnen"[57].

(Die im Deutschen trotzdem vorhandenen lateinischen Lehnwörter haben mittelalterliche „Münche" aus einer falschen „schier abergleubischen Gottesfurcht"
eingeführt[58].) Die Deutsche Hauptsprache ist für Zesen zwar nicht der adamischen
Natursprache gleich, kommt ihr aber so nahe, wie eine Sprache ihr nach der einmal geschehenen Sprachenverwirrung, der „haupt-straffe" (Rma 51/10) (ein ganz
Böhmescher Gedanke!), nur kommen kann.

Jedes aus dem Schatz dieser Hauptsprache neugebildete Wort muß notwendigerweise die „Natur der Sache"[59] besser bezeichnen als irgendein Lehnwort, das
die „Keiserin aller itzt üblichen Sprachen der gantzen Welt"[60] sich aus der rang-
niedrigeren lateinischen Hauptsprache oder gar aus eine „verbasterten", d. h. im
Wortschatz gemischten, romanischen Nebensprache bezieht.

Die größere Urtümlichkeit, die das Deutsche gegenüber dem Griechischen,
Lateinischen und Romanischen, jedoch in Einklang mit der hebräischen Sprache
aufweise, hatte auch schon 1641 Justus Georg Schottelius behauptet. Indiz dafür
war ihm der (behauptete) Reichtum des Deutschen an einsilbigen „Stammwörtern"[61].

> „Man nehme den anfang der Natur allhie ab von den Kindern/ welche in formirung
> der lallenden Zungen erstlich einsilbige Wörter hervorbringen lernen: Sintemal auch
> die Natur selbst näher dem anfange zu kommen nicht vermügen wird/ als durch solche
> grundartige einsilbigkeit.
> (...)
> Also hat nun die mildreiche allgemeine Mutter/ die gütige Natur/ auch dieses allein
> den Teutschen/ daß sie durch behülff der Lippen/ Zungen/ Zähnen und Kehle un-

---

[56] Zur Geschichte der Hauptsprachentheorie vgl. A. Bach, a.a.O., S. 329 und P. Hankamer, a.a.O., S. 71 f.

[57] Aus: Sendeschreiben an Malachias Siebenhaar. In: A. D. Habichthorst: *Wohlgegründete Bedenkschrift*. Hamburg 1678. Zitat S. 32.

[58] Ebenda.

[59] Vgl. den Tadelsausspruch des Fürsten Ludwig: „Wer neue Sachen setzt, der setze
mit bedacht, Und nehme die Natur der sach' und sprach in acht". (S. *Morphologie*, S.
11 ff.)

[60] Habichthorst, a.a.O., S. 30.

[61] *Justi-Georgii Schottelii Einbeccensis Teutsche Sprachkunst*. Braunschweig 1641. S. 88.

endlich-viele einsilbige Wörter können außreden/ darunter auch alle Stammwörter/ als eines eintzigen dinges einlautende anzeigungen seyn"[62].

Schottel empfiehlt auf S. 94 die „zusammenfügung zweier oder dreyer" Stammwörter, wodurch man „gründlich und wollautend ein jedes ding außsprechen künne/ welches nicht kan erwiesen werden/ daß es solcher massen in einiger Sprach thunlich ist", ermuntert also zur Wortkomposition. Weil die Stammwortlehre nicht in seine frühen orthographischen Konzeptionen paßte, hat Zesen sich in einigen Äußerungen theoretisch von ihr distanziert[63]. Das hat ihn aber nicht davon abhalten können, ganz in Schottelius' Sinne aus „Stammwörtern" neue Komposita zu bilden.

Wir können demnach festhalten: auf der Grundlage der Verbindung von Böhmes Natursprachenlehre mit der in Deutschland allgemein akzeptierten Hauptsprachentheorie durfte Zesen sich berechtigt fühlen, jedes gr.-lat.-rom. Fremd- oder Lehnwort durch ein deutschstämmiges Neuwort (besonders durch Komposita) zu ersetzen, weil er damit der „Natur der Sache" am nächsten zu kommen glaubte.

6.

Es konnte auf diesen wenigen Seiten (wenn auch teilweise nur in Andeutungen) gezeigt werden, wie Zesen beim Formen neuer Wörter fast immer die Grenzen des Wortbildungssystems des zeitgenössischen Hochdeutsch respektiert, wie er dabei bestrebt ist, die Leistungen der Niederländer des 16. und 17. Jahrhunderts für die deutsche Sprache nutzbar zu machen, und wie er sich zu diesem Tun durch philosophische Anschauungen und grammatische Theorien seines Zeitalters legitimiert fühlen durfte.

Zu erforschen bleibt die Wirkung von Zesens puristischer Tätigkeit auf den Wortschatz der zeitgenössischen Literatur, die allem Anschein nach größer ist, als man es angesichts der gesellschaftlichen Abseitsstellung Zesens vermuten sollte[64]. Zu erforschen bleibt schließlich in ihrer ganzen Breite die Rezeption ndl. Wortgutes durch deutsche Dichter des 17. Jahrhunderts. Bedenkt man, daß fast alle bedeutenden deutschen Barockschriftsteller sich längere oder kürzere Zeit in den Niederlanden aufgehalten haben, so wird klar, daß hier noch ein Kapitel deutscher Wortgeschichte zu schreiben ist. Dieser Aufsatz und die ihm zugrundeliegende Dissertation möchten u. a. als ein Beitrag dazu verstanden werden.

[62] Dieser Gedanke wurde bereits 1686 in den Niederlanden von Simon Stevin ausgesprochen, der wie Schottelius „Stammwörter" gesammelt hat. Vgl. A. Bach, a.a.O., S. 117.
[63] Vgl. *Spraach-übung*. 1643. S. iv ff. Insbesondere: Antwort an den Willigen. In: *Sendeschreiben* (hrsg. v. Bellin). Hamburg 1647. Bl. Civ. ff.
[64] Siehe *Morphologie*, S. 194 ff.

Erklärung der verwendeten Abkürzungen
(Titel hier in Kurzfassung; ausführliche Titel siehe *Morphologie,* S. 201—211.)

I. Übersetzungswerke

Lys 44	Liebes-beschreibung Lysanders und Kalisten (Verf.: Vital d'Audiguier)
Ibr 44	Ibrahim (Verf.: Madeleine de Scudéry)
Sof 47	Die Afrikanische Sofonisbe (Verf.: François Du Soucy Sieur de Gerzan)
Dög 48	Matthiæ Dögens Kriges Bau-kunst (Verf.: Matthias Dögen)
Fou 67	Handbuch der Kriegs-Baukunst (Verf.: George Fournier)
Rzk 67	Anweisung zur Reis- und Zeichenkunst (Verf.: Willem Goeree)
Jap 69	Denckwürdige Gesandtschafften der Ost-Indischen Geselschaft an unterschiedliche Keyser von Japan (Verf.: Arnoldus Montanus)
Afr 70	Beschreibung von Africa (Verf.: Olfert Dapper)
Ges 71	Schatz der Gesundheit (Verf.: Johan van Beverwyck)
Ung 71	Schatz der Ungesundheit (Verf.: Johan van Beverwyck)
Mal 72	Kriegsarbeit (Verf.: Allain Manesson Mallet)
Leu 77	Niederländischer Leue (Verf. der lat. Vorlage: Philipp von Zesen)

II. Originalwerke

BDK 42	Lob-Rede Von der Buchdrückerey-Kunst
Rmu 45	Adriatische Rosemund (Seitenangaben nach Jellineks Neuausgabe)
Lus 45	Lustinne
HH 49	Hochdeutscher Helikon
Rma 51	Rosen-mând
DJF 51	Dichterische Jugend-Flammen
Gek 53	Gekreutzigter Liebsflammen Vorschmak
Hor 56	Moralia Horatiana
Sca 56	Leiter zum hoch-deutschen Helikon
SHL 57	Salomons Hohes Lied
VM 61	Die verschmähete Majestäht
Coe 62	Coelum Astronomico-Poeticum
Ams 64	Beschreibung der Stadt Amsterdam
GG 65	Des Geistlichen Standes Urteile wider den Gewissenszwang
WG 65	Des Weltlichen Standes Urteile wider den Gewissenszwang
DRL 70	Dichterisches Rosen- und Liljen-tahl
Ass 70	Assenat
Zun 76	Der Deutschgesinneten Genossenschaft Zunftgenossen Zunft-Nahmen
Sim 79	Simson
Pri 80	Prirau
Hil 81	Glückwunschgedicht für G. Z. Hilten
HG 88	Der Heidnischen Gottheiten Herkunft

III. Sammlungen

Bel 47	Sendeschreiben (hrsg. v. Johan Bellin)

Die Doppelziffer hinter der Titelabkürzung bezeichnet das Erscheinungsjahr. Dahinter steht die Seiten- bzw. Bogenzahl. An dieser Stelle können auch die Zeichen JV (Inhaltsverzeichnis), T (Titelblatt), V (Verzeichnis), VR (Vorrede), W (Widmung), WG (Widmungsgedicht) erscheinen. Bei Übersetzungen bezieht sich die Seitenangabe in der rechten Spalte auf die Vorlage. Ein Asterisk zeigt an, daß die Bedeutung oder das Vorbild des betreffenden Wortes nur erschlossen ist.

Weitere Abkürzungen:

DWb	Deutsches Wörterbuch (Grimm)
WNT	Woordenboek der Nederlandsche Taal

Die Orthographie der fremdsprachigen Wörter ist die in den Übersetzungsvorlagen bzw. den entsprechenden Werken vorgefundene.

KARL F. OTTO JR.

ZU ZESENS ZÜNFTEN

Spuren der von Philipp von Zesen gegründeten Deutschgesinnten Genossenschaft lassen sich bis ins frühe achtzehnte Jahrhundert verfolgen. Einzelne Mitglieder benutzten ihre Gesellschaftsnamen mindestens bis zum Jahre 1708[1]. Eines
der jüngsten und oft erwähnten, aber bis heute eigentlich nicht bekannten Zeugnisse für die Existenz dieser Gesellschaft ist die erst vor kurzer Zeit wieder aufgefundene Mitgliedsliste aus dem Jahre 1705, die die Mitglieder der fast vergessenen Rautenzunft aufzählt.

Obwohl die Forschungsliteratur mehrere Aufsätze über die Deutschgesinnte Genossenschaft aufweist[2], fehlt immer noch Auskunft über die Rautenzunft. Das bis
jetzt vollständigste Verzeichnis der Mitglieder, das sich bei Dissel findet, ver-
zeichnet einige, aber nicht alle Mitglieder dieser Zunft[3].

Nicht nur die einzelnen Mitglieder sind unbekannt, man scheint nicht einmal
zu wissen, daß die Zunft als solche je existierte. Im allgemeinen, und vor allem

---

[1] Karl Dissel: *Philipp von Zesen und die Deutschgesinnte Genossenschaft*. Hamburg:
Herold 1890; hier S. 50. Im folgenden zitiert als Dissel.

[2] Außer Dissel sollen noch folgende genannt werden: H. Hasper: Das Gründungsjahr
der deutschgesinnten Genossenschaft. In: *Neophilologus 10* (1925), S. 249—260; Klaus
Kaczerowsky: *Bürgerliche Romankunst im Zeitalter des Barock*. München: Fink 1969:
hier S. 22—25 und passim. Das Gründungsdatum bleibt heute noch unsicher, obwohl
die folgende Auffassung jetzt die Oberhand gewonnen zu haben scheint: Schon Oktober 1642 (wahrscheinlich schon früher) bestand eine „Deutsch-Zunfft". Erst seit dem 1.
Mai 1644 bestand die „Deutschgesinnte Genossenschaft". Zesen hat das Gründungsdatum willkürlich auf seinen Namenstag, den 1. Mai 1643, und zwar erst nachträglich
festgelegt. Wenigstens drei Hinweise zur Aufklärung dieser Frage sind aber bis jetzt
außer acht gelassen worden. Andreas Daniel Habichthorst berichtet 1678 in seiner
Wohlgegründeten Bedenkschrift (Hamburg) von der „von ihm [d. h. Zesen] vor sechs
und dreißig jahren in Hamburg [...] gestifteten Deutschgesinneten Genossenschaft" (S.
9—10). Außerdem heißt es zweimal bei Zesen selber, daß die Genossenschaft schon
1642 bestand: Die erste Erwähnung ist in einem Gelegenheitsgedicht für Daniel und
Christoph Klesch (Hamburg 1676), wo es heißt: „Geschehen [...] am 4. des Lentz-
mohndes/ nach der Heilgeburht im 1676/ nach der Stiftung aber der hochgemeldten
Genossenschaft im 35. jahre." Die zweite Erwähnung kommt drei Jahre später in einem
Gratulationsgedicht an Filip Jacob Zeiter und Johann Kaspar Keßler (Jena: Bauhofer
1679), wo es heißt: „Geschehen im Ertz=Schreine der Deutschgesinneten Genossen-
schaft/ bei dem Hamburgischen Elbinen/ am 6. des Weinmohndes/ nach der Heilge-
burth im 1678. nach der Stiftung der Hochgemeldter Genossenschaft im 37. Jahre."

[3] Dissel (s. Anm. 1), S. 58—65.

in der neueren Forschungsliteratur[4], findet man immer nur drei Zünfte angeführt: die Rosenzunft, die aus neun Zunftsitzen mit je neun Mitgliedern bestand; die Lilienzunft, die sieben Zunftsitze mit je sieben Mitgliedern hatte; und die Nägleinzunft, die aus fünf Zunftsitzen mit je fünf Mitgliedern bestand. Die vierte, sehr groß angelegte, aber in der Forschungsliteratur kaum berücksichtigte Zunft, die Rautenzunft, ist von Bedeutung nicht nur für sich selbst, sondern auch für die Geschichte der Genossenschaft und die der Sprachgesellschaften überhaupt.

Mitgliedslisten der Deutschgesinnten Genossenschaft wurden schon von Zesen selber herausgegeben:

1. *Das Hochdeutsche Helikonische Rosenthal* ... Amsterdam, 1669[5]. Dieser „Erzschrein" der Rosenzunft bringt auch einiges zur Geschichte der Gesellschaft im allgemeinen, vor allem in dem Bericht über die Entstehung der Genossenschaft.

2. *Der Hoch-preis-würdigen Deutschgesinneten Genossenschaft Erster zwo Zünfte ... Zunft- Tauf- und Geschlächtnamen* Hamburg, 1676[6]. Diese Liste zählt diejenigen Mitglieder auf, die den ersten zwei Zünften, der Rosen- und der Lilienzunft, angehörten. Eine erweiterte Auflage dieser Liste hat es auch gegeben (1678 mit dem gleichen Titelblatt), die dazu nicht nur die Mitglieder der dritten Zunft, der Nägleinzunft, aufzählte, sondern auch sieben Mitglieder nennt, die die Stellen der Verstorbenen einnehmen sollten. Sechs von den sieben genannten Mitgliedern wurden aber nachher der Rautenzunft eingeordnet.

Zesen hat auch weitere Schriften über seinen Verein verfaßt. Wichtig sind vor allem *Des Lilienthales Vorbericht* (1679)[7] und *des Nägleinthales Vorbericht* (1687)[8]. Darin findet man vieles über Geschichte, Bedeutung und Symbolik der Gesellschaft. Es war zum Beispiel kein Zufall, daß die Zünfte nach Blumen benannt wurden: Rosen, Lilien und Näglein. In den eben erwähnten Vorberichten gibt Zesen den Grund an: Sie seien so benannt, nicht nur weil diese die drei vornehmsten Blumen sind, sondern auch weil sie die drei Haupttugenden darstellen. Die Rose stehe öfter als Sinnbild für Liebe, die Lilie als Sinnbild für Hoffnung und das Näglein als Sinnbild für Glauben (Vorbericht, 1679, S. 1). Dieses sind bekanntlich die drei Haupttugenden, die schon in den ersten Jahren des Christen-

---

[4] So auch in dem neuesten Buch über Zesen von Kaczerowsky (s. Anm. 2), S. 166.

[5] Das Buch wurde von Zesen unter seinem Genossenschaftsnamen herausgegeben und von Kristof Konrad gedruckt. Siehe meine Bibliographie: *Philipp von Zesen: A Bibliographical Catalogue*. Bern und München: Francke, 1972. Teil I—A, Nr. 131.

[6] Das Buch wurde von Arnold Lichtenstein gedruckt. Siehe die Bibliographie (s. Anm. 5), Teil I—A, Nr. 167.

[7] Das Buch wurde von Zesen unter seinem Genossenschaftsnamen herausgegeben, von Kristof Konrad gedruckt und von der Genossenschaft verlegt. Siehe die Bibliographie (s. Anm. 5), Teil I—A, Nr. 199. Im folgenden zitiert als Vorbericht, 1679.

[8] Das Buch wurde von Zesen unter seinem Genossenschaftsnamen herausgegeben und von Arnold Lichtenstein gedruckt. Siehe die Bibliographie (s. Anm. 5), Teil I—A, Nr. 221. Im folgenden zitiert als Vorbericht, 1687.

tums an Bedeutung stark zunahmen[9]. An anderer Stelle im Vorbericht erwähnt
Zesen die sieben wichtigsten Tugenden, außer den drei schon erwähnten findet man
Gerechtigkeit, Tapferkeit, Klugheit und Mäßigkeit angeführt. Die erste dieser
letztgenannten sei bekanntlich durch die Raute symbolisiert (Vorbericht, 1679,
S. 58), und Zesen nannte die vierte Zunft seiner Genossenschaft die Rautenzunft.

Außerdem gab es eine bestimmte Reihenfolge der Zünfte, ständisch und zeitlich. Denn die Rose, so berichtet Zesen, sei die kaiserliche Blume, die Lilie die
königliche und das Näglein die fürstliche (Vorbericht, 1679, S. 1). Zeitlich ist es
so, daß die Rose erst im Mai blühe (oder wenigstens in diesem Monat am schönsten blühe), die Lilie andererseits im Juni und das Näglein erst im Juli (Vorbericht, 1679, S. 6). In diese zeitliche Reihenfolge paßt auch die Raute. Zedler berichtet, daß es mehrere Arten von Rauten gibt: eine davon pflegt man im August
zu pflanzen, eine andere blüht schon im August und eine dritte zeigt in diesem
Monat Beeren[10].

Die Zünfte der Genossenschaft haben, in drei Fällen, eine ungerade Zahl von
Mitgliedern, und in der vierten Zunft gab es eine Kombination von zwei un-
geraden Zahlen. Auch das war kein Zufall. Zesen selber berichtet, daß er „bei
stiftung der Deutschgesinneten Genossenschaft/ die Zahlen/ zuvoraus die ungera-
den/ iederzeit gar sonderlich beobachtet" habe (Vorbericht, 1687, S. 18). Die un-
geraden Zahlen, die Zesen auswählte, hatten also einen Sinn. Die Neunzahl er-
innere unter anderem an die neun Musen. Am Beispiel der Lilienzunft aber werden Zesens Absichten am klarsten zum Ausdruck gebracht. Ein Näglein sei, „wan
sie einfach ist/ gleichmäßig auf 5 Blättern [geteilt]/ die unten herum ein grühnes
Kröhnlein von 5 Spitzen" haben (Vorbericht, 1687, S. 29. Cf. ebd., S. 11). Die
Nägleinzunft bestand nun, wie wir oben sahen, aus fünf Zunftsitzen mit je fünf
Mitgliedern. Diese Zunft entspricht also genau einer in voller Blüte stehenden
Näglein-Blume.

In der modernen Forschung wird die vierte Zunft kaum erwähnt. Goedeke
nennt nur 155 Mitglieder[11] (alles Mitglieder der ersten drei Zünfte), denn er hat
die Mitgliedslisten aus den Jahren 1685 und 1705 nicht gekannt. Karl Dissel gelang es 1890, ein Exemplar der früheren Liste (1685) zu Gesicht zu bekommen.
Diese Liste ist nun nicht von Zesen selber, wie oft angegeben wird, sondern
von einem anderen Mitglied der Genossenschaft, Johann Peisker, herausgegeben
worden[12]. Die Verfasserschaft ist gesichert durch Peiskers Genossenschaftsnamen
„der Ungemeine", mit dem das letzte Blatt unterzeichnet ist. Dissel hat dann
diese „neueren" Namen, es waren alles Mitglieder der Rautenzunft, in seinem

[9] s. z. B. Paulus an die Korinther I, xiii, 13.

[10] *Großes, vollständiges Universal-Lexikon* ... Photomechanischer Nachdruck der Ausgabe Leipzig: Zedler 1732—54, Graz: Akademische Druck- und Verlagsanstalt,
1961—64. Hier Bd. XXX, Sp. 1153—1162.

[11] Karl Goedeke: *Grundriß zur Geschichte der deutschen Dichtung*. Dresden: Ehler-
mann (et al.) 1884—1966. 15 Bde in 16. 2. Aufl. Hier Bd. III, S. 16—18.

[12] Johann Peisker lebte 1631—1711. Siehe Zedler, XXVII, 140—141 und Jöcher, III,
1349. Es ist merkwürdig, daß Gabler Zesen diese Liste zuschreibt: *Verzeichnis der* ...
Zesischen Schriften. Speyer 1687. Hier Nr. 33 der gedruckten Schriften.

für die Geschichte dieser Sprachgesellschaft höchst wichtigen Werk bekanntgemacht[13]. Dazu gelang es ihm, noch einige weitere Namen aus verschiedenen Gratulationsgedichten zusammenzustellen, wobei ihm die Reihenfolge der beigetretenen Mitglieder freilich unbekannt blieb. Auch diese Mitglieder gehörten der Rautenzunft an. Er konnte insgesamt nur 26 Mitglieder dieser Zunft ermitteln.

Dissel und andere Forscher, einschließlich Goedeke, berichten von einer erweiterten Auflage dieser Liste, die im Jahre 1705 herausgegeben worden sein soll. Es ist ihnen aber nicht gelungen, ein Exemplar aufzutreiben. Glücklicherweise hat sich aber wenigstens ein Exemplar doch noch erhalten. Die zweite, vermehrte Auflage, die auch von dem Ungemeinen, d. h. von Johann Peisker, herausgegeben wurde, befindet sich in der weltberühmten Ponickau-Sammlung der Universitätsbibliothek zu Halle/Saale[14]. Diese Ponickau-Sammlung scheint manches zu enthalten, was bisher als verschollen oder sogar als überhaupt nie erschienen gegolten hat[15].

Auf dem Titelblatt des Werkes findet man den größten Teil des Inhalts schon angegeben:

> In JEsu Nahmen / Amen! | Der Hochpreiswürdigen Deutschgesinnten |
> Genossenschaft | Zunft = Tauf = und Geschlechts = | Nahmen / | darbei der Ort / wo sie geboh= | ren / oder sich niedergelassen / auch |
> eines und des andern Geflissenheit / | Stand / Ambts = Bedienung oder |
> Beruf zugleich angezeigt wird / | Auf Veranlassung vieler Liebhaber |
> der reinen deutschen Mutter = Sprache zum | andern mahl mit einer Vorrede / auch | nebst Vermehrung der nach und nach ein = | verleibten
> Mitglieder / im 1705. Jahre | wiederum heraus gegeben | Von | Einem
> Mittgliede [sic] der | Obgedachten Genossenschaft. | [Strich, 73 mm] |
> Gedruckt zu Wittenberg | Bei Christian Schrödtern / Univers. Buchdr. |
> 1705.

Das Buch enthält also nicht nur die Namen, Berufe usw., sondern noch mehr: eine Widmung (an Andreas Gottfried von Kirchbach), ein Widmungsgedicht, eine Vorrede („An den Deutschgesinneten Leser") und ein abschließendes Gedicht, in dem Peisker den Tod des Gründers und ersten Oberhauptes Zesen und den Tod von dessen Nachfolger, Johann Heinrich Gabler[16], beklagt. Das Gedicht endet mit der Bitte, daß sich neue Mitglieder um Eintritt in die Genossenschaft bewerben mögen. Diese zweite Auflage ist also, gegenüber der ersten vom Jahre 1685,

---

[13] Siehe Anm. 1.

[14] An dieser Stelle möchte ich dieser Bibliothek meinen herzlichen Dank aussprechen. Sie hat mir freundlicherweise das Original auf mehrere Wochen zur Verfügung gestellt.

[15] Als Beispiel dafür ist nicht nur diese Liste anzusehen. Martin Bircher hat vor kurzer Zeit ein unbekanntes Werk von Johann Beer in dieser Sammlung gefunden. Das Werk, *Die Geschichte und Histori von Land-Graff Ludwig dem Springer*, ist von ihm im Kösel Verlag (München) herausgegeben worden.

[16] Gabler wurde auf Zesens Vorschlag zum zweiten Oberhaupt einstimmig gewählt. Siehe dazu Dissel, S. 50.

eine stark erweiterte und vermehrte Auflage. Die erste enthielt nur 12 Blätter, diese dagegen 32.

Mit Hilfe dieser Liste kann man die Geschichte der Genossenschaft bis zum Jahre 1705 verfolgen. Kurz danach ist sie dann wohl „gestorben", obwohl es gut möglich ist, daß noch einige weitere Mitglieder aufgenommen wurden.

Die letzten Mitglieder (d. h. ab Nr. 155), die in diesen zwei erst spät herausgegebenen Verzeichnissen aufgezählt sind, bildeten den Anfang der vierten Zunft innerhalb der Gesellschaft, der „Haupt- oder Rauten-Zunft", die aus zwölf Zunftsitzen mit je zwölf Mitgliedern bestehen sollte. Diese Listen sind aber nicht die einzigen Quellen zur Geschichte dieser vierten Zunft. Schon 1678 waren die ersten drei Zünfte vollständig, und im nächsten Jahr berichtet Zesen von der Gründung der neuen Zunft, und er nennt die ersten Mitglieder. Diese Mitglieder sollten den ursprünglichen Plänen gemäß die Stellen der Verstorbenen übernehmen, aber nach „reifer erwägung/ aus vielen Uhrsachen" (Vorbericht, 1679, S. 57), hat man doch eine vierte Zunft gegründet. Diese letzte Zunft war, wie die vorhergehenden, planmäßig zusammengestellt:

„Erstlich solte sie nach dem Vorbilde der Stadt Gottes/ die sich auf 12 Edelsteinen gründet/ mit 12 Tohren öfnet/ und 12 mahl 12 Elen an ihrer Ringmauer/ ja an ihrem Baume/ mitten in ihrem Umkreuse/ 12 Gattungen der Früchte zehlet/ in 12 Zunftsitzen/ und ieder Sitz in 12 Zunftgliedern bestehen; welche/ nach den 12 Sitzen/ 12 mahl vervielfältiget/ zusammen auf 144 Zunftgenossen sich erstrekken würden. Und also hat diese neue Zunft eben so viel Zunftsitze bekommen/ als die Liljen- und Näglein-Zunft/ beide zusammen begreiffen; indem die Siebenzahl von jener/ und die Fünfzahl von dieser sich alhier in der Zwölfzahl vereinigt befinden.

„Darnach hat man zu ihrem algemeinen/ ja selbst zu eines jeden derselben Zunftgenossens/ wiewohl alhier mit gewisser Unterscheidung/ absonderlichem Zunftzeichen (†) den Rautenstock/ samt seiner Goldgälben Hertzblühte/ welche sonsten/ weil sie dem Gifte widerstehet/ der Gesundheit/ ja selbst der Gerechtigkeit Sinbild ist/ mit Vorbedacht erkohren; und daher auch sie selbst die Rautenzunft benahmet.

„(†) Die Gestalt und Kraft des Rautenstocks haben wir in unserem Prirau ausführlich beschrieben.

„Im übrigen solte sie eben also/ wie die andern drei Zünfte mit Ehrenämtern/ und andern zum Zunftwesen gehörigen dingen versehen werden; auch an der Genossenschaft algemeine Satzungen und Zunftgebreuche gleich also/ als jene/ verbunden sein. Ja die vorigen drei Zünfte mit dieser Vierden/ sollen einander allezusammen dergestalt gleichen/ als wan sie sämtlich nur eine Zunft waren" (Vorbericht, 1679, S. 57—58).

Der Grundplan dieser Zunft wurzelt also in der Zwölfzahl, und die Anklänge an die Offenbarung Johannis (s. vor allem Kapitel 21 und 22) sind nicht zu verkennen. Die zwölf Zunftsitze deuten wohl, in Anlehnung an die Offenbarung, auf die zwölf Stämme Israels. Zesen wäre höchstwahrscheinlich in seinem geplanten Vorbericht zur Rautenzunft (Vorbericht, 1687, S. 31) darauf eingegangen.

Die ersten vierzehn Mitglieder werden in dem Vorbericht (1679) auch genannt. In dem Vorbericht zur Nägleinzunft (1687) sind dann noch weitere Namen aufgeführt, insgesamt dreiundzwanzig Mitglieder, also alle Mitglieder der ersten zwei Zunftsitze[17]. Platz Nr. 156, die Stelle des Oberzunftvorsitzers, ist in beiden Ausgaben des Peiskerschen Verzeichnisses, wie auch in Zesens beiden Vorberichten, unbesetzt. Es ist anzunehmen, daß das Genossenschaftsoberhaupt, zu dieser Zeit war es wohl der dritte, d. h. der Nachfolger von Gabler[18], auf den Eintritt eines bekannten oder eines reichen Mitglieds wartete, das dann den Ehrenplatz des Zunftvorsitzenden in dieser vierten Zunft einnehmen sollte. In den anderen Zünften war der erste Platz mit einer bekannten Person besetzt: in der Rosenzunft war es Zesen selber, in der Lilienzunft die Dichterin Katharina Regina von Greiffenberg und in der Nägleinzunft Fräulein Ursulane Hedwig von Feldheim (Veltheim)[19]. Da diese zwei Damen die einzigen weiblichen Mitglieder waren und da sie beide Vorsitzende einer Zunft waren, liegt die Vermutung nahe, daß Zesen auf eine Dame wartete, die diesen Platz dann einnehmen sollte[20]. Zesen selber berichtet nur, daß die erste Stelle in dieser Zunft „aus erhöblichen uhrsachen unbesetzt und ledig gelaßen" wurde (Vorbericht, 1687, S. 31).

Interessant ist noch Zesens Bemerkung, daß drei der von ihm aufgeführten Mitglieder („der Richtige", „der Wohlklingende" und der „Festhoffende") schon vor mehreren Jahren aufgenommen wurden, daß sie aber „bei dem Ertzschreine nur neulich / durch den Huldenden [d. i. Daniel Klesch] / unsren Nebenertzschreinhalter/ angemeldet worden" (Vorbericht, 1687, S. 32), und daß sie deswegen Mitglieder dieser vierten Zunft wurden. Es war also nötig, daß der Ertzschrein, und hier heißt das so viel wie Zesen selber, denn er war Erzschreinhalter, von allen Mitgliedern benachrichtigt werden mußte. Daß sie aber von dem Niedrigen [d. i. Johann Benedikt Schubart, der schon 1654 Mitglied wurde] aufge-

---

[17] Dort aufgeführt sind folgende: Der Gelassene (Heinrich von Stöcken), der Ungemeine (Johann Peisker), der Anführende (Daniel Holsten), der Ungeschmückte (Kaspar Köhler), der Dienliche (Johann Kaspar Kahlen), der Lustige (Christoph Adams), der Scheue (Friedrich Kogel), der Duldende (Andreas Fabricius), der Traurende (Johann Friedrich Taust), der Wünschende (Johann Ernst Köhler), der Richtige (Johann Eberhard Schultheis), der Berühmte (David Hanisius), der Truchene (Zacharias Schüler), der Rufende (Johann Georg Rohte), der Lautere (Christian Stephan Tesmer), der Wohlklingende (Johann Volbrecht Glocke), der Festhoffende (Samuel Knoche), der Kreuzverliebte (Heinrich Foppe), der Wohnende (Niclas Wohnras), der Zimmernde (Johann Zimmer), der Tiefsinnige (Franz Tiefenbruch), der Kreuzduldende (Theodor Kornfeld), der Sprachübende (Esdras Marcus Lichtenstein). (Vorbericht, 1687, S. 31).

[18] Der Versuch, den Namen dieses dritten Oberhauptes zu ermitteln, ist mir nicht gelungen.

[19] Diese Dame ist heutzutage kaum bekannt. Zedler berichtet, sie sei 1684 gestorben, sei ein sehr gelehrtes Frauenzimmer gewesen, das im Dichten nicht ohne Talent war. Ihr Vater, Achatz oder Achatius, war auch Mitglied der Genossenschaft; er gehörte dem zweiten Zunftsitz der Nägleinzunft an. Cf. G. C. Lehms: *Teutschlands Galante Poetinnen*. Frankfurt/M. 1715, S. 271 (auch im photomechanischen Nachdruck, Darmstadt: Bläschke 1966 vorhanden).

[20] Der oft ausgedrückten Annahme, daß es mehrere Damen in Zesens Genossenschaft gab, wird also hierdurch endgültig widerlegt.

nommen werden konnten, gibt einen weiteren Anhaltspunkt zum Verständnis der Gesellschaft. Jedes Mitglied hatte wahrscheinlich das Recht, andere, neue Mitglieder aufzunehmen; daß neue Mitglieder vorgeschlagen werden konnten, ist schon bekannt, aber hier sehen wir zum ersten Male, daß die Mitglieder tatsächlich dazu berechtigt waren, andere aufzunehmen.

Bis zum Jahre 1705 waren nur 52 der 144 Plätze der Rautenzunft eingenommen. Die bei Dissel nicht angeführten bzw. unvollständig oder mit einer falschen Mitgliedsnummer angeführten Namen seien hier genannt[21]:

177. Der Tüfsinnige/ Frantz Tüfenbruch/ ein Meklenburger von Parchum/ Keis. gekrönter Dichtmeister/ und der Fürstl. Anhält. Schule zu Jever vieljähriger Obervorsteher/ und Frießländis. Schreinhalter.

> [Eigentlich Tiefenbruch. Stolberg, IV, 605, III, 204 und II, 720, wo er seine Gedichte immer als „Konrektor zu Jever" unterschreibt. Diese Gedichte erstrecken sich allerdings über den Zeitraum von 1651 bis 1700; er war also etwa 50 Jahre lang Konrektor zu Jever]

178. Der Creutzduldende / M. Theodor. Kornfeld/ von Herfurt aus Westphalen/ Keis. Edelgekrönter Dichtmeister/ Ober=Vorsteher der Osnabr. Frei=Schule/ Schreinhalter des Westphälischen Kreuses/ und der Genossenschafft allgemeiner Mit=Ertz=Schreinhalter/ 1686.

> [1636—1698. 1666 erwarb er sich einen Magistergrad zu Jena. 1698 gab er seinen Dienst in Osnabrück auf und zog zu seinem Schwiegersohn, einem Prediger, wo er nach etwa zwölf Wochen gestorben ist. Zedler, XV, 1538—39; Jöcher, II, 2148; Neumeister, 62]

179. Der Sprachübende/ Esdras Marcus Lichtenstein/ von Hamburg/ Keis. Maj. Dichtmeister/ der Gotts=Gelahrtigkeit und Morgenländischer Sprachen Geflissener.

> [26. IV. 1666 — 14. II. 1710. Der Sohn von Arnold Lichtenstein, der einige Schriften von Zesen gedruckt hat[22], wurde als 18jähriger von Zesen gekrönt (1684). 1685 ist er als stud. theol. bezeugt. 1689 ging er als Feldprediger nach Flandern, wo er bis zum Jahre 1692 blieb. Darauf ging er nach Irland und begründete zu Dublin die lutherische Gemeinde. Er hat auch zu Dornum in Ostfriesland und in Aurich gepredigt. Am ausführlichsten über ihn: J. M. Lappenberg. Esdras Marcus Lichtenstein,

---

[21] Viele Mitglieder konnten nachgewiesen werden, einige aber nicht. Folgende Nachschlagewerke wurden berücksichtigt: ADB, Jöcher, Zedler, Beuthner, Schröder, Moller, *British Museum General Catalogue of Printed Books* (= BM), *Catalogue Général des livres imprimés de la Bibliothèque Nationale, Katalog der fürstlich Stolberg-Stolbergischen Leichenpredigtsammlung* und mehrere Gelehrten- und Dichter-Lexika, die in Friedrichs *Literarische Lokalgrößen 1700—1900* [Stuttgart: Metzler 1967] aufgeführt sind. Vom Verfasser mitgeteilte Auskunft steht in eckigen Klammern unter jedem Mitglied; das andere wurde alles aus der Liste (1705) abgeschrieben, und zwar im genauen Wortlaut.

[22] Siehe z. B. Anm. 6 und 8 oben.

Gründer der lutherischen Gemeinde zu Dublin. In: Zeitschrift des Vereins für Hamburgische Geschichte, I (1841), S. 291—298. Schröder, IV, 476—478; Beuthner, 211]

Der dritte Zunftsitz. 1687.

180. Der Stützende/ Johann Heinrich Gabler/ beider Rechten D. vorhin zu Speier/ anitzo zu Frankfurt am Mäyn Syndicus, der Genossenschafft Oberhaupt/ und algemeiner Ertz=Schreinhalter.

[Auf Zesens Empfehlung wurde er zum zweiten Oberhaupt der Deutschgesinnten Genossenschaft gewählt. Daher auch sein Name. Er hat 1687 ein Verzeichnis von Zesens Schriften herausgegeben. Jöchers, supp. II, 1304]

181. Der Starke/ M. Johan Michaelis/ von Grimme/ aus Meissen/ Keis. gekrönter Dichtmeister und Prediger zu Tammenheim.

[Nicht nachgewiesen]

182. Der Vorsichtige/ Georg Ernst Rützhaube/ Amptstragender Bürgermeister in Speier. 1688.

[Nur in Zesens „Heidnischen Gottheiten" (1688) erwähnt. Sonst nicht nachgewiesen]

183. Der Witzige/ Hans Wolf Peuker/ vor diesen Rathsherr in Speier/ nachmahln wohnend in Basel.

[Nur in Zesens „Heidnischen Gottheiten" (1688) erwähnt, und zwar als Johann Wolfgang Peuker. Sonst nicht nachgewiesen]

184. Der Fromme/ Johan Adam Haslocher/ vorhin Oberster Prediger in der August. Kirchen zu Speier/ nachmaln zu Nassau Weilburg Superintendens.

[24. IX. 1645 — 9. VIII. 1726. Geboren zu Speier, studierte er ab 1664 in Straßburg. Im Jahre 1675 kam er als Prediger nach Speier, wo er dann 14 Jahre lang blieb. 1689 ging er nach Weilburg, wo er als Konsistorialrat und Hofprediger blieb. Goedeke, ²III, 300, 68; Jöcher, supp. II, 1822; ADB, XI, 22; Brümmer, I 326—327.

185. Der Taurende/ M. Johann Hofmann/ vorhin der Frei=Schulen zu Speier Oberster Lehrer/ folgends zu Durchlach.

[Nicht nachgewiesen. Er darf nicht verwechselt werden mit Mitglied Nr. 147, auch M. Johann Hofmann genannt, der in Rudolstadt predigte und der 1644—1718 lebte]

186. Der Hochgestiegene/ Joh. Friedrich Wiebel/ Bürgerm. und Cantzlei-Herr/ Herr/ wie auch des gemeinen Saltzwesens Haubtmann/ u. a. m. zu Halle in Schwaben.

[7. II. 1645 — 29. V. 1702. Er war zu Pforzheim geboren. Ab etwa 1669 war er zu Speier, wo er eine Gerichtspraxis hatte. Sein Zunftwort war: Die Ewigkeit mein Ziel, wie Zedler, LV, 1604 berichtet. Siehe auch Stolberg, IV, 680, wo ein Leichengedicht für ihn zu finden ist]

187. Der Vätterliche/ Johan Peter Hetzel/ Stättmeister zu Schwäbischen Halle.

[Eigentlich der Väterliche. 1695 war er als Bürgermeister in Schwäbisch-Hall; 1702 Bürgermeister und Konsistorial-Direktor in derselben Stadt. Stolberg, IV, 316 und IV, 680]

188. Der Wachsame/ Johann Wachlatz/ Raths=Schreiber zu Speier vor diesem/ hernacher zu Stutgart.

[Nicht nachgewiesen]

189. Der Rüstende/ Joh. Jacob Rust/ Keis. gekr. Dichtmeister und Schul=Lehrer zu Wormbs.

[Nicht nachgewiesen. Er ist kaum derjenige bei Zedler, XXXII, 1977, obwohl dieser auch der Rüstende hieß]

190. Der Jähtende/ M. Heinrich Salomon Sartorius, von Leubnitz/ aus dem Vogtlande/ der Weidischen Stadt=Schule im Vogtlande Ober=Vorsteher/ vorietzo Priester in Threnitz.

[Nicht nachgewiesen, auch nicht unter dem Namen Schneider]

191. Der Eintragende/ Melchior Wenger/ Oberster Vorsteher der Raths=Schule zu Schwäbischen Halle. 1691.

[Er ist um 1705 gestorben. Schon 1686 war er Gymnasial-Rektor zu Schwäbisch-Hall. Jöcher, IV, 1890; BM, CCLV, 356]

Der vierdte Zunftsitz. 1692.

192. Der Gründliche/ Balthasar Knorre/ Hochfürstl. Osnabr. auch Brauns. und Lüneb. Kämmerer in Osnab.

[Jöcher, supp. III, 575, der leider keine Daten gibt. Er ist nicht derjenige bei Zedler, XV, 1163]

193. Der Forschende/ Johann Stip/ ein Osnabr. Prediger zu Venne/ im Stift Osnabrük.

[Nicht nachgewiesen]

194. Der Gefällige/ Johann Erich Nagel/ Hochfürstl. Osnab. auch Branschw. Lüneb. Geheimer Kammer=Cantzlei= und Consistorial-Secretarius in Osnabrük.

[Nicht nachgewiesen]

195. Der Geübte/ Andreas Cassius/ Hochf. Osnabr. auch Brauns. und Lüneb. Richter zu Ankum/ und Hofgrafen zu Alfhausen im Stift Osnabr.

[164? bis nach 1692. Er war als Sohn von Andreas Cassius und Gertrud Stophorst zu Hamburg geboren. Sein Großvater hieß auch Andreas Cassius. 1662 disputierte er zu Kiel, am 30. Juli 1668 promovierte er zu Groningen in der Medizin. Danach ging er als Arzt nach Lübeck. Jöcher, I, 1734; Schröder, I, 511—513; Moller, I, 88; Biographie Universelle, VII, 148; Bibliothèque Nationale, XXIV, 700; BM, XXXIV, 1141; Stolberg, II, 84]

196. Der Stärkende/ M. Johann Christoph Meurer/ der Gottsgelährtigkeit und H. Schrift Beflissener.

[13. VI. 1671 — 31. III. 1740. Er war als Sohn von Ulrich Meurer zu Stuttgart geboren. 1689 erwarb er sich einen Magistergrad zu Tübingen. Kurz danach wurde er sowohl General-Superintendent in der alten Mark Brandenburg und Priegnitz als auch Pastor zu Stendal. 1694 disputierte er als Vorsitzender zu Halle *de selecta disputandi methodo*. 1700 wurde er Dr. der Theologie zu Halle. Jöcher, III, 490; Zedler, XX, 1446; Bibliothèque Nationale, CXIII, 726—727].

197. Der Gottehrende/ Michael Engelhard/ von Corbach/ aus der Grafschaft Waldek/ Mitlehrer der Schulen S. Johannis in Hamburg.

[Er war auch Mitglied der Fruchtbringenden Gesellschaft und trug da den Namen „der Senftigende", als Mitglied Nr. 335. Sonst nicht nachgewiesen]

198. Der Unermüdete/ M. Joachimus Stoef/ von Hamburg/ Keis. Maj. gekrönter Dichtmeister und der H. Schrift Beflissener.
[18. XII. 1677 — 28. XI. 1721. Er war zu Hamburg geboren und wurde 1698 zu Rostock Magister der Philosophie. 1698 wurde er als Poet gekrönt; 1707 wurde er zum Predigtamt (in Mecklenburg) berufen. Zedler XL, 281; Jördens, VII, 315; Beuthner, 372; Bibliothèque Nationale, CLXXVIII, 803]

199. Der Strahlende/ Barthold Feind/ der jüngere von Hamburg/ d. z. studierend auf der Weltberühmten ChurSächsischen Universität Wittenberg.

[1678 — 15. X. 1721. Er war in Hamburg geboren, wo er das Johanneum besuchte. Ab 1696 studierte er zu Wittenberg, wo er 1699 eine Disputation hielt. Im Jahre 1707 wurde er aus Hamburg vertrieben, durfte aber schon zwei Jahre darauf zurückkehren. ADB, XVI, 607 ff; Schröder, II, 281—289 (wo man weitere Literaturangaben findet); Moller, I, 169—171; Wolff, II, 317—326 (mit Proben aus seinen Werken); Beuthner, 116—117; Brümmer, 184—185; Faber du Faur, 1364—65; BM, LXXI, 686—687]

200. Der Gottliebende/ Joh. Christoph Krüsike/ von Hamburg/ dahmals studierend auf der Weitberühmten Christian=Albertinischen Universität zum Kiel im

Holstein/ vorietzo aber auf der Weltberühmten Universität Wittemberg [sic] im Sachsen/ der Welt=Weißheit Magister/ und der H. Schrift Candidat.

> [11. III. 1682 — 6. XII. 1745 (Schröder: 26. XI. 1745). Er war der Sohn von Paul Georg Krüsike, der auch Mitglied der Genossenschaft war. Ab 1715 diente er als Prediger an der Peterskirche in Hamburg. ADB, XVII, 274; Jöcher, supp. II, 2173 und supp. III, 913; Zedler, XV, 1987 (unter Paul Georg Krüsike); Moller, I, 318—319; Schröder, IV, 224—227; BM, CXXVII, 39]

201. Der Tröstende/ M. Esaias Hartmann/ von Delitzsch aus Meissen/ treuwohlverdienter Prediger zu Landsberg.

> [Nicht nachgewiesen]

202. Der Gewissenhafte/ Elias Hartmann/ von Delitzsch aus Meissen/ Juris Practicus, des Hochfl. Ambts daselbst wohlbestalter Procurator, der HochAdel. Gerichte zu Döbernitz/ klein Welkau/ ingleichen der Marschallischen und Reppichauischen Gerichte in Roitzsch Gerichts=Verwalter/ und bei dem Wohllöbl. Raths=Collegio der Vater=Stadt Camerarius.

> [Nicht nachgewiesen]

203. Der Großhuldreiche/ Joh. Magnus Knüpffer/ von Leipzig aus Meissen/ der Röm. Keis. Maj. öffentl. Notarius, Hochfl. Sächs. Kammer=Componist, und berühmter Organist in Naumburg.

> [Nicht nachgewiesen. Er ist nicht derjenige bei Zedler, XV, 1171]

Der fünfte Zunftsitz.

204. Der Eifrigstrebende/ Christian Friedrich Conovius/ Röm. Keis. Maj. Dichtmeister/ und nach der zweiten anderweits Priesterlichen Ambts=Veränderung d. z. durch Göttliche Schikkung treuwohlverdienter Pastor zu Köttschur und Gort/ nahe bei Brandenburg/ u. a. m.

> [Auch bekannt unter folgenden Namen: Connoven, Connov, Connow, Conov. 1691 wurde er Diaconus zu Brandenburg. Er hatte als Symbol: CruciFixus Christus Brabeum Meum. Seine geistlichen Lieder erschienen 1692 und 1704. Jöcher, supp. II, 442; Hayn-Gotendorf, I, 668; Wetzel, IV, 76—77; Stolberg, I, 285]

205. Der Creutzbewehrte/ Joh. Christoph Mennling/ von Bernstadt aus Schlesien/ Keis. gekröhnter Dichtmeister/ weiland Priester zu Kreutzburg in Schlesien/ nachgehends der Königlichen Gvarnison zu Stargard Prediger/ vorietzo aber Diaconus daselbst an der St. Johannis Kirchen.

> [14. X. 1658 — 4. VII. 1723. Er wurde zu Wabnitz bei Oels in Schlesien geboren. Er studierte zu Breslau, Thorn und Wittenberg, wo er einen Magistergrad erwarb. 1688 wurde er Prediger zu Kreuzburg, wo er zwölf

Jahre lang blieb. Darauf ging er nach Stargard. Godeke, ²III, 272; Jöcher, III, 24; ADB, XX, 209; Wolff, V, 108 (unter Lohenstein); Faber du Faur, 1645a]

206. Der Natur=forschende/ M. Georg Michaelis/ von Reut aus dem Voigtlande/ d. z. Pfarrer zu Reut und Stelzen/ nicht weit von Plauen/ welcher sich in vielen Schriften berühmt gemacht hat.

[Stolberg, I, 91; BM, CLIX, 601]

207. Der Gottgelassene/ M. Christoph Friedrich Lämmel/ von Frankenhausen aus Meissen/ der H. Schrift gewürdigter/ welcher nebst andern sehr nützlichen Sachen des theuren Gottes=Mannes D. Hieronimi Welleri auf Mohlsdorff/ weiland hochverdienten Ober=Kirchen=Aufsehers zu Freiberg in Meissen/ in zweien großen Bücher=Theilen/ unter denen der eine Lateinisch/ der andere deutsch/ durch fleißige untersuchung an das Tages=Licht gebracht hat/ u. a. m.

[Auch Lämmelius genannt, 1709—1719 lebte er in Hamburg. Danach ging er nach Schweden und Dänemark. ADB, XVII, 569; Jöcher, supp. III, 1041—42; BM, CXXVIII, 536; Schröder, IV, 272—273]

208. Der Beständige/ Benedictus Kunstmann/ von Oelsniz/ Vogtländer/ Keis. Maj. gekröhnter Dichtmeister/ zc. der sich durch etliche Geistreiche Gedichte beliebt und belobt gemacht hat.

[Zedler, XV, 2144]

Diese sind die unbekannten Mitglieder der so vernachlässigten Rautenzunft der Deutschgesinnten Genossenschaft.

Wie es in den anderen Zünften der Fall war, so gibt es auch hier einige Mitglieder, die sich literarisch auszeichneten. In dieser Hinsicht wären vor allem Barthold Feind, Johann Christoph Männling und Johann Adam Haslocher hervorzuheben[23]. Von diesen dreien ist wahrscheinlich Feind, der wegen seiner scharfen Satiren oft in Schwierigkeiten geriet (seiner Haltung im schwedisch-dänischen Kriege wegen mußte er auch längere Zeit im Gefängnis in Dänemark verbringen), der bekannteste. Sein großes Verdienst aber besteht in seinem Beitrag zur Entwicklung der Oper in Hamburg. Er schrieb einige Libretti, und manche seiner Werke tragen den Untertitel: „musikalisches Schauspiel" oder „Singspiel". Nur einer hat ihn auf diesem Gebiet übertroffen, das war C. H. Postel. Johann Christoph Männling, ein eifriger Nachahmer von Lohenstein, ist auch nicht unbekannt. Außer seinen Liedern, die in den Gesangbüchern immer wieder abgedruckt wurden, trugen seine zwei Lohenstein-„Ausgaben" nicht wenig zu seinem Ruhm bei. Gemeint sind der 1708 erschienene „Arminius enucleatus" und der zwei Jahre darauf folgende „Lohensteinius sententiosus." Etwas weniger bekannt ist der

---

[23] Es konnte leider nicht festgestellt werden, ob diese Mitglieder irgend etwas unter ihrem Gesellschaftsnamen herausgaben. Ein Gedicht, das Johann Peter Hetzel als „der Väterliche" unterzeichnete, ist im *Stolbergschen Katalog* (VI, 680) aufgeführt.

geistliche Lyriker Johann Adam Haßlocher (auch als Haslocher bekannt). Seine Lieder zeigen starke Anklänge an die Lyrik des Kreises um Philipp Jakob Spener, mit dem Haßlocher als Student in Straßburg in Berührung gekommen war.

Von den anderen literarisch tätigen Mitgliedern wären Krüsicke, Kornfeld, Lichtenstein und Gabler zu nennen. Krüsicke schrieb eine Reihe von Gelegenheitsgedichten, Kornfeld eine Poetik (1686), Lichtenstein u. a. ein Gedicht an Zesen (1683), worauf Zesen ihn dann zum Dichter krönte, und Gabler ist als Herausgeber des „Verzeichnis der Zesischen Schriften" (1687) bekannt.

In der Rautenzunft findet man Mitglieder aus allen Ständen und Berufen, genau wie in den ersten drei Zünften[24]. Die Zahl der Prediger (12), der Beflissenen der Heiligen Schrift (3) und der Lehrer (12) ist hier allerdings etwas größer als in den Rosen-, Lilien- und Nägleinzünften. Dies stimmt vielleicht mit der These überein, daß die Sprachgesellschaften am Ende des siebzehnten Jahrhunderts allmählich in Tugendgesellschaften entarteten. Dies scheint bei der Rautenzunft besonders zutreffend zu sein, aber es dürfte sich wohl lohnen, die ganze Genossenschaft unter diesem Aspekt zu untersuchen[25].

Am Beispiel der Rautenzunft sieht man auch den Verfall und Untergang der Deutschgesinnten Genossenschaft und vielleicht sogar der ganzen Idee der Sprachgesellschaften. Diese Zunft war sehr groß angelegt, sie sollte aus 144 Mitgliedern bestehen, also fast so vielen wie in den drei anderen Zünften zusammen. Zesen wollte wahrscheinlich, daß die Genossenschaft nach seinem Tode weiterbesteht. Dies ist ihm aber eigentlich nicht recht geglückt, denn innerhalb von sechsundzwanzig Jahren (1679—1705) wurden nur 52 Mitglieder aufgenommen; davon waren mehr als die Hälfte schon vor Zesens Tod (1689) eingetreten. Daß Peisker eine allgemeine Einladung zur Mitgliedschaft geben mußte (damit man endlich 144 Mitglieder für diese Zunft erhalte), dürfte auch als Beweis für das immer geringer werdende Interesse an der Genossenschaft gelten. Am Anfang des 18. Jahrhunderts waren die Zwecke, aus denen die Genossenschaft überhaupt gegründet worden war, nicht mehr so aktuell, und Zesens Gesellschaft erlebte ihren Untergang, genau wie ihre Vorgänger, die Fruchtbringende Gesellschaft und die Aufrichtige Tannengesellschaft.

---

[24] Eine Untersuchung über Stand und Beruf der Mitglieder dieser Genossenschaft dürfte wohl Interessantes hervorbringen, vor allem wenn man alle Sprachgesellschaften des 17. Jahrhunderts so untersuchte und sie dann einander gegenüberstellte. In der Fruchtbringenden Gesellschaft waren z. B. etwa 75 % Adlige, während in Zesens Genossenschaft höchstens 10 % dem Adel angehörten.

[25] Siehe z. B. Zesens Bemerkungen in den Vorberichten, daß diese Gesellschaft „auf Tugend gegründet" wurde. Bei einer solchen Untersuchung müßte man sowohl die Gesellschaftsnamen, die Sinnbilder und die Mottos mit in Betracht ziehen als auch die Symbolik der ganzen Gesellschaft.

Taufhandlungen, die Zesens Vater 1619 als Pfarrer von Priorau in das dortige Kirchenbuch eintrug. Hiernach wurde der Dichter am 17. Oktober desselben Jahres von seinem Vater getauft.

Ulrich Maché

AUS DEM PRIORAUER „PESTBUCH":
EINIGE BIOGRAPHISCHE HINWEISE AUF ZESEN

Die Lebensgeschichte Zesens ist heute nur noch stückweise rekonstruierbar. Briefe des Dichters und seiner Zeitgenossen, Gelegenheitsgedichte, Vorreden sowie zahlreiche Fingerzeige in einzelnen Werken und die Veröffentlichungen der Deutschgesinnten Genossenschaft geben dem Biographen eine Fülle wertvollen, wenngleich nicht immer zuverlässigen Materials in die Hand. Aber selbst nach einer erschöpfenden Auswertung aller Daten und Hinweise dürften auch ferner zahlreiche Fragen ungeklärt bleiben; auf eine lückenlos belegbare Biographie ist nicht mehr zu hoffen.

Dennoch ist zweifellos eine Reihe kleinerer Funde und Entdeckungen zu erwarten. Nicht selten mögen solche „Entdeckungen" sich mager genug ausnehmen; im Rahmen einer künftigen Zesenbiographie dürften sie aber dennoch einen nützlichen Beitrag zur Rundung des Gesamtbildes des Dichters leisten. Einiges Licht in die weitgehend dunklen Zeiträume von Zesens Leben vermag hier und dort ein noch heute im Pfarrarchiv zu Priorau befindliches Kirchenbuch, das sogenannte „Pestbuch" zu werfen[1]. Es handelt sich um ein Konvolut loser, im Jahre 1949 neu geordneter und durchnumerierter Blätter (20 x 8,3 cm), auf denen Zesens Vater, der von 1616 bis 1669 in Priorau und den benachbarten Ortschaften als Seelsorger gewirkt hat, die von ihm vorgenommenen Amtshandlungen vermerkte. Nicht selten lassen die in auffallend schöner Handschrift gemachten Eintragungen die gebührende Genauigkeit vermissen: die Art der Versehen weist darauf hin, daß die Vermerke vielfach nicht am Tage der Handlung, bisweilen wohl erst Monate später gemacht worden sind. Trotz dieser mangelnden Sorgfalt bei den Tauf- und Begräbniseintragungen von Gemeindemitgliedern, scheinen die Angaben, die den Familienkreis des Pfarrers Caesius betreffen, durchweg zuverlässig.

Max Gebhardt erwähnt bereits in seiner Straßburger Dissertation (1888) das im Priorauer Kirchenbuch verzeichnete Taufdatum[2]. Da es sich bei dieser Eintragung

[1] Die Bezeichnung *„Pestbuch"* ist im Priorauer Pfarrkreise seit nicht bestimmbarer Zeit für dieses Kirchenbuch geläufig. Der Name verweist auf die wiederholten Heimsuchungen Prioraus durch die Pest während der Zeit, aus der die Eintragungen stammen. — Die in diesem Beitrag mitgeteilte Information und die photomechanische Reproduktion des Taufvermerks verdanke ich dem stets freundlichen und hilfsbereiten Entgegenkommen des gegenwärtigen Pfarrers zu Priorau, Herrn Martin Eschebach. Ihm sei hier mein aufrichtiger Dank ausgesprochen.

[2] *Untersuchungen zur Biographie Philipp Zesens,* S. 3.

um den ersten erhaltenen Beleg über den Dichter Zesen handelt, sei hier erstmalig
der genaue Wortlaut wiedergegeben: »Den 17. Octobris mir ein Sönlein getaufft
Philippum copris fuere. Johan Ernst auß'm Winckel Frau Beata geborne Wester-
egel, Joachim Kölers Haußfrau u. M<agister> Christophorus Schneid.« Die
hier aufgeführten Paten sind vermutlich für Zesens späteren Werdegang ohne Bedeutung geblieben. Allerdings böte eine weitere Erschließung des „Pestbuches" die
Möglichkeit, einige Personen, die Zesen aus verschiedenen Anlässen bedichtet hat,
näher zu identifizieren.

Zesen selbst wird in den Eintragungen wohl nur an zwei weiteren Stellen er-
wähnt, jedes Mal in Verbindung mit einer kirchlichen Handlung. So vollzog der
Vater des Dichters am 21. April 1637 eine Taufhandlung, als er seinen Sohn nach
Halle begleitete, wohin dieser — vermutlich gegen Ende der Osterferien — zum
Besuch des »berühmten Gymnasiums« wiederum übersiedelte[3]. Auch der im Kirchenbuch unmittelbar folgende Vermerk ist für den Biographen und Familienfor-
scher nicht ohne Bedeutung: er bezeugt, daß der Vater des Dichters auf dem
Rückweg von Halle nach Priorau am 26. April jenes Tages einer Taufe bei-
wohnte, die sein Bruder, der Onkel des Dichters, vollzog[4]. Vermutlich handelt es
sich um den Vater jenes im gleichen Jahr (1637) verstorbenen Philippus Cœsius,
einen Vetter des Dichters, dessen »Früzeitiges doch Seliges Absterben« von Zesen
in einer »Pindarischen Ode« beklagt wird[5]. — Ferner wird durch das Kirchenbuch Zesens Teilnahme an einer Priorauer Taufe am 27. August 1648 belegt:
»Martin Flemig und seinem weibe Maria einen Sohn (Martinus) getauft Paten
sind: Philippus Cæsius d<er> jünger<e> des Pfarrers Sohn . . .« Diese Eintragung vervollständigt ebenfalls bisher Bekanntes. Hatte doch Zesen in einem Brief
vom 21. April 1648 dem Fürsten Ludwig seine geplante Reise von Amsterdam ins
Sächsische angekündigt und ihm am 22. August seine Ankunft in Schierau gemel-
det; seine Aufnahme in die Fruchtbringende Gesellschaft stand damals bevor, und
gleichzeitig nutzte er die ländliche Abgeschiedenheit seines Elternhauses, um die
dritte, vollständig umgearbeitete und erweiterte Ausgabe seines *Helikon*, die 1649
im nahen Wittenberg erscheinen sollte, zum Abschluß zu bringen.

Die hier gegebenen Hinweise erschöpfen keineswegs das „Pestbuch" als biographische Quelle; denn abgesehen von lebensgeschichtlichen Anhaltspunkten, von
einer Profilierung des Charakters von Zesens Vater und der Entschlüsselung oder

---

[3] »Den 21. Aprilis als ich mit meinem Sohne Philippo nach Halla gangen, Martin
Starke und seinem Weibe einen Sohn (Michaël) getaufft . . .« Vermutlich fällt Zesens erster Schulbesuch in Halle in das Jahr 1631. Vgl. den von Andreas Daniel Habichthorst
zitierten Brief Zesens an seinen ehemaligen Haller Rektor Christian Gueintz in *Wohlgegründete Bedenkschrift über die Zesische Sonderbahre Ahrt Hochdeutsch zu Schreiben und zu Reden*. Hamburg 1678, S. 15 f.

[4] »Den 26. Aprilis als ich auffm Rückwege Von Halla gewesen Hansen Schönau
Undt seinem Weibe Maria einen Sohn getaufft, Paten sindt, mein Bruder hat ihn getaufft:«

[5] *Deütscher Helicon* / oder Kurtze verfassung aller Arten der Deütschen jetzt üblichen
Verse. Wittenberg 1640, S. D7v ff.

[6] G. Krause, *Der Fruchtbringenden Gesellschaft ältester Ertzschrein*. Leipzig 1855, S.
413—425.

Bestätigung einiger Örtlichkeiten und Personen in Zesens Leben und Dichtung bietet dieses erstaunlich gut erhaltene Kirchenbuch bisweilen Aufschlüsse über die Zeit der Pest und des Dreißigjährigen Krieges, in welcher der junge Zesen heranwuchs.